PARFUMVADER

Van Rosie Thomas verscheen eerder:

Sneeuwblind

Rosie Thomas

Parfumvader

H&W

Van Holkema & Warendorf
Unieboek BV, Houten/Antwerpen

ROMAN *je blijft lezen*

Oorspronkelijke titel: *If My Father Loved Me*
Oorspronkelijke uitgave: Arrow Books
Copyright © 2003 by Rosie Thomas

Copyright © 2005 Nederlandstalige uitgave:
Uitgeverij Unieboek BV,
Postbus 97, 3990 DB Houten

www.unieboek.nl

Vertaling: Corrie van den Berg
Omslagontwerp: Studio Eric Wondergem BNO
Opmaak: ZetSpiegel, Best

ISBN 90 269 8395 6/ NUR 340

Voor DCM
Met liefde, voor altijd

1

'Mijn vader was een parfummaker en bedrieger,' zei ik. 'Je zou hem leuk vinden. Dat doen alle vrouwen.'

Dat vertelde ik mijn vriendin Mel op een avond die op dat moment nog heel gewoon was.

We hadden afgesproken in een nieuw restaurant en ik was een halte te vroeg uit de ondergrondse gestapt en er in tien minuten naartoe gelopen. Het was zo'n onbestemde periode tussen winter en heel vroege zomer in, fragiel en te onuitgesproken, midden in de stad dan, om voor een echte lente te kunnen doorgaan. De platanen op de grote pleinen toonden een schuchter waasje groen en in de tuinen in de voorsteden moest de eerste kersenbloesem te zien zijn. Ik merkte op dat de hemel een bleekgrijze, bijna opaalachtige tint had, en stroken licht stonden tussen het beton van de gebouwen in als hoge pilaren.

Toen ik het restaurant binnenkwam, zat Mel al aan ons tafeltje op me te wachten. Ze had haar leren jasje aan en haar kroezige zwarte haar stond in spiralen alle kanten uit. Haar typerende rode lippenstift zag er vers uit, nog onaangeroerd door drank of eten. Ze stond op toen ze me zag en we omhelsden elkaar lachend, blij om het weerzien, blij met het nieuwe restaurant dat er een extra feestelijk tintje aan gaf, met het vertrouwde Londen achter de ramen, met de steelse nadering van de zomer, en niet te vergeten ook omdat het ons allebei goed ging.

Terwijl we gingen zitten, zei Mel: 'Laten we gauw een fles wijn en iets lekkers bestellen, dan kunnen we praten.'

Dit is wat Mel en ik elke keer weer tegen elkaar zeggen, althans iets dergelijks, al zolang we elkaar kennen, een jaar of vijf. Praten is voor ons het belangrijkste, eten en wijn komen op een goede tweede plaats. Door onze culinaire interesse hebben we elkaar ontmoet tijdens een kookcursus van een week, gegeven door een beroemde kookprinses in een afgrijselijk chic hotel in de Midlands. De eerste keer dat ik Mel zag, had ze haar zwarte krullen onder een witte koksmuts weggestopt op een manier die niets met behaagzucht te maken had, maar alles met het voornemen flink de handen uit de mouwen te steken; ik mocht haar meteen. Ze was bedaard bezig haar messen klaar te leggen terwijl de rest van de cursisten zich verderop verdrong in een poging de aandacht van de chef-kokkin op zich te vestigen. (Alleen maar mánnen natuurlijk, zei Mel.)

Ze straalde zelfvertrouwen en succes uit. Ze bleek heel goed te kunnen koken en liet zich in het geheel niet intimideren door de chagrijnige prima donna die geacht werd ons te inspireren. Ik was niet de enige daar die haar leuk vond, maar het was míjn kamer waar ze de avond van de tweede dag met een fles wijn naartoe kwam, en ik was het bij wie ze haar hart uitstortte. Mel Archer vertrouwde me toe dat het haar verschrikkelijk veel moeite kostte te accepteren dat ze nooit een kind zou krijgen, laat staan het kindertal van vijf dat ze als ideaal zag; haar uiterst vruchtbare moeder had dat wel gepresteerd. Mel had er erg veel verdriet van, het voelde alsof ze in de rouw was.

Ik vertelde haar op mijn beurt dat ik pas gescheiden was. Ik zat in verschrikkelijke geldnood, was behoorlijk depressief, had een dochter die in haar eentje alle clichés van puberale opstandigheid probeerde te belichamen, en een zoon van zes die in een moeilijke fase verkeerde. Een fase die begonnen was toen hij nog maar vier dagen oud was.

We hadden het geen van beiden makkelijk in die tijd.

'We zouden onze problemen moeten ruilen,' zei Mel.

Zij wist me aan het lachen te krijgen. We trokken nog een fles open en praatten en praatten. Aan het einde van de week keerden we terug naar Londen met wat dwaze recepten, het opgeluchte besef dat we nooit in een restaurantkeuken onder onze meesterkokkin hoefden te dienen en een vriendschap waarvan we beiden wisten dat die voor het leven was.

In de loop van de tijd heb ik haar alles verteld, maar tegelijk niets.

'Wat neem jij?' vroeg Mel nadat we het menu hadden bestudeerd.

'De pasta, denk ik.'

Ik weet altijd al heel snel wat ik wil eten. Terwijl ik wachtte tot Mel besloten had, keek ik naar de andere tafeltjes. Ze stonden dicht opeen en ik kon het een en ander opvangen van een paar gesprekken door elkaar heen. Er zat een stel dat duidelijk voor het eerst samen uit was; ze bogen zich gretig over hun bord naar elkaar toe. En er zat zo'n echtpaar dat elkaar niets meer te vertellen heeft. Aan onze andere kant zaten een luidruchtig kwartet oude vrienden en een clubje bestaande uit drie jonge vrouwen, van wie er een zich door een walm sigarettenrook naar de andere twee toe boog en zei: 'Let maar op, binnen een week of zes heeft hij spijt.' Haar rode nagellak had ongeveer dezelfde kleur als Mels lipstick.

Even schoot er een warm gevoel van genegenheid door me heen, niet alleen voor Mel maar ook voor de andere restaurantgasten; ik dacht aan al het gedoe dat eraan te pas kwam om hier bijeen te kunnen zijn, het probleem van het kwijtraken van de auto, het dubben over het aantal alcoholische consumpties, over wel of geen toetje. Ik was gek op de stad en ik vond het heerlijk om er middenin te zitten met Mel als gezelschap. Op dat moment zou ik helemaal niets in mijn leven anders willen.

'Wat dacht je hiervan? Jacobsschelpen met paddestoelen, dat vind ik altijd wel een goede combinatie,' zei ze, en nam eindelijk een besluit. 'Ja, dat neem ik.'

Een jonge ober nam onze bestelling op en Mel koos een fles Fleurie van de wijnkaart. Een andere ober kwam de wijn vervolgens inschenken, met een gevouwen servet om de hals van de fles, heel voorzichtig, om toch vooral geen druppel te knoeien op het tafelblad van gebleekt hout. Een nieuweling blijkbaar, het ontbrak hem aan zelfvertrouwen.

We klonken alvorens een slok te nemen.

'Hoe is het met Jack?' vroeg Mel. Ze trok een sigaret uit haar pakje Marlboro en stak hem aan. Toen leunde ze naar achteren om me op te nemen. Jack is mijn zoon.

'Wel goed,' zei ik omzichtig. 'En met Adrian?'

'Gaat wel.'

Adrian was Mels vriendje van het moment, als je het woord vriendje tenminste nog kunt gebruiken voor iemand die niet jong meer is. Althans niet jong zoals mijn dochter Lola jong is. Alhoewel, met haar twintig jaar is Lola zó helemaal van deze tijd, zó door de wol geverfd en van alles op de hoogte, dat ik soms het gevoel heb dat zij mijn moeder zou kunnen zijn in plaats van andersom.

Mel en ik zijn allebei de vijftig gepasseerd en we waren dan ook als het ware onzichtbaar voor bijvoorbeeld de jonge ober. Buiten zijn werk om dan, natuurlijk. De knul zag er goed uit. Hij had een gebronsde huid en strak achterovergekamd haar. Ik zag hoe hij achter het vrouwelijke trio langs liep en oogcontact probeerde te maken terwijl hij hun voorgerecht serveerde. Hij maakte blijkbaar een brutale opmerking, want ze begonnen alle drie te lachen.

Ik geloof niet dat iemand het ooit tegen me gezegd heeft toen ik nog zo jong was als Lola, maar je hebt zelf echt niet in de gaten dat je ouder wordt. Er komt een moment – dat zal voor iedereen weer anders zijn, afhankelijk van voorgeschiedenis en persoonlijke omstandigheden, maar mij gebeurde het op mijn zevenentwintigste – dat je ineens een volledig uitgegroeide persoon bent. De tijd verglijdt, je constateert wat je allemaal fout hebt gedaan, en je gunt het jezelf ook te bedenken wat je góéd hebt gedaan, maar intussen blijf je innerlijk dezelfde en realiseer je je niet dat er lichamelijk of geestelijk veranderingen zijn opgetreden. Onderhuids, een millimeter of zo onder mijn eroderende buitenkant, blijf ik altijd zevenentwintig. En daardoor krijg ik ook steeds weer een schok als ik in het warenhuis of waar dan ook in de lift sta en onverwacht geconfronteerd word met mijn spiegelbeeld, en gedwongen ben de discrepantie te onderkennen.

Mel en ik hebben het hierover uiteraard gehad. Dat we onzichtbaar zijn voor obers, vrachtwagenchauffeurs en bouwvakkers deert ons niet zo erg. Wat ons wel beangstigt, is de mogelijkheid dat we ons onze leeftijd plotsklaps bewust worden en het dan allemaal in één klap bekeken zal zijn. Stel je voor dat je je op een dag ineens geen zevenentwintig meer voelt, maar zevenenzestig, dat je knieën niet meer willen, dat je in je leunstoel sjaals gaat zitten breien en 's avonds het liefst vroeg in bed kruipt met een tuttig tijdschrift en een beker warme melk. Dat je van het ene moment op het andere verschrompelt tot een tandeloos besje.

'Ai, hou op, de film *Alien* is er niets bij,' zei Mel.

We maken samen altijd grappen over de dingen die ons dwarszitten. Wat moeten we anders?

Ik hief mijn glas opnieuw. 'Op het heden,' zei ik.

Het is nog niet zover, we zijn nog niet oud. Dat is wat deze toast wil zeggen, ondanks de waarschuwende spiegel in de lift en ondanks het besef dat het ervan zal komen, onafwendbaar.

'Op het heden,' viel Mel me monter bij.

De ober bracht onze bestelling. Hij had het bord met jacobsschelpen nog niet neergezet of Mel prikte haar vork erin om een flinke hap te nemen. Ik had *mezzalune di melanzane* uitgekozen: halvemaanvormige ravioli met een aubergine-vulling. We proefden eerst van ons eigen bord en wisselden daarna happen uit. Mel keurde mijn ravioli aandachtig en verklaarde dat ze hem nergens naar vond smaken. Ik was het met haar eens.

'Ga door,' zei ik.

We waren even tevoren over Adrian begonnen en ik keek nu naar haar gezicht terwijl ze verder vertelde over de problemen met hem. Ik wilde tegelijk ook genieten van de vrolijke ambiance, de zwoelte van de avond, de levendige gezichten van de drie vrouwen, de ober met de nonchalant om zijn middel geknoopte voorschoot. En dus vond ik het op dat moment prettiger om te luisteren dan om zelf te praten.

En er is die andere aanwezigheid. Een schaduw ergens achter in het vertrek, een zwart silhouet achter het vlakglasraam van het restaurant, een figuur die afwacht.

Ik kan hem zelfs ruiken, al is het een waarneming die zich niet in woorden laat vangen. Het betreft niet meer dan een voorgevoel, een wolkige geur ergens in mijn hoofd, bijna onnaspeurbaar, maar aanwezig.

Ik weet het nog niet, maar dit is niet zomaar een avond.

Mel zuchtte. 'Weet je, Adrian zou het liefst hebben dat ik hem voortdurend schouderklopjes geef en: "Goed gedaan, jochie" zeg, of anders "Maak jij je maar nergens zorgen over", althans, zo'n gevoel heb ik onderhand. Hij heeft aldoor behoefte aan bevestiging. Daar word ik zó moe van.'

'Misschien wil hij alleen maar de bevestiging dat je niet bij hem weggaat.'

'Jammer dan, maar die kan ik hem niet geven.'

We hadden het er al vaker over gehad. We wisselden een glimlach uit.

'Ik ben nou eenmaal verpest door het gelukkige gezinnetje waar ik uit kom,' zei Mel schouderophalend, en maar half voor de grap.

Mel is nooit getrouwd geweest. Ze is de middelste van vijf kinderen, haar twee oudere broers hebben haar altijd in de watten gelegd en haar twee jongere broers verafgoodden haar. Haar vader was als gynaecoloog zeer in trek en had een deftige praktijk in Harley Street, en haar ouders bezaten een huis op het platteland en een schitterend herenhuis in Londen. Elke winter ging de familie Archer skiën in Zwitserland en elke zomer gingen ze in Italië op vakantie; maar ik kende Mel toen nog niet. Haar moeder, inmiddels weduwe, woont tegenwoordig in stijl ergens in de wijk South Kensington, en haar broers doen het soort dingen dat telgen uit dat soort families gewoonlijk doen. Mel beweert altijd dat haar jeugd idyllisch was en haar vader zó lief en geweldig dat ze nooit iemand van zijn kaliber en met zijn talenten heeft kunnen vinden.

Dit heeft ze me allemaal verteld.

'Hoe was jouw jeugd?' vroeg ze toen we elkaar pas kenden en nog in de aftastingsfase waren.

'Héél anders dan de jouwe.'

En dat was de naakte waarheid.

Mels donkere wenkbrauwen gingen omhoog.

'Er was niks bijzonders aan,' loog ik. 'Er valt niet veel over te vertellen,' vervolgde ik, 'behalve dat mijn moeder toen ik tien was heel plotseling doodging. Daarna leidden mijn vader en ik een teruggetrokken leventje en uiteindelijk werd ik volwassen.'

'Wat erg,' zei Mel vol medeleven.

'Ja,' zei ik. Verder zei ik niets meer, want ik praat liever niet over mijn jeugd. Het verleden ligt achter me en daar ben ik blij om.

'Wat ben je van plan te gaan doen?' vraag ik nu, vanachter mijn ravioli.

'Met Adrian, bedoel je? Ik maak het uit of wacht tot het vanzelf uitgaat, denk ik.'

'Je houdt niet van hem.'

'Nee. Maar ik kan het goed met hem vinden en ik vind het fijn om bij hem in de buurt te zijn. Meestal dan.'

'Is dat niet genoeg voor je?'

Ze keek me aan, waarbij ze haar hoofd een beetje scheef hield, zodat haar zwarte krullen afstaken tegen de glanzend turkooizen muur van het restaurant. Als ik ze met mijn vingertoppen aanraak, dacht ik, springt er vast een vonk elektriciteit over.

Mel zei: 'Jíj bent hier degene die getrouwd is geweest en met nog een andere man heeft samengewoond. Vind jij het genoeg dan?'

Ik dacht even diep na over deze vraag. Toen Lola elf was en Jack drie, en toen ik nog met Tony getrouwd was, werd ik stapelverliefd op een man die Stanley heette. Het was niet zo dat ik niet om mijn man gaf, want dat was wel degelijk het geval. Al bijna vanaf het moment dat ik Tony leerde kennen, had hij me het gevoel gegeven dat ik in een beschutte haven was beland, veilig voor alle stormen die op zee raasden. Jarenlang geloofde ik ook dat dit was wat ik wilde. Tony was en is een goede man, en hij hield van ons alle drie. Maar soms hunkerde ik naar het gevaar van torenhoge golven en een woedende wind in mijn zeilen.

Stanley was iets van windkracht tien, zoveel was zeker. Hij was acht jaar jonger dan ik. Hij was een weinig succesvol acteur die als klusjesman de eindjes aan elkaar knoopte, en hij kwam bij ons in de keuken iets vertimmeren. Hij was knap om te zien en grappig, volstrekt onbetrouwbaar en onvoorspelbaar, en hij maakte een verlangen in me wakker dat ik voor en na hem niet meer gekend heb. Ik kon mijn ogen gewoonweg niet van hem afhouden, mijn handen trouwens ook niet. Als hij kwam opdraven, vertelde hij me hoe mooi ik was, dat ik hem bedwelmde, dat hij nog nooit zo naar iemand had verlangd. Ik kon mijn geluk niet op, het was zó'n verrassing voor me dat ik zoveel betekende voor iemand als Stanley, dat ik mijn aangeboren wantrouwen opzijschoof.

En als hij weer weg was, werd de hele wereld zwart. Ik probeerde mezelf voor te houden dat ik echtgenote en moeder was, dat wat ik voor Stanley voelde pure lust was en verder niets, maar ik wist dat het niet waar was. Als Stanley weer kwam, als ik met Stanley samen was, leek het alsof niets anders ertoe deed. Mijn kinderen niet, mijn man niet, mijn oude vrienden niet, ons hele sleetse, verkommerende leven van alledag niet. Wat ik wilde was dít, en iets anders wilde ik niet. Deze hartstocht, deze zaligheid was als merg voor me, al het andere dor gebeente.

Na twee maanden intense tweestrijd verliet ik Tony voor Stanley en nam de kinderen met me mee. Ik was er heilig van overtuigd dat ik niet anders kon.

Lola legde zich min of meer neer bij het voldongen feit waarmee ik haar confronteerde, en hoewel ze toen en ook daarna maar weinig van Stanley moest hebben, konden zij en ik het nog altijd goed met elkaar vinden. Lola bezat van jongs af aan een benijdenswaardig soort onafhankelijkheid. Jack was daarentegen van zichzelf al onzeker. Hij had vaak nachtmerries en at slecht, en toen zijn leven op zijn kop werd gezet, raakte hij geheel uit het lood. Hij is nu twaalf, maar heeft zijn evenwicht nog niet hervonden.

Tony en ik verkochten ons huis en van mijn aandeel in de opbrengst kocht ik een veel kleinere woning; Stanley trok bij ons in. Een paar maanden lang was ik zielsgelukkig, ondanks wat ik mijn kinderen en Tony aandeed. Maar toen begon alles langzaam, maar onafwendbaar de verkeerde kant op te gaan. Stanley nam steeds minder klusjes aan en hing ten slotte vrijwel alleen nog in de kroeg. Uiteindelijk werd hij door een reizend theatergezelschap aangenomen voor een rol in *The Rocky Horror Show*, maakte kennis met Dinah, die de rol van Janet speelde, en vertrok.

13

Ik was bang dat ik zonder hem zou doodgaan, maar ik vond ook dat ik niet beter verdiende dan dat hij bij me wegging.

Het is geen bijster origineel verhaal en ik bewaar geen trotse herinneringen aan dit deel van mijn leven. Ik heb spijt van wat ik gedaan heb en het spijt me ook dat het niet meer goed te maken is, niet voor Jack en Lola, en niet voor Tony. Als ik denk aan het verdriet dat ik mijn gezin heb aangedaan, draait mijn hart om in mijn lijf en zou ik willen dat ik de deuren naar mijn reservoir met herinneringen met een smak kon dichtgooien. Maar dat kan uiteraard niet en ik denk nog elke dag aan de schade die ik heb aangericht.

Maar ondanks dat, en op basis van ervaring, geloof ik echt – nu Mel het me gevraagd heeft – dat je in de liefde kunt schipperen, net als op andere terreinen. Als het moet, welteverstaan. Want het is veel beter om het niet te doen. Als je je onafhankelijkheid opgeeft om je leven met iemand te delen, hoort het zo te zijn dat de nieuwe situatie beter is dan wanneer je als alleenstaande verder zou gaan.

Als je een relatie hebt, hoort het zo te zijn dat je soms, niet aldoor natuurlijk, maar soms – wanneer je tegenover elkaar aan het ontbijt zit, of samen in de auto stapt, of vredig in elkaars armen ligt – even naar adem snakt door het heerlijke besef dat het feit dat je hier en nu met deze persoon samen bent alles een reden en betekenis geeft.

Dat is wat ik, net lang genoeg, vond van mijn samenzijn met Stanley.

Als er nooit van die momenten zijn dat je even naar adem hapt en lacht van geluk, en je gewoon maar aanmoddert, al je ergernissen en teleurstellingen bundelt en wegstopt, dan ben je in je eentje vast beter af.

'Is het genoeg om je leven te delen met iemand die je heel aardig vindt, maar van wie je niet houdt?' vroeg ik nog eens.

Mel knikte.

'Nee, het is niet genoeg,' zei ik.

'Natuurlijk niet,' beaamde ze.

Mel en ik wisten dat we boften, want we hadden al vaak over het onderwerp gediscussieerd. Wij hadden de mazzel dat we avondjes als deze hadden. Wij hadden een enorme keuzevrijheid: we konden werken, uit eten gaan, vakantie vieren, bij vrienden langs, een bioscoopje pikken, over politiek kibbelen, voor elkaar koken, lachen en een hoop kletsen. En af en toe een beetje doorzakken. Een heuse liefdesrelatie zou natuurlijk schitterend zijn, maar ik wist dat ik niets uit het bovenstaande rijtje zou willen opofferen voor een compromis, een surrogaat van liefde, zonder echte glans.

Ik bedacht ook dat Mel misschien wel een beetje anders tegen deze dingen aan keek dan ik. Ze had veel meer jacht gemaakt op passie dan ik, en heel wat vriendjes afgewerkt. Maar Mel had ook geen kinderen die haar energie opslokten; de uitputtingsslag die met de liefdesband tussen ouders en kinderen gepaard gaat, was haar onbekend.

Mels montere verklaring voor haar doorzettingsvermogen zou ongetwijfeld luiden dat ze nog altijd op zoek was naar een man die haar papa kon vervangen. Terwijl ik de mijne zo gedecideerd uit de weg ging dat ik nog nauwelijks banden had met het mannelijke geslacht. Behalve die met Jack dan.

Mels gedachten gingen blijkbaar dezelfde kant uit. En zoals zo vaak nog sneller. 'Vertel me nu eens over jóuw vader. Volgens mij heb je dat nog nooit gedaan, nooit echt in elk geval. Wat was hij voor iemand? Lijk je op hem?'

'Niet echt. Onze ogen en handen zijn hetzelfde gevormd.'

Haar vragen bezorgden me koude rillingen.

Ik had aan hem gedacht toen ik door de opaliserende avondlucht liep. Ik bespeurde zijn schaduw hier in het restaurant. Op deze avond, uitgerekend deze avond, bestond er geen enkele aanleiding voor, maar hij was al in mijn gedachten. Er was dat voorgevoel.

'Ga door.'

Ik vertelde haar met tegenzin dat mijn vader een parfummaker was, en een bedrieger.

Mel was een en al aandacht. Haar zwarte ogen waren strak op de mijne gericht en ik wist dat als ik meer zou zeggen, ze ingespannen zou luisteren. En stel dat ik om raad of constructieve opmerkingen verlegen zat, dan kon ik die ook krijgen. Maar mijn intuïtie instrueerde me – zoals altijd – mijn mond te houden en niets over mijn geschiedenis los te laten. 'Je zou hem vast mogen. Alle vrouwen zijn gek op hem. Hij was "neus" bij een parfumeriebedrijf.'

Blijf daar, blijf daar, wilde ik hem toeroepen. De schaduw werd langer naarmate hij dichterbij kwam.

'Ga door,' zei Mel nogmaals. Ze was nu al gefascineerd.

Op een voor de hand liggende uitzondering na – ik – werden vrouwen door Ted Thompson aangetrokken als door een magneet. Hij was om te beginnen knap: hij had het uiterlijk van een ster van het

15

witte doek uit de jaren veertig. Hij vond het heerlijk als iemand hem op Spencer Tracy vond lijken.

'Hoor je dat, Sadie,' zei hij dan verrukt. 'Die ouwe van jou? Wat zeg je me daarvan?'

'Ik zie het niet,' mompelde ik dan. 'Je ziet er gewoon uit als mijn vader.' Ik zou alleen willen dat hij dat ook was, gewoon mijn vader.

Wat hem voor vrouwen écht aantrekkelijk maakte, was zijn interesse in hen. Hij kon goed toneelspelen, en hij had een trucje: hij nam het gezicht van een vrouwelijk doelwit gewoonlijk tussen zijn handpalmen om in de nabijheid ervan even te snuiven, alsof de geur van haar huid de meest directe manier was om de eigenaresse te leren kennen. Dan sloot hij een ogenblik zijn ogen, vertrok zijn gezicht in een grimas van concentratie en mompelde: 'Ik zou zo'n geweldig parfum voor u kunnen creëren. Zoete topnoten van bloemen, die uw schoonheid weerspiegelen, maar een heel stevige basis, cederhout met aarde- en metaaltonen, omdat u zoveel kracht uitstraalt.'

'Het was zijn werk om essences, de bouwstenen van geur, te mengen en parfums te creëren. Hij zei dat het te vergelijken was met het maken van een schilderij: het neerzetten van stevige penseelstreken die een eerste indruk creëren, om vervolgens de details aan te brengen, licht en donker, om het soort geur te bereiken dat in het geheugen blijft hangen.'

Tijdens het praten dacht ik aan woorden uit mijn jeugd: grijze amber, muskus, vetiver. Niet de geuren of essences zelf, want ik heb Teds neus niet geërfd en zou ze nauwelijks uit elkaar kunnen houden, maar wel de pure klank van de woorden met hun fluweelachtige accent. Ik herinnerde me ze zoals andere kinderen zich misschien televisieprogramma's of de smaak van een ijsje herinneren, en ineens was ik weer tien jaar oud. Ik kon het getik van hakken op het akelige parket bij ons in de gang horen, en de ongesnoeide takken die door de wind tegen de erker van de voorkamer sloegen, alsof er nagels aan krabbelden.

'Waarom heb je me dat nooit eerder verteld? Het klinkt geweldig exotisch.'

'Ja.'

Teds wereld was op een bepaalde manier inderdaad exotisch. Maar dat zou je niet kunnen zeggen van de manier waarop ik in de marge ervan opgroeide.

'En hoe zit het met dat andere wat je zei? Dat hij een bedrieger was?'

'O, dat is maar bij wijze van spreken. Parfum is niets anders dan een belofte in een flesje, zei Ted altijd. Het is er alleen maar om een illusie te creëren.'

Ik begon me steeds onbehaaglijker te voelen. Ik wilde met Mel niet over mijn vader praten. We hadden lang geleden een stilzwijgende wapenstilstand gesloten, de oude illusionist en ik, en kletsen over hem en over zijn levenswerk, al was het maar met Mel, viel buiten de bepalingen ervan.

'Ik dacht dat de reuk de waarachtigste van alle zintuigen was.'

'De reuk misschien, ja. Maar parfum is bedoeld om te verhullen en te flatteren, en om de zintuigen op een dwaalspoor te brengen.'

'Net schoot me iets te binnen. Jij draagt nooit parfum, toch?'

'Nee,' antwoordde ik.

Mel had altijd een wolk van parfum om zich heen hangen. Ze was niet trouw aan een bepaalde geur, maar ze moest en zou een luchtje hebben. Ted gebruikte altijd reukwater. Hij had er een speciaal voor zichzelf gecreëerd en maakte er kwistig gebruik van. Ik vond het nooit echt bij hem passen. Te zilt en citrusachtig, te fris, te schoon, als zuivere buitenlucht; toen ik klein was zat het verschil tussen de man die ik kende en de geur die hij om zich heen had hangen me altijd dwars. Die geur kwam opeens in mijn hoofd opzetten, als een vooraankondiging van migraine.

'Waarom niet?'

'Ik vind de geur van huid lekkerder,' zei ik, en glimlachte. Ik dacht aan de geur van Lola en Jack als baby.

'Maar wat is de echte reden?'

'Er is geen andere reden,' zei ik.

Mel bekeek me een ogenblik en stak toen even haar hand op. Als ik niet over mijn vader wilde praten, zou ze me niet dwingen, en ik waardeerde haar tact. Maar tijdens de stilte die volgde drong tot me door dat het afgesloten onderwerp aanleiding was tot iets ongemakkelijks tussen ons. Mijn terughoudendheid had Mel gekwetst. Voor het eerst had ze gemerkt dat ik niet helemaal open tegen haar was. Wat betekende dat ze zich nu afvroeg of ik misschien nog meer voor haar achterhield en of ze me eigenlijk wel kende, of onze vriendschap wel zo hecht was als ze was gaan geloven.

Ik wilde haar hand pakken, haar zeggen dat ze er niet mee moest zitten.

Ik wilde haar verzekeren dat ik behalve mijn verleden niets voor haar verborg, en dat dit verleden er voor mij niet meer toe deed. Maar ik deed het niet en even later was het moment alweer voorbij. De ober met de gebronsde huid kwam onze borden wegnemen en vroeg aan mij of alles naar wens was geweest.

'Het was heerlijk,' mompelde ik. 'Alleen een beetje te veel.'

Mel leunde achterover en stak nog een sigaret op. De drie jonge vrouwen hadden een toetje besteld en gingen zich nu aan chocola te buiten. Het clubje oude vrienden was al opgestapt, ze spoedden zich waarschijnlijk naar huis om hun babysitter af te lossen. Het rumoer in het restaurant nam langzaam af.

'Hoe is het trouwens met je moeder?' vroeg ik.

Ze keek me aan alsof ze ging zeggen dat een zo overduidelijke manier om van gespreksonderwerp te veranderen beneden mijn waardigheid was, maar haalde toen haar schouders op. 'Ze is superlastig.'

Dit was geen nieuws. Mels charmante moeder had zich tot een zeer veeleisend oud dametje ontwikkeld. We praatten nog een poosje over haar door, tot de plotselinge kou tussen ons weer verdwenen was. We wisselden de laatste berichten uit over Caz en Graham, mijn oudste vrienden, die Mel inmiddels vaak had gezien en die ook haar vrienden waren geworden. Ze vroeg naar Penny, mijn zakenpartner, naar Penny's geliefde Evelyn, en naar Evelyns dochtertje, Cassie. Ik voorzag haar gretig van de gewenste brokjes informatie, want ik wilde alles tussen ons heel graag weer goedmaken.

En toen bestudeerden we samen de dessertlijst op de menukaart. Mels oog viel er het eerst op. Haar gezicht kreeg een verzaligde uitdrukking en ze begon te lachen. Ze wees het me aan.

Taartje met pecannoten, amandelen en walnoten (bevat noten).

Mel en ik waren verzamelaars van idiote of verkeerd gespelde aanduidingen op menukaarten. Lola vond het maar een zielig tijdverdrijf, echt iets voor vrouwen op leeftijd, maar voor ons was het een bron van onschuldig vermaak en dus trokken we ons er niets van aan. Deze nieuwste aanwinst hielp ons de twijfel vergeten die ik had opgeroepen met de muur waarmee ik mijn verleden omgaf.

'Ik mag dan allergisch zijn voor noten, maar ik neem het toch,' zei ik.

'Samen delen?'

'Oké.'

Terwijl we ons aan de notentaart te goed deden, praatten we over de belachelijke overheidsplannen voor de ondergrondse, over ons werk en over een film over Zuid-Amerika, die Mel met Adrian had gezien en waar ik ook graag naartoe wilde. Het mij zo dierbare, vertrouwde ritme van onze avonden samen was hersteld en het speet me dat ik het eerder had verstoord. Misschien zou ik ooit nog eens met Mel over Ted en over mijn jeugd kunnen praten, en misschien zou dat ook beter zijn. Maar nu niet, dacht ik. Nu nog niet.

Het was al elf uur toen we weer op straat stonden. Een frisse bries blies ons in het gezicht en deed ons huiveren na de warmte in het restaurant.

Mel trok de kraag van haar leren jasje op tot boven haar oren. 'Bel je me van de week nog?'

'Doe ik,' beloofde ik. Een warm gevoel van genegenheid overspoelde me en ik omhelsde haar vluchtig. 'Je bent een goeie vriendin.'

Ik zag haar witte tanden glanzen toen ze glimlachte. En ik rook de warme, muskusachtige nageur van haar parfum. Ik zou de naam ervan niet kunnen noemen, maar volgens mij was het een parfum dat ze heel vaak droeg.

'Mij kun je vertrouwen,' zei Mel.

'Doe ik ook.'

Ze raakte mijn schouder even aan, draaide zich toen om en zette er de pas in. Mel liep altijd snel. Ze vulde haar leven zo volledig mogelijk op, tot in alle hoekjes.

Ik liep, veel langzamer, in de richting van de ondergrondse. Ik vond het fijn om 's avonds laat met de ondergrondse te gaan en te kijken naar de minivoorstellingen die dronkelappen, giechelende meiden, hologige gothics en stelletjes op weg naar huis ten beste gaven. Ik voelde me nooit bedreigd. Ik hield zelfs van de geur van bier en friet en de gezellige rommel van verfrommelde kranten en gemorste chips op de grond. Vanavond lag er in een hoek van de coupé een sterk riekende oude zwerver te slapen, terwijl een groepje aangeschoten Australische meiden een partijtje treinvolleybal speelde met een rode ballon. Een homostel met meervoudige piercings keek misprijzend toe, maar de vagebond bewoog zelfs geen moment in zijn slaap.

De wandeling van de ondergrondse naar mijn huis was heel wat rustiger. Het licht van de straatlantaarns viel op geparkeerde auto's, afvalbakken en voortuintjes. Op deze route zag ik ooit aan het eind van een doodlopende zijstraat een vos. Hij stond stokstijf, met zijn neus in mijn richting en zijn oren gespitst. Ik vond hem verbazingwekkend groot. Nadat hij me bekeken had, draaide hij zich om en loste op in de duisternis. Vanavond zag ik alleen hier en daar een kat en een paar au pairs die gehaast terugkeerden na een avondje in de kroeg op de hoek van de doorgangsweg in onze buurt.

Onder het lopen dacht ik aan Mel en aan de kortstondige knik in onze relatie die ik vanavond had veroorzaakt; ik probeerde mezelf ervan te overtuigen dat het niet erg was, dat het niets te betekenen had, dat onze hechte vriendschap er niet onder zou lijden. Als Mel al een gebrek had, dan was het haar bezitterigheid; ze hechtte erg aan het idee dat ze een cruciale rol in het leven van haar vrienden speelde. Het gevoel te worden buitengesloten zou ze ongetwijfeld vreselijk vinden.

De huizen in mijn straat hadden allemaal souterrains en een trap naar de voordeur. Terwijl ik onder de knoestige takken van de geknotte linden door liep ving ik glimpen op van souterrainkeukens met tralies voor de ramen. Ik zag planken met boeken in nissen, de achterkant van computers en af en toe de flikkerende blauwe weerschijn van een televisie, maar achter de meeste kelderramen brandde al geen licht meer. Ik kwam aan bij mijn eigen huis en beklom de trap met mijn sleutels in de aanslag. In het huis brandde overal nog licht. Lola was blijkbaar nog op.

Ik stak de sleutel in het slot en deed de deur open. Voor me zag ik de gebruikelijke chaos van uitgetrapte schoenen, winkeltassen en de plastic kratten van de gemeente voor de inzameling van flessen en oude kranten. Lola's oude fiets stond tegen de muur in de gang, al gebruikte ze hem bijna nooit meer, en een van de drie lampen van de plafonnière was nog steeds kapot. Ik was al dagen van plan de ladder uit de kelder te halen om hem te vervangen.

Jack zat op de onderste tree van de trap, zijn gezicht een bewegingloze witte driehoek onder een stijf rechtopstaande haardos. Hij had zijn armen om zijn knieën geslagen en zijn kin rustte erop. Hij keek me strak aan.

'Jack? Waarom zit je daar? Waar is Lola?' Mijn stem had een scherpe klank. Zoals hij daar zat, in plaats van in zijn bed te liggen, wekte hij voornamelijk irritatie bij me op. Het was al bijna middernacht, hij hoorde allang te slapen. Hij moest nieuwe energie opdoen voor de volgende schooldag. En eigenlijk zou hij van alles moeten zijn dat hij niet was.

'Lola is op haar kamer.'

'Jij hoort ook op je kamer.'

Ik zette mijn tas neer en wrong me langs het stuur van de fiets.

20

'Waarom?'

Zelfs voor een jongen van twaalf zou duidelijk moeten zijn waarom middernacht geen goeie tijd is om op een tochtige trap te zitten in een huis waarin de centrale verwarming voor de nacht is uitgeschakeld. Maar het was nu eenmaal typisch Jack om volkomen serieus te vragen naar de bekende weg, alsof de meest simpele dingen aanleiding vormden tot een filosofisch debat. Dat wil zeggen, tot voor kort. De laatste tijd had hij de gewoonte aangenomen om bijna geen woord meer te zeggen.

Ik zuchtte. 'Toe, Jack, het is laat. Ga nou gewoon slapen.'

Hij kwam overeind en trok de mouwen van zijn pyjamajasje over zijn vuisten. Hij zag er klein en kwetsbaar uit. Hij zei: 'Er is iets ergs gebeurd. Opa heeft een hartaanval gehad.'

Ik draaide me om, langzaam, alsof de lucht om me heen zich verzette. 'Wat?' bracht ik uit.

'Mam, ben jij het?'

Er klikte boven een deur open en Lola verscheen boven aan de trap. Ze kwam naar beneden gerend.

'Wat?' herhaalde ik tegen haar, maar mijn gedachten raasden al verder vooruit.

Daar kwam het door. Daarom was hij vanavond in mijn geest opgedoemd. Ik had zijn reukwater geroken, zijn schim gezien vanuit mijn ooghoek, ondanks de uitgekiende verlichting in een nieuw trendy restaurant.

Was hij dan dóód?

Lola legde haar arm om me heen. Jack stond opzij van me met zijn hoofd gebogen, de tenen van zijn ene voet krulden op de vlekkerige mat van de gang.

'Het ziekenhuis belde om een uur of negen. Het Bedford Queen's. Daar is hij met een ambulance naartoe gebracht. Zijn buurvrouw was erbij. Hij had een uur eerder een hartaanval gehad. Hij ligt op de hartbewaking. De zuster die belde zei dat zijn toestand stabiel is.' Er stonden tranen in Lola's ogen. 'Arme opa.'

'We hebben geprobeerd je te bellen,' zei Jack beschuldigend.

Maar ik had vergeten mijn mobieltje mee te nemen. Het stond op mijn nachtkastje, in de oplader. Het schuldgevoel dat mijn nalatigheid onmiddellijk teweegbracht schoof ik van me af, dat was voor later. 'Is er een nummer dat ik kan bellen?' vroeg ik aan Lola.

'Op het blokje in de keuken.'

Ik liep de trap naar het souterrain af met de kinderen in mijn kielzog.

Het licht beneden was te fel. Er lagen kruimels en kranten op tafel en her en der stond vuile vaat.

'Ik bel vanwege mijn vader. Ted Thompson,' zei ik tegen de verpleegster van de Nelson-afdeling van het Bedford Queen's-ziekenhuis. Ze herhaalde de informatie die Lola me al had gegeven. 'Moet ik nu meteen komen?' vroeg ik. Ik keek niet naar mijn kinderen, maar ik wist dat Lola en Jack mijn gezicht nauwlettend gadesloegen. We hadden hun opa, mijn vader, al sinds Kerstmis niet meer gezien. We zagen elkaar meestal alleen met feestdagen, verjaardagen, diploma-uitreikingen, dat soort dingen. En we hadden regelmatig telefonisch contact, maar dat was dat. Ted leefde al zijn hele leven volgens zijn eigen regels.

'Ik zal het aan de zuster vragen,' zei de verpleegster. Even later kwam ze weer aan de lijn en zei dat hij rustig lag te slapen. Volgens de zuster kon ik beter 's ochtends komen.

'Morgenochtend vroeg ben ik er,' zei ik, alsof het iets was om goed nota van te nemen, en hing op. Lola zette een beker thee naast me op de eetbar.

'Dank je,' zei ik.

Jack hief zijn hoofd op. 'Gaat hij dood?'

Hij was in de tachtig. Natuurlijk ging hij dood. Zo niet meteen, dan toch binnenkort. Dat was de realiteit, maar ik had er geen rekening mee gehouden, want ik was er niet aan toe. Er was te veel nog niet gezegd en gedaan.

'Ik weet het niet.'

Ik zette mijn thee neer en spreidde mijn armen uit. Lola kwam tegen me aan staan en legde haar hoofd op mijn schouder. Ik streelde haar haar. Jack bleef een meter bij me vandaan, zijn ene hand kwam uit zijn pyjamajasje en begon de stof van de andere mouw ineen te draaien.

'Kom knuffelen,' zei ik. Zijn voeten schuifelden een paar centimeter naar voren, maar zijn hoofd, schouders en heupen bogen zich zo ver mogelijk bij me vandaan.

Na een poosje legde ik de stapel strijkgoed die op de bank lag op de vensterbank. Lola en ik gingen zitten om onze thee te drinken, terwijl Jack op een barkruk klom. Hij legde zijn vingertoppen op het blad van de eetbar en begon met kruk en al heen en weer te schommelen. De poten bonkten op de houten vloer en ik wilde hem toeschreeuwen op te houden, maar ik hield me in.

Uiteindelijk zei Lola kregel: 'Jack, zit stil.'

'Het is best wel moeilijk, hoor, om je evenwicht te bewaren,' zei hij.

Lola begon te sniffen. 'Als hij nou doodgaat? Ik wil niet dat hij doodgaat, ik hou van opa.'

'Ik ook,' zei Jack, die niet voor haar wilde onderdoen.

Dat was waar. Mijn kinderen hadden een ongecompliceerde, innige band met Ted. Ze plaagden hem op een goedmoedige manier met zijn halsstarrige gewoonten. Hij vergat hun verjaardagen niet en stuurde hun af en toe geld zonder dat ze erom gevraagd hadden. Ik benijdde hen stiekem omdat ze zo ongedwongen met elkaar om konden gaan.

Ik streelde Lola over haar hoofd. 'Laten we maar naar bed gaan,' stelde ik voor. 'Opa slaapt ook. Als zijn toestand verandert, bellen ze ons op. Morgen gaan we naar hem toe.'

Ik liep achter Jack aan naar boven en volgde hem in zijn slaapkamer. Hij ging in bed liggen, op zijn rug, en vouwde zijn armen onder zijn hoofd. Ik ging op het voeteneind zitten.

'Gaat het?' vroeg ik.

'Mogen we papa vertellen wat er aan de hand is?'

'Natuurlijk. Morgenochtend.'

Tony zou een doordeweeks nachtelijk telefoontje over zijn ex-schoonvader misschien niet zo op prijs stellen.

Jack draaide zich op zijn zij, keerde me zijn rug toe.

'Ik ga slapen.'

'Mooi zo.' Ik boog me over hem heen en gaf hem een kus op zijn oor, maar hij gaf geen sjoege.

In Lola's kamer hing een walm van sigaretten en wierook.

'Lo, heb je hier zitten roken?' Onnozele vraag.

'We hebben ons de hele tijd zitten opvreten, we zaten maar op jou te wachten.'

'Ik weet het. Sorry.' Zeiden andere moeders ook zo vaak sorry tegen hun kinderen? Ging het er in elk gezin zo aan toe als de kinderen niet meer zo klein waren? Of was dit alleen in míjn gezin het geval?

'Welterusten, mam.'

'Welterusten, lieverd. Ik hou van je.'

In mijn eigen slaapkamer knipte ik het lampje op mijn nachtkastje aan en trok de gordijnen dicht. Toen ging ik op bed liggen, zonder mijn kleren te hebben uitgetrokken. Ik staarde naar het plafond. Ik probeerde me het gezicht van mijn vader voor de geest te halen, maar het lukte me niet zijn gelaatstrekken duidelijk te krijgen. Ik zag niet meer dan een schim van hem.

'Niet doodgaan,' beval ik de donkere gedaante. 'Pas als ik met je heb kunnen praten.'

Ik had het koud, hoewel het warm was in de kamer. Ik wist dat ik bang was dat hij ertussenuit zou knijpen, maar het was van op een afstandje. Het was alsof ik niet bij mijn eigen hart kon om de angst vast te pakken, en de liefde die ermee gepaard ging. Ik kon tot niet meer komen dan een verdoofd, nuchter accepteren van de situatie, zonder een traan te laten, tot een knikje in de richting van echte gevoelens, alsof mijn emoties bij iemand anders hoorden.

2

Ze hadden hem in een klein kamertje apart van de zaal ondergebracht. Daar lag hij, op zijn rug, zijn hoofd gesteund door kussens. Ik zag dat zijn profiel scherper, beniger was geworden dan ik van hem kende, alsof lagen vet en spieren van zijn schedel waren afgeschraapt. Zijn neus leek groter en zijn huid, wasachtig bleek, lag strak over de beenderen gespannen.

Ik draalde in de deuropening, maar hij werd wakker, draaide zijn hoofd en keek me recht in de ogen. 'Hallo, Sade. Het spijt me. Stom gedoe.'

Ik glimlachte. 'Hallo, papa.'

De hele nacht en de hele weg hiernaartoe vanuit Londen was ik bang geweest voor dit moment. Ik was bang voor hoe hij eruit zou zien en voor wat we elkaar konden zeggen terwijl het spook van de dood om hem heen waarde. En nu ik hier was, zag ik dat er slangetjes zijn arm in gingen en hij met allerlei apparatuur verbonden was. Hij zag er ziek uit, maar desondanks niet zo heel erg anders dan anders, en ik zag er niet meer zo tegenop om over pijnlijke kwesties met hem te praten, maar was wel bang dat hij ertussenuit zou piepen voordat we ook maar een woord hadden kunnen wisselen.

Er stond een rode stoel van kunststof in de smalle ruimte naast zijn bed. Ik ging zitten en pakte een van zijn handen, mijn vingers verstrengelden zich met de zijne. We hadden elkaar maar zo spaarzaam aangeraakt. Ergens diep binnen in me was er de aandrang om een potje te janken, maar ik wist dat ik het niet zou doen. 'Hoe voel je je?'

Hij liet zijn tong over zijn lippen gaan. 'Gemangeld.'

'Wat is er gebeurd?'

'Pijn op mijn borst. Ik belde Jean Andrews en ze kwam meteen.'

Ik kende mevrouw Andrews. Ze was Teds buurvrouw. Zij was waarschijnlijk de buurvrouw die in de ambulance met hem was meegegaan. Hij had zijn eigen pyjama aan en op het kastje naast zijn bed lagen zijn bril en een paperback, dus blijkbaar had ze ook spullen voor hem ingepakt. Waarschijnlijk was zij de allernieuwste in de ris van Teds vriendinnen, of 'tantes', zoals ik ze van hem moest noemen

25

toen ik nog klein was, al vermoedde ik dat Jean alleen maar een oogje in het zeil hield en mijn vader haar krant leende, en hem weinig andere diensten bewees.

'Waarom heb je míj niet gebeld?'

Opnieuw bevochtigde hij zijn lippen. Er stonden ook een kan water met deksel en een plastic bekertje op het kastje en ik schonk wat water voor hem in en hield het bekertje vast terwijl hij er een slok uit nam. Daarna nam ik zijn hand weer in de mijne.

'Dank je wel. Ach, ik dacht, eerst maar even naar een kwakzalver, kijken wat die zegt, misschien is het wel loos alarm.'

Zijn woordgebruik deed de haren in mijn nek uitstaan, een klein beetje maar, zoals altijd.

Ted had in de oorlog bij de RAF gezeten. Hij was geen piloot, maar behoorde tot het grondpersoneel en hij werkte mee aan het onderhoud van Spitfires die werden ingezet bij de Slag om Engeland, al deed hij altijd nogal vaag over zijn precieze rang en verantwoordelijkheden. Terwijl hij zich aan de andere kant wel graag bediende van woorden als 'kist', 'roger' en 'wilco', alsof die afgezaagde kreten hem meer gewicht of status konden verlenen.

Hij leefde zoals zoveel oude mensen in toenemende mate in het verleden, met dit verschil dat er bij Ted grotendeels sprake was van fantasie. De grens tussen waarheid en illusie deed er eigenlijk ook niet zoveel toe, dacht ik. Niet meer, althans.

Mijn vingers omklemden de zijne steviger. 'Maar ik ben er nu,' zei ik.

'Hoe gaat het met mijn dotje? En met Jack?'

Toen Lola nog klein was, noemde Ted haar altijd zijn dotje. Hij vond het fantastisch om opa te zijn, al klaagde hij dat hij zich er zo'n oude man door voelde. 'Dat wordt een echte hartenbreekster,' zei hij altijd. 'Met die grote heldere kijkers van 'r.'

Ik had natuurlijk moeten zorgen dat hij zijn kleinkinderen vaker op gewone dagen te zien kreeg, niet alleen op de geijkte, die bol stonden van conventies en overspannen verwachtingen. Ik had mijn best moeten doen om mijn eigen jeugd te vergeten en de volgende generatie de kans te geven het beter te doen dan wij.

'Met Lola gaat het prima. Ze komt straks ook bij je kijken, of anders morgen. En met Jack gaat het ook goed. Hij heeft alleen nogal de pest aan school.'

'Dat had ik ook toen ik zo oud was als hij. Ik zat naast een jongen die Peter Dobson heette. Die schudde altijd expres met zijn pen zodat mijn werk onder de vlekken kwam te zitten, en na school wachtte hij me met een clubje vrienden op, haalde mijn boeken uit mijn tas en ging er met mijn stripblaadjes vandoor.'

'Ik geloof niet dat het er tegenwoordig op school beter op is geworden.'

Ik merkte dat ik een lam gevoel in mijn arm had en dat mijn pols pijn deed van de inspanning zijn hand zo losjes mogelijk vast te houden. Ik ging verzitten en hij vroeg: 'Zit je wel goed?'

'Ja, hoor. Maar lig jij wel lekker?'

Hij zuchtte, zijn dunne benen bewogen zich rusteloos onder de deken. 'Niet zo.'

Er kwam een verpleger binnen. Hij was jong en hij droeg een wit jasje en een witte broek. Hij keek naar de patiëntgegevens op het bord boven het bed en ik volgde zijn ogen. Een aantekening die met helblauwe viltstift over de uitgewiste gegevens van de vorige patiënt was gekrabbeld gaf aan dat het hier om Edwin Thompson, 'Ted', ging. 'Hallo, Teddy, ouwe jongen,' zei de verpleger terwijl hij de zakken controleerde waaruit vloeistof in mijn vaders arm druppelde. 'Ik heet Mike. Hoe voelt u zich? Niet zo goed?'

'Ik voel me zoals je kunt verwachten na een hartaanval,' antwoordde Ted. Ik glimlachte. Ted hield er niet van gekleineerd te worden, ook niet in een ziekenhuisbed.

'En wie is deze jongedame?'

'Ik ben zijn dochter.'

'Mooi, hoort u eens, ik moet uw vader temperaturen en zo en straks komen de artsen de ronde doen. Dus ik zou u willen vragen om naar de wachtruimte voor het bezoek te gaan. U mag weer bij hem als de artsen langs geweest zijn.'

'Ik wil zijn arts graag spreken.'

'Tuurlijk. Komt in orde.'

Ik liep over de zaal, langs allemaal oude, aan hun bed gekluisterde mannen, om in de kleine wachtruimte te gaan zitten.

Een uur later, een uur dat heel lang duurde, stak dezelfde verpleger zijn hoofd om de hoek van de deur. 'U kunt nu met de specialist praten, in de kamer van de hoofdzuster.'

Terwijl ik ernaartoe liep, kwam ik langs Teds kamertje. Hij lag nog in dezelfde houding, op zijn rug. Zijn ogen waren gesloten en het leek of hij in slaap was gevallen.

De cardioloog was een vrouw, en ze was jonger dan ik. Dat had me niet moeten verbazen, maar Ted had het over een kwakzalver gehad, alsof het over een man ging. En dat was ook typisch iets voor Ted: een specialist kon eigenlijk alleen maar een man zijn.

De arts stak me haar hand toe en schonk me de meelevende glimlach die bij haar beroep paste. 'Susan Bennett,' zei ze, en we schudden elkaar de hand.

Ik ging zitten op de stoel die ze me aanwees.

Ik herinnerde me de schaduw die de vorige avond het restaurant was binnengeglipt en merkte dat ik in mijn hoofd voortdurend de zin afdraaide: Nee, alstublieft, niet doen, zeg het niet, laat hem beter worden...

Susan Bennett legde uit dat het een ernstige hartaanval was geweest, ernstiger dan ze aanvankelijk dachten. Een groot deel van de hartspier was aangetast.

Ik luisterde aandachtig, met de bedoeling later wijs te worden uit wat er precies gezegd werd, maar ik begreep vrijwel meteen dat het niet nodig was te proberen tussen de regels door te lezen. Dokter Bennett vertelde onomwonden hoe het ervoor stond. Het was niet waarschijnlijk dat er blijvend herstel zou optreden, zei ze, gezien de schade die al was ontstaan. Dat hij zou sterven was niet zozeer een vraag, alleen wanneer dit zou gebeuren en wat er in de tussentijd gedaan diende te worden.

'Ik begrijp het,' zei ik. De stem in mijn hoofd was stilgevallen en alles wat ik nog hoorde was een daverende stilte.

Ik begreep dat dokter Bennett me een vraag voorlegde. Ze wilde weten hoe ik dacht over pogingen mijn vader te reanimeren, indien zich een volgende ernstige aanval voordeed. Wilde ik dat of moesten ze hem in vrede laten sterven?

'Ik... ik zou daar graag over nadenken. En er misschien met hem over praten. Wat gebeurt er normaal gesproken in dit soort situaties?'

Wat word ik geächt te zeggen, vroeg ik me af, nee, houdt u zich alstublieft afzijdig, doet u maar geen moeite hem te redden? Of: ik sta erop, hoort u me, uw team van deskundigen moet meteen met zijn brute paddles naar zijn bed snellen om hem met schokken weer tot leven te brengen.

'Ieder geval is weer anders,' zei ze behoedzaam. 'Het spijt me dat ik geen beter nieuws voor u heb.'

'Weet hij het?'

'We hebben hem niet verteld wat ik u heb verteld, als u dat bedoelt.'

'Hij is over de tachtig,' zei ik, alsof zijn leeftijd het op de een of andere manier minder erg maakte. Maar eigenlijk doelde ik op het treurige feit dat hij en ik zoveel jaren hadden laten voorbijgaan, totdat we zonder het te beseffen waren aangeland bij deze ene minuut waarin zijn arts me vertelde dat Ted weldra zou doodgaan.

Niettemin knikte ze. 'Misschien is het een goed idee als anderen uit de familie- of vriendenkring hem binnenkort komen opzoeken.'

'Hoe lang heeft hij nog, denkt u?'

'Ik weet het niet,' zei Susan Bennett. Het beviel me dat ze niet net deed alsof ze alles wist. 'We zullen alles doen om het zo comfortabel mogelijk voor hem te maken.'

Ik liep langzaam via de zaal terug naar zijn bed. Ik merkte op dat er een fijn laagje stof op de glanzende vloer lag en dat er hier en daar verf van de crèmekleurige bedden bladderde. Teds ogen gingen open zodra ik op de rode stoel was gaan zitten. Hij lag niet te slapen – hij had op me liggen wachten.

'Hoorde je wat die verpleger tegen me zei? Teddy, ouwe jongen,' mompelde hij vol afkeer.

'Ja, erg hè?' We lachten allebei. Ik boog me over zijn hand heen terwijl ik hem weer vastpakte, bestudeerde het patroon van gezwollen aderen en bruine vlekken. Ga alsjeblieft niet dood, wilde ik hem smeken. Alsof de keus aan hem was.

'Wat zei de dokter?'

'Dat je een hartaanval hebt gehad. Ze houden je aan de monitor omdat ze willen kijken wat er de volgende paar dagen gebeurt.'

'En verder?'

'Ze klonk optimistisch.'

Maar het was alsof mijn tong aan mijn verhemelte bleef kleven. Lafaard, lafaard, lafaard. Ik zou niet tegen hem mogen liegen, maar mijn vader en ik waren niet gewend om met elkaar te praten over zaken als liefde, schuld of teleurstelling. Zou ik daar dan nu mee moeten beginnen, plompverloren, met het oog op zijn naderende dood? Hoe moest ik het hem zeggen? Je gaat dood. En daarom wil ik je zeggen dat ik van je hou, ook al heb ik dat in geen veertig jaar gezegd. En dat ik van je hou ondanks alles wat er gebeurd is.

Ik beet op mijn onderlip tot mijn hele mond verschrikkelijk pijn deed.

Ted knikte alleen maar, vermoeid in de kussens weggezonken. Hij keek van me weg, naar het raam met als enig uitzicht de grijze zijkant van een gebouw en een beperkt stukje bewolkte hemel.

Als hij me nog iets vraagt, dacht ik, vertel ik hem de waarheid. Als hij wil weten of hij stervende is, dan vraagt hij het wel. Dan kunnen we elkaar omarmen. Ik sla mijn armen om hem heen en ik zal hem helpen en voor hem zorgen, wat er ook gebeurt.

Ik wachtte, probeerde te bedenken welke woorden ik zou gebruiken en luisterde intussen met een half oor naar de karretjes die in de gang werden voortgeduwd. Er liep een verpleegster langs met een stapel linnengoed in haar armen, en ik keek naar haar in zwarte kousen gestoken enkels die zich verwijderden.

Tussen ons heerste een langdurige stilte. Ik wreef over de rug van Teds hand met de muis van mijn duim en merkte op hoe los en perkamentachtig de huid aanvoelde. Hij zei niets, maar de spieren van zijn kin en nek bewogen, alsof hij het wel zou willen. Naarmate de minuten verstreken, kreeg ik steeds meer behoefte om te praten, al was het maar over iets onbenulligs, zolang we op de een of andere manier maar met elkaar communiceerden.

De laatste paar keer dat we elkaar gezien hadden, had Ted herinneringen opgehaald aan de oorlog en de moeilijke jaren erna, toen hij net met mijn moeder was getrouwd. Hij had het ook uitgebreid over de glorieuze jaren vijftig, de tijd waarin hij ontdekte dat hij zijn neus maar hoefde te volgen om een carrière op te bouwen waarin hij met machtige mannen en rijke vrouwen te maken kreeg. Hij sprak vol nostalgie over die gulden periode, maar vreemd genoeg deed hij erg nuchter over het talent dat hij bezat. (Hij liet zich nooit op een romantische manier uit over het mysterie van de parfumcompositie. 'Scheikunde, geheugen en geld, meer komt er niet bij kijken,' zei hij altijd. 'Vooral geld,' voegde hij er dan aan toe.)

Ik dacht dat ik hem nu misschien zou kunnen bereiken door over het verleden te beginnen, zelfs al begaf ik me daardoor in een moeras. Ik deed mijn uiterste best om tussen de scènes die zich in mijn geest opdrongen er een te vinden die een beetje neutraal was. 'Weet je nog die keer dat je me meenam naar het lab van Phebus?' vroeg ik. 'Ik was toen zes of zeven, geloof ik.'

'De ouwe Phebus,' zei Ted zachtjes.

Ik weet niet meer hoe het kwam dat Ted me die ochtend meenam naar zijn werk. Misschien was mijn moeder ziek, of moest ze ergens naartoe waarbij ze mij niet kon gebruiken. Buiten de schooluren om waren zij en ik meestal thuis in alle rust in de weer met onze dagelijkse beslommeringen, die we onmiddellijk in de steek lieten als Ted verscheen. Faye en ik hadden het met ons tweeën best gezellig, maar al vanaf dat ik heel klein was, had ik in de gaten dat er aan haar geluk iets ontbrak. Alleen als Ted er was, zag ik haar voluit glimlachen. De glimlach die ze voor andere mensen – buren die ze in het voorbijgaan sprak, winkelpersoneel – en zelfs voor mij reserveerde, had iets ingehoudens en weemoedigs. Omdat ik niet anders gewend was, dacht ik dat het in alle gezinnen hetzelfde was. Vaders gingen de deur uit en keerden uiteindelijk weer terug, met de geur van de buitenwereld nog om zich heen, en moeders en kinderen wachtten hem – de leven brengende spil van hun bestaan – lijdzaam op.

Die dag gingen Ted en ik met de dubbeldekker naar zijn werk, en ik zat dicht tegen hem aan in het bedompte, van blauwe rook vergeven bovengedeelte. Het was opwindend om zo hoog te zitten en door vuile ramen een directe blik te kunnen werpen in benauwde kantoorvertrekken en geheimenisvolle zit-slaapkamers met rommelig beddengoed achter kierende gordijnen. Phebus Fragrances was gevestigd in een niet al te groot pand aan Kingsland Road in Dalston, aan de rand van East End. Het leek een heel eind verwijderd van ons huis in een Noord-Londense buitenwijk. Aan één zijde van het gebouw stond de ruïne van een groot huis dat in de Tweede Wereldoorlog was gebombardeerd; het was zomer en de puinhopen gingen bijna schuil onder de paarsroze en roodpaarse bloemenpracht van vlinderstruik en basterdwederik. Het moet in een schoolvakantie zijn geweest, want op de open plekken speelden kinderen. Ik liep vanaf de bushalte hand in hand met mijn vader en ik had medelijden met die kinderen omdat ze niet net als ik op weg waren naar hun werk.

Anthony Phebus was Teds eerste leidsman in het parfumerievak. Ted noemde hem altijd 'de ouwe Phebus'. Ted was kort na mijn geboorte bij hem komen werken, aanvankelijk als boekhouder en kantoorchef, ook al wist hij nauwelijks iets van boekhouden af en had hij ook geen noemenswaardige kantoorervaring. Na de oorlog had hij allerlei baantjes gehad, variërend van vrachtwagenbestuurder tot automonteur, maar toen ik geboren werd, vond hij het tijd worden voor een heuse loopbaan. Hij solliciteerde bij meneer Phebus en maakte zo'n indruk met zijn gegoochel met cijfers, dat hij onmiddellijk werd aangenomen. Ik kende dit deel van het verhaal door en door, want Ted vertelde het maar al te graag, voortdurend knipogend.

'Ik leerde het al doende.' Hij glimlachte. 'Een betere manier bestaat er niet. Je weet niet of je iets kunt totdat het moet, en als iets eenmaal moet, sta je ervan te kijken wat je allemaal kunt.'

Hoe het ook zij, Ted was slechts een blauwe maandag met de kasboeken en archiefkasten op het kantoor in de weer. Anthony Phebus was leverancier van geurtjes. Parfumeriehuizen die een nieuw parfum wilden uitbrengen of fabrikanten van bijvoorbeeld gezichtspoeder of shampoo, die een geur zochten om een nieuw product cachet te geven, gaven meneer Phebus opdracht die te ontwikkelen. De oude man, die vrijwel geen personeel had en alleen het allernoodzakelijkste in zijn bedrijf investeerde, ging dan in zijn laboratorium aan de slag; hij mengde, snoof, peinsde en mengde opnieuw tot hij uiteindelijk een receptuur had die hij aan zijn opdrachtgever verkocht. Soms fabriceerde hij de parfumolie zelf. Hij goochelde dan met geld en leningen om voldoende grondstoffen te kunnen aanschaffen, precies zoals hij aan het goochelen was om de ingrediënten voor zijn nieuwste creatie in balans te krijgen. Cosmeticafabrikanten wisten dat hij hun zou geven wat ze van hem verlangden. Al snel na zijn intrede in het bedrijf begon Ted hem bij het ontwikkelen van nieuwe geuren te helpen. Phebus Fragrances was bij lange na niet zo bekend of geliefd als Chanel of Guerlain, maar de oude man wist het hoofd boven water te houden.

Toen wij die dag aankwamen, zat meneer Phebus achter zijn bureau in zijn rommelige kantoortje, dat eigenlijk meer een hok was; hij kwam er meteen achter vandaan om mij een hand te geven. Zijn wenkbrauwen vond ik angstaanjagend. Ze waren spierwit en staken als stugge borstels uit zijn voorhoofd.

'Zo, juffie Sadie, jij komt vandaag zeker heel hard werken om mij rijk te maken?'

Ik keek op naar Ted, niet wetend wat ik moest antwoorden, en die gaf me een knipoog, gevolgd door zijn brede glimlach.

Het 'lab', zoals meneer Phebus en Ted de ruimte onveranderlijk aanduidden, bezat geen ramen en tegen de wanden waren van de vloer tot aan het plafond metalen planken afkomstig uit het leger, bevestigd. Op deze planken stonden honderden en nog eens honderden flesjes van bruin glas met een schroefdop, strak in het gelid. Elk flesje was voorzien van een etiket of nummer in het keurige, buitenlands aandoende handschrift van de oude man. Midden in het vertrek stond een doodgewone houten tafel met daarop nog meer flesjes in een halve cirkel gerangschikt, een rijtje aantekeningenblokjes en pennen, een weegschaal en een aantal potten gevuld met platte witte potloden, althans dat dacht ik. Er was ook een gootsteen met een druppende kraan en aan het plafond brandden felle lampen.

'Dit is de plek waar we onze magie bedrijven, hè?' Meneer Phebus lachte. 'Hier leert jouw brave vader dromen voor mooie vrouwen maken.'

Ik vond het niet prettig dat hij het over mooie vrouwen en hun dromen had, die wilde ik niet in verband gebracht zien met mijn vader. De enige vrouwen met wie hij iets te maken mocht hebben, waren mama en ik. Ik perste mijn lippen strak opeen en wachtte zwijgend op wat er zou gaan gebeuren.

'Ga maar op deze stoel zitten, juffie,' zei meneer Phebus, en ik deed wat me gezegd werd. Meneer Phebus had niet alleen afschrikwekkende wenkbrauwen, hij praatte ook nog eens raar, met een heleboel z-klanken. Toen ik ouder was, hoorde ik dat de oude man chemisch analist in Warschau was geweest en al voor de oorlog met zijn vrouw naar Londen was verhuisd. Hij begon er bij een cosmeticabedrijf en werkte zich op tot parfumeur door keihard te werken.

'Jouw vader, meneer Ted, heeft wat wij een "neus" noemen,' verkondigde meneer Phebus plechtig.

Ik weet nog dat ik toen naar mijn vaders gezicht keek en vond dat het mooi was, vergeleken met dat van meneer Phebus. Ik was trots dat hij zo jong en knap was. Maar zijn neus vond ik niet direct opmerkelijk. 'Heb ik ook,' zei ik daarom, terwijl ik het puntje van de mijne tussen mijn vingers nam en erin kneep.

'Dat zullen we dan nog wel eens zien,' zei de oude man. Ik vond het maar stom van hem dat hij het niet meteen zag.

We zaten nu gedrieën aan de houten tafel en Ted gaf me mijn eigen pot met platte witte potloden. Nu zag ik pas dat het in werkelijkheid strookjes dik vloeipapier waren, van hetzelfde formaat als de lange lucifers die mijn moeder gebruikte om het gas aan te steken. Meneer Phebus zette al neuriënd een rijtje flesjes voor ons op een rijtje. Hij schroefde met een zwierig gebaar de dop van een ervan en zei me mijn geurstrookje te pakken. Ik keek naar Ted en hij wees naar de witte papieren staafjes. Meneer Phebus had er al een in zijn hand en terwijl ik toekeek doopte hij het uiteinde ervan behoedzaam in de vloeistof in het flesje.

'Nu jij,' zei hij. Ik deed hem precies na toen hij zijn geurstrookje naar zijn neus bracht en inademde. Zijn wenkbrauwen gingen op en neer en ik keek weer naar Ted, omdat ik het liefst zou gaan lachen. Mijn vader hield zijn wijsvinger tegen een van zijn neusgaten en knipoogde opnieuw. Ik snoof luidruchtig aan mijn strookje, zoals meneer Phebus had gedaan. Een dichte, zoete wolk vulde mijn neusgaten onmiddellijk en stoof door de verborgen holten van mijn gezicht, tot de geur mijn hersens als met een knellende band omhulde. Ik hoestte en deed mijn ogen dicht, en terwijl ik mijn hand haastig terugtrok, verloor de geur aan kracht, hoewel in mijn voorhoofd een drukkend gevoel achterbleef en mijn neusslijmvliezen nog naprikten.

'Wat is dat?' fluisterde ik.

Meneer Phebus zei: 'Lavendel. Dat wordt een van de topnoten van de geur waar we vandaag aan werken.'

'Rozen zijn roze, lavendel is blauw...' Het was een versje dat ik op school had geleerd en deze onverwachte connectie deed me plezier. Maar meneer Phebus hief zijn hand en keek streng. We waren aan het werk. Het lab was niet de plek voor rijmpjes of andere zaken die de concentratie konden verstoren. Hij schroefde een ander flesje open en we herhaalden de procedure van het indopen van de strookjes en het snuiven. Deze geur was behalve sterk ook nog smerig, iets als kattenpis of de lucht van de bruinbetegelde toiletten bij mij op school. Ik trok een vies gezicht.

'Cassie,' zei meneer Phebus. 'Heel belangrijk. Je moet goed onthouden dat niet alle parfumessences lekker ruiken. Vaak gebruiken we sensuele, sterk riekende dierlijke geuren zoals muskus en civet als basisnoten om de structuur te verankeren. Mannen en vrouwen zijn immers ook dieren, weet je, en allemaal reageren we op dezelfde manier.'

Ik keek hem vragend aan; ik begreep er niks van.

De deur ging open en een vrouw met opgestoken haar stak haar hoofd naar binnen. 'Telefoon voor meneer Thompson,' zei ze.

Op de houten zitting van mijn stoel beefde ik zowat van verrukking, zo gewichtig klonk het. Wij hadden thuis geen telefoon. Ted sprong overeind en liep de deur uit, zonder eraan te denken zijn hoofd naar mij om te draaien. Meneer Phebus maakte nog meer flesjes open en beduidde mij om mijn strookje erin te dopen en te ruiken. Sommige roken naar bloemen die geplet en geperst waren om ze een sterke in plaats van een zoete, milde geur te geven, andere verrasten me; ze deden me denken aan sinaasappelschil, of aan Kerstmis, of aan de zee bij Whitstable, waar we een keer 's zomers met vakantie waren geweest. Toen mijn vader terugkwam, lagen er tien gebruikte strookjes voor me op tafel. Ik begon me langzamerhand al te vervelen en voelde me een beetje misselijk.

'Nou, juffie,' zei meneer Phebus terwijl hij aan een van zijn stekelige wenkbrauwen trok, 'let maar niet op je vader. Weet je nog welke de lavendel was?'

De uiteinden van de tien strookjes waren inmiddels verkleurd of doorzichtig geworden door de ingetrokken olie. Ik staarde naar de schamele resten van wat me op weg had kunnen helpen en pakte toen onwillig verschillende strookjes op om er nog een keer aan te ruiken. Mijn hoofd was een grote warboel van te veel sterke geuren. De strookjes roken nu minder sterk; de verschillende geuren en de namen die meneer Phebus had opgesomd vormden een hopeloze brij. Ik sloeg er maar een slag naar. 'Deze?'

'Nee, nee, dat is jasmijn.'

Ted lachte en liet zich weer op de houten stoel naast de mijne zakken. Hij leunde met zijn armen gevouwen naar achteren, balancerend op twee poten, precies zoals ik thuis van mijn moeder nooit mocht. Mijn ogen prikten. Ik had hem in de steek gelaten, zo voelde het.

'Geeft niet, hoor,' zei meneer Phebus, 'als je maar goed je best doet, leer je ze wel uit elkaar te houden. Mij is het ook gelukt. Het heeft me jaren hard werken gekost om de duizenden noten te leren herkennen. Zo noemen we de verschillende basisgeuren: noten. En dat is nog maar het allereerste begin van wat een parfumeur allemaal moet weten. Hij moet ook nog andere dingen kunnen en hij moet eerst en vooral het soort verbeelding bezitten dat hem tot een geurenkunstenaar maakt en niet zomaar een technicus.

Ik ben op mijn manier een beetje een kunstenaar, een kunstenaar van het vierde of misschien het derde garnituur. Jouw vader daarentegen...' – hij pauzeerde even om zijn woorden meer kracht bij te zetten – 'jouw vader is een natuurtalent. Hij hoeft een noot maar één keer te ruiken en dan kent hij hem. En zijn kunstenaarschap zit niet alleen in zijn hart maar ook in zijn hoofd, en daarom weet hij wat hij moet toevoegen of weglaten om aan deze flesjes, aan deze allesbehalve romantische glazen dingen, de dromen van vrouwen te ontlokken.'

Al weer die vrouwen met hun dromen. Ik werd heen en weer geslingerd tussen trots en een nieuw soort onbehagen dat voortkwam uit een nog niet geheel bewust besef. Het gevoel van onveiligheid dat ermee samenhing beviel me helemaal niet.

'Hij moet natuurlijk nog een heleboel leren. Hij zal nog jaren en jaren moeten oefenen.'

Ted lachte luidop, een en al opgetogenheid. 'Dan moesten we maar eens gauw verdergaan.' In die tijd was hij voortdurend enthousiast. Hij wreef in zijn handen, maakte een klakkend geluid met zijn tong, blakend van levenslust. Ik wist toen nog niet wat hem dreef, maar ik wist al wel dat mijn moeder volslagen anders was dan hij. Ik hield van haar, natuurlijk, en haar genegenheid voor mij aanvaardde ik als iets vanzelfsprekends, maar ze miste de bezieling die zo kenmerkend was voor mijn vader. Ze was er altijd en ik had pas in de gaten dat ze er altijd was geweest toen het ineens niet meer zo was. Op een ochtend was ze er nog, en op de middag van diezelfde dag was ze er ineens niet meer, en ze zou er ook nooit meer zijn. Zo plotseling was haar dood; ze had een hersenbloeding gehad. Later, als ik aan haar terugdacht, herinnerde ik me hoe stil en ingetogen ze altijd was geweest. Zij was het die mijn haar altijd borstelde en het opbond met linten, en terwijl ze daarmee bezig was keek ze omlaag of een andere kant op, maar nooit naar ons evenbeeld in de spiegel van haar niervormige toilettafel. Ze droeg onopvallende truitjes en saaie rokken die tot haar kuiten reikten en haar mooie benen verhulden. Voordat ze geheel en al van ons wegging, was het alsof ze haar leven maar zeer gedeeltelijk leefde. Terwijl Ted letterlijk barstte van levensvreugde en haar en ook mijn leven af en toe onder stroom zette.

Meneer Phebus zei: 'Laten we Black Opal drie en vier er dan maar bij halen.'

Ted haalde wat flesjes van de planken en ze namen hun notitieblokjes en potjes papieren strookjes erbij. Samen begonnen ze te ruiken en te mompelen, en ik luisterde met een half oor naar de vreemde woorden die over me werden uitgestort. Ze hadden het over hart, basisnoten, aldehyden, fonkeling en synthese, en namen van natuurlijke essences en veellettergrepige chemische aanduidingen van synthetische geurstoffen rolden in een voortdurende stroom van hun lippen. Woorden als fenylethyleen en galaxolide waren aan mij niet besteed, maar de geheimzinnig klinkende prachtige namen van natuurlijke stoffen als vetiver, muskus en mimosa bleven me wel bij.

En ik herinnerde me ze nog steeds terwijl ik aan mijn vaders bed zat en zijn droge hand vasthield. De namen, niet de geuren. Ik zakte voor de eerste de beste test van meneer Phebus en wist dat ik geen kunstenaar was, zoals Ted.

Ik praatte te veel, besefte ik ineens. Het was vast te vermoeiend voor hem. 'Weet je het nog?'

'Hoe oud was je toen?' vroeg hij. Zijn benen bewogen rusteloos en zijn gezicht was vertrokken van de inspanning om het zich te herinneren.

'Zes of zeven.'

'In '56 dus.'

Het deed me deugd dat hij zich het jaar van mijn geboorte blijkbaar herinnerde. Ik had er geen geld om willen verwedden. 'Ja.'

'We werkten toen onder contract voor Coty.' Hij bewoog zijn hand in de mijne, alsof hij naar iets wilde grijpen, en ontspande hem toen weer. 'Ik kan me die dag niet meer herinneren. Je zult je wel verveeld hebben.'

Wat zijn we toch beleefd tegen elkaar, dacht ik. Terwijl we als een woeste zee zijn, kolkend onder een dunne laag ijs.

Terwijl de oude man en mijn vader doorgingen met ruiken en aantekeningen maken, begon ik me inderdaad te vervelen en op mijn stoel te wiebelen. Ik maakte een wigwam van papieren strookjes en toen die dreigde om te vallen, maakte ik een onverhoedse beweging om dit te voorkomen en stootte daarbij een flesje om. Het rolde over de tafel en bleef vlak voor Ted liggen.

Hij keek op, zijn voorhoofd vertoonde rimpels van irritatie en zijn ogen stonden koud. Het was een blik die ik al té vaak gezien had. 'Waarom ga je niet bij juffrouw Mathers op de kamer zitten?'

Juffrouw Mathers was de vrouw met het opgestoken haar. Ik had haar en mijn vader samen zien lachen en ik had hem Babs tegen haar horen zeggen, maar ik begreep dat ze voor mij juffrouw Mathers was. Ik stond gehoorzaam op.

Juffrouw Mathers gaf me een paar potloden en wat vellen papier om op te tekenen en ging toen weer door met haar typewerk. Ze draaide vellen postpapier met het briefhoofd van de firma, met bleekroze en bleekgroene doorslagen tussen carbonpapier, in haar zwart met gouden typemachine en rammelde er driftig op los. Een keer of twee pakte ze tussendoor de telefoon op met een zangerige stem: 'Phee-ee-bus Fragances.'

Om halfeen gingen Ted en ik de deur uit. Na het schemerlicht binnen was het zonlicht zo fel dat ik met mijn ogen knipperde. We slenterden over Kingsland Road naar een pub, waar ik buiten op een bank in de zon zat terwijl Ted binnen was. Omdat het allemaal zo nieuw voor me was, raakte ik weer helemaal opgewonden en begon mijn benen heen en weer te zwaaien zodat mijn witte sokjes opflitsten. Ted kwam naar buiten met een glas limonade en een kaassandwich voor mij en een groot glas bier en een sandwich met ham en pickles voor zichzelf. Hij nam een fikse teug en veegde het schuim van zijn kortgeknipte snorretje. Toen haalde hij een pakje Players uit zijn zak en stak er een op. Hij blies de rook uit in een lange pluim en zuchtte van voldoening. 'Mondje dicht, hoor,' zei hij tegen mij, terwijl hij zijn wijsvinger tegen zijn lippen legde. 'Bier en saffies zijn niet zo best voor de néús, weet je.'

Dat hij me in het complot betrok, vervulde me met ontzag. De oude man en juffrouw Mathers zouden me op de pijnbank moeten leggen om een bekentenis over mijn vaders lunchgewoonten van me los te krijgen.

De middag van die dag verliep net als de ochtend, alleen leken de uren nog langer te duren. Mijn vader en de oude man hadden zich samen teruggetrokken in de beslotenheid van het lab en juffrouw Mathers besteedde nauwelijks aandacht aan me. Ik zat maar zo'n beetje te tekenen en bekeek glanzende folders met foto's van vrouwen en blikjes talkpoeder. Maar toen mijn vader en ik eindelijk in de bus over Holloway Road richting huis reden, was ik opgetogen. De nieuwe woorden die ik had geleerd zongen nog na in mijn hoofd: mimosa, muskus, amber. Meneer Phebus had me een opgevouwen briefje van tien shilling gegeven toen Ted me had meegenomen naar zijn kantoortje om gedag te zeggen. Maar het allermooiste was dat ik het gevoel had dat ik een nieuw soort band met Ted had gekregen.

Daarvóór was hij 's ochtends de deur uit gegaan en 's avonds weer teruggekomen met zijn krant, een kus voor mijn moeder en een grapje voor mij. Hij bracht andere klanken en geuren, een heel andere sfeer met zich mee, maar ik had tot dan toe geen beeld gehad van waar hij dan was geweest. Heel vaak was hij er ook 's avonds niet, of was hij dagen achtereen weg, omdat hij voor meneer Phebus op pad was.

Maar na die dag voelde ik me ook onderdeel van zijn andere bestaan. Toen we van de pub waren teruggelopen naar zijn werk rook zijn adem naar bier en daarom had hij ergens wat penny's in een kauwgomautomaat gestopt. Terwijl we diagonaal tussen de puinhopen van het gebombardeerde huis door naar de achterdeur van de firma liepen, kauwden we allebei op zo'n wit kussentje. En ik had hem grapjes horen maken tegen juffrouw Mathers, ook al vond ik het flemend-plagerige geluid dat in zijn stem kwam als hij het tegen haar had maar niks. Op voorstel van juffrouw Mathers had ik om vier uur de pot thee naar het lab gebracht. Ted en meneer Phebus zaten allebei in hun hemdsmouwen en overal om hen heen lagen volgekrabbelde papiertjes en gebruikte strookjes, dus ik begreep wel dat ze het veel te druk hadden om aandacht aan mij te besteden. Ik verdroeg dit bewijs van mijn nietigheid met gepaste nederigheid.

De indrukken die ik die dag had opgedaan, bleven me nog jaren bij. Ze waren bepalend voor mijn ideeën over wat werken was: iets wat erg exotisch was maar op de een of andere manier lag ingebed in saaie uren die voortkropen. Toen die dag voorbij was en Ted en ik over het tuinpad naar ons huis liepen, waar mijn moeder op ons wachtte, sloot ik mijn opwindende nieuwe bewustzijn in mezelf op.

Mijn vader was een rasartiest. Hij was een neus.

Die avond deed ons huis kleurloos, klein en al te vertrouwd aan, en mijn moeder leek nog stiller dan anders. 'Wat heb je vandaag gedaan?' vroeg ze toen ze mijn haar borstelde. De lakens op mijn bed waren gladgestreken en ik hoefde niet te kijken om te weten dat mijn kruik met de konijnenhoes eromheen op dezelfde plek als altijd lag.

'O, getekend,' antwoordde ik ontwijkend. Ik wilde de ervaring met niemand delen, zelfs niet met haar.

'Mooi zo.'

Ik vroeg haar niet waar zíj die dag was geweest. Misschien was ze wel naar de dokter omdat ze zo vaak hoofdpijn had. Soms zagen haar ogen er dan rood en gezwollen uit en moest ze op bed gaan liggen: een klein figuurtje, ineengedoken op de groene chenille sprei op het grote bed, met haar rug naar de deur toe gekeerd.

'Ik heb me helemaal niet verveeld,' zei ik nu tegen Ted. 'Ik vond het heerlijk.'

'Hij was een goeie parfumeur, die ouwe man, een echte vakman. Van hem heb ik alles geleerd waar ik wat aan had. Alleen geen neus voor zaken. Totaal niet.'

Ik moest me naar hem toe buigen om hem te kunnen verstaan. Zijn stem leek niet meer dan een echo van zichzelf en zijn ogen zakten langzaam dicht. Ik dacht dat hij in slaap viel en ik moest me ervan weerhouden om zijn hand te grijpen en die hard te schudden om hem maar bij me te houden. Ik keek naar het zachte rijzen en dalen van zijn borst onder zijn pyjamajasje.

Toen deed hij zijn ogen met een ruk weer open en worstelde om overeind te komen. 'Het stinkt hier,' klaagde hij. Zijn neusgaten verwijdden zich en de lijnen bij zijn mondhoeken werden diepe groeven terwijl hij ze naar beneden trok. Ik snoof even en bespeurde vaag een geur van braaksel met een nog zwakkere lucht van fecaliën erdoorheen. Als ik dit al rook, moest het voor Teds gevoelige reukorgaan inderdaad geweldig stinken.

Ik nam zijn hand tussen de mijne. 'We hebben iets sterks nodig om de stank te overstemmen. Ik heb een idee. Zal ik wat parfum gaan kopen om hier rond te spuiten?' Ik hoorde de valse vrolijkheid in mijn stem kraken en trillen als ijsschotsen in zee, terwijl verdriet opwelde. 'Wat wil je? Joy? Vent Vert? Of een van je eigen geuren? Wat dacht je van Black Opal. Of Iridescent?'

'Ik heb al meer dan genoeg parfum in mijn leven opgesnoven,' zei Ted geprikkeld.

Ik boog mijn hoofd en wachtte. En toen ik eindelijk weer opkeek om naar zijn gezicht te kijken, zag ik dat hij nu echt in slaap was gevallen.

Ik ging naar beneden en naar buiten, naar het parkeerterrein voor bezoekers, om met mijn mobieltje te kunnen bellen. Ik belde Lola om haar te vertellen hoe het ervoor stond.

'Ach, god, mam, wat erg. Arme opa. Ik bel wel even naar mijn werk om van dienst te wisselen,' zei ze meteen. Als ze vrij had van de universiteit werkte Lola in een bar. Wat een geluk dat ze thuis is, zei ik bij mezelf, en niet in Manchester voor haar studie. We spraken af dat ze Jack met haar auto van school zou halen en dat ze dan meteen zou doorgaan naar het ziekenhuis.

'Rij je voorzichtig?' zei ik nog.

'Natuurlijk rij ik voorzichtig.'

Vervolgens belde ik Penny op The Works, zoals we de boekbinderij en kleine drukkerij gedoopt hebben die van ons tweeën is. Penny en ik werken al twaalf jaar samen. Ik ben altijd al gek geweest op fraaie boekwerken – het gewicht ervan in je hand, het formaat, de textuur van het papier, de grote verscheidenheid en gecompliceerde sierlijkheid van lettertypen – en Penny is iemand met zakelijk inzicht en flair op ontwerpgebied: een zeldzame combinatie. We vormen een goed koppel en we verdienen een aardige boterham met onze leren banden en handgezet drukwerk, al zullen we nooit echt rijk worden van wat we doen.

'Maak je maar geen zorgen over hoe het hier gaat,' zei Penny. 'Ik red me wel. En als je me nodig hebt, dan weet je me te vinden. Oké?'

Daarna belde ik Caz op. Met Caz ben ik al bevriend sinds we naast elkaar op kamers zaten in een afgetrapt studentenhuis, dertig jaar geleden. Zij en ik trouwden in hetzelfde jaar en Caz en Graham kregen hun twee zoons kort na elkaar, niet lang nadat Tony en ik Lola hadden gekregen. We hebben alle alledaagse dingen uit ons bestaan altijd met elkaar gedeeld, zelfs zo dat Caz, Graham en hun kinderen als familie voor me zijn geworden.

'Zeg maar wat ik doen kan,' zei Caz zodra ik haar het nieuws had verteld. Altijd als er iets is, als er een invaller of een extra paar handen nodig is, dan is Caz de eerste die zich aanbiedt.

'Kan Jack bij jou logeren als ik in het ziekenhuis moet blijven? Als Lola het niet trekt, bedoel ik?'

Jack kon het op dat moment niet al te best vinden met Dan en Matthew, de jongens van Caz, maar in deze noodsituatie zou hij zich misschien toch maar in hun gezelschap moeten zien te redden.

'Natuurlijk,' stelde ze me gerust. 'Verder nog iets? Moet ik nog iets van boodschappen voor je doen of zo? Of wacht eens, ik heb een kip in huis, als ik die nu eens braad en voor je meebreng...'

Eten is voor mij en Caz een soort steno voor het overbrengen van genegenheid. Bij Mel en mij gaat het wat eten betreft meer om romantiek en theater.

Caz zei: 'Het is wel heel plotseling, hè? Hij was toch niet ziek?'

'Nee,' zei ik. 'Het is inderdaad heel plotseling.' Ik geloof dat zelfs Caz ondanks al die jaren dat ze me al kent, nooit bewust heeft opgemerkt hoe weinig ik eigenlijk over mijn vader of over het verleden praat.

'Ik denk aan je, hoor, lieverd,' zei ze met haar warme stem. 'Bel me zodra er nieuws is.'

Tot slot belde ik Mel via een directe lijn op haar kantoor. Toen ik haar verteld had wat er aan de hand was, zei ze: 'Wat raar, eigenlijk, vind je ook niet? Dat we gisteravond nog zo over hem gepraat hebben?'

41

'Ja.'

'Zal ik naar je toe komen om je gezelschap te houden?' Het was een gul aanbod. Mel werkte voor een groot headhunterbedrijf en ik wist dat ze op hetzelfde moment in haar geest al driftig bezig moest zijn om haar drukke agenda volledig om te gooien, ook al bleek dat op geen enkele manier uit haar stem.

'Nee, hoor. Bedankt, maar dat hoeft niet.'

'Sadie?'

'Ja?'

'Hoor eens. Je kunt helemaal niets veranderen aan wat er nu gebeurt. Je moet het accepteren, dat is het beste voor hem en voor jou.'

Mel begreep mij heel goed, ze wist dat ik greep wilde hebben op alles wat er om me heen gebeurde. Ze wist dat ik er slecht tegen kon om me machteloos te voelen, zoals meestal het geval was waar het Jack betrof. Ze wist alleen niet hoe het kwam dat ik zo was.

'Dat weet ik wel,' mompelde ik.

Toen ze had neergelegd, ging ik op het lage muurtje langs de parkeerplaats zitten. Het was een grauwe ochtend, de hemel had een egaal grijze tint; er was niets meer van de lichtende glans van de vorige avond te bespeuren. Auto's reden de parkeerplaats op en zigzagden langs me heen, speurend naar een plek. Een jonge man sprong uit een Peugeot die hij met een ferme draai had ingeparkeerd, klikte hem met dezelfde slag op slot met de afstandsbediening en sprintte naar de ingang van het ziekenhuis. Zijn vrouw is aan het bevallen, dacht ik. Ik zag een bejaard stel zich met veel moeite uit hun Honda wringen. De vrouw haalde twee stokken van de achterbank en gaf ze haar man aan, waarna ze overdreven lijdzaam wachtte tot hij al schuifelend klaar was om te gaan. Ze begonnen gezamenlijk aan de tocht naar de hoofdingang, zonder ook maar één woord gewisseld te hebben. Een groot Aziatisch gezin liep langs me heen, gevolgd door een blank meisje, zo te zien jonger dan Lola, die een baby in een buggy bij zich had. Al deze mensen hadden hun eigen reden om hier te komen, naar dit oord van crisis, gebukt onder de zware last van angst en zorg, of lichtvoetig zwevend op wolken van verwachting. Ted was stervende, maar dat gold voor meer mensen achter de muren van verweerd beton, terwijl weer anderen worstelden met pijn of droomden van herstel en terwijl baby's zich een weg naar het levenslicht vochten. Dat ik deel uitmaakte van deze lukraak samengestelde gemeenschap verlichtte mijn gevoel van isolement, en de cocon waarin mijn

42

emoties zaten opgesloten leek dunner te worden, alsof hij zou openbarsten en ik mijn verdriet ruim baan zou kunnen geven.

Er kwam een bestelbus van een bloemisterij aangereden. De chauffeur begon met het uitladen van in cellofaan verpakte bossen bloemen met uitbundig krullende linten eraan. Het laatste dat hij tevoorschijn trok was een grote rieten mand met een hoog opstaand hengsel
en een massa roze en witte anjers, omgeven door een kraag van papieren kant. Bij de aanblik begon ik te glimlachen, want ik moest erdoor terugdenken aan de dag dat Lola geboren werd. Ze werd me in
een dekentje gewikkeld aangereikt en toen ik in de onpeilbare diepte
van haar donkere ogen keek, welde er een liefde in me op die ik nooit
eerder had gevoeld.

Ted woonde op dat moment samen met een 'tante' die Elaine heette. En het was Elaine die bloemen stuurde met een kaartje ('Een wolk
van een meisje!'), met hun beider namen erop en het zinnetje: 'Je pa
is door het dolle, natuurlijk!'

Toen de chauffeur de bloemen had afgeleverd, kwam hij terug naar
de bestelbus, leunde tegen het achterportier en stak een sigaret op.
Hij zag dat ik naar hem keek en riep me toe: 'Ook effe pauze, zeker?'

'Ach, ja,' riep ik nogal schaapachtig terug.

Maar het leek ineens of de hemel opklaarde en de van uitlaatgas-
sen doortrokken lucht boven de parkeerplaats afnam tot een zacht
gefluister in mijn oren. Ik voelde het ruwe oppervlak van het muurtje onder mijn vingers en hoorde het gesuis van het verkeer op de
tweebaansweg verderop. Het stiksel van de schouderband van mijn
leren handtas begon los te laten en ik keek naar de rafelige draadjes
en de rimpelige randen van de gaatjes. De tijd leek stil te staan en de
werkelijkheid om me heen vervaagde alsof ik mijn greep erop kwijt
was. Het was zo'n moment waarop je lichamelijk en geestelijk bewustzijn een extra dimensie krijgen, waardoor zelfs iets heel kleins
plotseling een oneindige rijkdom en diepe betekenis lijkt te bezitten
waar je net niet bij kunt. Ik was klaarwakker, maar het was alsof ik
een lokkende droomwereld werd binnengevoerd. Ik zwaaide mijn
voeten op het muurtje en liet toen mijn hoofd op mijn gebogen knie-
en rusten. Achter mijn oogleden, in deze rust en stilte, kon ik met Ted
praten en hij met mij. De dialoog tussen ons had zich altijd hier af-
gespeeld, in deze andere dimensie, waar oude kluwens van boze, bittere woorden zich verstrengelden met uitingen van liefde en vertrouwen, de woorden die ik nu wilde horen en spreken.

43

We hebben elkaar in de steek gelaten, zei ik, ik jou en jij mij, maar we hebben elkaar ook weer niet zo ver losgelaten dat we nu, uitgerekend op een dag als deze, van elkaar gescheiden zijn.

Ik zat nog altijd op dat muurtje, verzonken in mijn innerlijke gesprek, toen de chauffeur van de bloemisterij weer in zijn auto klom. Hij toeterde naar me terwijl hij wegreed en op dat moment kwam ik met een schok weer tot mezelf. Ik zou bij mijn vaders bed moeten zitten in plaats van mijn geest te laten wegzweven in een doelloze ruimte. Ik haastte me over de parkeerplaats naar de draaideur, liep snel langs de koffiehoek en het cadeauwinkeltje en nam de lift naar boven. De bedompte atmosfeer met de geur van ontsmettingsmiddelen en medicijnen gaf me het gevoel dat ik al dagen in het ziekenhuis was.

Ted sliep nog. Zijn mond hing open en zijn ademhaling veroorzaakte vage klikgeluidjes in zijn keel. Ik ging weer naast hem zitten, maar deed geen poging om zijn hand te pakken omdat ik hem niet in zijn slaap wilde storen.

De uren gingen traag voorbij. De verpleger die af en toe even kwam kijken, legde uit dat Ted verbonden was met monitoren, zodat de verpleging zijn toestand in de gaten kon houden. Op het moment was zijn toestand stabiel, zei hij.

Laat in de middag kwam Lola binnen. In die bedompte kamer zag mijn dochter er met haar stralende ogen en supergladde huid buitenaards mooi en gezond uit, alsof alles wat aan sterfelijkheid deed denken van haar gezicht geairbrusht was. Ik omklemde haar heel even en ademde daarbij haar heerlijke en o zo vertrouwde geur in. Jack schoof achter haar langs naar binnen. Hij liep om het bed heen en ging na een snelle blik op Ted te hebben geworpen uit het raam staan kijken met zijn voorhoofd tegen het glas gedrukt. Ik omhelsde hem ook en dat liet hij heel even toe, al voelde ik opnieuw dat zijn gespannen lijf zich het liefst van mij zou wegdraaien.

'Heb je wel wat gegeten?' vroeg ik.

'Uhuh. Lo had boterhammen bij zich. Ik heb in de auto gegeten.'

Er was maar één stoel, de rode. Lola ging naar de grote zaal om er nog een te halen. Ze gaf me een zak met appels en haalde een ingelijste foto uit haar nylon rugzakje. Het was de foto van haar en Jack met mij die tijdens onze laatste zomervakantie in Devon was genomen en die altijd op de buffetkast bij ons in de keuken stond. Het was er een waarop we voor de verandering alle drie tegelijk lachten en recht in de lens keken, en nu viel me ineens op dat Teds krachtige trekken in iets andere vorm bij ons allemaal zichtbaar waren. Ze zette de foto zo neer op het kastje met Teds spullen dat hij hem zien kon als hij wakker werd. 'Ik dacht dat hij dat misschien wel fijn zou vinden als hij wakker wordt en wij er niet zijn,' zei ze.

De liefde die uit dit simpele gebaar sprak, ontroerde me en het speet me dat ik er zelf niet op was gekomen. 'Wat goed bedacht van je.'

'Behalve ons heeft hij niemand,' zei ze nuchter, en wat ze zei was waar. Hij had geen vrouw meer, zelfs geen 'tante', als je Jean Andrews tenminste niet meerekende. Ik wist niet wat voor vrienden Ted had. Misschien had hij wel helemaal geen vrienden meer.

'Hoe gaat het met hem?'

Vanuit mijn ooghoek zag ik Jack zijn hoofd ietsje draaien toen Lola deze vraag stelde. Hij wilde het antwoord weten, maar hij wilde niet dat ik zag dat hij luisterde.

'Hij is niet achteruitgegaan,' zei ik. Ik was bang dat hij zou kunnen horen wat wij zeiden, ook al leek hij te slapen. Ik zou hun later wel vertellen wat dr. Bennett had gezegd, als Ted ons zeker niet kon horen.

Lola knikte. 'Ga maar even theedrinken, mam, en neem wat fruit. Ik blijf wel hier.'

'Ga je met mij mee, Jack?'

'Nee,' zei hij.

Ik nam een plastic beker met thee mee naar de parkeerplaats en ging weer op mijn plekje op het muurtje zitten, waar ik mijn thee opdronk en een appel at. Het was drukker geworden, voor de ingang stond een rijtje auto's te wachten tot er een plekje vrijkwam. Ik probeerde weer iets terug te vinden van de vertroosting die mijn onuitgesproken dialoog met Ted me eerder die dag gegeven had, weer iets van het warme gevoel van saamhorigheid te ervaren dat was voortgevloeid uit de gedachte dat wij allemaal, stervenden, borelingen en voorbijgangers, één gemeenschap vormen, maar er was niets. Ik voelde me eenzaam, had medelijden met hem en was teleurgesteld in mezelf.

Maar het kan nog, dacht ik. Ik kan nog wel bij hem komen.

'Hij was wakker,' zei Lola toen ik Teds kamer weer binnenkwam.

'O ja?'

'We hebben een tijdje met hem gepraat, hè, Jack?'

45

'Uhuh. Met Lo over de uni en met mij over school. Het ging wel goed met 'm. Maar toen deed-ie ineens zijn ogen weer dicht en toen sliep-ie. Hij heeft de foto trouwens niet gezien.'

Voor Jacks doen was dit een uitgebreid verslag. Ineens sijpelde er weer hoop door me heen. Op de grote zaal zaten inmiddels familieleden om de bedden van de oude mannen geschaard en twee verpleegsters gingen rond met een karretje met medicijnen terwijl ze hun medicatielijsten raadpleegden. Een vrouw in een groene jasschort deelde intussen thee en biscuitjes uit. Het was niet voorbij. Over een week zou Ted misschien ook in bed overeind komen om een biscuitje uit de Tupperware-doos te kiezen. En over een week of twee zou ik misschien met hem naar huis rijden. Dan zou ik hem bij mij in huis nemen en langzaam, heel langzaam konden we dan een nieuwe taal ontwikkelen om met elkaar te praten. Dan kon ik hem zeggen dat hij me had laten lijden toen ik nog te jong was om een dergelijke behandeling te verdienen en zou hij me uitleggen hoe hij hiertoe gekomen was. We zouden naar elkaar luisteren en de zin ontdekken van wat onbegrijpelijk was, en dan konden we langzaamaan een web van verzoening gaan spinnen.

Alles was mogelijk. Niets was onmogelijk.

Gedrieën bleven we in zijn nabijheid. Aan de ene kant van het bed zat Lo. Ze streelde zijn hand en vertelde over de vrienden van de universiteit met wie ze een huis deelde, jonge mensen van wie hij nog nooit had gehoord, laat staan dat hij ze ooit te zien had gekregen. Ze praatte er lustig op los en ik wist dat Ted blij zou zijn haar stem te horen en het gorgelende lachje dat er steeds tussendoor kwam. Jack was ongedurig. Hij leunde soms minutenlang met zijn ellebogen op de vensterbank, kijkend naar de vogels die naar het dak van het ziekenhuis kwamen vliegen om tussen de enorme metalen buizen te gaan slapen, en keerde zich dan weer van het raam af om met de nagel van zijn duim aan de afbladderende verf op het voeteneind van het bed te krabben. Ik zat zonder me te verroeren naar het rijzen en dalen van Teds borst te kijken. Het leek intussen al heel normaal om hier te zitten. Was het echt pas gisteren dat ik rond deze tijd, in de schemering, op weg was naar mijn afspraak met Mel?

De tijd verstreek maar langzaam. Op de grote zaal werd het steeds rustiger naarmate meer bezoek vertrok. Ik verwachtte half en half dat iemand ons zou komen zeggen dat het tijd was, maar dat gebeurde niet. Een verpleegster die net aan haar avonddienst begon, kwam zich

46

voorstellen en deed een nieuwe zak vloeistof in de houder van het infuus in Teds arm.

'Hoe gaat het met hem?' vroeg ik zachtjes, denkend aan de monitoren in de verpleegpost.

'Geen verandering.'

Dat betekende dat hij niet was achteruitgegaan. Ik glimlachte stralend naar haar, zo dankbaar was ik.

Om negen uur zei ik tegen Lola en Jack dat ze naar huis moesten. Het was ruim een uur rijden en Jack moest de volgende ochtend weer naar school.

'Ga jij niet naar huis?' vroeg Jack.

'Ik blijf hier nog een poosje. Lola zorgt wel dat je in bed komt.' Ik keek over zijn hoofd heen naar haar en ze knikte. 'Maar je kunt ook bij Caz en Graham gaan slapen als je dat liever wilt.'

'Nee,' zei Jack prompt.

Lola boog zich over het bed om een kus op het voorhoofd van haar grootvader te drukken en legde daarna haar vingertoppen even tegen zijn lippen. 'Tot ziens, opa,' fluisterde ze.

Jack raakte de deken over zijn voeten aan en trok zijn hand toen snel weer terug. 'Dag,' zei hij binnensmonds. Hij liep achter zijn zus aan naar de deur en aarzelde toen even, heen en weer geslingerd tussen de aandrang om naar Ted terug te rennen en de noodzaak om toch vooral de afstand tot mij en zijn zus in stand te houden. Soms was Jack zo doorzichtig dat ik dacht dat ik zijn verdriet kon doorgronden en hem heel gemakkelijk zou kunnen troosten; maar op andere momenten was er de angst dat ik hem totaal niet begreep. 'Dag,' zei hij nog eens. Lola ging voorop en hij liep achter haar aan.

'Rij voorzichtig,' zei ik automatisch. 'Ik hou van jullie.'

'Ja, mam.'

Ik ging weer zitten. Een uur kroop voorbij en toen bewoog Ted zijn hoofd op het kussen heen en weer en trok zwakjes met zijn benen. Plotseling kwam de nachtzuster binnen, samen met het zaalhoofd. Ze waren druk in de weer met hem, controleerden de vloeistof in de zakken en de slangetjes en draden aan zijn lichaam en riepen hem bij zijn naam.

'Wat is er? Gaat het mis?' Mijn stem klonk luid en snerpend.

'Zijn toestand verslechtert. De dokter komt eraan.'

Ik moest mijn plekje naast zijn bed opgeven. Teds ogen waren nu wijd open en ik kon zien dat het ademen hem erg veel pijn deed.

47

'Papa? Papa, ik ben hier... ik...'

Ik kon mijn zin niet afmaken, want op dat moment kwam de dokter binnen en moest ik nog verder bij het bed vandaan gaan staan om hem de ruimte te geven. Gehoorzaam bleef ik op de grote zaal bij de deur van zijn kamer staan met mijn armen voor mijn borst. De bejaarde mannen lagen bijna allemaal te slapen, maar over een paar bedden lag wel een plens licht uitgespreid. Ik wachtte tot de dokter weer naar buiten kwam. Hij droeg een donkerblauw overhemd onder zijn doktersjas en op zijn naamplaatje stond zijn naam: 'Dr. Raj Srinivasar'. Ik zag dit alles in een flits. Hij beduidde me een eindje mee te komen, weg van de deur.

'Dokter?'

'Het spijt me. Het onbeschadigde deel van uw vaders hartspier heeft heel hard moeten werken sinds de aanval en we hebben hem zo veel mogelijk met medicijnen geholpen om het hart zijn natuurlijke ritme terug te geven. Maar ik vrees dat het langzaam aan steeds slechter gaat. Dokter Bennett heeft u de situatie al uitgelegd, toch?'

Ik boog mijn hoofd. 'Ja.'

Het was natuurlijk heel menselijk, maar nutteloos geweest om hoop te blijven koesteren. Ik wilde nu niets liever dan dat de dokter wegging en de twee verpleegsters meenam, zodat ik alleen met hem kon zijn. Dr. Srinivasar begreep dit blijkbaar ook, want toen ik mezelf eenmaal weer in de hand had en me naar Ted omdraaide, lag hij daar weer alleen, heel rustig, en was het licht gedempt. Ik sloot de deur van de kamer en ging weer op de stoel naast zijn bed zitten. Het leek alsof er nu minder slangetjes aan hem vastzaten en het peil van de vloeistof in de zakken boven zijn hoofd veranderde niet.

Hij was wakker en had blijkbaar geen pijn. Het zo comfortabel mogelijk voor hem maken, zo had dokter Bennett het uitgedrukt. Ted likte zijn lippen en zijn nekspieren spanden zich alsof hij de woorden uit zijn kapotte hart wilde persen. 'Je bent altijd een prima meid geweest,' fluisterde hij.

Automatisch mompelde ik afwerend 'Nou, niet echt', en bewaarde zo de afstand die ik al zo lang geleden had geschapen.

Ik was er niet op verdacht door Ted geprezen te worden en ik was op dat moment dan ook niet in staat hem op mijn beurt te verzekeren dat hij een prima vader was geweest.

Ik zou mijn antwoord weer hebben ingeslikt als het gekund had, maar Ted verraste me. Hij liet zijn hoofd verder achteroverzakken in

48

de kussens en lachte. Het was een zwakke, kuchende echo van zijn oude lach, maar dat hij lachte was onmiskenbaar. Hij zei daarna nog maar één ding, in een lange ademtocht. Volgens mij fluisterde hij 'Mijn meisje'.

Terwijl de minuten vergleden en ik wachtte, wist ik dat het nu voor ons allebei te laat was om nog woorden van toenadering uit te spreken. Hij lag daar met zijn ogen dicht en zijn ademhaling werd steeds oppervlakkiger, totdat ik zijn borstkas in het geheel niet meer op en neer zag gaan. Ik drukte mijn gezicht tegen zijn wang. De tranen begonnen te stromen en doorweekten het kussensloop. Ik legde mijn arm om zijn schouder als wilde ik hem optillen en hield hem stevig tegen me aan. Als ik hem echt had kunnen optillen om hem over de kloof van de dood heen terug te dragen en hem weer neer te leggen zodat hij kon rusten, dan had ik dat gedaan. Huilend sprak ik me uit, ik verweefde de woorden van verbitterde boosheid met woorden van liefde, ik zei dat ik hem liefhad maar de jeugd die hij me had bezorgd haatte, ik zei dat ik altijd van hem zou blijven houden. Hij gaf geen antwoord en dat verwachtte ik ook niet. Ik wist heus wel dat hij dood was.

Ik bleef een tijdje bij hem zitten; maar vervolgens leek het zo zinloos om te blijven terwijl Ted zelf was heengegaan. Ik haalde de ingelijste foto van het kastje en klemde hem tussen zijn arm, zodat hij hem dicht bij zijn hart zou hebben. Toen kuste ik hem op zijn voorhoofd en raakte met mijn vingers zijn lippen aan, zoals Lola had gedaan. Ik trok de deur van de kamer heel voorzichtig achter me dicht.

Dr Srinivasar en de nachtzuster wachtten me op.

'Het spijt me,' zei de dokter, en gaf me een hand, uiterst formeel.

'Dank u wel,' zei ik.

De nachtzuster legde haar arm om mijn schouders en leidde me naar de lege bezoekersruimte. 'U kunt hier in alle rust blijven zitten, als u wilt. Zal ik u een kopje thee brengen?'

Ik schudde mijn hoofd. 'Nee, dank u, zuster.'

'Er is ook een kapel hier in het ziekenhuis.'

Ik schudde opnieuw mijn hoofd. Ted had nooit veel met religie opgehad en wat dat betreft leek ik op hem.

Er was maar één plek waar ik wilde zijn en dat was thuis. We spraken af dat ik later terug zou komen om de formaliteiten in verband met het overlijden af te handelen en ik bedankte haar voor alles wat het ziekenhuis voor mijn vader had gedaan. Weer ging ik naar buiten en liep de parkeerplaats op, die er nu verlaten bij lag onder een zwaarbewolkte donkere hemel. Ik stapte in en reed met droge ogen terug naar Londen.

Lola was opgebleven om op me te wachten. Ik vertelde haar dat Ted gestorven was. Daarna zaten we lange tijd met z'n tweeën bij elkaar en huilden.

3

Het was een kale en lichte ruimte, met grote moderne ramen. Tegenover een niet-kerkelijk aandoende katheder, geflankeerd door twee onopzichtige bloemstukken, stonden rijen houten stoelen in het gelid. De atmosfeer was ingetogen, wat niet zo vreemd was natuurlijk, maar tegelijk ook doelmatig. De doodskist van lichtgekleurd hout, bedekt met een paarse loper, was al even zakelijk, wat helemaal niet bij Ted paste, die in zijn leven van alles en nog wat maar nooit zakelijk was geweest. Maar terwijl ik zat na te denken over de crematoriumkapel, de bloemen en de kist die ik op discreet advies van de uitvaartleider had uitgezocht, bedacht ik tegelijk dat het Ted niet zou hebben uitgemaakt hoe zijn uitvaart geregeld was. Hij zou in elk geval gedaan hebben alsof het hem niet interesseerde.

'Ik ben niet degene die die vertoning moet uitzitten, toch?' Ik kon het hem bijna horen zeggen, snuivend op het half geïrriteerde, half joviale toontje dat hij zich de laatste jaren had aangemeten. 'Doe wat je moet doen, maar zorg wel dat na afloop iedereen een drankje krijgt.'

Ik vroeg me op hetzelfde moment ook af of het niet abnormaal was om tijdens een uitvaart dit soort dingen te denken. Maar ja, ons leven, dat van Ted en mij, was ook abnormaal geweest. Het gezin waar Mel uit kwam, dat was normaal. Of dat van Caz en Graham. Het onze niet.

Mel zat twee rijen achter me. Ze had Ted nooit ontmoet, maar ze wilde per se komen, uit respect en om bij mij te zijn. Ze zat bij Caz en Graham. Die hadden Ted wel een aantal keren gezien, op mijn trouwdag en de verjaardagsfeestjes van de kinderen, en af en toe ook met Kerstmis.

'Ik vond je vader een aardige man. Natuurlijk kom ik naar zijn crematie,' had Caz gezegd.

Ted had haar ook aardig gevonden. Ik weet nog dat hij op mijn bruiloftsreceptie met haar aan het flirten was. Hij had waarschijnlijk ergens in een stil hoekje haar ronde gezicht tussen zijn beide handen genomen en de geur van haar huid opgesnoven alsof ze een exotische bloem was, om vervolgens in haar oor te murmelen: 'Ik zou zó'n geweldig parfum voor je kunnen creëren.' Deze truc had op een verrassend scala aan vrouwen de uitwerking van een toverformule. Niet op Caz, natuurlijk, maar het was vermoedelijk zijn eer te na om het niet te proberen. Bij een heleboel anderen werkte het wel. Meer dan ik me kon of wenste te herinneren.

Lola en ik zaten ieder aan een kant van Jack op de eerste rij. Lola droeg een zwarte lange broek en een strak rood truitje, waardoor ze als een roos van Damascus in een kleurloze woestijn opgloeide in de kapel.

Rosa damascena, waaraan de essentiële rozenolie wordt onttrokken. Voornamelijk in Bulgarije. Het verbaasde me dat ik nog zoveel wist van Teds vak.

Lola drukte een niet-opengevouwen papieren zakdoek tegen haar ogen en bekeek de twee mascaravegen die erop achterbleven: net zwarte vleugels. Jack zat stijf rechtop voor zich uit te staren. Hij was gekleed in een nettere versie van zijn schooluniform.

Toen ik hem de ochtend na Teds dood het nieuws vertelde, zei hij: 'O.' En na even nagedacht te hebben: 'Dus nu is het echt afgelopen, hè?'

'Ja. Maar eigenlijk is hij toch nog hier, want we blijven aan hem denken en we zullen ons leven lang over hem blijven praten.'

Jack trakteerde me op een van die blikken van hem waaronder ik verschrompel, alsof hij dwars door mijn afgekloven platitude heen keek, maar hij onthield zich van commentaar.

Behalve ons gezelschap van zes personen waren er twee volle neven van Ted van moederskant, die vanuit Manchester waren overgekomen. Dat was alle familie die hij behalve ons nog had. Verder was er een handjevol buren van Ted, onder aanvoering van de omvangrijke en rondborstige Jean Andrews, plus zijn huisbaas en een aantal stamgasten van de kroeg waar Ted geregeld kwam. Ik had geen van deze mensen ooit eerder gezien, maar bij binnenkomst in de kapel hadden ze me allemaal de hand geschud en gecondoleerd. Een bijzondere man, die vader van u, zeiden ze. Dank u wel, mompelde ik. En ja, dat was hij, een bijzondere man.

Er was ook een oude vrouw aanwezig, in een zakkige jas en met een voddig vossenbontje om haar nek. Ze had een frommelig zwart vilthoedje op, waarop aan een kant een bosje lelietjes-van-dalen van zijde was gespeld. Muguet, zo noemde Ted deze bloem, een van zijn favoriete. De opbrengst aan natuurlijke olie van lelietjes-van-dalen was zo bescheiden dat de geur gewoonlijk kunstmatig werd gecreëerd.

De vrouw met het zwarte hoedje had me toen ze binnenkwam koeltjes toegeknikt, maar ze stelde zich niet voor en condoleerde me ook niet. Ik nam aan dat het zo'n excentrieke tante was die graag naar begrafenissen ging, of ze de dierbare overledene nu kende of niet. Alles bij elkaar waren er misschien vijfentwintig mensen aanwezig. Om ons heen klonken de gedempte klanken van een orgel.

De man van het crematorium die de plechtigheid leidde, een saaie vent die net geen predikant was, maar in wie te weinig leven zat om de titel ceremoniemeester te verdienen, gaf een van de neven een knikje, waarop die naar voren schuifelde en achter de katheder ging staan. Hij las een overbekende passage voor uit een tekst van Henry Scott Holland, kanunnik van de St. Paul's-kathedraal. Deze ging erover dat de dood niets was, dat de dode niet weg was, maar nog steeds bij je, maar dan in een andere ruimte. Ik vond het een troostrijk en prima verhaal, maar jammer genoeg klopte het niet. Ted wás weg, helemaal. De schaduw van zichzelf die hij de laatste tijd was geworden, was de jongere man achternagegaan, de man van het Spencer Tracy-uiterlijk, met zijn gulle lach, zijn zijden dassen en zijn parfums, en nu was hij helemaal weg en konden we nooit meer bij hem komen.

Lola schokschouderde en ze drukte het zakdoekje tegen haar gezicht. Ik reikte achter Jack langs om mijn hand op de gladde gleuf tussen haar schouderbladen te leggen.

Na het voorlezen werd er gezongen: 'All Things Bright and Beautiful'. Het was een hymne die ik alleen maar had uitgekozen omdat Ted de melodie soms neuriede als hij zich aan het scheren was. Hij bewoog zijn gezicht heen en weer om gedeelten van zijn gezicht zo goed mogelijk in de spiegel boven de wastafel in de badkamer te kunnen zien, terwijl hij er met een oude kwast van varkenshaar scheerzeep op aanbracht. Dan trok hij zijn mond scheef naar opzij en groef met het scheermes raspend een lange geul door het witte schuim, helemaal van zijn jukbeen tot onder aan zijn kin. Het geneurie werd in mijn herinnering begeleid door gedruppel en het gebonk van de waterleidingbuizen in onze koude badkamer.

Of misschien had ik in werkelijkheid nooit iets van dit ritueel aanschouwd, maar het me ingebeeld. Misschien wel net als de samenzweerderige bijna-knipoog die hij zichzelf gaf terwijl de woorden van de hymne binnen in zijn hoofd rondzongen – *all things wise and wonderful* – als zei hij tegen zichzelf: ja, joh, jij ziet er nog niet zo gek uit. Na het zingen hield de uitvaartleider een korte toespraak. Lola, de neven en ik hadden hem zo veel mogelijk achtergrondinformatie over Ted en zijn leven gegeven, en zijn poging om de overledene in het zonnetje te zetten was heel verdienstelijk als je bedacht dat hij die nooit had gekend. Ik neem aan dat het een kwestie van oefenen was, want ongetwijfeld deed de man dit een aantal malen per dag. Hij vertelde dat Ted populair was, erg van het leven hield en graag de kansen greep die dit leven hem gegeven had, en hij sprak over zijn talenten als maker van parfums. We kwamen net allemaal overeind bij de eerste tonen van de orgelimprovisatie die naar de mening van de neven een geschikte begeleiding was bij het langzaam wegglijden van de kist achter de gordijnen, toen Jack voor me langs liep. Heel even dacht ik dat hij ging overgeven, want als klein kind was hij daar heel goed in geweest, maar hij duwde me terug toen ik achter hem aan ging. Hij liep naar de katheder en ging erachter staan, waarop de cd-muziek abrupt werd stopgezet. Lola en ik wierpen elkaar een nerveuze blik toe. Hij had er met geen woord over gerept dat hij ook iets wilde zeggen en het speet me dat ik er niet aan had gedacht het hem te vragen.

Jack schraapte zijn keel. 'Mijn opa,' begon hij. We wachtten in stilte. 'Mijn opa zei toen ik nog heel klein was tegen me dat duiven ongedierte zijn.'

Na weer een stilte hoorde ik van achterin een gesnuif dat mogelijk onderdrukt gelach was. Ik keek gespannen naar Jack met zijn stugge haar, in de verwachting dat op zijn babygezicht de verongelijkte rimpels van de prepuberteit zouden verschijnen. Hij verblikte of verbloosde niet.

'Bij ons thuis, voordat... voordat mama en Lola en ik verhuisden, zaten er altijd een heleboel duiven op de vensterbanken en in de goten boven en opa had een hekel aan alle... aan alle zooi die ze maakten. Hij wees er op een keer naar toen ik naar bed ging en zei dat het stonk en dat het vieze beesten waren. En toen keek ik naar hun pootjes, naar de pootjes op de vensterbank, en die hadden allemaal een soort, eh, schurft. Hun pluimage was ook vies.'

Het kwam er allemaal in één adem uit. 'Pluimage' was een echt Jack-woord. Lola probeerde zijn aandacht te trekken door met haar ene hand tegen de andere te tikken ten teken dat hij het rustig aan moest doen, dat hij langzamer moest praten, maar hij zag het niet. Zijn ogen waren strak op de overkant van de ruimte gericht.

'En toen vroeg ik of alle vogels dan vies waren. En toen zei hij, dat weet ik nog heel goed, toen zei hij dat vogels juist mooi zijn, dat ze de hemel als geschenk hadden gekregen, alle vrijheid van het luchtruim, en dat alleen die arme duiven in Londen allerlei viezigheid aten en op ónze zooi zaten en daarom zo vies werden. Dus zijn ze ongedierte, net zoals ratten ongedierte zijn, want eigenlijk zijn ratten van zichzelf ook heel schone beesten. Dat zei hij ook tegen me. Maar...'

Jack hield even op, en nu keek hij wel naar zijn toehoorders en liet zijn ogen ook even over ons gaan. Hij was nu op dreef. We zaten allemaal muisstil.

'Nou ja, daardoor raakte ik in vogels geïnteresseerd. Ik vond het mooi wat hij zei over de vrijheid van het luchtruim. Ik wilde niet alleen maar aan duiven denken als vieze beesten die kapotte pootjes hebben omdat ze in ons afval rondscharrelen. En dus ging ik naar vogels kijken en over vogels leren en hij had gelijk: ze zijn mooi. Vooral zeevogels, want die hebben ook nog eens de zee en niet alleen de hemel, als je het goed bekijkt. En dus kwam het door hem. Dat ik vogels leuk vind. Dat heb ik aan hem te danken.' Hij gaf een zijdelings knikje naar de kist onder het paarse kleed. 'Dat wou ik zeggen, dus. Opa wist een heleboel. Hij liet niet altijd merken wat hij allemaal wist, maar het was wel zo. Hij was interessant, dus.'

Zijn zelfvertrouwen liet hem in de steek, even snel als het was opgekomen. Jacks stem stierf weg en hij richtte zijn ogen op de grond. We bleven een aantal heel lang durende seconden zwijgend zitten en wachtten af of hij misschien nog iets zou willen zeggen. Uiteindelijk schraapte de uitvaartleider zijn keel en stapte naar voren. Op hetzelfde moment hief Jack met een ruk zijn hoofd op en draaide zich naar de kist toe. 'Ik hou van je, opa,' zei hij schor. Er hingen tranen aan zijn wimpers. Toen keerde hij zich weer af en liep terug naar zijn plek tussen Lola en mij. Ik probeerde mijn arm om zijn schouders te leggen, maar die schudde hij af.

De orgelmuziek klonk weer op. De gordijnen voor in de kapel gingen traag vaneen en met een zacht mechanisch gekraak begon de kist te schuiven. Ik hield mijn ogen er strak op gericht, om niet net als Lola zachtjes te gaan snikken.

Toen begon ik aan mijn moeder te denken.

Ik kon me herinneren hoe ze me een keer naar binnen riep – 'Sadie?

Sa-aa-die!' – toen ik in de tuin bezig was met een ingewikkeld spelletje, een spelletje van een kind zonder broers en zussen.

Ik was tien toen ze doodging. Ik heb maar zo weinig herinneringen aan haar, maar toch drong dit korte moment zich ineens in alle helderheid aan me op, aangevuld met het geluid van een radio vanuit de tuin van een van de buren, en de buitenwijkgeuren van stoffig struikgewas en eten dat op het vuur stond. Het was echt alsof ik weer even naast de rozenstruiken stond, heen en weer geslingerd tussen de wens om door te gaan met spelen of de noodzaak op haar geroep te reageren.

'Ja?' antwoordde ik nu, in stilte en zonder enig nut, maar verder ging mijn herinnering niet. Vreemd toch dat het net was alsof Ted zelf, die zo'n ontzettend levendig iemand was en zo'n prominente plaats in mijn leven innam, volledig afwezig leek tijdens deze hele rouwplechtigheid, terwijl mijn moeder, een vage figuur die al meer dan veertig jaar dood was, ineens juist zo dichtbij was.

Ik wenste dat ik op mijn moeders begrafenis had kunnen zijn. Ik geloof dat Ted me bij een buurvrouw heeft achtergelaten, maar de precieze omstandigheden herinner ik me niet. Hij sloot me buiten, dat in elk geval, en later zorgde hij dat ze zo volledig uit ons leven verdween dat het net was alsof ze nooit had bestaan.

Teds doodskist had de hele weg nu afgelegd. De gordijnen schoven dicht en we stonden allemaal op zonder geluid te maken, terwijl er een amechtig einde kwam aan de orgelimprovisatie.

Even later stonden we buiten in het helle daglicht. Er werden nog wat handen geschud en op zachte toon wat woorden gewisseld. De familie en buren wisten al dat er nog een bijeenkomst zou zijn in Teds huis, en langzaamaan begaf men zich in de richting van de paar geparkeerde auto's. Gepoetste schoenen kraakten op het kiezelpad en twee of drie mensen gaven Jack een schouderklopje terwijl ze langs hem heen liepen.

De oude vrouw met het zwarte hoedje stond nog te wachten. In het zonlicht was het stof op en in haar vossenbontje, dat niet van opgeven wilde weten, duidelijk zichtbaar. Ze kwam naar me toe, waarbij ze haar hoofd verwachtingsvol scheef hield. Haar getuite lippen had ze kwistig paarsrood gestift en haar wangen zaten onder het poeder. 'Dus jij bent zijn dochter,' zei ze. 'Ik ben Audrey.'

Die naam zei me niets. Ik had haar nog nooit gezien. Ze was niet een van de 'tantes'. Het kwam me ineens voor dat het haar gniffelende lach was die ik had gehoord toen Jack aan zijn duiventoespraak was begonnen. 'Bedankt dat je gekomen bent,' mompelde ik. 'Wil je met ons samen het glas heffen, in het huis van...'

Maar Audrey was met haar aandacht inmiddels bij Jack. 'En jij bent zijn kleinzoon. Ik vond het fijn wat je over hem zei. Je had helemaal gelijk. Ted wist een heleboel en een van zijn spelletjes was je in de waan te laten dat hij ergens niets van wist, om je dan op een moment dat je het totaal niet verwachtte met zijn kennis te verrassen. Over vogels of wat dan ook.'

Jack knikte. Hij keek haar aan en richtte zijn blik vervolgens op de spitse vossensnuit met de starende vossenogen die van haar boezem afhing. Ik wendde me af omdat ik met de uitvaartverzorgers moest praten, en toen ik dat gedaan had en klaar was om met de laatste nog achtergebleven buren van Ted in mijn auto naar Teds huis te rijden, was Audrey nergens meer te bekennen.

'Ze is weg,' zei Jack schouderophalend toen ik hem vroeg waar ze gebleven was.

Ted had de laatste zeven jaar van zijn leven in een rijtjeshuis van rode baksteen gewoond, op een afstand van nog geen drie kilometer van zowel het ziekenhuis als het crematorium. Hij maakte er vaak grapjes over dat ze zo lekker dichtbij waren, op die snoeverige manier van hem: mij doet het niks dus waarom zou jij ermee zitten? De weinige keren dat ik er was geweest, had ik het gevoel, net als in alle andere huizen waarin Ted had gewoond, dat het overliep van dingen die het geheugen al te gemakkelijk aan het werk zetten: meubels, snuisterijen of zelfs keukenspullen die de deur wijd openwierpen naar de opslagplaats van herinneringen en zo beelden losmaakten die ik het liefst veilig in een donker hoekje weggeborgen had willen houden.

Na het crematorium kwamen de buren, kroegvrienden en Teds weinige familieleden weer bijeen in deze stapelplaats van sluimerende herinneringen, die door het minste of geringste weer tot leven gewekt konden worden. Iedereen was meegekomen, behalve de mysterieuze Audrey. Mevrouw Andrews was in het huis geweest om de boel te luchten en af te stoffen, met als gevolg dat het er nu netter en leger uitzag dan toen Ted nog leefde. Caz en ik waren die ochtend vroeg bij Marks & Spencer geweest en hadden in een mum van tijd allerlei hapklare dingen ingeslagen, genoeg voor meerdere schalen. Ze ging er de kring van gasten mee rond en Graham en ik kwamen achter haar aan met gin, whisky en wijn. We deden ons best om de glazen bij te vullen zodra ze halfleeg waren. Door het eten en drinken klaarde iedereen een beetje op en uiteindelijk heerste er zelfs een jolige stemming. De blos op Jean Andrews wangen werd steeds dieper en ze vertelde de neven uit Manchester verhalen over haar jeugd in Oldham. Ze probeerden gezamenlijke kennissen op het spoor te komen, maar dat lukte niet erg, zoals ik kon opmaken uit wat ik opving als ik langskwam met mijn flessen.

Het werd steeds rumoeriger. De barman van de pub vertelde een aantal moppen, de lievelingsmoppen van Ted, en iedereen moest erom lachen.

Jack zat op de trap met een boek, terwijl er steeds mensen langs hem heen liepen om naar het toilet te gaan. Hij keek heel stuurs als iemand iets tegen hem probeerde te zeggen of hem complimenteerde met zijn toespraak, vooral als die iemand ik was. Lola had haar tranen gedroogd. Ze liep heen en weer tussen de verschillende groepjes, en twee van de jongere mannen uit de pub konden hun ogen bijna niet van haar afhouden. Ze zag me op een bepaald moment naar haar kijken en knipoogde toen. Caz en Graham gingen nog steeds met eten en drinken rond, terwijl Mel met deze en gene praatte. In de smalle kamer met Teds glimmend bruine meubilair en verschoten gordijnen leek ze groter dan ieder ander, en stak ze felgekleurd af bij de rest van ons, allemaal donker aangekleed en zonder felle make-up op ons gezicht.

Na een tijdje keek ik op mijn horloge. De lunchperiode was allang voorbij en ik wilde voor het einde van de dag nog even naar mijn werk omdat er een paar dingen waren die nodig af moesten. Ik trok mijn wenkbrauwen vragend op terwijl ik Graham aankeek, die op dit soort momenten vaak de rol van pseudo-echtgenoot invult.

Toen ik Tony belde om hem te melden dat Ted overleden was, zei hij eerst dat hij dat verschrikkelijk jammer vond en vroeg toen meteen wanneer de uitvaart gepland was.

'Ach, Sadie, dat is nu net een dag dat ik niet kan komen. Ik moet naar Duitsland voor een belangrijke bijeenkomst met cliënten.'

Ik wist dat hij zeker wel gekomen zou zijn als het maar even had gekund. Zo iemand is Tony namelijk. Hij is heel goed in die dingen. 'Het geeft niet. Graham en Caz komen zeker. We regelen het samen wel.'

'Ik weet wel dat ze je zullen helpen. Maar het spijt me echt heel erg dat ik er niet bij kan zijn. Ted was niet voor niets vijftien jaar mijn schoonvader.'

'Niets aan te doen,' zei ik. Ik zou ook heel graag gewild hebben dat Tony erbij was vandaag, niet alleen om mezelf maar ook om Lola en Jack. Maar het had geen zin zijn afwezigheid te betreuren, nu niet en ook niet op andere momenten.

'Hoe gaat het met je?'

'Wel goed,' zei ik.

'En met de kinderen?'

'Die zijn hier.'

'Laat me maar even met ze praten. Ik zal aan je denken, Sadie.'

'Dat weet ik. Dank je,' zei ik, en gaf de hoorn aan Lola.

Toen we net gescheiden waren, brachten Jack en Lola heel wat tijd met hun vader door. We hadden afgesproken dat hij ze mocht zien wanneer hij maar wilde en dat werkte heel goed. Maar de afgelopen vijf jaar, sinds Tony een nieuwe partner heeft en met name na de geboorte van hun tweelingdochters, zijn de weekendbezoeken behoorlijk afgenomen. Niet dat iemand dat nu speciaal zo wil, maar Tony heeft eenvoudigweg minder tijd over voor kinderen die zichzelf al kunnen aankleden en ook zelf voor hun eten kunnen zorgen als het moet. Lola zit er niet zo mee, maar voor Jack is het moeilijk te verkroppen.

Graham liet zijn ogen door de kamer gaan om de stemming te peilen. 'Misschien moet je even wat tegen de mensen zeggen,' opperde hij fluisterend.

Ik schraapte mijn keel en ging in het midden van de kamer staan terwijl hij met een lepeltje tegen een bord tikte.

Ik had geen flauw idee wat ik zou gaan zeggen. Ik weet ook niet meer wat ik zei, maar een erg inspirerende toespraak kan het niet geweest zijn. Toch luisterde iedereen beleefd. Ik bedankte alle aanwezigen voor hun komst en hief vervolgens mijn glas rode wijn, waar nog net een flinke slok in zat. Gelukkig waren de glazen van de anderen wel goed gevuld.

'Op Ted.'

In reactie klonk er eerst een gedempt, eerbiedig gemurmel. Maar het volgende moment kregen alle gezichten om me heen een stralende uitdrukking en begon iedereen plots te klappen, met de voeten te stampen en te scanderen: 'Ted! Ted! Ted!' Jacks witte gezicht verscheen om de hoek van de deur.

'Mijn vader,' sloot ik me bij het koor aan, maar zonder dat iemand het kon horen. Het waren uiteraard niet de onbeduidende woorden die ik had gesproken die hier de aanleiding toe waren. Dat was Ted zelf en ik werd, misschien wel voor de laatste maal, met mijn neus op het feit gedrukt hoe populair hij was.

Ik keek de kamer weer rond, op zoek naar een brug tussen wat ik van hem wist en wat al deze andere vrolijke, verstandige vrienden en buren voor hem voelden. Daar stond zijn oude gebutste leunstoel, maar zelfs terwijl ik ernaar keek kon ik de kille dikke muur die mijn herinneringen scheidde van die van alle anderen geen millimeter verplaatsen.

Ik schudde mijn hoofd en zocht naar de gezichten van mijn kinderen en oude vrienden. Ze sprongen als het ware vanuit de sombere kilte tevoorschijn, vol warmte en leven. Mels rode lippenstift. Het hennakoppie van Caz, Grahams kale kruin met het typerende zorgelijke gezicht eronder. En Jack en Lola, vlees van mijn vlees, en ook van dat van Ted.

Dit is waar het op aankomt, het nu, niet wat geweest is, hield ik mezelf voor. Het verleden was het verleden.

Ik merkte dat ik met mijn vingers stevig om mijn nu lege glas geklemd naar iedereen stond te stralen. En mijn glimlachende gezicht had blijkbaar iets opmerkelijks, want iedereen begon al weer te klappen en te roepen. Ted zou dit ronduit fantastisch hebben gevonden.

Het duurde even voordat alle aanwezigen zich realiseerden dat ze spontaan aan het feesten waren geslagen, waarna iedereen begon te schuifelen en te kuchen. Dit was immers een rouwbijeenkomst. Jean Andrews veegde, nog altijd glimlachend, haar ogen met haar zakdoek af.

Mijn korte toespraak en het geklap werden gezien als het signaal om in beweging te komen. Caz en Mel brachten de glazen en borden naar de keuken terwijl Lola en ik bij de voordeur de vertrekkende gasten nogmaals bedankten voor hun aanwezigheid.

'Had hij er maar bij kunnen zijn,' zuchtte Jean Andrews terwijl ze zich in haar jas wurmde.

Een halfuur later reed de Volvo van Caz en Graham de straat uit, gevolgd door de Audi van Mel. Lola, Jack en ik bleven op de drempel van Teds huis achter. De kinderen keken me aan, wachtend op een initiatief van mijn kant. Ik trok de deur resoluut dicht, draaide hem met de sleutel extra op slot en stopte de sleutelbos in mijn zak. Herinneringen bleven keurig opgesloten achter, samen met Teds kleren in de slaapkamerkast en de oude theetrommel waarop de afbeeldingen van de parlementsgebouwen deels waren weggevaagd waar hij er met zijn duim altijd tegenaan kwam.

'Kom, we gaan naar huis,' zei ik.

Op de drukke snelweg zei Lola tegen me: 'Ik vind dat het heel goed gegaan is.'

'Ik ook.'

Ik wierp een snelle blik in de achteruitkijkspiegel. Jack zat schuin op de achterbank, met zijn voeten op de bekleding en zijn hoofd tegen het raampje. Wat hij dacht, viel op geen enkele manier uit te maken.

Het was al na vijven toen ik eindelijk op mijn werk kwam, maar dat maakte niet uit. Penny en ik zijn zelfstandig ondernemers en we maken uren zoals het ons uitkomt. Haar huis is de laatste in een rij in de fraaie Georgian style gebouwde huizen, maar het is Georgian op de verkeerde plek. De ooit zo prachtige woningen verkeren in een vervallen staat en ondanks het feit dat er recentelijk meer mensen met geld zijn komen wonen, heeft dat de onmiddellijke omgeving niet echt verbeterd: het is een grauwe buurt met veel verkeer en 's avonds kun je er niet veilig over straat. Niet dat Penny daarmee zit.

Ik liep door de met kinderhoofdjes geplaveide smalle steeg die langs de zijkant van haar huis voert, onder een uithangbord door met de tekst: GILL & THOMPSON ERKENDE BOEKBINDERIJ. Het oude bakstenen bijgebouw, waarvan de achtergevel grensde aan een somber gedeelte van Regent's Canal met aan de overkant een aantal gashouders, was voor Penny een van de belangrijkste redenen om het huis te kopen toen we ons bedrijf wilden starten. Het was oorspronkelijk een kolenopslagplaats aan het kanaal, waar de lange schuiten vanuit de Midlands steenkool kwamen lossen, maar we hebben de boel samen schoongemaakt en – min of meer – getransformeerd in een boekbinderij.

Dat was mijn vak, en nu nog. Ik was boekbindster, zoals Ted parfumeur was. Alleen is er bij mij uiteraard geen sprake van enig mysterie.

Ik opende de deur van het winkelgedeelte van de boekbinderij. Ik zag Penny achter de toonbank die de afscheiding van de werkplaats vormt. Ze was aan haar werkbank bezig met het rondkloppen van de rug van een genaaid boekblok. Ze gebruikte het oude Victoriaanse hamertje dat ik op een boekbindersveiling voor haar op de kop had getikt; ze tikte er lustig op los om precies de juiste ronding voor de rug van het gebonden boek te krijgen. Ze ging zo in haar werk op, dat het verscheidene seconden duurde voordat het geluid van het openen en sluiten van de deur tot haar bewustzijn doordrong. Maar toen keek ze over de rand van haar halve bril en zag mij staan. 'Hai,' zei ze.

Ik liep om de toonbank heen en pakte mijn schort van het haakje, deed hem voor en maakte hem vast om mijn middel zonder erbij na te denken, zo gewend was ik aan deze procedure.

'Blij dat het erop zit.'

Mijn werk lag op een hoek van mijn werkbank op me te wachten: de met donkerblauwe stof beklede omslagen van Ronalshays driedelige *Life of Lord Curzon*, dat we voor een van onze vaste klanten restaureerden. Alleen de titels moesten nog in goud op de ruggen worden aangebracht, zodat de gebonden boeken morgen konden worden opgehaald.

'Gaat het wel?'

Ik pakte het eerste omslag op en streek met mijn duim over de stof. Goed werk, niks speciaals, maar ambachtelijk dik in orde. 'Ja.'

Ik sloeg het nog niet gebonden boek open en bekeek automatisch de titelpagina. Toen deed ik het omslag in de pers en stelde de schroeven bij om het in de juiste stand te zetten.

Penny stond nog steeds werkeloos naar me te kijken. Haar hamertje rustte op de werkbank. 'Je had echt niet hoeven komen, hoor. Niet als je net je vader hebt begraven. Ik had *Curzon* ook wel kunnen afmaken.'

'Dat weet ik wel.' Ik glimlachte naar haar. Penny was heel goed in handvergulden. 'Maar ik wilde het doen.'

Dat was waar. Me concentreren op een duidelijke taak, die technisch lastig maar te overzien was, daar had ik nu echt behoefte aan. En de binderij, met haar ordelijke wanorde en de geur van leer en lijm, is een troostrijke omgeving voor me. Ik voel me er altijd prettig.

Penny knikte en ging weer door met haar gehamer. Ik knipte het verwarmingselement van de Pragnant-machine aan en trok een lade met losse letters naar me toe. Ik besloot de titel op twee regels te houden en de naam van de auteur samen met het deelnummer op de onderkant van de rug te zetten. Met behulp van een pincet pakte ik de letters en spatieblokjes voor *Life of* uit de letterbak, zette ze een voor een in de sleuf van de letterhaak en controleerde wat ik gedaan had. De letters moeten ondersteboven gezet worden, en al kan ik ze zo net zo snel lezen als andersom, het is toch heel gemakkelijk om er fouten bij te maken.

Ik ging volledig op in wat ik aan het doen was. Penny en ik werkten in de aangename stilte die vanzelf ontstaat wanneer we met ons tweeën in de binderij zijn. Dat is wel anders als onze parttimemedewerkers er zijn, Andy en Leo. Die willen graag muziek bij het werk en praten ook veel. Ook dan is het wel plezierig werken, maar de sfeer is toch heel anders. Minder symbiotisch.

Ik mat de beschikbare ruimte op de rug van het boek met mijn verdeelpasser en controleerde die daarna op het oog. Je kunt een titel nog zo netjes en precies op een rug zetten, maar als het er voor het oog niet goed uitziet, deugt het toch niet. Ik zette het omslag terug en legde de goudfolie nog even ter zijde. Ik maakte behoedzaam eerst een proefafdruk met de verwarmde letterhaak, waarbij de letters alleen een vage indruk in de stof achterlaten die je kunt wegwrijven als de stand niet goed is. Toen ik het resultaat zag, bleek inderdaad dat ze niet goed stonden, maar ongeveer een millimeter te hoog.

Ik zuchtte en klakte met mijn tong. Penny hoorde het.

Ze keek me over haar bril heen aan. 'Ik doe het wel.'

'Pen, ik wil het zelf doen.'

Ik verstelde de regel op mijn gevoel en maakte nog een proefafdruk. Dit keer klopte alles precies.

Ook al was dit een routineklus met de machine en had ik het al honderden keren eerder gedaan, toch moest ik even moed bijeenrapen om de afdruk in goud te maken. Als het echt fout ging, was er niets meer aan te doen. Dan moesten de borden helemaal opnieuw gemaakt en met stof overtrokken worden, en gezien de marges waarbinnen Penny en ik moeten werken en gezien de enorme hoeveelheid werk die nog lag te wachten, konden we ons die extra tijd gewoonweg niet veroorloven. Ik haalde even diep adem en drukte het verwarmde zetsel met behulp van de hendel voorzichtig tegen het goudfolie en in de blauwe stof, waarna ik meer kracht zette, met een ferme, gelijkmatige beweging, en door de lijmlaag onder het goudfolie hechtte het goud zich aan de stof. Ik haalde de letterhaak weg en bekeek het resultaat.

Daar stond het, *Life of*, in fiere gouden letters op de donkerblauwe stof. Ik had misschien net iets te veel kracht gezet en iets te veel folie aangebracht, maar dat was wel te verhelpen. Ik deed een stap achteruit, blakend van voldoening.

Hoe vaak ik het ook doe, de afwerking vind ik de allerplezierigste fase van het boekbinden. Ik ben gek op de vorm en de evenwichtige verdeling van letters en de verfijning en oneindige inventiviteit die mogelijk zijn binnen de conventies van het traditionele handwerk en de versiering.

'Mooi,' zei ik.

Penny maakte met een laatste paar tikken van haar hamertje de ronding van de rug af. Ze zette haar bril op en ging met haar hand door haar korte haar, met als gevolg dat het op haar kruin overeind ging staan als de kuif van een fuut. Ik weet het een en ander van futen, Jack heeft namelijk een heleboel vogelposters. 'Hoe is het gegaan?'

Wat kun je over zo'n uitvaart vertellen? 'Het was... een beetje voorgekookt.'

'Ik snap wat je bedoelt. Doodskisten op de lopende band. Het ene rouwgezelschap na het andere.'

'Ja, zo was het wel een beetje. Wie volgt? Maar moet je horen. Jack heeft een toespraak gehouden.'

'Echt waar?' Penny was verbaasd, wat niet verbazingwekkend was.

'Over duiven. Dat het door Ted kwam dat hij zich zo voor vogels was gaan interesseren, omdat die hem over het leven van de duiven in Londen had verteld. Hij maakte er een heel verhaal van in de kapel.'

'Wat goed van hem.'

Ze had gelijk. Ik was erg trots op Jack.

'En toen we na afloop bij elkaar waren om nog wat te drinken, begon iedereen te klappen en te roepen en met de voeten te stampen toen ik een toast op Ted uitbracht.'

'O.'

Ik pakte het tweede deel op en bekeek de rug om de spatiëring van de letters te bepalen. Dit tweede deel was dikker dan het eerste en dus was er een aanpassing nodig. Ik veranderde de spatiëring met behulp van mijn pincet en verdeelpasser. Ik wilde Penny niet laten merken wat ik voelde.

Ze legde haar boek in de pers. Het was een goede uitgave van de *Letters* van Keats, die we gerestaureerd hadden en in naturel kalfsleer gingen binden. Morgen zou ze de steun voor de rug vastlijmen en de schutbladen snijden. Ik wilde de leren band handmatig met goud en ingeperste lijnen versieren: alles werd uit de kast gehaald. Een 'klus om je vingers bij af te likken', zoals een van onze oude leraren gezegd zou hebben. Het zou geweldig zijn als we meer van dit soort klussen hadden, naast ons normalere werk waarmee we onze boterham verdienden: het binden van proefschriften, het inbinden van tijdschriften enzovoort.

'Ik ga maar weer eens naar binnen,' zei Penny. 'Evelyn moet weg en ze wil dat ik Cassie eten geef en naar bed breng.'

'Tot morgen dan,' zei ik.

Ik bracht de eerste regel op de ruggen van deel twee en drie aan, waarbij ik precies genoeg kracht zette, haalde het zetsel uit de letterhaak en begon met het zetten van de volgende regel: *Lord Curzon*. Ik genoot van de rust die op dit soort avonden in de binderij heerste. Achter het grote raam achter me, dat uitkeek op het kanaal, begon het donker te worden en de lichtgekleurde stijlen van de gashouders lichtten korte tijd op als het skelet van een ruimteschip.

Ik dacht vrijwel nergens aan terwijl ik bezig was, alleen zo nu en dan aan Penny. We kenden elkaar van onze studie aan de kunstacademie en hadden samen lessen gevolgd over het boekbindersvak. Na die cursus hadden we nog nauwelijks een idee wat het inhield, maar we gingen allebei in een boekbinderij werken. Ik vond een baantje als jongste bediende bij Arthur Bromyard, een van de meest vooraanstaande firma's op boekbinderijgebied, terwijl Penny in een heel groot, commercieel boekbindersbedrijf ging werken, waar ze vrijwel alleen mannelijke collega's had. Ze werd er gepest en in reactie daarop werd ze, aan de buitenkant althans, nog prikkelbaarder en terughoudender dan ze op de academie was geweest. We bleven min of meer bevriend, ook al keek ze neer op het in haar ogen artistiekerige, beschermde wereldje waarin ik terecht was gekomen en waarover de vriendelijke meneer Bromyard met zachte hand regeerde, terwijl ik van mijn kant vond dat ze haar talenten verspilde door aan de lopende band in goedkoop linnen gebonden rechtbankverslagen af te leveren, waarbij ze zich voortdurend schrap moest zetten vanwege de beledigende grappen en opmerkingen van laag-bij-de-grondse kerels die geen enkel benul hadden van hoe Penny in elkaar stak en wat haar dreef.

Ik drukte de rest van de titel, de auteursnaam en het nummer van de drie boeken, en spreidde toen de drie omslagen op de werkbank uit om mijn werk te controleren. De eerste regel op de eerste band was inderdaad wat te dik uitgevallen. Ik pakte mijn pennenmesje met het ivoren handvat uit een la en schraapte heel voorzichtig het teveel aan goud weg. Het pennenmes was ooit van Anthony Phebus geweest, 'de ouwe Phebus', die het aan Ted cadeau had gedaan. Jaren later had Ted het op zijn beurt aan mij gegeven met de vraag of ik er soms iets aan had. Ik had ontdekt dat het juist voor dit karweitje erg geschikt was. Ik blies het goudstof weg, waarna ik voorzichtig met een doekje over de titel heen ging. Het eindresultaat was perfect, al zei ik het zelf. In elk geval als je de beschikbare tijd en middelen in aanmerking nam.

Ik pakte de lijmpot en bestreek de borden met behulp van een roller vlot met pva-lijm. Als de boekblokken eenmaal in hun afgewerkte omslag gelijmd zaten, kon ik naar huis. Buiten was het inmiddels helemaal donker.

Een halfuur later legde ik de gebonden delen in de oude houten pers, beschermd met papier zodat het vocht in de lijm geen plooien zou veroorzaken. Op dat moment ging de deur weer open. Ik begon aan het handwiel te draaien om de druk te vergroten en keek toen wie er binnen was gekomen. Ik hoorde rennende voetjes, maar ik zag niemand.

Een seconde later kwam Cassie vanachter Andy's werkbank tevoorschijn. 'Sadie! Sadie!' riep ze.

Cassie was bijna drie. Ze was het dochtertje van Penny's partner Evelyn en een muzikant uit Grenada. Een jaar geleden was de mooie, maar excentrieke Evelyn bij Jerry weggegaan en met Cassie bij Penny ingetrokken.

Ik had Penny nog nooit zo gelukkig gezien als met Evelyn. Ik geloof zelfs dat ik Penny voor die tijd nooit gelukkig heb gezien, al had ze een aantal keren iets met andere vrouwen gehad, ook in de ellendige tijd dat ze met al die kerels moest werken.

'Wat doe jíj hier?' vroeg ik quasi-streng.

'Ikke bij jou!' gilde Cassie triomfantelijk.

Ik tilde haar met een zwaai van de vloer op mijn heup. Ze had een badjas met een rits aan over haar Teletubbie-pyjama en ze rook alsof ze net uit bad kwam. 'Waarom?'

'Jij bent een gekkie.'

Ik pakte mijn stofdoek en legde hem over mijn hoofd en gezicht. 'Hoezo ben ik een gekkie?'

Ze schaterde. Ze trok de stofdoek van mijn hoofd en duwde haar zachte wipneus tegen de mijne.

Ik maakte een plekje vrij op mijn werkbank en zette haar er voorzichtig op. Ik vond het niet echt prettig als Cassie in de werkplaats kwam, want er waren hier te veel dingen die gevaarlijk voor haar waren: messen met een lang lemmet, houten hamers, potten met lijm en stijfsel. Als ik haar in de buurt van de grote oude handbediende papiersnijmachine met het grijnzend-kromme metalen blad zag, brak

66

het zweet me aan alle kanten uit. Ik gaf een klapzoen in haar mollige lichtbruine hals en zei dat ze stil moest blijven zitten.

Ik maakte me over mijn eigen kinderen toen ze nog klein waren lang niet zoveel zorgen als tegenwoordig om Cassie. Pas nu ik al wat ouder was en Lola en Jack mijn fysieke bescherming niet meer nodig hadden en er ook niets van zouden moeten hebben, begon ik ermee.

Maar Evelyn maakte zich ook niet zo druk om Cassie. Ze liet haar in de boekbinderij op de vloer spelen, waar ze op gevallen repen geitenleer kauwde en haar hoofd stootte tegen de ijzeren poten van de papiersnijmachine. 'Laat haar toch, Sadie,' zei Evelyn dan schouderophalend tegen mij.

Penny kwam binnen met een theedoek over haar schouder.

'Pen...' begon ik.

Ze stak haar armen in de lucht. 'Ja, ja. Maar ze wilde per se in haar eentje naar jou toe. Jij was hier toch en ik heb haar de hele tijd in de gaten gehouden.'

Penny was niet in staat om Cassie ook maar iets te weigeren. Ze hield van het kind met een allesoverheersende passie, alsof ze haar geluk bijna niet op kon. Ik hield ook van haar: het zo vertrouwde gewicht van een kind in mijn armen, haar zachtheid, haar aanhankelijkheid, haar geur. Ik miste mijn kinderen zoals ze geweest waren toen ze ook zo klein waren – Lola was me in de pikorde van de volwassenen al aan het voorbijstreven en Jack gedroeg zich slungelig en afwijzend – en Cassie maakte iets van dit gemis goed. En dus werd de kleine meid voortdurend overladen met de adoratie van de drie vrouwen in haar omgeving.

'Ik ben bijna klaar,' zei ik, me gewonnen gevend. 'Wil je nog even bij mij blijven, Cass, en dat ik je dan zo naar je bedje breng?'

'Niet bedje.'

'Wel bedje.'

'Niet!'

'Welles-welles-we-e-e-lles.'

'Oké dan,' gaf ze onverwachts toe, en het was alsof ik haar moeders zoetgevooisde stemgeluid hoorde. Evelyn leek van een andere planeet afkomstig, maar ze kreeg wel altijd haar zin.

Nadat ik gecontroleerd had of *Curzon* goed in de pers zat en ik alle apparaten en de lichten had uitgeschakeld, nam ik Cassie weer in mijn armen, sloot de werkplaats af en volgde Penny over het pad naar de achterdeur van haar huis.

Op de begane grond stonden de kamers met elkaar in verbinding. Samen dienden ze als keuken, woonkamer en kantoor van de binderij. Overal lagen stapels boeken en kranten op oude maar fraaie meubelen. Bij Penny zag alles er altijd ongeveer zo uit, waar ze ook woonde, maar sinds Evelyns komst waren er wel enige veranderingen doorgevoerd. Om te beginnen had Evelyn alles volgens de feng-shui-beginselen verplaatst: ze had de tafel verschoven, de stoelen in het gelid gezet en planten met veel blad en geurkaarsen neergezet. Het was grappig haar *Hello!*'s naast Penny's *London Review of Books* te zien liggen.

Penny zat facturen te maken op de computer. Meestal deed ik dat. 'Laat mij dat morgen nou maar doen.'

Ik zette Cassie neer, die onmiddellijk wegrende om zich te verstoppen.

'Sade, vertel me nou eens waarom je alle hulp en medeleven afwijst?'

Ik probeerde tijd te winnen. 'Doe ik dat dan?'

Ik voelde me een bedriegster, dat was de reden. Ik had nog nauwelijks een traan om Ted gelaten en ik had nog niet eens een vaag vermoeden van wat zijn verlies nu echt voor me betekende. Wat voor beroep kon ik nu op mijn vrienden doen als ik nog niet eens wist of en hoe verdrietig ik was? Ik voelde me alleen maar platgeslagen en doodmoe bij de gedachte dat mijn relatie tot mijn vader niet zomaar ten einde was omdat hij nu gestorven was. Hij zou oneindig doorgaan, de strijd tussen liefde en verbittering, die zo'n ontwrichtende uitwerking op me had.

Penny slaakte een zucht. 'Laat ook maar,' zei ze, zonder enige boosheid.

'Zal ik haar in bed stoppen?'

'Goed. Zeg maar dat ik zo bovenkom.'

Ik vond Cassie achter de bank, haar favoriete verstopplekje. Ze vond goed dat ik haar naar boven droeg, naar haar slaapkamer op de tweede verdieping, naast die van Evelyn en Penny. Hij bevond zich aan de achterkant en keek uit op de binderij en de stakerige ribben van de gashouders. Ik deed de gordijnen – donkerblauw met gouden sterren – dicht en knipte het nachtlampje met het mannetje op de maan aan.

'Zo, nu moet je gaan slapen.'

'Bij me liggen.'

Ik gleed naast haar onder haar dekbed. Ze stopte haar duim in haar mond en begon een lok haar om een van haar vingers te winden. Terwijl ik daar lag met mijn armen om haar heen en haar adem tegen mijn gezicht voelde, begon iets van mijn droefheid weg te ebben.

Toen ik weer beneden kwam, stond Penny voor het raam naar het kleine erf achter te kijken. Evelyn had er een paar bloembakken neergezet waarin narcissen bloeiden.

'Ze wil dat je haar welterusten komt zeggen. Ze slaapt al bijna.'

'Blijf je nog even een glaasje wijn drinken?'

Mijn eigen kinderen zaten thuis op me te wachten. 'Dank je wel, vanavond niet.'

'Tot morgen dan.'

Ik legde mijn hand even op Penny's schouder. Ze was een heel stuk kleiner dan ik en nu het zo goed met haar ging was ze dikker aan het worden.

Ik nam het paadje langs het kanaal naar huis. Het hek naar het pad werd 's avonds afgesloten, maar je kon er makkelijk overheen klimmen. Verderop langs het kanaal, en vooral in het dichte duister onder de bruggen, hielden zich junkies en straatrovers op, maar deze avond verkoos ik de stilte en eenzaamheid van het pad boven de omweg door drukke straten. Lichtjes van flatgebouwen spiegelden als gebroken lijnen van goud en zilver in het vlakke water, en mijn voetstappen maakten een ietwat soppend geluid. Het geluid van het verkeer in de stad drong slechts vaag tot hier door; het geritsel van ratten die tussen het afval in het ruige gras aan de waterkant scharrelden klonk veel luider. Ik liep stevig door en zag niemand.

Lola zat te bellen toen ik thuiskwam. Ze zei me geluidloos gedag en toen ze had neergelegd, zei ze: 'Mam, dat was Ollie. Ik heb afgesproken om met hem en Sam wat te gaan drinken. Vind je dat goed?'

Ze was thuisgebleven bij Jack, wachtend op mijn thuiskomst. Als ze vrij was van de universiteit had dat voor mij zo z'n voordelen, ook al deed ik mijn best om er niet al te veel misbruik van te maken. En ik was blij dat ze vanavond zin had om uit te gaan. Ze had genoeg tranen om Ted vergoten. Glimlachend zei ik: 'Natuurlijk vind ik dat goed. Waar is Jack?'

'Hij zei dat hij naar bed ging.'

'Heeft hij nog met je gepraat?'

'Wat denk je?'

'Ik denk van niet.'

'Precies.'

Lola en ik konden altijd over bijna alles met elkaar praten. Dat wil zeggen, nadat ze me had vergeven dat ik haar vader had verlaten en ze de ergste puberperikelen achter de rug had. Ik was soms bang geweest dat ik, omdat ik geen man meer had, haar te vaak lastigviel met de dingen waar ik mee zat, maar daar reageerde ze altijd op met te zeggen dat ze liever wist wat mij dwarszat omdat zoiets immers op ons alle drie van invloed was. Lola is altijd heel nuchter. Zij heeft gelukkig geen last van de perikelen in haar familiegeschiedenis. En ze maakt zich ook lang niet zoveel zorgen als ik om het feit dat Jack zo'n vreemde jongen is. 'Natuurlijk is hij een beetje een rare gozer. Maar lang niet zo raar als de meesten, neem dat nou maar van me aan. Dat gedoe met die vogels, daar groeit hij heus wel overheen, en hij begint ook heus wel een keer met praten. Als hij een vriendinnetje krijgt, waarschijnlijk.'

'Ik zou het alleen zo fijn vinden als hij vrienden had, liever nog dan een vriendin.'

'Mam, er is niks mis met hem.'

Ze pakte nu haar spijkerjasje, bezaaid met buttons, graffiti en opgestikte versierselen. Ze popelde om de deur uit te gaan. 'Gaat het wel goed met jóú?' vroeg ze nog.

'Ja, hoor. Best.' Ik vertelde haar dus ook weer niet alles.

Lola verliet het huis als een wervelwind. Ik liep naar boven, klopte zachtjes op Jacks deur en duwde de klink naar beneden toen er geen antwoord kwam. Soms deed hij zijn deur op slot, maar vanavond gaf hij mee. Er brandde geen licht in zijn kamer en ik kon hem horen ademen, maar iets zei me dat hij niet sliep. 'Jack?'

Hij gaf geen antwoord.

Cassies kamer ademde de troostrijke sfeer van kinderlijke onschuld en onvoorwaardelijk vertrouwen, maar hier heerste slechts het duister van de afwijzing.

'Welterusten,' fluisterde ik.

4

Hij liep de straat uit, heel traag. Zijn tas hing scheef over zijn schouder en de zolen van zijn gymschoenen kwamen nauwelijks van de grond. Op de hoek bleef hij even staan om naar links en naar rechts te kijken, maar hij keek geen moment over zijn schouder om te zien of ik nog in de deuropening van ons huis stond. Ik bleef wachten tot hij links de hoek omsloeg, richting school, en sjokkend uit mijn gezichtsveld verdween. Toen ging ik pas weer naar binnen en begon me klaar te maken om de deur uit te gaan.

Ik trilde nog van alle spanningen van die ochtend. Het was de derde dag van het zomertrimester en Jack had het tot nu toe elke ochtend verdomd om uit bed te komen. En als ik hem dan ten einde raad onder de dekens vandaan trok, verdomde hij het om zich aan te kleden. Hij zei geen woord, laat staan dat hij tegenwerpingen maakte; als hem niets anders overbleef dan in actie te komen, dan deed hij alles even traag, zo traag als maar mogelijk was.

'Jack, je moet naar school. Iedereen gaat naar school. Het is gewoon niet anders.'

Hij haalde zijn schouders op en keerde zich van me af. Ik bleef bij hem staan en op een gegeven moment was hij zover dat hij zijn schooloverhemd aanhad; het hing los over zijn pyjamabroek heen. Ik zag de vage blauwe aderen onder de bleke huid van zijn borst en door zijn kwetsbaarheid kreeg ik de aandrang hem in mijn armen te sluiten, maar ik wist dat als ik zou proberen hem aan te raken, hij onmiddellijk zou terugdeinzen.

'Jack, we moeten hier echt over praten.'

'Práten,' mompelde hij uiteindelijk, alsof alleen al de gedachte hem mateloos irriteerde.

'Praten, ja.' Ik deed mijn uiterste best om kalm en redelijk te blijven. Ook al had ik nog zo met hem te doen om wat hij doormaakte, toch slaagde hij erin me zo te irriteren dat ik hem het liefst een klap zou geven. En een harde ook.

'Mam.'

'Ja?' zei ik gretig.

'Ga weg, anders kleed ik me niet aan.'

'Ik zal toast voor je maken. Heb je zin in een ei?'

'Nee.'

'Over vijf minuten beneden, oké?'

Vijf minuten werden er vijftien. Hij at zijn toast tergend langzaam, terwijl ik zat te wachten.

'Je komt te laat.'

'O ja?'

'Wat is er in godsnaam met je aan de hand?' snauwde ik. 'Wat is er mis met school? Als je mij, of wie dan ook, nooit iets vertelt, hoe kunnen we je dan helpen? Wat is er toch mis?'

Jack zat met een mes te spelen en liet het nu kletterend vallen. Hij keek de keuken rond alsof hij zijn hele leven onder de loep nam en stootte toen tussen opeengeklemde lippen uit: 'Alles.'

Zijn somberte was onverdraaglijk.

Ik herinnerde me hoe ik me op zijn leeftijd voelde, machteloos aan de genade van de wereld overgeleverd, niet in staat er ook maar iets aan te veranderen. Ik probeerde zijn hand te pakken, maar hij trok hem weg alsof hij zich aan mijn vingers zou branden.

Ik haalde diep adem. 'Jack, luister. Misschien lijkt het alsof helemaal niets deugt, maar dat is niet zo. Zo erg is het allemaal niet. Er zijn toch een heleboel dingen die je leuk vindt en waar je je op verheugt?' Hoewel, als hij me gevraagd zou hebben er een paar te noemen, zou ik waarschijnlijk ergens bij zeemeeuwen blijven steken. 'En je hebt ons toch, Lola en mij, en je hebt je vader. Als we nu eens samen proberen uit te vinden wat je het akeligst vindt, dan kan ik je tenminste helpen.' Het klonk niet erg overtuigend, zelfs niet in mijn eigen oren.

Het was even stil en toen zei hij botweg: 'Jíj?'

Ik begreep dat hij met álles in hoofdzaak zijn leven in dit huis bedoelde, mét mij en zónder zijn vader.

Niet dat hij Tony zo weinig zag: in de drieënhalve week sinds Teds dood had hij paasvakantie gehad en was hij met zijn vader drie dagen in Devon geweest om te vissen. Lola had ook mee gekund, maar die wilde liever in Londen blijven. Een keer of twee per maand ging Jack naar Twickenham om bij Tony en diens tweede gezin te logeren, en dan waren er nog de doordeweekse avonden dat hij en Lola met hun vader pizza gingen eten of naar de bioscoop gingen. Maar dat was toch niet hetzelfde als een vader hebben die gewoon bij jou in huis woonde en die zijn tijd niet zo zorgvuldig mogelijk moest zien te verdelen. Álles, dat sloeg niet op school of op vrienden die hij wel of niet had, al zou ik graag geloven dat dat het was. Het probleem lag thuis, in hoofdzaak bij mij, dus. De laatste weken en maanden was Jack geleidelijk aan opgehouden met me dingen te vertellen, hij had zich uit ons gezin, dat toch al gebroken was, helemaal teruggetrokken, maar waaróm hij zo ongelukkig was, had hij me nooit eerder zo onomwonden duidelijk gemaakt dan daareven met dat ene woord: 'Jíj?'

Ik zou net zo graag als hij willen dat er een vader was die bij ons inwoonde. Ik zou willen dat hij niet met alleen maar twee vrouwen in huis te maken had, of dat hij en Lola minder in leeftijd verschilden, of dat hij geboren was als zo'n kind dat heel gemakkelijk met andere kinderen bevriend raakt. En ik zou willen dat ik in staat was geweest om de vicieuze cirkel te doorbreken die met mij en Ted begon en die zich met mij en Jack voortzette, terwijl het me blijkbaar wel was gelukt om Lola ervoor te behoeden.

De stilte duurde en duurde. Mijn ogen brandden, ik had een geweldige behoefte om in huilen uit te barsten; de druk van al die jaren dat ik mezelf een dergelijke emotionele uitbarsting had ontzegd leek mijn schedel te zullen splijten, maar ik huilde niet, en het feit dat ik het niet kon, maakte mijn gevoel van onmacht alleen maar erger. Jack, mijn ongelukkige kind, was zonder het zich bewust te zijn het brandpunt van deze overweldigende machteloosheid. Ik kon zijn wereld niet beter maken, ik kon zelfs niet voor elkaar krijgen dat we op een goede manier met elkaar omgingen. Mijn medelijden met hem drukte op mijn hart als een klomp steen en ik kon nauwelijks iets zeggen.

'Het spijt me,' wist ik uiteindelijk uit te brengen.

Hij schoof zijn stoel achteruit en stond op. ''k Ga naar school,' luidde zijn enige reactie.

Ik liep met hem naar de buitendeur en keek hem na tot hij uit mijn gezichtsveld verdwenen was. Ik zou het liefst achter hem aan rennen om hem de hele dag in bescherming te nemen en zijn 'álles' terug te brengen tot niets zodat we overnieuw konden beginnen. Maar dat kon niet. Het was moeilijk te accepteren dat ik, die mezelf toen mijn kinderen nog klein waren ontelbare malen zo plechtig had voorgenomen om altijd een innige band met ze te houden en ze nooit te laten zakken, toch geen goed contact meer had met Jack. Ted was dood, voorgoed weg, maar op de een of andere manier leek het alsof zijn verdoemde erfenis in ons huis was achtergebleven.

Ik was behalve machteloos ook kwaad. Ik sloeg met mijn vuist op de keukentafel en wel zo hard dat de botten in mijn pols er pijn van deden, maar dat veranderde niets aan de situatie en mijn hoofd barstte nog steeds omdat ik maar niet kon huilen.

Ik greep mijn tas en ging naar mijn werk. Het was al te laat om nog te gaan lopen, zelfs als ik het paadje langs het kanaal nam. Ik moest met de auto, ingeklemd tussen de bussen en gigantische vrachtwagens van de ochtendspits, en toen ik eenmaal was aangekomen, verprutste ik een flink stuk heel bijzonder met de hand gemarmerd papier dat Penny en ik hadden bewaard, toen ik er schutbladen van wilde snijden. Ik moest het wel weggooien en een mindere papiersoort gebruiken. Penny hield haar blik ingespannen op haar werk gericht en hoewel ik bespeurde dat Andy en Leo onderling een blik uitwisselden, keek ik niet hun kant uit.

Toen ik weer thuiskwam, was Lola al vertrokken naar de bar waar ze werkte. Over twee dagen zou ze weer naar de universiteit gaan en ze probeerde in korte tijd zo veel mogelijk te verdienen. Jack zat voor de televisie met zijn jas nog aan en zijn schooldas nog om. Hij zag er slonzig en uitgekakt uit.

'Hoe ging het vandaag?' vroeg ik. Ik was van plan om een ovengehaktschotel te maken, zijn lievelingskostje.

'Goed.'

'Wat voor lessen had je?'

'Gewoon.'

Zijn ogen bleven op het scherm gericht, maar ik had niet de indruk dat hij echt keek. De manier waarop hij daar zat, had iets gespannens, met zijn schouders opgetrokken en zijn vingers om de leuningen van de stoel geklemd.

'Wat heb je in de middagpauze gedaan?'

'Niets.'

Ik gooide drie grote aardappels in de gootsteen en begon ze te schillen. 'Dus vandaag was een beetje een saaie dag, hè?' Hij haalde alleen maar even zijn schouders op. Maar toen ik het gehakt en de groenten aan het bakken was en hij in de veronderstelling verkeerde dat ik niet op hem lette, liet hij zijn hoofd naar achteren zakken. En toen ik nogmaals naar hem keek was hij in slaap gevallen.

We aten samen, dat wil zeggen: Jack zat bij me aan tafel, maar hij had een boek over vogels opengeslagen naast zijn bord liggen. Ik was op dat moment zo uitgeput van mijn voortdurende gevecht met hem dat ik er niets van zei. Hij zat geweldig te bunkeren, alsof hij sinds het ontbijt niet meer gegeten had.

De volgende ochtend maakte hij tot mijn verrassing echter niet meer zo'n probleem van het opstaan en aankleden. Toen het tijd was om naar school te gaan, gooide hij zijn tas over zijn schouder en sjokte zwijgend weg. Misschien begon hij zich in het onvermijdelijke te schikken, dacht ik. Misschien was het tij gekeerd.

Die dag kwam Colin naar de binderij. Hij woonde met zijn moeder in een wijk ergens ten oosten van Penny's huis en hij kwam regelmatig langs. Hij duwde de deur open, liep met zware tred naar binnen en legde een grote citybag op de toonbank. Penny was bezig met een grote portfolio voor een fotograaf en Leo was aan de papiersnijmachine borden aan het snijden. Andy had een snipperdag en het was trouwens toch mijn beurt om Colin te woord te staan. We deden het zo'n beetje om beurten, al was er geen sprake van een echt rooster.

'Goeiemorgen!' riep hij. Hij had een te groot hoofd dat te zwaar leek voor zijn schouders en zijn stem leek altijd te luidruchtig voor de ruimte waarin hij zich bevond.

'Hallo, Colin. Hoe gaat het?'

'Heel goed, want ik heb dit af.' Hij begon een dikke stapel papier uit zijn tas te halen. Penny en Leo werden ineens volledig door hun werk in beslag genomen.

De moed zonk me in de schoenen. Colin was al sinds hij voor het eerst bij ons in de winkel verschenen was een boek aan het schrijven, en kwam geregeld aanzetten met fragmenten waarover hij met ons van gedachten wilde wisselen. Het moest een kookboek worden. En hij had ons als uitgever gekozen, zo had hij ons laten weten. Penny en ik hadden hem al vele malen proberen uit te leggen dat het inbinden van een aantal interessante recepten iets heel anders was dan het uitgeven van een kookboek, maar daar trok hij zich niets van aan. Het materiaal waar hij mee kwam bestond trouwens gewoonlijk uit recepten die hij uit damesbladen had gescheurd en die hij had voorzien van tekeningetjes en aantekeningen met een hoop uitroeptekens erachter, in inkt in alle kleuren van de regenboog, en dus hadden we ons niet al te druk gemaakt over de dag des oordeels. Maar blijkbaar was die nu toch aangebroken.

75

'Ik moet de boeken zo snel mogelijk hebben, dat spreekt vanzelf. Mama wil al haar vriendinnen er natuurlijk een geven.'

Een ware vloedgolf van knipsels uit tijdschriften en volgeschreven vellen met tekeningen en kopjes als 'Een maaltijd die staat als een huis' met hoofdletters in rode viltstift, breidde zich over de toonbank uit. Er steeg een vieze lucht uit op. Sommige papieren zaten onder het vet en ik zag aan een ervan zelfs een slap geworden reep gebakken bacon plakken. Ik moest mezelf bedwingen om geen ferme stap achteruit te doen.

'Colin, wij geven geen boeken uit. Dat heb ik je toch al verteld?'

Hij keek om zich heen, zoals altijd met een verse houding van verbijsterde verrassing. 'Jawel, dat doen jullie wel, dat weet ik zeker. Kijk toch eens naar al die boeken hier.'

'We maken alleen omslagen. We restaureren oude boeken, we binden proefschriften, we doen dingen met boeken die al zijn uitgegeven.'

'Precies.' Colin stond triomfantelijk te knikken. Het meest vermoeiende aan hem was dat hij je gelijk gaf als je hem uitlegde dat je het niet met hem eens was, om vervolgens weer precies hetzelfde van je te vragen. 'Dus je kunt voor mijn boek ook een omslag maken. Ik betaal je ervoor, moet je weten. Het is niet zo dat ik jullie vraag om gratis en voor niets iets voor me te doen, ik ben niet zo'n asielzoeker die verwacht dat hij zomaar geld en een groot huis krijgt. Zo zit het niet, weet je.'

'Dat weet ik wel, Colin. Maar wij zijn geen uitgever. Als we een band maken voor jouw... voor jouw manuscript, dan wil dat nog niet zeggen dat het bijvoorbeeld bij boekhandel Smith in High Street komt te liggen, waar mensen het kunnen kopen. Zoiets gaat via heel andere kanalen. Je moet zorgen dat... eh, dat de tekst geredigeerd wordt, en de recepten moeten ook eerst uitgeprobeerd worden. En dan komen er nog ontwerpers en marketingmensen aan te pas om te bepalen hoe het eruit moet gaan zien en dan moet het boek in een oplage van duizenden door een grote commerciële drukkerij worden gedrukt, en dan moeten vertegenwoordigers het nog aan boekhandels zien te slijten...' Ik voelde me alleen al bij de gedachte aan al deze inspanning moe worden.

'Precies.'

'Maar dat zijn dingen die wíj allemaal niet doen, Colin.' Ik pakte zijn kunststof tas en begon de vieze bladen er behoedzaam weer in te schuiven. Op grond van eerdere ervaringen wist en vreesde ik wat er nu waarschijnlijk zou volgen.

Hij nam me een tot twee seconden op, pakte toen de tas van me af en begon de inhoud er weer uit te halen. 'Het is mijn boek.'

'Dat weet ik, maar ik kan het niet voor je uitgeven, want ik ben geen uitgever.'

'Mijn boek is belangrijk, neem dat maar van me aan. Het heeft me heel veel tijd gekost, want als je dit soort dingen goed wilt doen, gaat er een hele hoop tijd in zitten.' Zijn stem klonk nog luider dan eerst. We leverden enkele ogenblikken strijd om de tas: ik probeerde alles erin te doen en hij alles eruit te halen. De bacon viel op de toonbank en bleef daar in een slap boogje liggen. 'Ik ben niet gek, moet je weten. Ik ben net zo goed als ieder ander en ik ben tenminste hier geboren, dat kunnen al die zwarten en zo niet zeggen.'

De vader en moeder van Leo kwamen uit Trinidad. Hij ging door met het naast elkaar leggen van op maat gesneden rechtbankverslagen, alsof niemand iets gezegd had. Geheel volgens verwachting stond Colin inmiddels te schreeuwen. En al even voorspelbaar ging de telefoon.

Penny ging hem opnemen. 'Boekbinderij Gill and Thompson, goedemorgen. O, hallo, Quintin.'

Colin stond op de toonbank te bonken en te schreeuwen dat we helemaal geen boekbinders waren, dat we die naam niet verdienden, niet als we een simpel karweitje weigerden te doen voor iemand die heel gewoon was en die hier geboren was, niet zoals een heleboel van die rotlui.

Quintin Farrelly was onze beste klant; hij had verstand van ons werk en stelde hoge eisen. Hij was de bezitter van de *Letters* van Keats. Penny stopte haar vrije oor met haar vingers dicht in een poging te horen wat hij zei. 'Ja, ja, natuurlijk kan dat. Neem me niet kwalijk, het is hier nogal een herrie.'

'Hoor eens, Colin,' zei ik. 'Misschien is er iets wat we wel voor je kunnen doen, als je het een goed idee vindt, tenminste.

Hij hield op met schreeuwen, zoals ik gehoopt had. 'Wat dan?'

'Nou, zullen we eens even kijken naar waar Penny mee bezig is?'

Ik nam hem bij de arm en liet hem de portfolio van de fotograaf zien. Die was in a2-formaat, bekleed met donkerblauwe stof en aan de binnenkant zat lichtgroen linnenpapier. De naam van de fotograaf, Neil Maitland, was er in sierletters op de voorkant ingeperst. Colin bekeek het werkstuk met een gekwetste uitdrukking op zijn gezicht.

'Nou, wat vind je ervan?'

Penny keek me dankbaar aan en stak een duim in de lucht. Ze klemde de telefoon tussen haar hoofd en schouder en reikte naar de ordner met opdrachten en de werkagenda. 'Ja, Quintin, dat gaat ons zeker lukken.'

''t Is wel mooi,' gaf Colin toe terwijl hij met zijn dikke duim over de groene binnenkant van de map wreef.

'We kunnen voor jou ook zoiets moois maken, daar kun je dan je recepten en foto's in doen en dan kan je moeder ze aan al haar vriendinnen laten zien.'

'Mag ik de kleur uitkiezen?'

'Natuurlijk.'

'En komt mijn naam er dan op, niet die van Neil?'

'Natuurlijk.'

'Het geeft niet welke kleur?'

'Je kunt elke kleur nemen die je maar wilt.' Al was het pimpelpaars met een goud randje.

Hij zei dat hij het liefst rood had. Hij liet zijn tas met papieren bij ons achter, na ons op het hart te hebben gedrukt die in de kluis te bewaren zolang we er niet mee bezig waren, en met de belofte dat hij de volgende dag zou terugkomen om te kijken hoe het ermee stond. Penny hing op na bij Quintin geïnformeerd te hebben hoe het met mevrouw en de kinders Farrelly ging.

'Jezus, Maria en Jozef,' mompelde Leo toen we elkaar met opgetrokken wenkbrauwen aankeken. 'Wil er iemand koffie?'

Jack zat weer in zijn leunstoel toen ik van mijn werk terugkwam, en ging blijkbaar helemaal op in *Neighbours*. Hij zag er zo mogelijk nog slonziger en vermoeider uit dan de vorige dag. Op de vloer naast hem stond een bord met nog een heleboel kruimels en klodders jam erop. Het was Lola's laatste avond thuis. Ze stond te strijken en ook háár ogen waren op de televisie gericht. De vriendelijke winterse schemer die gewoonlijk de ergste bende in onze souterrainkeuken verhulde, had het veld geruimd voor een waterig helder licht dat de zomer aankondigde en alle laagjes stof en ook het loslatende behang duidelijk openbaarde. Het werd hier hoog tijd voor de voorjaarsschoonmaak. In het hele huis, trouwens. En een nieuwe loper op de trap zou ook geen kwaad kunnen. Ik liet mijn tas op de grond zakken.

'Heb je een fijne dag gehad, mam?' vroeg Lola.

'Ja, hoor, het ging wel. En jij?'

Ze knikte. 'Best.'

'En jij, Jack?'

Door de manier waarop hij zijn schouders optrok bekroop me de lust tegen hem te schreeuwen. Ik haalde diep adem en begon in de vrieskast te rommelen. Vanavond werd het diepvries à la minute, want ik had niet de puf om een maaltijd met alles erop en eraan bij elkaar te fantaseren.

Zodra *Neighbours* was afgelopen, maakte Jack dat hij naar boven kwam. Ik ging op de bank naar het staartje van het journaal zitten kijken en toen Lola klaar was met strijken – een stapel met kleren van mij en Jack liet ze ongemoeid – kwam ze met twee glazen rode wijn aan en zakte naast me neer. Ze schopte haar schoenen uit en nestelde zich met haar hoofd tegen mijn schouder. Ik streelde haar glanzende haar.

'Ik zal je missen,' zei ik, zoals altijd wanneer ze bijna weer wegging. Ik verliet me erg op haar, meer dan ik zou moeten doen, in de eerste plaats als gezelschap, maar ook omdat ik uit de tweede hand kon meegenieten van de warmte en genoegens van haar leven – de feestjes en de avondjes stappen waarover ze me de volgende dag uitgebreid, maar in tactisch gekozen bewoordingen vertelde, de ellenlange telefoongesprekken, de vrienden en vriendinnen die kwamen binnenvallen en gezellig in onze keuken rondhingen, de zekerheid dat er van alles en nog wat mogelijk was, die voor hen allemaal als vanzelfsprekend was.

'Ik weet het, mam, ik zal jou ook missen. Maar over een paar weken kom ik weer een weekend thuis.'

'Ja. Is er nog wat wijn? Hoe vind jij dat hij doet de laatste paar dagen?'

Als Lola en ik aan het praten waren, was 'hij' altijd Jack.

'Hij is erg stil.'

'Maar de laatste dagen doet hij niet meer zo moeilijk over naar school gaan. Misschien hebben we het ergste nu gehad.'

'Ik hoop het,' zei Lola.

Jack at weer heel gulzig, hij schepte tweemaal op en at daarna ook nog eens Lola's bord leeg. Vervolgens veegde hij zijn bord af met hompen stokbrood.

Lola plaagde hem met zijn schrokkerigheid: 'Hé, broertje van me, is het eten op school soms nóg beroerder geworden?'

79

'Ik had gewoon honger, ja. Is daar iets mis mee?'

'Dat zei ik toch niet. Sorry, hoor.'

Na het eten ging Jack meteen weer naar boven en Lola ging de deur uit om iets met een paar vrienden te gaan doen. Ze had de strijkplank wel ingeklapt, maar niet opgeruimd. Ik voerde er de verplichte verkorte two-step mee uit, als was het ding een tegenstribbelende danspartner, en slaagde er uiteindelijk in hem op de juiste hoogte uitgeklapt te krijgen. Ik haalde een van Jacks schooloverhemden uit de mand en begon een van de mouwen te persen. De geurige stoom die van schone was af komt vulde onmiddellijk mijn neusgaten. De reukzenuw is de grootste van de twaalf hersenzenuwen; de reuk is de meest onmiddellijke en krachtigste van alle zintuigen. Mijn ogen begonnen te prikken, vulden zich met tranen en toen ik mijn hoofd boog, drupten ze op Jacks overhemd, waar ze doorschijnende eilandjes van vocht in de witte stof vormden. Ik streek de rest van het overhemd en begon aan het volgende, maar ik huilde zo hard dat ik niet goed zag wat ik deed. Ik was in geen weken tot huilen in staat geweest en nu was ik ineens door de geur van strijkgoed aan het snikken geslagen, alleen maar omdat het me deed denken aan hoe het thuis behoorde te ruiken: de frisse lucht van helderheid en verzorging en dus van veiligheid.

'Wát was je aan het doen? Hou op met dat stomme strijken, zeg,' zei Mel toen ik haar belde.

Ik snufte en veegde mijn ogen af met de rug van mijn hand. Ik begreep mijn tranen niet goed, dat was nog wel het ergste. Als ik nu aan Ted had moeten denken, dan was het wat anders geweest. Maar steeds als Ted de afgelopen maand in mijn gedachten was opgedoemd, was er sprake geweest van een soort verdoving die me belette hem te missen en lief te hebben, wat een bevrijding zou zijn geweest. Ik kon alleen maar met een heldere precisie stilstaan bij wat ons gescheiden had gehouden.

'Ben je er nog? Sadie?'

'Ja, ja, sorry. Ik weet echt niet wat er met me aan de hand is.' Ik hoorde dat Mel aan de andere kant van de lijn een Marlboro opstak en rook uitblies.

'Je vader is gestorven. Je rouwt om hem.'

Ik wilde zeggen, bíjna zei ik: 'Zo zit het niet.'

Mel had me verteld hoe triest en verlaten ze zich voelde toen haar vader, van wie ze innig hield, gestorven was, en bij mij was dat heel anders.

'Zal ik bij je langskomen?' vroeg ze.

'Nee. Ja. Maar het is al zo laat.'

'Zullen we dan morgen uit eten gaan?'

'Lola gaat morgenochtend weer terug naar Manchester. Ik kan Jack niet alleen thuis laten.' Of liever gezegd: ik wílde Jack niet alleen thuis laten. Hij had me nodig, ook al had hij geen behoefte aan me.

'Dan kom ik toch naar jou toe. Ik kook wel voor ons drieën. Kom je niet te laat thuis, schat?'

Jack gaf geen sjoege toen ik bij hem aanklopte. 'Welterusten!' riep ik, en: 'Slaap lekker.'

Lola deed mij en Jack de volgende dag uitgeleide en nam afscheid. Ze zou later op de dag met de auto naar het noorden gaan.

Colin kwam die dag twee keer naar de binderij en toonde zich bij zijn tweede bezoek uiterst misnoegd omdat we nog niet eens aan zijn klus begonnen waren.

'Voordat we voor jou aan de slag kunnen zijn er eerst nog twaalf andere opdrachten die we moeten afwerken,' legde Penny uit. Het was haar beurt om met hem te praten.

'Waarom is mijn opdracht minder belangrijk dan die andere?'

'Het heeft niets met belangrijk te maken. Je kunt alleen niet zomaar voorkruipen. We hebben het hier erg druk, mocht je het nog niet in de gaten hebben.' Ze zei het recht voor zijn raap, maar Colin had gewoonlijk geen erg in subtiliteiten.

'Ik heb nog eens nagedacht hoe ik het eigenlijk wil hebben.'

'Zou je niet liever eerst eens willen horen wat het allemaal gaat kosten?'

Ik probeerde Penny te beduiden dat ze zich moest inhouden, maar Colin was al op hoge toon aan het uitleggen dat het hem niet kon schelen wat het kostte. Zijn geld was net zo goed als dat van anderen, of niet soms? De telefoon ging en omdat ik er het dichtst bij was nam ik op. Een stem die ik vaag herkende, vroeg naar mevrouw Bailey.

'Daar spreekt u mee.' Tegelijk fronste ik mijn wenkbrauwen, want hoewel Lola en Jack Tony's achternaam hebben, heb ik na de scheiding expres weer mijn eigen naam aangenomen. De achternaam van Ted, welteverstaan. Toen ik met Tony trouwde was ik maar wat blij met de naam Bailey, maar na mijn scheiding vond ik dat ik me er niet aan kon vastklampen. Ik verdiende die naam immers niet meer. En dus ging ik weer gewoon Sadie Thompson heten.

'Met Paul Rainbird, van school.'

Ik herinnerde me ineens dat ik met deze Paul had gesproken toen ik opbelde om te zeggen dat Jack op de dag van Teds crematie niet op school zou zijn. Hij was de mentor van de brugklas.

'Is er iets gebeurd?' Penny en Colin vielen weg, hun stemmen werden overstemd door het gesuis van het bloed in mijn oren.

'Nee, helemaal niet. Ik wilde alleen vragen hoe het met Jack is.'

'Waarom?'

'We hebben hem al drie dagen niet op school gezien. Is hij ziek?'

'Maar hij is de hele week al naar school,' zei ik stompzinnig.

'Ik ben bang van niet.'

Eindelijk begreep ik waarom hij 's ochtends niet meer zo protesteerde als ik hem uit bed riep, en waarom hij er aan het eind van de dag zo slonzig en moe uitzag en zoveel at. Joost mocht weten waar hij de afgelopen drie dagen had uitgehangen, maar in elk geval niet op school. Ik kon mezelf wel voor mijn hoofd slaan dat ik zo traag van begrip was geweest, en de bezorgdheid om Jack, die voortdurend in mijn bewustzijn aanwezig was, sloeg om in regelrechte angst. 'Ik kan maar beter even naar u toe komen.'

Meneer Rainbird zei dat hij nog tot zes uur op school zou zijn. Ik keek op mijn horloge. Tien voor vier. Colin schuifelde net de deur uit, met fikse tegenzin.

Ik deed mijn schort af en hing hem aan het haakje, zette het verwarmingselement van de Pragnant uit en deed de openstaande laden met letters dicht. 'Jack is aan het spijbelen,' zei ik tegen Penny. 'Ik moet naar school om met zijn mentor te praten.'

De school stond niet ver bij ons huis vandaan, en het kostte niet veel tijd om erheen te rijden. Toen ik parkeerde, kwamen de kinderen net in drommen het hek uit. Ik worstelde me tegen de stroom in, geïntimideerd door het lawaai en de houding van de kinderen. Kinderen in allerlei soorten en maten, en kleuren. Sommigen staarden me aan, maar de meesten deden of ze me niet zagen. Binnen de elastische grenzen die het schooluniform stelde, was er een enorme verscheidenheid aan uitstraling, en er werd alom geschreeuwd, getrapt, gedreigd en samengespannen. De sterksten sleepten de survivaltrofee binnen en je kon heel goed zien welke kinderen de geboren overwinnaars waren. Die waren het stoerst en na hen in de hiërarchie kwamen de kinderen die achter hen aan liepen, terwijl weer andere zich een beetje in de marge ophielden en zich naar hen richtten. En de rest probeerde bij hen uit de buurt te blijven, alleen of met z'n twee-en, en vooral niet te veel aandacht op zichzelf te vestigen.

Lola was altijd cooler dan cool geweest. Dat had ze voor elkaar ge-kregen door alle schoolregels te overtreden, zich elke dag opnieuw niets aan te trekken van wat ik over haar kleren of over haar haar zei, door brutaal te zijn, te laat thuis te komen en met de verkeerde kin-deren om te gaan. Maar hoe afgetrapt ze er ook uitzag en hoe te-gendraads ze zich ook opstelde, we voelden ons diep vanbinnen toch altijd nauw met elkaar verbonden. Als we geen ruzie met elkaar maakten, vertelde ze me geheimen. Niet die van haarzelf, want daar-mee zou ze zichzelf in een lastig parket kunnen manoeuvreren, maar die van vriendinnen.

'Is veertien niet een beetje jong?'

'Mám, je mag het echt niet verder vertellen, hoor.'

Ik vatte dit soort dingen op als haar manier om mij duidelijk te maken wat ze aan het doen was of van plan was, en ik nam aan dat moeders van haar vriendinnen hetzelfde deden. Lola en ik mochten dan onze meningsverschillen hebben, maar we waren allebei van het vrouwelijk geslacht en dat maakte dat we ons des te meer bij elkaar op ons gemak voelden.

Ik zag Jack nu in mijn verbeelding voor me, en hij was kleiner en afgetrokkener dan alle kinderen die ik om me heen zag, hij was án-ders. Hij leek zelfs niet op de zielige eenlingen die ik zag rondlopen. Hij werd meegesleurd in de dreigende maalstroom van deze tijd, of hij wilde of niet. Ik balde mijn handen in mijn jaszakken tot vuisten, ik wilde voor hem opkomen.

Ik vond het kantoortje van de mentor van de brugklas aan het einde van een groengeschilderde gang met aan één kant allemaal metalen kluisjes.

'Gaat u zitten, mevrouw Bailey,' zei de leraar, die was opgestaan om me een hand te geven. In zijn kleine hok was maar net ruimte voor een tweede stoel.

'Mijn achternaam is Thompson,' mompelde ik. 'Ik ben van Jacks vader gescheiden.'

Heel even keken we elkaar in de ogen. Meneer Rainbird was gekleed in een blauw overhemd op een enigszins glimmende zwarte broek en zijn vale haar was bijna zo lang dat het op zijn kraag hing. Hij zag er vermoeid uit. Als iemand me gevraagd had te raden wat hij deed, voordat ik het wist, zou ik gezegd hebben: leraar Engels aan een grote scholengemeenschap. We keken elkaar aan over de stapels schriften en cijferlijsten op zijn bureau en hij knikte in antwoord op mijn verklaring, waarna we allebei onze ogen afwendden.

'Wordt Jack gepest?' vroeg ik.

'Heeft hij dat gezegd?'

'Hij heeft helemaal niets gezegd, maar ik weet dat hij niet gelukkig is op school, niet zoals mijn dochter Lola vroeger. Maar dat het blijkbaar zo erg is, wist ik niet.'

'Ik herinner me Lola nog wel,' zei meneer Rainbird met een goedkeurend knikje. 'Niet dat ze ooit bij me in de klas heeft gezeten. Hoe gaat het met haar?'

'Prima.'

Op de gang klonk geschreeuw en gebonk en het geluid van rennende voetstappen. De leraar leek het niet te horen. Ik bedacht dat hij wel gewend zou zijn om zich dwars door allerlei herrie heen te concentreren op wat hij aan het doen was.

'Volgens mij wordt Jack niet gepest. Daarvoor steekt hij niet genoeg af bij de rest, in positieve of negatieve zin. Hij is een eenling, maar blijkbaar is dat omdat hij dat zelf zo wil. Hij is heel rustig en serieus. Hij zegt niet veel in de klas, maar hij luistert wel. Hij presteert goed, zoals u wel weet, maar zonder dat hij erg zijn best doet. Hij wekt de indruk dat hij nogal afwezig is. Maar tot aan deze week was hij alleen geestelijk afwezig. Is er de laatste tijd thuis soms iets veranderd?'

'Zijn opa is overleden, helemaal aan het eind van het vorige trimester.'

Meneer Rainbird keek me weer aan. Hij had een sympathiek gezicht vol rimpels, alsof hij voortdurend strijd had moeten leveren. Naar mijn idee moest hij ergens achter in de veertig zijn. Hoeveel jaar zou hij dan onderhand al les over Shakespeare geven? Toch gauw een kwarteeuw, rekende ik uit.

'Ja, nu herinner ik het me. Mist Jack hem erg?'

Ik probeerde hem zo accuraat mogelijk te antwoorden. 'Niet in de zin dat zijn dagelijks leven er anders door is geworden, want... nou ja, zijn opa woonde nogal een eind weg. Maar nu hij dood is, ja, ik geloof wel dat hij hem erg mist. Het is weer iemand die uit Jacks leven verdwenen is.'

Ik besefte ineens dat ik hierheen was gesneld in de hoop dat meneer Rainbird me zou kunnen vertellen waarom Jack zich gedroeg zoals hij deed en wat ik eraan zou kunnen doen. Maar dat was nu juist wat meneer Rainbird van mij verwachtte te horen. Ik was Jacks moeder en hij was maar een leraar.

Meneer Rainbird zat met de zijkant van zijn duim tegen zijn mond te tikken. 'En hoe gaat het tussen hem en zijn vader?'

'Tony is hertrouwd en heeft nog twee kinderen gekregen. Hij woont met zijn gezin aan de andere kant van Londen. Hij ziet Lola en Jack zo vaak hij kan, maar hij heeft het erg druk met zijn eigen gezin en moet zijn tijd voortdurend verdelen. Jack mist een mannelijk rolmodel.'

Het was benauwd in het kamertje met de deur dicht, en ik begon het erg warm te krijgen.

Op meneer Rainbirds lippen verscheen een vage glimlach. 'Sommige mensen zouden zeggen dat dat helemaal zo slecht niet is.'

Ik wist dat hij dit niet als leraar of als mentor zei, maar als persoon. Ik vroeg me af of hij getrouwd was met het type vrouw dat alle mannen maar misbaksels vindt.

Ik glimlachte ook. 'Ik geloof dat een vaderfiguur in Jacks geval wel goed zou zijn.'

De wortel van Jacks probleem lag bij mij, maar de wortel daarvan lag weer veel verder terug in de tijd, nog vóór Stanley en zelfs vóór Tony. Met vrouwen kon ik naar mijn idee wel omgaan, maar met mannen ging het fout. En dat was door Ted gekomen. De glimlach bevroor ineens op mijn lippen. Ik knipperde met mijn ogen, bang voor een nieuwe stortvloed van onzinnige tranen.

'Dus wat staat ons volgens u te doen?' vroeg meneer Rainbird. Hij zat naar zijn handen te kijken en ik wist dat dat was om mij de gelegenheid te geven mijn kalmte te hervinden. 'Hij kan geen lessen blijven missen.'

Ik staarde strak naar de stapel schriften tot ik mijn gezicht weer in bedwang had. 'Ik zal straks thuis met hem praten en proberen uit te vinden wat er precies aan de hand is. En ik zal zorgen dat hij maandag weer op school is.'

'Ik zal ook met hem praten,' zei hij. 'Misschien komen we er samen wel achter wat hem scheelt. Wat denkt u dat hij doet als hij aan het spijbelen is?'

Ik schudde mijn hoofd. 'Ik denk dat hij helemaal niets doet. Ik denk dat hij alleen maar... de tijd doodt.' Jack wachtte op de tijd dat zijn leven met mij thuis voorbij was, dromend over de tijd dat hij oud genoeg zou zijn om zelf te kunnen uitvinden hoe het anders moest. Ik wist nog wel hoe dat voelde.

We stonden allebei op en meneer Rainbird kwam achter zijn bureau vandaan om de deur voor mij open te doen. Doordat het kamertje zo klein was raakte de mouw van zijn overhemd mijn schouder toen hij langs me heen naar de deurklink reikte. 'Gaat het wel met u?' vroeg hij.

'Jawel, bedankt.' Ik vroeg me af hoe ontredderd ik er in werkelijkheid uitzag.

'We spreken elkaar nog.' Hij waagde zich niet aan loze verzekeringen dat het wel goed zou komen en stelde geen autoritaire eisen. Ik vond hem aardig. We schudden elkaar opnieuw de hand en ik liep de gang in en het hek uit. De school was leeg en rustig geworden: het was laagtij.

Jack zat op zijn gewone plekje. Er waren overduidelijke sporen van wat hij allemaal gegeten had: brood, kaas, jam en yoghurt. Geen wonder dat hij honger had als hij thuiskwam. Sinds het ontbijt had hij bijna niets kunnen eten, omdat hij de deur uit ging met alleen geld voor de bus en om me te kunnen bellen als dat nodig was. We wisten allebei dat hij, als hij met meer geld zou rondlopen, grote kans liep beroofd te worden. Hij had me een keer verteld dat Jason Smith een keer zo dom was geweest te vertellen dat hij veertig pond op zak had.

Ik zette thee voor mezelf en ruimde de vuile vaat op die hij om zich heen had verzameld. Ik merkte dat Jack gespannen zat te wachten tot ik iets zou zeggen. Dat was gisteren en eergisteren ook al zo geweest, maar toen ik dat niet deed, was hij zo opgelucht geweest dat hij wegdoezelde.

Ik zette de televisie af en ging met mijn thee aan tafel zitten. 'Ik ben net bij meneer Rainbird geweest.'

Hij schrok, maar niet zo erg. Ik wachtte af, maar hij bleef zwijgen.

'Ik wil dat je me vertelt waarom je al drie dagen niet naar school bent geweest.'

Hij bood een ontzettend treurige aanblik. Ik had mijn verbeelding tot aan dit moment kunnen beteugelen, maar die ging nu volledig met me op de loop. Ik zag hem ineens in het gezelschap van drugsdealers, de broodmagere stiekeme knapen die bij het kanaal rondhingen, ik zag een vieze dikke vent die vanuit een deuropening stond te wenken. Door deze beelden sprong ik als gestoken van mijn stoel op, greep Jack vast bij zijn armen en begon aan hem te schudden. 'Wáár heb je uitgehangen?' gilde ik. 'Met wie was je?'

86

Hij staarde me aan. Er zaten kringen onder zijn ogen en bij zijn mond zat jam en viezigheid.

'Waar en met wie?' schreeuwde ik nogmaals. Door mijn geschud ging zijn hoofd heen en weer.

'Nergens...' bracht hij uit. 'Gewoon... nergens.'

'Je móét ergens zijn geweest.'

'Ik heb rondgelopen. En op een bank gezeten. En als het tijd was om naar huis te gaan, ging ik naar huis.'

'Drie hele dagen?'

Hij knikte, stom van wanhoop.

Ik ging weer rechtop staan en probeerde de situatie te overzien. Het hielp me niets om zo geweldig uit te varen terwijl ik alleen maar ontzettend ongerust was. 'Dat moet heel akelig zijn geweest. Veel erger dan naar school gaan. Je zult je wel erg eenzaam hebben gevoeld.'

Stel dat een of andere perverseling met hem had aangepapt, dat hij lijm had gesnoven uit een bruine papieren zak, dat hij aan het stelen was geweest in Sue's Superette bij ons op de hoek, of dat hij crack had gekocht of andere zooi waar ik niet eens een idee van had? Zou hij me dan ook maar iets wijzer maken?

Hij zei: 'Ik heb naar de duiven zitten kijken. Dat zijn smerige beesten. Wist je dat er bijna geen mussen meer zijn in Londen?'

Ik deed heel even mijn ogen dicht. Ik wist niet of ik opgelucht moest zijn of razend moest worden. 'Laten we het even niet over vogels hebben, Jack. Laten we eens proberen erachter te komen wat er precies zo verschrikkelijk is aan naar school gaan dat je nog liever de hele dag in je eentje op een bank zit.'

Hij leek over de kwestie na te denken. Ik keek naar de plukjes haar die zijn roze oorlel gedeeltelijk aan het zicht onttrokken en naar de jeugdpuistjes op zijn kin. Van opzij leek hij op Tony, dat werd steeds duidelijker nu zijn gezicht zijn kinderlijke rondingen begon te verliezen.

'Kweetniet.' Al weer dat schouderophalen.

'Ja, dat weet je best. Heeft iemand de pik op je? Een leraar, een van de andere kinderen?'

'Niet echt. Ze vinden me een slomerd, maar volgens mij zijn ze zelf nog veel slomer.'

De rots van zijn verdriet was dooraderd met glinsterende minerale lagen van verachting. Jack was erg schrander en had vast maar weinig met losers op, zelfs als hij zichzelf als een loser zag.

'Vind je ze allemaal sloom dan? Is er geen één bij die je aardig of slim vindt?'

'Meneer Rainbird is aardig. De meeste meiden zijn stom, ze zitten de hele tijd stom te lachen en stom te fluisteren en zich aan te stellen. Een paar jongens zijn wel oké. Wes Gordon en Jason Smith en zo. Maar die willen vast niks met mij te maken hebben. En de rest is stom.'

Hiermee gaf hij me meer informatie dan in zes maanden bij elkaar, sinds de gekmakende goeie ouwe tijd dat hij op elke opmerking of opdracht reageerde met de vraag 'Waarom?'

Ik stelde me zo voor dat Wes en Jason supercool waren, van die grote jongens met uitdrukkingloze gezichten met in hun kielzog van die stoere meelopers zoals ik ze die middag uit school had zien komen. Ik kon me Jack net zomin als hun vriend voorstellen als hijzelf blijkbaar.

'Vertel verder,' zei ik.

Helemaal fout. Zijn gezicht kreeg een ontzettend geïrriteerde uitdrukking en hij trok zijn schouders op. Hij kroop weer in zijn schulp, als een heremietkreeft. 'Verder niks,' snauwde hij. 'Jij wilt altijd alles weten. Er is niks, oké! Ik ga maandag wel weer naar school, als dat is wat je wilt.'

'Ik wil dat je ook écht naar school wilt. Wat ik wil doet er niet toe.'

Daarop hief Jack zijn hoofd en keek me recht in mijn gezicht met een koude, taxerende blik waaruit overduidelijk sprak dat ik niet hoefde te denken dat hij nog steeds mijn kleine kereltje was. 'O nee?' sneerde hij.

Ik stond nog naar adem te happen toen de bel ging. Jack zette de televisie weer aan, met het geluid nog harder dan eerst.

Mel stond voor de deur met twee tassen en een lading roodgevlamde tulpen. Ik was helemaal vergeten dat ze zou komen. Ze hoefde maar een blik op mijn gezicht te werpen: 'Je was vergeten dat ik kwam.'

'Nee. Of ja. Het spijt me. Ik had zojuist een aanvaring met Jack.'

'Heb je liever dat ik weer wegga?'

'Dat ligt eraan wat er in die tassen zit.'

'Grootoogtonijn, sashimi-kwaliteit. Limoenen, koriander, crème fraîche, verse doppertjes en snijbonen, tarte au poire van Sally Clarke's, een lekker stuk roquefort...'

Ik opende de deur wagenwijd. 'Komt u toch verder.'

Mel daalde als een wervelwind naar de keuken af. Door haar glanzend opgepoetste verschijning leek alles hier nog groezeliger dan normaal: de stoffige vensterbanken, de verkreukelde kranten en de kleverige vloertegels. Mijn humeur ging met sprongen vooruit.

'Hoi, Jackson.'

Jack mocht Mel graag. 'Hoi,' mompelde hij terug.

'Ik kom een lekker potje koken voor jou en je moeder. Hoewel... dat zal nog niet meevallen als ik mezelf niet eens kan horen.'

'O, oké.' Hij drukte op de afstandsbediening en Buffy krijste opeens niet meer, maar mummelde als een goudvis.

Mel was druk in de weer met het uitpakken van de vis en de kaas. 'Geweldig. Hoe gaat het op school?'

Ik probeerde haar met gebaren iets duidelijk te maken, maar ze zag er niets van.

'Klote,' zei Jack.

'Zo. Niks veranderd dus.'

Ik meende een heel vaag glimlachje op Jacks gezicht te zien, voordat het zijn vertrouwde stuurse uitdrukking weer kreeg. 'Nee, niks.' Hij stond op en liep de keuken uit.

Mel begon met het maken van limoenboter met koriander. Ik schonk voor ons allebei een drankje in en vertelde Mel wat er was voorgevallen. Onder het praten sneed ik een stuk van de sappige stelen van de tulpen af en zette de bloemen in een hoge glazen kan. De oranjerode bloemblaadjes hadden een heldergroene franjeachtige rand. De plens kleur in de schemerige ruimte deed me weer denken aan het truitje dat Lola in het crematorium had aangehad.

'Ik maak me zorgen. Echt heel veel zorgen,' besloot ik. 'Ik kan maar nauwelijks tot Jack doordringen. Hij kruipt in zijn schulp of loopt weg of gaat op zijn kamer zitten. Ik weet nooit wat hij denkt. Als ik bedenk hoe dat voor hem geweest moet zijn: drie dagen rondzwerven zonder iets te doen of ergens naartoe te kunnen... Zou hij met zwervers gepraat hebben? Wie weet met wat voor rare typen hij te maken heeft gehad.'

'Met piekeren schiet je niets op.'

'Dat is gemakkelijker gezegd dan gedaan. Je hebt geen idee hoe het voelt.'

Ze was in een la aan het rommelen geweest, maar deed die nu met een klap dicht. 'Dank je dat je me eraan herinnert.'

'Shit. Jezus, Mel, het spijt me. Wat ben ik toch een koe.' Ik kleurde rood tot diep in mijn hals van schaamte. Mel had het er niet meer zo vaak over, maar dat ze zelf geen kinderen had was nog altijd pijnlijk voor haar.

'Waar heb je je scherpe mesje gelaten? Ach, het geeft niet. Ik wil de vis snijden.'

'Sorry,' mompelde ik nogmaals. 'Ik weet niet wat er met me aan de hand is.'

Mel legde het mes neer. Ze kwam vanachter het werkblad vandaan en legde haar armen om mijn schouders. Ik liet mijn hoofd tegen het hare rusten. De omhelzing deed me goed.

'Het komt vast wel goed met hem, Sadie. Ik heb geen reden om dat te zeggen, maar toch denk ik dat het zo is. Geloof me maar, ik ben niet voor niets headhunter in deze hele grote stad.' Dat was iets wat ze wel vaker zei, om me aan het glimlachen te krijgen.

'Ik vertrouw je. Ook al heb je nog zo'n dynamische, ongelooflijke, onbegrijpelijke baan.'

'Mooi. Weet je nog hoe Lola was toen wij elkaar leerden kennen?'

'Alsof ik dat zou vergeten.'

'Zie je nou wel.' Ze maakte zich van me los. 'Als jij nou eens even de groente doet.'

Ik deed wat me gezegd werd. De mini-erwtjes en minituinboontjes gingen de stoompan in. 'Laten we over iets anders praten,' stelde ik voor.

'Over mij?'

'Graag.'

Mel maakte een dansje langs het aanrecht, waarbij ze met de punt van het mes tegen potten en pannen tikte. 'Ik heb iemand leren kennen.'

'Néé.' Niet dat dit niet vaker gebeurde. Ik wist allang dat Adrians dagen geteld waren.

Ze bleef stilstaan en stak haar hand in de lucht. Ik was zo met mezelf bezig geweest, dat me nu pas opviel hoe stralend ze eruitzag. 'Ja,' zei ze. 'Ik heb een heel bijzonder iemand ontmoet.'

Terwijl ze me over haar nieuwste vlam vertelde gingen we door met het eten, waarbij we behendig langs elkaar heen stapten, steeds proefden en verbeteringetjes voorstelden, zoals we al zo vaak hadden gedaan. Dit soort avonden waren mij het liefst, de keren dat we gezellig met zijn tweeën zonder ons te haasten in de weer waren in de warme keuken terwijl buiten de dag in de avond overging. Ik zette blauw met gele borden op tafel en de kan met tulpen in het midden. Ik stak twee gele kaarsen aan. Hun gloed deed al het stof en de viezigheid in de keuken in het duister verzinken, en bescheen Mels stralende gezicht, de bloemen en de foto van de kinderen en mij die Lola had meegenomen naar Ted in het ziekenhuis.

Mel haalde de tonijn van de kookplaat. 'Klaar.'

Ik liep naar de trap om Jack te roepen. Hij kwam vrijwel direct naar beneden. Hij had zich gedoucht en andere kleren aangetrokken; zijn natte haar had hij plat achterovergekamd. Hij liep naar zijn plek aan tafel en ging zitten. Hij viel onmiddellijk op de vis aan.

'Heb je honger soms?'

'Ja.' Hij wierp een snelle blik op mij. 'Ik heb tussen de middag niks gegeten.'

'Hoe dat zo?'

'Dat heeft mama je vast wel verteld.'

'Ja. Hier, neem ook wat tuinboontjes. Zeg op, met wie was je dan? Je hebt natuurlijk iets heel spannends gedaan, dat je niet naar school bent geweest.' Mel leunde naar voren en veegde haar krullen uit haar gezicht om hem beter te kunnen horen. Al haar aandacht was op hem gericht. Haar stem had niets berispends, klonk alleen maar vriendelijk en geïnteresseerd.

'Met niemand. Ik heb niets gedaan,' zei Jack binnensmonds.

'Echt niet? Wat ontzettend saai.'

Hij knikte en ging door met eten. Toen we aan het toetje toe waren, mengde hij zich zowaar even in ons gesprek. Hij praatte langzaam, alsof hij niet echt gewend was aan het geluid van zijn eigen stem, maar hij praatte in elk geval.

Toen we klaar waren met eten en hij welterusten had gezegd, trok ik nog een fles wijn open.

'Bedankt, Mel.'

'De tonijn was iets te gaar.'

'Ik bedoel dat je zo aardig was tegen Jack.'

'Zo aardig was ik nou ook weer niet. Ik deed heel gewoon.' Dat was waar. Mel bezat de gave om op een heel gewone manier warm en betrokken te zijn. Het was me vanavond alleen veel meer opgevallen dan anders.

'Je ziet er dolgelukkig uit,' zei ik. 'Die Jasper doet je blijkbaar erg veel goed.'

'Ik ben gelukkig, ja. Ik wou dat jij het ook was.'

Het was alsof de beschermende muren die ik om mezelf had opgetrokken even wankelden, alsof Mels pijlen erdoorheen drongen. Dat vond ik niet prettig.

'Wat bedoelde je nou toen je zei dat je vader een bedrieger was?'

Wat bedoelde ik? Weer was er die toenemende druk in mijn hoofd die mijn schedel dreigde te splijten. 'Ted was een geweldige neus, oftewel een prima parfumeur, maar dat was voor hem niet voldoende.' Ik koos mijn woorden met zorg en ze kwamen kortaangebonden over mijn lippen. 'Hij wilde altijd meer. Hij werd verteerd door verlangen. Hij wilde rijk worden, maar dat is hem nooit gelukt. Hij droomde van glamour, maar ondanks de illusies die hij met zijn parfums creëerde, bleef hij steken in het alledaagse. Hij genoot van geheimzinnigheid, wat zich bij hem uitte in geknipoog en getik tegen zijn neus, zoals je vaak ziet bij typen die zich echte mannen van de wereld wanen. Hij maakte zich schuldig aan oplichting, dat soort dingen. Volgens mij leefde hij in een fantasiewereld en stelde de gewone wereld hem altijd teleur. Vrouwen stelden hem teleur. Zijn eigen dochter stelde hem ook teleur.'

Mel leunde achterover in haar stoel. 'Jíj bent zijn dochter.'

'Ja.'

'Maar je praat over die relatie alsof het om een ander gaat.'

Daar school meer waarheid in dan ze besefte. Ergens in de verdoofdheid die met Teds dood samenhing was puur verdriet aanwezig, maar ik kon er bijna niet bij komen. Alsof de rouw bij iemand hoorde die ik kende, en niet bij mijzelf. Alsof ik zelfs op de pijnlijke verbinding met smart geen recht had, en dus ook niet op de bevrijding die er mogelijk het gevolg van zou zijn.

'Mel, ik ben anders dan jij. Ik ben in een heel ander gezin opgegroeid dan jij.'

'Hoe zit het met zijn huis?'

'Er is nog niets mee gebeurd.' Het zat op slot sinds de dag van de crematie, en al zijn bezittingen waren er nog. Ze lagen daar broeierig op me te wachten.

'Ga je er nog heen om alles uit te zoeken?'

'Ja.' Ik besefte ineens dat mijn weerzin om te gaan deel uitmaakte van mijn toestand van verdoving. Natuurlijk was ik bang om terug te gaan naar zijn huis en de herinneringen te ontsluiten, maar vroeg of laat zou ik me er toch toe moeten zetten.

Mel drong aan: 'Ik ga met je mee om te helpen. Ik weet zeker dat Caz en Graham ook wel willen helpen.'

'Ja. Dank je wel.'

Ik wist dat ik er niemand bij wilde hebben, zelfs Lola en Jack niet. Het waren niet alleen maar meubels, kleren en herinneringen waarmee ik te maken zou krijgen. Het was de geur van dat huis, die bezit van me zou nemen om me tot in het diepst van mijn ziel te raken.

5

Ik ontsloot Teds voordeur en duwde hem zachtjes open.

De tochtstrip stuitte op een berg brieven en folders die op de mat lagen en ik bukte me om ruimte te maken. Mijn adem ging snel. In de hal rook het bedompt en schimmelig.

In de keuken maakte ik de achterdeur open om frisse lucht binnen te laten. Het rook hier nog sterker naar schimmel. De stilte beklemde mijn oren en in een poging er iets tegen te doen begon ik met veel lawaai kasten open te maken en dingen te verzetten. Daar was de tinnen theetrommel, nog uit ons oude huis, met afbeeldingen van de parlementsgebouwen, die vervaagd waren op de plek waar Teds duim en handpalm er zo vaak langs hadden gestreken. In de trommel, zo wist ik, zat de theelepel met het embleem van de RAF.

Ik lichtte het deksel van de broodtrommel op en deinsde terug bij de aanblik van de bron van de schimmellucht: een baldakijn van blauwe schimmel. Caz en Mel en ik hadden er na de crematie wel aan gedacht om de koelkast leeg te halen en de deur ervan open te laten staan, maar het brood waren we vergeten. Ik kokhalsde en zocht naarstig naar een doek en een vuilniszak. Ik begon de schimmel en de obsceen bontachtige homp brood in het midden ervan weg te vegen, maar het had geen zin. Ik stopte alles met broodtrommel en al in de vuilniszak en bond die stevig dicht. Ik was hier om Teds bezittingen uit te zoeken. Ik wilde niet veel bewaren – herinneringen bezat ik al in overvloed.

Boven was de stilte nog dieper en bedrukkender. De straat waarin Ted woonde was heel rustig, en achter deze gesloten ramen had al een maand lang niets bewogen. Ik zette de radio naast het bed aan, maar ik schrok hevig van het plotselinge gepraat en zette hem meteen weer uit.

De badkamer met de blauwe tegels en versleten matjes van blauwe chenille was een troosteloos smal vertrek dat me weer deed terugdenken aan het druipnatte groene hok in ons oude huis. Ted die 'All Things Bright and Beautiful' stond te neuriën tijdens het scheren. Ik die op de rand van het bad naar hem zat te kijken. Ik kon mezelf nu zien, met het oog van een volwassene, zoals ik daar naar hem zat te kijken, gretig al zijn bewegingen volgde en probeerde om door middel van pure concentratie zijn aandacht te trekken. Hij moet er horendol van zijn geworden.

Op de houten plank boven de wastafel stond een flesje. Ik pakte het op, schroefde de dop eraf en snoof er automatisch aan.

Het was alsof ik over het groene glas had gewreven en een toverspreuk had uitgesproken om de geest die in het flesje zat als een pluim uit zijn gevangenis te laten ontsnappen. De geur van zijn reukwater drong door in mijn mond en neus en tot achter mijn ogen, en mijn gehoorzame brein deed prompt waar het zo goed in was en bracht onmiddellijk herinneringen naar de oppervlakte. Het hier en nu vervaagden en opeens stond Ted naast me, Ted in de bloei van zijn leven.

Hij droeg een donkerblauwe blazer en een lichtgeruit overhemd met een lavallière met paisleymotief. Hij had zich net geschoren en zijn huid was strak en glimmend op de plekken waar hij reukwater had ingewreven en -geklopt. Zijn dikke haar was met brillantine bewerkt en glad naar achteren geborsteld. Ik zag de smalle voren die de oude zilveren haarborstel had getrokken die altijd op de hoge ladekast in zijn slaapkamer lag.

Hij gaf me een knipoog. 'Zo kan ik er wel mee door, hè?'

'Ga je weg?' informeerde ik.

Was dit voor of na de dood van mijn moeder? Het moet erna zijn geweest.

Voor haar dood had ik het niet erg gevonden dat hij zo vaak uit huis was. Het was de normale situatie en Faye en ik waren gewend om met ons tweetjes te zijn. Ik weet nog hoe ik toekeek als ze taarten bakte en haar meehielp. De eerste taart van biscuitdeeg die ik helemaal alleen maakte, versierde ik met het woord 'Papa', in blauw glazuur er beverig op gespoten met behulp van een papieren zak met een scherp getande spuitmond. Het duurde twee dagen voordat hij thuiskwam en van de taart kon proeven, en tegen die tijd waren de letters vervloeid met de cakelaag eronder.

'Ik knijp er een uurtje tussenuit,' zei Ted.

Dat had ik hem al eerder horen zeggen. 'Toe, niet weggaan,' zei ik met vleierige stem.

Hij knipoogde weer, hij popelde om te vertrekken. 'Weet je wat? Ik vraag mevrouw Maloney wel of ze bij je komt.'

Mevrouw Maloney was een weduwe die een paar huizen verderop woonde. Onze straat in een noordelijke buitenwijk van Londen lag op een heuvel en de kleine woningen, half vrijstaand, half in tudorstijl, stonden paarsgewijs getrapt met tuintjes voor en achter. Het huis van mevrouw Maloney stond hoger dan het onze en ik vond het een vreselijk idee dat ze van bovenaf kon neerkijken op ons dak en de hoge rozenstruiken die tegen de met creosoot bewerkte schutting stonden. Ze liet winden, ze stonk en ik vond dat ze er eng uitzag. Ik vond het verschrikkelijk om alleen in huis te zijn, vanwege de spoken die zich in de plooien van de gordijnen ophielden en de fluistergeluiden in de lege kamers, maar mevrouw Maloney vond ik nog erger. Ik moest haar altijd thee met koekjes brengen en dan zat ze daar in mijn moeders stoel halve boeren te laten en stelde me allerhande nieuwsgierige vragen.

'Mag ik niet mee?'

Ik herinnerde me de dag bij Phebus nog zo goed omdat Ted me vrijwel nooit ergens mee naartoe nam.

'Deze keer niet, Prinses.'

De bel ging, een langgerekt, snerpend geluid dat aangaf dat de beller er keihard op drukte. Er kwamen niet vaak mensen bij ons aan de deur, wat ook niet zo vreemd was, en Ted en ik keken elkaar verbaasd aan. Hij liep snel naar het raam van de slaapkamer en keek naar beneden, waarbij hij ervoor zorgde dat hij achter de vitrage niet te zien was.

'Doe mij een lol, Sadie. Ga naar beneden, doe de deur open en zeg tegen die man dat ik er niet ben. Zeg maar dat je niet weet wanneer ik terugkom. Goed?'

Ik ging de voordeur opendoen. Er stond een man op de stoep in een lichtbruine jas, met leren knopen die op glanzende walnoten leken. 'Is je papa thuis?'

Ik keek hem recht aan. 'Nee.'

'Wanneer is hij er weer?'

'Dat weet ik niet.'

De man keek me zo doordringend aan dat ik me ongemakkelijk begon te voelen. Maar het was niet voor het eerst dat ik iets dergelijks voor Ted moest doen. En ik stelde er een eer in me goed van mijn taak te kwijten. Ik zette mijn onschuldigste gezicht op.

'Goed dan. Wil je hem een boodschap van mij doorgeven?' De man haalde zijn portefeuille tevoorschijn, trok er een kaartje uit en schreef iets op de achterkant. 'Kijk eens. Niet vergeten, hoor.'

Terwijl ik de trap weer op liep, probeerde ik te lezen wat hij had opgeschreven. Maar Ted stond me op de overloop op te wachten.

Hij stak zijn hand uit. 'Goed gedaan, Prinses.' Hij wierp ternau-
wernood een blik op het kaartje en stak het in zijn zak. 'We willen niet
dat mensen weten waar we elk moment van de dag uithangen, wel?'

Toen hij zich ervan vergewist had dat de bezoeker echt weg was,
vertrok hij zelf, fluitend. Ik moest huiswerk maken, en daarna had ik
de televisie als gezelschap. En als ik iets nodig had kon ik bij mevrouw Maloney terecht. Maar als Ted er niet was, lukte het me nooit
om in te slapen voordat hij weer thuiskwam. Ik lag maar op mijn bed
naar het plafond te turen, wachtend op het geluid van zijn Ford
Consul.

Even later hoorde ik dan zijn sleutel in het slot, en daarna zachte
stemmen op de gang. Soms hoorde ik op zo'n late avond het gegiechel van een vrouw. Pas dan, als ik zeker wist dat hij niet voorgoed
verdwenen was en me niet in de steek had gelaten, deed ik mijn ogen
dicht. Als er een vrouw in huis was, trok ik de dekens over mijn hoofd
en bedekte mijn oren met mijn vuisten.

Ik schroefde de dop weer op het flesje en wilde het terugzetten. Toen
herinnerde ik me dat ik hier was om Teds spullen uit te zoeken en
gooide het in een afvalzak. Zijn reukwater vond ik nog steeds onaangenaam. Misschien vertegenwoordigde het voor hem iets van hoe hij
graag zou zijn, of misschien vond hij, die zo gek was op geheimzinnigdoenerij, het alleen maar ontzettend leuk om er nog een rookgordijn mee te leggen. Ik vond nog altijd dat zijn reukwater naar bedrog
rook.

Ik haalde zijn rokerstandpasta, maag-darmtabletten en likdoorn-
pleisters uit het badkamerkastje. Ik ruimde alles methodisch op, mezelf voorhoudend dat het alleen om stoffelijke dingen ging, dingen
zoals wij die allemaal onvermijdelijk ooit achterlaten en die dan voor
óns worden opgeruimd. Als we geluk hebben door onze kinderen en
kleinkinderen, en anders door vreemden.

Toen ging ik weer terug naar de slaapkamer. Ik haalde zijn jassen
en pakken van de hangers af en maakte er een stapel van; misschien
wilde het Leger des Heils ze wel hebben. De boorden van de over-
hemden waren sleets en het model was uit de broeken, maar alles was
wel gestoomd of keurig geborsteld. Ted had zichzelf op zijn oude dag
een beetje verwaarloosd – hij at niet gezond en hield van roken en

whisky, hij ging niet zo vaak meer naar de kapper en haalde de haren in zijn neus en oren nog maar af en toe weg – maar hij kleedde zich nog altijd piekfijn. Ik vouwde de lange witzijden sjaal op die hij bij zijn avondkostuum had gedragen, omdat Lola er misschien belangstelling voor zou hebben.

Zijn schoenen stonden keurig op een rij onder in de hangkast. In het leer zaten hier en daar diepe groeven, maar ze waren keurig gepoetst. Ik draaide één paar schoenen om, bekeek de versleten hakken en betastte de ovale gaten in de zolen. Ik zag de afdrukken die het gevolg waren van zijn manier van lopen en terwijl ik dat deed kon ik hem in de stilte van het huis als het ware horen lopen. Maar ik begreep nog steeds niets méér van de man dan tevoren.

In de laden van de hoge ladekast lagen sokken en onderbroeken, en een heleboel opgerolde dassen en lavallières in paisleymotief. Ik legde zijn RAF-das apart, waarvan de randen rafelig waren op de plek waar hij hem honderden keren had geknoopt, en deed de rest in een afvalzak.

Ik zat steeds tot aan mijn polsen in zijn kleren, en zijn geur was overal, maar ik zei tegen mezelf dat het een karwei was dat nu eenmaal moest gebeuren. Ik zette door en de stapel zwarte vuilniszakken op de overloop werd steeds groter.

De onderste lade was dieper dan de andere, en toen ik hem opendeed bleek hij voor de helft met papieren gevuld te zijn. Ik knielde met tegenzin neer en begon ze uit te zoeken.

Het waren voornamelijk oude rekeningen, maar er zat ook een adresboek in een bruinleren band tussen de papieren, met ouderwetse duimgrepen met zwarte en rode letters en cijfers. Ik bladerde het door en herkende een paar namen, terwijl een paar andere me heel vaag iets zeiden.

Er was hier niets te vinden dat geheim was. Ted bleef even ondoorgrondelijk als hij altijd was geweest.

In een gekreukte manilla envelop vond ik een handvol foto's. Er zat er een bij van mijn moeder en mij, genomen in de achtertuin van ons oude huis. Ik was misschien vier jaar oud en ik keek stuurs vanonder de rand van een zonnehoed. Ik droeg een jurk met smokwerk van voren, die ik verschrikkelijk vond. Faye keek zoals gebruikelijk weg van de camera, alsof ze wenste dat ze ergens anders was. Ik had deze foto en de meeste andere in de envelop al vaker gezien, onder andere de foto waarop een vrolijk en knap ogende Ted voor een MG staat. De

MG van iemand anders weliswaar, maar toch was hij erin geslaagd met het air van de bezitter op de foto te komen. Er zaten ook vier, vijf foto's van vrouwen bij.

Een van hen trok mijn aandacht. Ze had een mollig gezicht met een volle kin met een kuiltje erin en haar haar lag van voren in dik met lak bespoten krulletjes tegen haar voorhoofd, terwijl het aan de zijkanten was opgestoken. De lippenstiftglimlach was net iets uitgebreider dan de contouren van haar lippen, en bezorgde haar een nonchalant-verleidelijke uitstraling: pak me dan als je kan. Haar ogen stonden ietsje schuin naar boven en dit oriëntaalse effect werd nog eens versterkt door een dikke streep zwarte eyeliner die vanaf haar ooghoeken nog verder opliep.

Tante Viv.

Viv was niet de eerste van Teds vriendinnen die hij na de dood van mijn moeder aan me voorstelde. Ik kon me tante Joyce nog wel herinneren, een van haar voorgangsters, net als tante Kath misschien. Maar Viv was een tante die langer bleef dan de meeste andere en ze was voor mij gedenkwaardig omdat ze liever voor me was geweest dan alle andere.

Ik ging op de groene chenille sprei op Teds bed zitten. Ik was weer net zo oud als Jack nu.

Mijn vader riep naar boven: 'Sadie? Sadie? Kom eens naar beneden om kennis te maken.'

Ik kwam mijn slaapkamer uit. Ik had een romantisch boek liggen lezen en wenste dat de held op zijn paard naar Dorset Avenue in Hendon zou komen om me te schaken. Naast Ted in de gang beneden stond een vrouw.

'Sadie, dit is tante Viv.'

Ik wilde niet wéér een tante. Ik wilde een vader die bij me thuis bleef en 's avonds meekeek naar mijn favoriete tv-programma of me misschien zelfs Franse woordjes overhoorde. Ik wilde ook mijn moeder terug, natuurlijk, maar zelfs ik, die toch het grote talent bezat om van alles te wensen dat ik nooit zou krijgen, wist dat het geen zin had om hierover te blijven denken.

'Hallo, liefje.' Tante Viv grijnsde me toe. Ze droeg een strakke rok met aan weerszijden op de dijen een strook met plooien, en door haar hoge hakken helde ze iets naar voren en staken haar billen naar achteren. Vooral haar torenende helm van zilverig blond haar viel me op.

'Hallo,' antwoordde ik binnensmonds.

Tante Viv zei dat ik naast haar op de bank moest komen zitten. Ted ging de ginfles pakken en onze beste glazen, die waarin ruitvormen en sterren gegraveerd waren.

'Geef haar ook een glaasje,' stelde Viv voor, en tot mijn stomme verbazing schonk Ted een klein glas zoete martini voor me in.

'Proost, liefje,' zei Viv, en nam een slok van haar gin-tonic. Ze haalde haar vingers – met roodgelakte nagels en bezaaid met ringen – als een kam door mijn haar. 'Wat heeft ze prachtig haar. Is het natuurlijk?'

Ik vond het maar een stomme vraag. Ik was twaalf. Alsof ik zelf kon kiezen of ik mijn haar liet verven of permanenten of zelfs maar watergolven. En alsof ik in dat geval gekozen zou hebben voor het kapsel dat ik had – met een scheiding opzij, half lang en rechttoe, rechtaan geknipt; ik droeg het met een roze plastic schuifje in de vorm van een strikje. 'Ja,' zei ik stuurs, maar toch was ik niet ongevoelig voor Vivs bewondering. Het was een ongekende dubbele sensatie voor me: ten eerste dat iemand me bewonderde en ten tweede dat ik er gevoelig voor was.

'Tante Viv is dameskapster,' lichtte Ted toe. 'We zijn van plan samen een bedrijfje op te zetten. Een nieuwe lijn in haarverzorgingsproducten, exclusief natuurlijk, maar toch betaalbaar.'

'Shampoo, haarversteviger, conditioner,' zei Viv dromerig. 'Je vader gaat ze voor mij creëren. Mijn eigen lijn.'

'O ja?' vroeg ik. 'Kun je ze dan ook bij Boots kopen?'

Ted zond me een van zijn kille, waarschuwende blikken toe, maar Viv knikte. 'Natuurlijk. En in alle kapperssalons natuurlijk. Ik met mijn deskundigheid op het gebied van hairstyling en je vader met zijn genialiteit als geurkunstenaar – dat is hij namelijk écht, weet je, een kunstenaar – gaan iets maken dat iedere vrouw zal willen kopen en ervaren.'

Ik was onder de indruk. Ted goot nog wat gin in Vivs glas. Ze praatten samen verder over zaken, maar Viv zei tegen mij dat ik maar moest meeluisteren. De ideeën van jonge mensen waren voor de markt altijd heel interessant.

Ik luisterde een tijdlang gretig. Viv had een heleboel ideeën voor namen en de vorm van flesjes en doosjes. Ze maakte schetsjes op een notitieblokje, scheurde de velletjes eruit en liet ze ter keuring aan Ted en mij zien. De flesjes hadden ronde vormen en een slanke taille, zoals Viv zelf, en de kleuren waren voornamelijk roze met goud. Voor de shampoo had ze de naam Vivienne bedacht.

Ted was eerder geïnteresseerd in formules en dacht na over de beste manier om kant-en-klare oplossingen in te kopen om onze eigen geurtjes mee te vermengen, om ze dan in grandioze flesjes en verpakkingen aan te bieden. 'Dat is waar we een hoop mee kunnen verdienen, let maar op. Eenvoudige basisproducten, maar met een exclusief cachet.'

Ze sloegen allebei nog verscheidene glazen gin-tonic achterover, terwijl ik bezig was met de stroperige restjes van mijn martini. 'Dit werk maakt zó dorstig,' verduidelijkte tante Viv op geaffecteerde toon tegen mij. De drank maakte me slaperig en toen ik op de bank ging verzitten, voelden mijn armen en benen als gelei. Na een tijdje ging tante Viv de keuken in, enigszins wankelend op haar hoge hakken, en kwam terug met een bord crackers, belegd met kaas. Viv zette de tv aan. Ze kwekte door het journaal heen; het betrof voornamelijk roddel over haar klanten en vragen over Teds werk. Ze zat dicht tegen hem aan, zwaaiend met een in nylon gestoken been, waardoor haar schoen aan haar tenen kwam te bungelen. Toen de crackers op waren, liet ze haar hoofd tegen het kussen van de bank rusten en sloot haar ogen. Intussen streelde ze met haar hand mijn vaders nek.

'Hup, Sadie, naar bed,' zei Ted.

Ik begon te protesteren, aangemoedigd door de martini en het gevoel erbij te horen, maar hij fixeerde me met zijn ijzig-strenge blik.

'Welterusten, poppie,' mompelde Viv. 'Tot gauw.'

De volgende ochtend was ze nergens te bekennen. Terwijl ik brood voor mezelf roosterde en thee zette, vroeg ik Ted, die zwijgend de krant zat te lezen: 'Komt tante Viv nog een keertje?'

Hij keek me aan alsof ik niet goed snik was. 'Ja, natuurlijk komt ze terug.' Daarna sloeg hij een pagina van de *Daily Express* om en ging verder met lezen.

Dat was het begin van een heel plezierige periode. Ted was nog wel vaak de deur uit, misschien zelfs nog vaker dan voor de komst van tante Viv, maar ik ging ervan uit dat hij dan wel bij haar zou zijn. Viv was naar mijn idee wel te vertrouwen. Ik kreeg elke week haar *Woman* en *Woman's Own* als ze ze uit had. Ze probeerde nieuwe ideeën voor kapsels op mij uit en kletste over lippenstift en kleren. Op een avond haalde ze een glazen flacon met een bolvormige verstuifdop uit haar tasje. Ze spoot iets van de inhoud op de binnenkant van mijn polsen en liet zien hoe ik, door ze tegen elkaar te wrijven, de huid kon verwarmen.

'Wat vind je?' Haar gezicht was rozerood van opwinding.

Ik vond het een heerlijk parfum. Het rook naar kruidnagel en anjers en deed me denken aan zijden avondjurken en kaarslicht, weerspiegeld in grote spiegels. Ted stond naar ons te kijken, met één hand in de zak van zijn jasje en één wenkbrauw opgetrokken.

'Het heet Vivienne,' fluisterde ze. 'Hij heeft het voor mij ontworpen. Beter dan een ouderwets shampootje, hè?'

'Ja,' bracht ik uit. Ik keek naar mijn vader, maar die had alleen maar oog voor Viv. Nadien wist ik altijd wanneer tante Viv in huis was geweest. Het parfum bleef hangen in de kussens en gordijnen van de voorkamer, en in de badkamer, en bij de deur van Teds slaapkamer.

Soms waren Ted en Viv 's avonds bij ons thuis bezig met hun haarverzorgingsproducten. Dan stond er een regiment potjes met chemisch spul op tafel en vroegen ze mij om te ruiken. De geuren deden me vooral aan de zeep op school denken. Verder was de tafel bezaaid met strookjes karton, lege plastic flesjes en kleurkaarten, en daarnaast boekjes met een spiraalrug waarin verschillende lettertypen stonden. Al die letters vond ik het mooist. Ik volgde de extravagante krullen van de romantische lettersoorten met mijn vinger en mat de recht afgesneden randen van de robuustere lettertypen met mijn duimnagel. Eens pakte ik een stuk vetvrij papier en legde het over de grootste, krullerigste letters heen. Ik gebruikte de letters om mijn naam over te trekken, Sadie Faye Thompson, maar de spatiëring deugde helemaal niet, zodat het resultaat er amateuristisch en schots en scheef uitzag en in niets leek op een kopje in een tijdschrift. Daarna probeerde ik het nog eens, en zorgde dat alle letters aan de onderkant op een met potlood getrokken lijn rustten. Ik bleef spelen met de afstand tussen de *a* en de *d* en de *T* en de *h*, totdat ik tevreden was over hoe het eruitzag. Naast me zaten Ted en Viv te ruziën, want Viv vond dat Ted te lang deed over het samenstellen van het prototype voor de shampoo, maar ik schonk nauwelijks aandacht aan hen.

Toen ik klaar was met overtrekken, maakte ik de achterkant van het vetvrije papier met een zacht potlood grijs, zoals we vaak op school deden als we bij aardrijkskunde landkaarten moesten overtrekken. Ik omlijnde de letters nog een keer en bracht de tierelantijnen over op een groot stuk wit karton. Daarna pakte ik mijn kleurpotloden en kleurde de letters in, sommige in blauw dat overging in groen, andere in rood met oranje.

'Kijk nou toch eens.' Viv floot tussen haar tanden toen ze zag wat ik had gedaan. 'Dat ziet er echt professioneel uit, poppie.'

Ik vond dat het er waarschijnlijk beter zou hebben uitgezien als ik de letters gewoon in één kleur had gehouden.

'Haal die rommel eens weg, Sadie,' zei Ted nors. 'Neem het maar mee naar boven.' Ik begreep dat hij zijn ruzie met Viv wilde voortzetten zonder mij erbij.

Ik begon met de andere meisjes op school over mijn tante Viv te praten; ik schepte een beetje op dat ze zo jong en zo mooi was en liep te showen met wat ze met mijn haar had gedaan. Het was inmiddels langer geworden en zij had een pony geknipt zodat ik niet meer met een schuifje hoefde te lopen. Op een keer versprak ik me en zei: 'Mijn moeder... eh, tante Viv, bedoel ik.' Ik zag Jean en Daphne hun wenkbrauwen optrekken. Ze gniffelden.

Het einde kwam toen tante Viv jarig was.

Ik maakte een kaart voor haar met mijn speciale letters. Op de voorkant stond 'Tante Viv' boven een rood hart met het cijfer 27. Ik wist hoe oud ze was, want dat had ik aan Ted gevraagd. Aan de binnenkant schreef ik: 'Hartelijk gefeliciteerd en nog vele jaren. Veel liefs, Sadie.' Ik had graag een cadeautje voor haar gekocht, maar ik had geen geld en dus plukte ik wat rozen in de tuin, die ik wikkelde in het goudpapier dat ik bewaard had van de verpakkingsstalen, en deed er een lintje om. Ik bofte dat het juni was.

Ted vertelde dat hij met Viv een avondje uitging.

'Waar blijft de jarige toch,' mopperde hij terwijl we op haar wachtten. Eindelijk stopte er een taxi voor de deur.

Viv droeg een korte crèmekleurige strakke jurk bedrukt met patroontjes. Ik begon 'Lang zal ze leven' te zingen zodra Ted de deur opende, maar toen kusten ze elkaar en het lied bestierf me op de lippen. Toch omhelsde Viv me toen ze uitgekust waren en gaf me de volle Vivienne-laag.

Ted had een cadeau voor haar. Het zat in een grote in glanzend papier verpakte doos met linten eromheen. Viv nam hem met een kreetje aan, schudde ermee, hield hem bij haar oren om te horen of hij soms tikte, en begon toen het papier eraf te halen, heel langzaam, om ons te plagen.

Er kwam een witte doos tevoorschijn en toen ze die zag verschenen er pruilerige rimpels in haar gestifte lippen. Ze verwijderde het deksel en haalde uit de dikke laag vloeipapier een schoen te voorschijn, met een zilveren hoge hak, die veel weg had van het lemmet van een stiletto, terwijl de rest precies dezelfde crèmekleur had als haar jurk. 'Wat mooi,' mompelde ze. Maar toen zag ik haar weer pruilen. 'Maar schat, ik dacht dat mijn shampoo en conditioner erin zouden zitten. Je had me zo beloofd dat je ze klaar zou hebben.'

'Doe ze eens aan,' beval Ted. Ze deed wat haar gezegd werd, en ik zag dat de schoenen haar perfect pasten. Ze stonden veel beter bij haar jurk dan de zwarte leren schoenen die ze eerst aanhad.

Ik ging naar boven, terwijl zij elkaar weer aan het kussen waren, om de kaart en de rozen te halen die ik op mijn kamer had verstopt. Toen ik terugkwam had Viv zich van mijn vader losgemaakt en stond haar make-up te controleren in de spiegel die boven de schoorsteenmantel hing.

'Alsjeblieft,' zei ik.

'O, kijk toch eens wat ze gemaakt heeft,' riep ze naar Ted. 'Heb je ooit zoiets moois gezien?'

Ik zag zijn gezicht toen hij naar de kaart keek. Hij tuitte zijn lippen en zijn ogen kregen een nietszeggende uitdrukking. Eerst begreep ik niet waarom hij boos was in plaats van blij dat ik iets gemaakt had dat bij Viv in de smaak viel. Maar toen werd het me duidelijk, in een flits, alsof een lamp die plotseling aangaat te fel in je gezicht schijnt.

Ted was jaloers, omdat ze blijkbaar blijer was met mijn cadeau dan met zijn schoenen. Er speelde ook nog iets anders mee, iets veel gecompliceerders. Ted wilde niet dat ik Viv iets gaf wat niets met hem te maken had. Ze hoorde bij hem en ik hoorde ook bij hem, maar dat wilde nog niet zeggen dat zij en ik ook samen een band konden hebben. Hij wilde ons gescheiden houden, omdat hij op die manier meer macht had over ons allebei.

Ik knipperde met mijn ogen. Ik had het gevoel alsof ik binnen een paar seconden van een kind dat van niets wist een volwassene was geworden, die een oneindig complex nieuw landschap voor zich zag. De overgang deed mijn adem stokken, maar tegelijk voelde ik me vreemd opgetogen. Blijkbaar bezat ook ik macht, was ik in staat jaloezie op te wekken. Ik glimlachte sereen naar Ted, vanuit de beschutting die Vivs geurige omhelzing me bood.

'Mooi, hoor,' zei hij, en legde de kaart ondersteboven op tafel. Hij bracht met een ruk zijn pols vanonder zijn mouw tevoorschijn en keek op zijn horloge. 'We moesten maar eens gaan, liefste.'

'O, Ted.' Viv straalde ineens. 'Ik heb een idee. Laten we Sadie vanavond mee uit nemen.'

'Dat kan niet.'

'Waarom niet? Ze vindt het vast leuk en ik ook. En ik ben jarig, dus ik mag het zeggen.'

Haar pruilmondje was nog steeds mooi en verleidelijk, maar dankzij mijn verhelderde inzicht bespeurde ik nu ook iets van ijzeren onverzettelijkheid bij Viv. Ik nestelde me tegen haar aan, genietend van de aanblik van mijn almachtige vader die in een netelige positie was beland. Ik zou als het erop aankwam nog altijd onvoorwaardelijk zijn kant hebben gekozen, maar ondanks mezelf genoot ik van de nieuwe, intrigerende perspectieven die zich ineens hadden geopenbaard.

Viv gaf me een tikje tegen mijn achterste en giechelde. 'Ga naar boven om iets moois aan te trekken, dan gaan we de stad op stelten zetten.'

Ik had geen kleren die in de buurt kwamen van Vivs idee van wat mooi was – ook niet van het mijne, trouwens – maar ik deed mijn best. Toen ik weer beneden kwam, zat Ted met een chagrijnig gezicht aan de gin-tonic; Viv had intussen een corsage gemaakt van een van mijn rozen door de afgebroken steel te omwikkelen met zilverpapier uit een doosje sigaretten, en was bezig die op haar crèmekleurige boezem te spelden. 'Je ziet er schattig uit,' zei ze. Ze haalde een etuitje uit haar handtas, hield mijn hoofd naar het licht toe en bracht met geoefende hand een laagje mascara op mijn bijna onzichtbare wimpers aan, en vervolgens als puntjes op de i een blauwe streep oogschaduw boven mijn ogen. 'Je moet wel net doen of je veertien bent. Vergeet je het niet?'

'Oké,' zei ze toen tegen Ted. 'Laat jij je twee meisjes nu maar eens zien wat uitgaan is.'

Terwijl ik achter in de Ford Consul zat en de huizen aan Dorset Avenue en de etalages aan de Parade langs zag glijden in de hoogzomerse schemering, voelde ik me in de zevende hemel.

Maar het avondje bleek uiteindelijk meer van een hel weg te hebben.

Om te beginnen bleef Ted chagrijnig en gedroeg Viv zich geforceerd en op een schalkse manier uitgelaten. Ze zat voortdurend naar me te knipogen door de walm van haar sigaretten heen, als waren we samenzweerders. We zaten gedrieën aan een tafeltje in een hoek van een gelegenheid die het midden hield tussen een kroeg en een nachtclub. Het was er rokerig en het stonk er naar verschaald bier. Er waren een heleboel spiegels, er stond een lange bar van glimmend gepoetst donker hout met tientallen flessen erboven, en de donkerrode zware gordijnen voor de ramen sloten het laatste licht buiten. In een andere hoek was een verhoging met een piano en een microfoon op een standaard. Toen Ted aan de bar stond, kwam een pianist in smoking het podium op. Ted en Viv hadden allebei gin in een hoog glas met grote blokken ijs en flinterdunne schijfjes citroen erin en ik kreeg een glas met een beduidend kleinere hoeveelheid stroperige zoete martini. We klonken en proostten voordat we een slokje namen. Ik was verlegen en drukte me zo veel mogelijk in een hoek om niet op te vallen. Maar ik was ook stralend blij, zo zelfs dat ik dacht dat ik van geluk zou barsten. Ik was helemaal weg van Viv; ik wilde net zo worden als zij en ik wilde niets liever dan samen met haar en mijn vader vertoeven in een wereld waarin dit soort mysterieuze, exotische oorden te vinden waren.

Ik nipte van mijn glas en nam alles om me heen in me op. Ted en Viv kenden een heleboel mensen, Ted nog de meeste. Steeds kwamen er mannen naar ons tafeltje die Viv een kus gaven en dan in Teds oor begonnen te fluisteren. De vrouwen die ze bij zich hadden, waren bijna allemaal net als Viv gekleed in strakke, laag uitgesneden jurken en hadden opgestoken haar en wimpers met dikke kloddders mascara eraan. Viv zat bijna voortdurend te lachen en leek zich niet te storen aan plagerijtjes over haar leeftijd. Ted zat achterovergeleund op zijn stoel, met zijn arm steunend op de rugleuning van de hare, en praatte, rookte en glimlachte aan één stuk door.

Een vrouw in een glinsterende rode avondjurk kwam het podium op om enkele liederen te zingen. Ik herinner me het lied 'Lover Letters in the Sand'. Ted en Viv sloegen het ene drankje na het andere achterover. Vrienden aan andere tafeltjes gaven steeds rondjes en Viv wierp de mannen kushandjes toe om ze te bedanken.

Ik voelde me heel wereldwijs en begon uit mijn schulp te kruipen. Ik kletste mee, bijna alleen tegen Viv, al merkte ik algauw dat ze niet echt luisterde. Toen de zangeres al buigend het podium verlaten had begon het dansen. Er waren paren die de jive dansten, terwijl anderen, vooral jongere mensen, een eindje van hun partner af stonden te zwaaien en te kronkelen. Vooral naar die laatsten keek ik vol belangstelling en ik wenste dat ik zelf een partner had, hoewel ik zeker wist dat niemand mij zou komen vragen. De meeste mensen waren echter met nogal onzekere passen en voortdurend tegen elkaar aan botsend een soort wals aan het doen. Ook Ted en Viv stonden op om te dansen, maar ze waren nog maar net op de dansvloer, toen een man tussenbeide kwam en Viv op een showerige manier meevoerde. Ze gooide haar hoofd lachend achterover toen hij haar liet rondzwieren, maar bleef toen haken achter haar zilveren hoge hak en viel bijna. Toen ik keek waar Ted was, zag ik hem dansen met een blonde vrouw; hij had een hand op haar achterwerk gelegd en hield haar heupen stevig omklemd. Viv kwam als eerste naar ons tafeltje terug. Ze liet zich op haar stoel neervallen, trok een gezicht van 'Kan mij het schelen' in mijn richting, maar keek me niet echt aan.

Toen Ted terugkwam, vroeg ze op hoge toon: 'Wat moet dit voorstellen?'

'Wat?' informeerde hij op koude toon.

'Jij met die vuile trut,' snifte Viv.

'Doe niet zo ordinair, zeg.'

De sfeer was volslagen veranderd. Van de pruilerige ster van de avond was Viv ineens getransformeerd in een timide, onzeker persoontje. Ze schoof met haar stoel zo dicht mogelijk naar Ted toe, maar die keek naar de dansenden en schonk geen aandacht aan haar. Ik kreeg een heel raar gevoel in mijn maag, dat ik honger verkoos te noemen. Ik vertrouwde Viv toe dat ik honger had en ze bracht deze informatie aan Ted over. Die keek verbaasd, hij was min of meer vergeten dat ik er ook was.

'Davey wil vast wel een broodje voor haar maken, hè?' zei ze weifelend.

Het leek wel alsof ik het volgende moment al een sandwich voor me had staan. Maar toen al maakte de tijd rare capriolen. Naar mijn gevoel hadden we al uren en uren aan dat tafeltje gezeten, maar als ik om me heen keek leek alles zich in het vage te voltrekken, alsof een film veel te snel werd afgedraaid. De ruimte ging half schuil onder een dichte walm van rook en ik kreeg hoofdpijn van het lawaaierige geprat en gelach dat nog boven de luide muziek uitkwam. Aan een tafeltje vlakbij was een vrouw bij een man op schoot komen zitten. Haar rok was omhooggeschoven en ik zag repen blank vlees boven de randen van haar met jarretelles vastgemaakte nylonkousen uitpuilen. De hand van de man verdween ergens in het duister onder haar rok. De aanblik geneerde me verschrikkelijk en ik keek heel gauw weg naar de gemorste druppels drank op ons tafeltje. Ze fonkelden als bolle donkere edelstenen.

Op mijn sandwich zaten heel dikke plakken ham. Hij was in vieren gesneden en de korstjes waren eraf gehaald. De vier kwarten werden bijeengehouden met lange prikkers met aan de uiteinden papieren franje. Er lag een tomaat naast, in twee helften gesneden met een zigzagrand. Ik vond het er erg chic en aanlokkelijk uitzien. Ik nam een hap van een van de kwarten en begon flink te kauwen, maar het brood bleef aan mijn verhemelte plakken.

Viv en Ted hadden op gedempte toon boze woorden zitten uitwisselen. Nu stond Viv op en verwijderde zich van het tafeltje na zich aan de rand te hebben vastgehouden. Ze struikelde bijna, maar hervond haar evenwicht en rende zowat naar het damestoilet. Teds ogen volgden haar niet. In plaats daarvan boog hij zich ver naar mij toe, waarbij hij met de elleboog van zijn blazer de edelstenen van gin wegveegde. 'Alles kits, Prinses? Vermaak je je een beetje?' Hij sliste.

Ik probeerde te glimlachen, maar werd afgeleid door de ontzettend smerige smaak van de ham met de dikke homp brood. De herrie in de ruimte was langzamerhand oorverdovend. Overal om me heen zag ik roodaangelopen gezichten met gapende monden en haar dat in de war zat.

Een minuut later, zo leek het, kwam Viv weer terug. Ze had gehuild. Haar ogen waren betraand en haar mascara was uitgelopen. Ze greep Ted bij zijn mouw en begon aan hem te trekken. Hij rukte zijn pols los en ze probeerde hem een klap in zijn gezicht te geven. Toen het haar niet lukte haar hand in de buurt van zijn gezicht te krijgen, trok ze een schoen uit en probeerde hem met de zilveren stilettohak te steken. De rode gezichten keerden zich allemaal in onze richting. Mijn hoofd leek te zwemmen door de martini en ik gloeide van schaamte. Ik haatte de bar en de mensen die daar waren, en dat mijn vader en tante Viv publiekelijk aan het vechten waren vervulde me met afgrijzen.

'Ik wil naar huis,' gooide ik eruit. Mijn woorden leken in een plotselinge poel van stilte weg te plonzen en de versnelde film stond in één ruk stil. Er leek een eeuwigheid voorbij te gaan.

Toen boog een vrouw aan het tafeltje naast ons zich naar ons toe. 'Breng haar naar huis, Ted. Ze hoort veilig in haar bedje te liggen. Wat zou Faye wel niet van je gedacht hebben?'

Alleen al door het noemen van mijn moeders naam in die omgeving begonnen de tranen uit mijn ogen te stromen. Nu huilden Viv en ik allebei.

'Bemoei jij je nou maar met jezelf,' snauwde Ted tegen de vrouw. Maar hij en Viv lieten elkaar los. Ted liep weg en we volgden hem zo goed en zo kwaad als het ging tussen al het volk aan de tafeltjes door en naar de parkeerplaats buiten.

De koele avondlucht trof me als een slag in het gezicht en ik werd zo duizelig dat ik bijna omviel.

In de auto op weg naar huis bleven mijn vader en Viv de akeligste dingen tegen elkaar schreeuwen. Maar steeds als ik mijn ogen dichtdeed, leken de auto en de passerende lichten zo misselijkmakend rond te draaien en moest ik zo mijn best doen om niet over te geven, dat het me niet kon schelen wat er verder nog gebeurde. Toen we het huis in gingen, probeerde ik me aan Viv vast te houden. Ik voelde me zo beroerd dat ik iemand wilde hebben om voor me te zorgen, maar ze duwde me van zich af.

'Zo is het wel genoeg,' mompelde ze.

Ik slaagde erin om de trap op te komen en pas in de badkamer over te geven.

Veel later, toen ik rillend onder de dekens lag, hoorde ik ze beneden nog altijd tegen elkaar tekeergaan.

Ik zag tante Viv nog maar een keer of twee, drie, en daarna kwam ze nooit meer. Ik miste haar, en ik miste *Woman's Own*, en mijn pony werd veel te lang en begon voor mijn ogen te hangen. 'Komt ze nooit meer bij ons?' vroeg ik Ted uiteindelijk.

'Nee,' bekende hij. Hij zag er terneergeslagen uit, maar probeerde dit te verbergen. 'Vrouwen genoeg, toch? Ze had trouwens totaal geen zakelijk inzicht, weet je. Maar dan ook helemaal niet. En ach, ik heb jou, jij bent mijn meisje. Dat is voor mij meer dan genoeg.'

Dit was uiteraard een grove leugen, al wilde ik hem nog zo graag geloven en was ik hevig teleurgesteld toen de volgende 'tante' zich aandiende. Die was mager en droeg kniebroeken en zwarte coltruien. Haar haar was jongensachtig kort en ze noemde zich Maxine. Ze had een geweldige afkeer van jaloerse, twaalfjarige dochters met ogen op stokjes en ze vond het geen punt om daarvoor uit te komen. Maar ik was geen klein kind meer, dat meende ik althans. Niet na het plotselinge inzicht dat me op de avond van Vivs verjaardag als een bliksemslag getroffen had. Reken maar dat ik Maxine niet zou laten merken dat ik me ook maar ergens iets van aantrok.

Ik stopte Vivs foto terug in de manilla envelop. Een van de andere foto's, van een vrouw met verwaaid haar die op een stenen muurtje zat, kwam me vaag bekend voor, maar ik kon haar niet thuisbrengen en wist ook niet hoe ze heette. Ik legde de envelop apart bij de andere dingen die ik wilde bewaren: Teds witte sjaal, zijn zilveren haarborstel en het adresboekje. Het kostte me niet veel tijd om de rest van de kamer op te ruimen. Alles wat niet in afvalzakken verdween of op de stapel voor het Leger des Heils belandde, kon blijven staan voor de mensen die het huis verder kwamen leeghalen. En als het eenmaal leeg was, kon het te koop worden gezet.

Ik had al met Teds advocaat gesproken over zijn testament. De helft van zijn bezit was voor mij en de andere helft moest tussen Jack en Lola verdeeld worden. Afgezien van het huis, waar nog een hypotheek op rustte, en een paar duizend pond die hij op de bank had staan, had hij niets nagelaten.

In de woonkamer liep ik de titels in de boekenkast langs. Er stonden paperbacks van Ludlum, Higgins en LeCarré, een paar biografieën van militairen en populaire geschiedenisboeken, en op de onderste plank, onder een stapel tijdschriften, lagen drie in donkerbruin kalfsleer gebonden boekwerken. Op alle drie stonden Teds initialen, ELT voor Edwin Lawrence Thompson, in sierletters gedrukt. Hierin bevonden zich de ingebonden pagina's met aantekeningen van Ted, allemaal handgeschreven. Ze waren alle gedateerd en toen ik er even snel doorheen bladerde, constateerde ik dat ze een periode van in de jaren vijftig tot begin jaren zeventig omspanden.

Het waren Teds parfumeursaantekeningen en recepturen. Bij sommige stond de naam van klanten genoteerd – hier en daar zag ik Yardley of Coty, maar vaker ET&P, de naam van zijn eigen bedrijf. De P stond voor Partners, al wist ik niet of hij die echt had gehad. Bij één receptuur had hij 'voor Janice, augustus 1963' geschreven, en bij een andere alleen maar 'Linda'.

Ze waren onderhand niet jong meer, deze vrouwen die in Teds beste jaren met hem gekust en gedanst hadden en allemaal op hun eigen manier zoveel beloofden voor de toekomst. Misschien leefden ze niet eens meer. Maar de parfums die hij voor hen ontwikkeld had waren hier nog steeds, na veertig jaar, nauwkeurig bewaard op deze dichtbeschreven vellen met aantekeningen. Ik las een paar van de krabbels. 'Amylsalicylaat 600 cc. Geraniol 100 cc.' 'Heeft nog een duwtje nodig, 1% aldehyden.' De receptuur voor Janices parfum omvatte vijfendertig ingrediënten, die van Linda nog zes meer. Alleen Teds ge-goochel achter het parfumorgel met al die rijen flesjes in het lab zou nodig zijn om ze weer tot sprankelend leven te wekken: de essences van Linda en Janice in hun jeugdige schoonheid.

Ik kon niet, zoals Ted wel kon, mijn ogen sluiten om de samenge-stelde geur op te roepen die de som was van de droge opsomming, ik was zelfs niet in staat om de afzonderlijke essences met van geur drui-pende namen als frangipane, neroli en iriswortel uit mijn geheugen op te diepen. Maar de geest van zijn vrouwen en zijn werk en de geest van Ted zelf zweefden aan op de dichte stroom van de herinnering. Mijn keel werd erdoor dichtgeknepen. Dit hele huis was doortrokken van dampen: van te veel parfums, van zijn bedrieglijke reukwater, van schimmelsporen.

Ik klapte de band met aantekeningen dicht. Ik nam de drie zware delen mee, samen met de zijden sjaal, de envelop met foto's, de oude zilveren haarborstel, zijn zilveren sigarettendoos en zijn zware ko-peren aansteker. Ik sleepte de vuilniszakken naar buiten en bracht ze naar de vuilcontainer, en ik maakte bundels van zijn kleren voor het Leger des Heils. Maar zelfs toen ik de deur naar de stilte achter me gesloten had en weer op de M1 reed, ervoer ik geen gevoel van op-luchting. De druk in mijn hoofd was er opnieuw, en ook in mijn borst, alsof er een dam op springen stond en ik zou worden meege-voerd met een duistere vloedgolf.

Het beeld schrikte me af en mijn gevoel van beklemming nam nog toe. Ik haalde een hand van het stuur en snoof aan mijn ongeparfu-meerde pols. Daarna greep ik het stuur weer met beide handen vast en begon met het inhalen van een reeks vrachtwagens. Ik wilde naar huis, naar Jack.

Ik was blij dat ik voor halfvijf thuis was, de tijd waarop hij gewoon-lijk uit school kwam. Toen hij en Lola nog jonger waren, had ik mijn werkrooster bij The Works zo ingedeeld dat ik zo vroeg mogelijk weer thuis kon zijn, en nog steeds vond ik het geen prettig idee dat mijn kind soms dagen achtereen na school in een leeg huis binnenkwam. Ook al liet Jack op geen enkele manier merken dat hij blij was met mijn bezorgdheid of mijn aanwezigheid. In feite was het omgekeerde het geval.

Hij kwam nog geen kwartier na mij thuis en ging meteen weer voor de televisie zitten. Ik zette thee en roosterde wat sneetjes brood, waarvan hij er drie achter elkaar naar binnen werkte met zijn ogen op de buis gericht. Ik probeerde erachter te komen of hij overdag echt naar school was geweest zonder hem vragen te stellen waaruit dit al te duidelijk zou blijken. Ik wist in elk geval dat hij na de drie dagen spijbelen wel weer op school was komen opdagen, want meneer Rainbird had me opgebeld om dat te vertellen.

'Hallo, met Paul Rainbird,' had hij gezegd. Hij had een prettige stem, ook aan de telefoon.

'Is er weer iets aan de hand?'

Hij lachte. 'Nee, ik wilde alleen maar even melden dat Jacks klassenleraar vertelde dat Jack weer gewoon op school is. En ik wilde weten of hij al een beetje beter in zijn vel steekt.'

'Hij lijkt in elk geval niet sléchter in zijn vel te zitten.'

Hij lachte opnieuw, en ook zijn lach was aangenaam. 'Dus dat zullen we maar als een plusje opvatten, hè?'

'Ja, dat vind ik wel.'

'Laat het maar weten als u nog iets nodig hebt,' zei hij voordat hij ophing. Die laatste zin klonk vaag uitnodigend.

'Wat heb je vandaag gedaan, Jack?'

Hij haalde zijn schouders op.

'Had je biologie vandaag?' Biologie was het enige vak waarvoor hij iets van enthousiasme kon opbrengen.

Hij keek me even star aan. 'Het is vandaag donderdag.'

'O, juist. Wil je nog meer brood?'

'Nee, maar ik wil nog wel thee als er is.'

Aangemoedigd door de normale toon van onze uitwisseling schonk ik nogmaals in en ging toen bij hem zitten. Zijn hangende schouders en magere polsen wekten de bijna onweerstaanbare neiging op om hem in mijn armen te nemen en ik moest mijn vuisten ballen om mezelf tegen te houden. Hij ving het signaal kennelijk telepathisch op, want hij nestelde zich nog dieper in zijn stoel en trok zijn knieën op als extra verdediging. Een van de paradoxen van het feit dat ik moeder was, bedacht ik, was dat de openlijke liefdesbetuigingen waarnaar ik als kind zo had gesmacht, door mijn eigen zoon volstrekt niet op prijs werden gesteld.

'Wat heb je dan wel gehad?' Onze gesprekken waren onderhand afgezakt naar het niveau van een soort wedstrijdje om te kijken hoe lang ik bereid was door te gaan met vragen stellen en hoe goed hij in staat was ze af te wimpelen.

Getergd wierp hij nog een snelle blik op de televisie, zuchtte vervolgens en draaide zich naar mij toe. 'Als je het dan weten wilt: ik heb tussen de middag een beetje rondgehangen met Wes en Jason en nog een paar anderen.'

'O ja?' Mijn gezicht vertrok in rimpels van voldoening.

'Ja. Ik heb ze over aalscholvers verteld.'

'O ja?' Mijn glimlach werd onzekerder.

Jack zuchtte weer. 'Mám.' Ineens klonk hij precies als Lola. Hij kwam van de stoel af en pakte de dure verrekijker die hij met Kerstmis van Tony had gekregen. Hij ging voor het raam staan dat uitkeek op de achtertuin en richtte de kijker op de daken aan de overkant. Ik bedacht dat ik Tony moest bellen om hem te vertellen over het gespijbel. Ik betwijfelde of Jack er zelf iets over zou zeggen.

Ik zette de borden en bekers op het aanrecht. 'Ik was vandaag in opa's huis om zijn spullen uit te zoeken.'

Jack ging door met turen naar de duiven.

'Ik heb wat dingen mee naar huis genomen. Ik weet niet of jij en Lola er misschien iets van willen bewaren. Misschien kun jij ze even gaan pakken, ze zitten in een doos achter in de auto.'

Terwijl ik de doos uitpakte, stond hij met zijn handen op tafel geleund toe te kijken. Mijn handen trilden een beetje. Hij liet de aansteker een paar keer klikken, maar er kwam geen vlammetje. De banden met aantekeningen bekeek hij zonder veel interesse. Ik schudde de foto's uit de envelop en spreidde ze uit op tafel om hem de foto van zijn grootmoeder met mij in mijn jurk met smokwerk te laten zien. De vergeten tantes glimlachten ons vanuit de verzameling toe.

'Een paar van Teds vriendinnen,' zei ik, al was deze opmerking overbodig.

Jack pakte de foto van de vrouw op het stenen muurtje op en bekeek hem een tijdje. 'Die was op de crematie,' zei hij.

Ik dacht terug aan de vrouw met het stoffige bontje. Nu wist ik waarom de foto me vaag aan iemand had doen denken. 'Die foto zei me inderdaad iets. Weet jij nog hoe ze heet?'

'Audrey,' zei Jack.

O ja. 'Dus jij bent zijn dochter,' had ze gezegd. 'Ik ben Audrey.'

Jack stond intussen in het adresboekje te bladeren. 'Hier staat ze,' zei hij.

En warempel, daar stond de naam, zonder achternaam erbij, bijna de eerste naam in het boekje. Er stond ook geen adres bij. Ted moest haar heel goed gekend hebben.

Jack zei: 'Kijk eens? Ze moet vlak bij ons in de buurt wonen.' De eerste paar cijfers van haar telefoonnummer kwamen overeen met dat van ons.

'Ik zie het. Maar waarschijnlijk is ze allang verhuisd.'

'Je moet haar bellen om te vragen of zij hier misschien nog iets van wil hebben.'

'Ja,' zei ik tot mijn eigen verbazing. 'Ja, dat zou ik kunnen doen.'

Toen Jack naar zijn kamer was gegaan, belde ik Tony.

Suzy nam op. Op de achtergrond hoorde ik de kinderen een hoop herrie maken. De tweeling was inmiddels bijna vier.

'Haiiiiii, Sadie,' riep Suzy met overdreven stem. 'Hoe gaat het met jóú, joh!'

We wisselden enkele beleefdheden uit. Suzy praat altijd tegen me alsof ik doof of niet goed snik ben. Misschien komt het doordat we qua leeftijd zoveel verschillen, hoewel ze tegen Tony niet zo praat, terwijl die nog weer ouder is dan ik.

'Wil je hem spreken?'

'Als hij er is, ja. Bedankt. Tot ziens, hè.'

Hij kwam aan de telefoon, zijn stem klonk vermoeid en tegelijk ontzettend vertrouwd. 'Hallo, Sade. Alles in orde?'

Ik zie Tony nog maar zelden, maar toch heb ik het gevoel dat ik hem beter ken dan wie ook. Zelfs toen ik hem liet zitten voor Stanley hield ik nog van hem op de nogal sleetse manier van oude stellen die elkaar van haver tot gort kennen en geen verrassingen meer voor elkaar in petto hebben, en toen Stanley weer uit mijn leven verdwenen was, was dat gevoel nog niets veranderd. Het was net alsof dat hele hijgerige, superspannende en uiteindelijk doodpijnlijke gedoe van een wanhopige verliefdheid mijn gevoelens voor mijn man op geen enkele manier hadden beïnvloed. Onze liefde had minder weg van die tussen broer en zus dan je op grond hiervan misschien zou denken, want we hadden altijd een heel normaal maar zeer bevredigend seksleven gehad. (De seks met Tony was zelfs een stuk beter dan die met Stanley toen de aanvankelijke ontzaglijke verdwazing eenmaal achter de rug was.) Er was tussen ons sprake van een diepe genegenheid die wortelde in onze voorgeschiedenis, wederzijds respect en gedeelde interesses, en volgens mij is dat het waar het in de liefde tussen gehuwden uiteindelijk om draait. Ik wist dat ik Tony ontzettend veel pijn had gedaan en daar had ik spijt van. En nog altijd zijn er van die ochtenden dat het me bij het wakker worden heel erg verbaast dat hij niet naast me ligt.

'Ik maak me zorgen om Jack,' zei ik.

'Sadie, je maakt je altijd zorgen om Jack.'

'Is dat zo?' Ik dacht er nooit aan dat hij van de trap zou kunnen vallen of stikken, of zich vreselijk zou snijden, zoals ik bij Cassie altijd deed.

'Wat is er gebeurd dan?'

Ik vertelde het hem.

'Ja, oké, dan begrijp ik wel dat je over hem inzit.'

Ik voelde het als een enorme opluchting dat ik er met hem over kon praten. 'Wat doen we eraan?'

Ik hoorde een van de kleine meisjes op de achtergrond huilen en toen Suzy die iets riep. Vervolgens hoorde ik een flinke klap. Blijkbaar was er iets zwaars omgevallen.

Tony zuchtte. 'Ik zal met hem praten. Komt hij dit weekend naar ons toe?'

'Als hij wil. Komt het jou en Suzy wel uit?'

'Ik zal het haar vragen.' We maakten onze afspraken altijd op deze beleefde, weloverwogen manier. Het lag in Tony's aard om met iedereen rekening te houden en ik deed mijn best om hetzelfde te doen, aangezien ik degene was die de ontwrichting van ons gezin had veroorzaakt. Hij weifelde even en vroeg toen: 'Denk je dat het misschien iets te maken heeft met het overlijden van je vader?'

'Ja, deels wel.' Het had ook te maken met andere problemen die al langer speelden in Jacks leven en die hoofdzakelijk met mij verband hielden. In de pauze die volgde luisterden we allebei naar de herrie bij hem thuis en voelde ik weer het vertrouwde schuldgevoel en de bekende spijt de kop opsteken dat ik mijn man in de steek had gelaten.

'Ze zijn nog laat op, hè?' zei ik snel.

Hij zuchtte opnieuw. 'Ja. Ik zal proberen een echt goed gesprek met hem te hebben. En hoor eens, Sadie, het spijt me nog steeds dat ik niet naar Teds crematie kon. Ik weet donders goed dat ik er eigenlijk bij had moeten zijn. Maar ik moest nu eenmaal naar Duitsland, dat kon niet anders.'

Tony is directeur van een middelgroot reclamebureau en hij moet voor zijn werk vaak op reis.

'Het geeft niet,' zei ik begripvol. 'Ted was er ook niet en om hem ging het tenslotte.'

Er viel weer een korte stilte. Zo te horen hadden nu beide kinderen het op een krijsen gezet.

'Sadie?'

'Ja.'

'Misschien is dit niet het juiste moment om het tegen je te zeggen en waarschijnlijk wil je er ook helemaal niet van horen. Maar geloof je ook niet dat je misschien al te veel van Jack probeert te houden? Denk je niet dat hij misschien een beetje anders op je zou reageren als je wat meer afstand zou nemen? Als je hem wat meer ruimte gaf?'

'Wat meer ruimte?' praatte ik hem na. Die woorden maakten me kwaad. 'Waarom kom je met zo'n totaal versleten cliché aanzetten? Ik hou ontzettend veel van hem. Wat is er nu mis mee om hem dat te laten merken?'

'Ik wéét hoeveel je van Lola en Jack houdt. Maar heeft jouw behoefte om die te laten merken niet meer met jou en je achtergrond te maken dan met hen?'

'Wat een ongelooflijke flauwekul.'

'O ja?'

'Tony, hoe weet jij nu hoeveel ruimte ik Jack wel of niet geef? Jij woont in Twickenham en je ziet hem hoogstens een keer in de twee weken in het weekend.'

'De dingen die tot deze situatie hebben geleid had ik niet in de hand.'

Ik beet op mijn tong, maar ondanks die inspanning kon ik het niet laten iets terug te zeggen. 'Dat weet ik goddorie ook wel, Tony. Je móét me er toch weer aan herinneren, hè.'

'Hoor eens, het is helemaal niet mijn bedoeling je eraan te herinneren of je verwijten te maken. Ik wil helemaal geen ruzie met je maken.'

Maar toch deden we het. De opluchting dat ik met mijn ex-man over Jack kon praten, sloeg om in boosheid op mezelf omdat ik onze hele gemeenschappelijke geschiedenis en wat we samen bereikt hadden op het spel had gezet. Als ik er niet met Stanley vandoor was gegaan, zouden Tony en ik nu dan net zo'n onverbrekelijk stel zijn geweest als Caz en Graham? En, wat belangrijker was, zou Jack dan meer vrede met de wereld en met zichzelf kunnen hebben?

Zelfs terwijl ik hierover stond na te denken wist ik dat ik niet ongedaan zou kunnen maken wat ik had gedaan, ook al bleef ik me mijn hele leven schuldig voelen en mijn daden betreuren.

Ik vroeg me af of Ted ook in die trant had nagedacht toen hij in dat ziekenhuisbed lag en mijn hand vasthield.

Ik zou het nooit te weten komen. Ik kon nooit meer met hem praten of zelfs maar zijn stem horen.

Ik schrok me bijna wild toen Tony aan de andere kant van de lijn weer begon te spreken. 'Ik moet ophangen, ik moet Suzy helpen de meisjes naar bed te brengen,' zei hij. 'Ik zal Jack opbellen en proberen te regelen dat hij in het weekend kan komen. Niet dat ik denk dat al zijn problemen ineens zijn opgelost als ik me ermee bemoei of dat we beter wijs uit hem kunnen worden, maar ik zal doen wat ik kan. Het spijt me dat je dit soort dingen zo vaak in je eentje moet zien op te lossen.'

'Dank je,' zei ik.

'Ik hou ook van Jack, weet je. En ook van jou, als dat er iets toe doet.'

'Dank je,' herhaalde ik, knipperend tegen de tranen die ineens naar boven kwamen. 'Tot ziens.'

Ik loop door de keuken en ga voor het raam staan kijken naar de lege daken aan de overkant. De duiven zijn allemaal weggevlogen om hun slaapplek op te zoeken. Het is vroeg in mei en uit de kleverige knoppen in de bomen die langs de tuinmuren staan komen kreukelige blaadjes tevoorschijn. De lichtend heldere hemel vervaagt achter de daken en schoorstenen tot het lichtgroen van verse amandelen en de schoongewassen frisheid van het licht doet me terugdenken aan de avond, een maand geleden, toen Ted ziek werd en ik door de straten liep, op weg naar een restaurant waar ik met Mel had afgesproken. Ik voelde me toen sterk en gelukkig, en ik vond dat ik geweldig geboft had met mijn kinderen en mijn vrienden, maar op dit moment worstel ik met het sombere besef dat ik vijftig ben en een aantal dingen in mijn leven helemaal verkeerd heb gedaan.

Ik draai me om en pak de telefoon. Lola's stem nodigt me uit een bericht op de voicemail achter te laten. En Mels antwoordapparaat laat me weten dat ze op het moment niet in staat is op te nemen. Dus is ze ofwel met die nieuwe Jasper van haar de stad uit, of ligt ze heerlijk met hem in bed. Ik voel echte jaloezie. Intimiteit is iets geweldigs, maar een onbekommerd potje seks zou mij ook wel welkom zijn. Het dringt tot me door dat het al zo lang geleden is dat ik van zoiets heb kunnen genieten, dat ik bijna – maar pijnlijk genoeg niet helemaal – vergeten ben hoe dat voelt.

'Wat maakt het ook uit,' zeg ik hardop, en mijn stem die de stilte splijt, benadrukt mijn isolement, maar doet me tegelijk glimlachen. Blijkbaar word ik zo'n oud mens dat in zichzelf praat. Nu Ted dood is, ben ik een heel eind opgeschoven in de rij op weg naar de ouderdom.

Ik mis mijn vader en ik realiseer me dat mijn rouw om hem nog niet eens begonnen is.

6

Gelukkig was er altijd nog Cassie om te kussen en te knuffelen en om mee te spelen.

Cassie zoog onze liefde op als een spons, zonder ons een ogenblik het idee te geven dat het wel eens te veel van het goede zou kunnen zijn. Ze sloot zichzelf niet in haar kamer op en ze gaf ook geen aanleiding tot de vraag of ze misschien meer of juist minder ruimte nodig had. Ze verstopte zich voor ons, maar als het langer dan een minuut vergde om haar te vinden, liet ze ons met ritselende of piepende geluiden weten waar ze zat. Ze stak haar armpjes in de lucht om aan te geven dat ze opgepakt wilde worden, en als ze schrijlings op je heup zat, zwaaide ze met een wapperende pols, net de koningin.

Ik wist dat ik, als ik tussen de middag of aan het einde van mijn werkdag over het erf van de binderij naar het huis liep, een poosje met haar samen kon gaan zitten tekenen of haar een verhaaltje mocht voorlezen. Ze verdeelde haar gunsten vrij rechtvaardig over haar bewonderaarsters, maar ik vleide me graag met de gedachte dat ze op mij wel heel erg gek was. Ze noemde me afwisselend Sadie en 'mefrau' omdat Evelyn, toen ze pas bij Penny waren komen wonen, een keer gezegd had dat ze geen ei op de mooie jas van die mevrouw mocht knoeien.

Evelyn en Penny waren samen in de keuken toen ik op de dag nadat ik naar Teds huis was geweest na mijn werk nog even bij ze langsging.

Ik had alwéér een lange dag achter de rug, en Colin was net weer de winkel uit na een eindeloos bezoek om te kijken hoe het met zijn boekwerk ging. Ik had de klus aan Andy gegeven, want die maakte bij ons gewoonlijk de portfolio's en mappen. Hij had de kartonnen borden al gesneden, maar voor Colin ging het allemaal niet snel genoeg. 'Mijn moeder wil het zien,' riep hij luidkeels.

'Het gaat nog wel een weekje duren, Colin.'

'Een hele week? Ik durf te wedden dat het niet zo lang duurt om boeken van anderen uit te geven.'

'Jawel,' zei ik geïrriteerd vanachter mijn werkbank, 'het kost zelfs maanden om een echt boek te publiceren.'

Hij schonk geen aandacht aan wat ik zei. 'Ik vind het niet fijn dat ik mijn recepten nu niet heb, weet je. Als ik er nu eens een van nodig heb?'

'Als je wilt, kun je ze zo meenemen,' bood Andy aan.

Hij vond het geen leuk karwei – er ging een hoop werk in zitten en het resultaat zou een binder weinig voldoening geven. Het plan was om de vettige bladzijden op vellen dun karton te plakken, waarna de hele stapel genaaid moest worden en een stofomslag moest krijgen; dan moest er nog een passende cassette voor worden gemaakt met op de voorzijde Colins naam in sierletters. Ik had besloten om alles voor hem uit de kast te halen, zodat hij niets te klagen zou hebben als de klus geklaard was. Andy was van mening dat we er toch nooit een cent voor zouden krijgen en het dus niet zoveel uitmaakte hoe we het deden.

Het was alvast waar dat Colin weigerde te luisteren als het over geld ging en zelfs niet wilde weten wat het werk naar schatting zou gaan kosten. 'Doe niet zo idioot,' kreet hij nu. 'Als ik ze meeneem, kunnen jullie niet verder met uitgeven, of wel soms?'

Ik ging een cd opzetten. Ik zocht er een uit waar we misschien allemaal rustig van zouden worden. Ik vond het niet erg toen de werkdag er eindelijk op zat en ik de oversteek naar Penny's huis kon maken.

Cassie zat op haar stoelverhoger aan tafel haar lievelingspuzzel te maken. Ze moest glanzend gekleurde groenten en vruchten in de juiste uitsparingen in een houten plank zien te stoppen. 'Hier moet de wortel,' zei ze toen ik naast haar kwam zitten.

'Ik zie het,' zei ik. 'Maar waar is de appel?'

We staken onze hoofden bij elkaar en zochten tussen de puzzelstukken.

Evelyn stond aan het fornuis met een dromerige blik in haar ogen in de pastasaus voor Cassie te roeren. Ze hield haar wijde fluwelen mouw met haar vrije hand vast en staarde uit het raam. 'Hé daar, Sadie,' mompelde ze. Ze droeg grote zilveren oorringen, die heen en weer zwaaiden als ze haar hoofd bewoog.

Penny zat bij het raam aan de voorkant op haar computerscherm te turen. Het werd weer tijd voor de BTW-aangifte en ze had erop gestaan om dit keer de administratie in haar eentje te doen. Ook al zat ze op haar toetsenbord te rammelen, ik kreeg niet de indruk dat ze er met haar hoofd bij was. De sfeer in de keuken deed gespannen aan.

Evelyn schepte de pasta op Cassies bord. We legden de puzzel opzij en ik pakte haar lepel en vork voor haar. 'Dát ziet er lekker uit,' zei ik. 'Mag ik ook wat?'

Ze schudde fanatiek haar hoofd en lachte. 'Néé.'

'Ach... ook niet één hapje?'

'Neehee.'

Door de zijramen viel een plens diepgele late middagzon naar binnen. Evelyn leunde met haar slanke lijf tegen de deuropening en keek naar de andere kant van het erf, waar een bankje stond tegen een gewitte stenen muur. Als Cassies lepel en vork even geen geluid maakten, hoorde ik Evelyn zachtjes neuriën. Na ongeveer een minuut liep ze de deur uit en ging op het bankje zitten met haar gezicht naar de avondzon gekeerd. Penny's futiele gerammel op het toetsenbord verstomde op hetzelfde moment.

'Pen,' zei ik, 'waarom ga je niet even tien minuutjes bij Evelyn op de bank zitten? Cassie en ik eten pasta.'

'Niet jij,' zei Cassie gnuivend. 'Van mij.'

Penny zette haar leesbril af en wreef even over haar neusbrug. Ze kneep haar ogen dicht en aan haar opgetrokken schouders zag ik dat ze in tweestrijd was. Het was even stil terwijl Cassie in haar eten zat te roeren. Ze pakte met haar mollige vingertjes een pastaspiraaltje en stopte het in haar mond. Toen keek ze opzij om er zeker van te zijn dat ik het gezien had en deed het nog een keer.

'Ja, dat ga ik maar even doen,' zei Penny ineens. Ze baande zich een weg naar buiten en ik zag haar op het bankje gaan zitten, naast Evelyn, die geen millimeter voor haar opschoof.

Ik bepaalde me ertoe Cassie zover te krijgen dat ze een lepel gebruikte. Haar zachte kin en wangen zaten onder de tomatensaus en aan haar zwarte wimpers was een stukje pasta blijven hangen. 'Vies kindje,' zei ik tegen haar.

'Seeeedie-de-pedie,' kaatste ze terug, en ik nam de gelegenheid te baat om een vork met pasta in haar open mondje te steken. We maakten haar bord leeg, zij met haar lepel en ik met haar vork. Toen ik het bord op het aanrecht had gezet en een bekertje yoghurt voor haar ging pakken, zag ik Penny ineens opspringen van het bankje en het pad naar de binderij aflopen. Haar vuisten had ze in haar broekzakken gestoken en ik hoefde ze niet te zien om te weten dat ze ze gebald had.

'Vind ik niet lekker,' protesteerde Cassie.

'Jawel, het is met aardbeien, die vind je juist het lekkerst.'

'Bah, vies.'

'Jij bent bah, vies.'

Ze stak haar tong uit. 'Buhhhh.'

'Buh-buh-buh-buh.'

Ik gooide het lege yoghurtbekertje weg en maakte Cassies gezicht schoon. 'Zullen we de puzzel afmaken?'

De bloemkool was altijd het laatste stukje dat Cassie legde en terwijl ze het in het vakje duwde kwam Evelyn weer binnen. Hoog op haar wangen zaten twee rode vlekken. 'Kom, Cass, het is badtijd,' zei ze. Zonder zelfs maar naar me te kijken, tilde ze het kind op en droeg haar de trap op. Haar lange rok golfde achter haar aan, in een mengeling van kleur en geur. Haar parfum was bloemig en zoet.

Toen ze weg was, kwam Penny weer binnen. Ze haalde een fles die nog voor tweederde gevuld was uit de koelkast. 'Jij ook?'

'Ja, maar ik blijf maar even.' Ik dacht aan Jack, die al een uur geleden thuis moest zijn gekomen. Penny's hand beefde terwijl ze de wijn in de glazen schonk.

'Wat is er?' vroeg ik even later, toen Penny haar glas al voor de helft leeg had.

'Er is niks.'

'O.'

Vanaf het ogenblik dat we elkaar ontmoet hadden en ook daarna, toen de kerels op haar werk haar pestten en gore opmerkingen maakten – ze noemden haar bijvoorbeeld 'pottenlikker' – was het nooit meegevallen om Penny over zichzelf of over haar gevoelens aan het praten te krijgen. Dan werd haar vierkante gezicht rood en probeerde ze over iets anders te beginnen. Of ze liep eenvoudig weg. Maar de laatste tijd, sinds ze Evelyn had ontmoet, was ze opener geworden. Haar huiselijk geluk had haar minder wantrouwig gemaakt en ze sprak zich gemakkelijker uit.

Om die reden durfde ik nu wel een beetje aan te dringen. 'Is er iets met Evelyn?'

'Hoezo, is er iets met Evelyn?'

Haar glas was leeg en dus goot ik het weer vol. Ik had het mijne nog niet aangeraakt. 'Je hoeft echt niet alles voor je te houden, hoor.'

Penny's lach had meer weg van hoesten of kreunen. 'Dat moet jij nodig zeggen.'

Ze had gelijk. Ik had niet met Penny of wie dan ook gepraat over wat er met mij aan de hand was. Ik liet nauwelijks een traan om mijn vader: het leek wel alsof ik niet tot rouwen in staat was. Het was eerder alsof er een wolk van verdriet boven me zweefde, als dreigend onweer dat maar niet wil losbarsten. Wat ik wel voelde was een nuchtere, bijna theoretische droefenis om Teds afwezigheid, terwijl het in mijn innerlijk een chaos was van herinneringen en van dromen waarin hij een rol speelde. Toch was ik in een voortdurende worsteling verwikkeld om hem op afstand te houden, zo ver mogelijk. Ik concentreerde me volledig op mijn leven van alledag, op Jack en Lola en mijn huis, op mijn werk, op van alles, als het maar niet op mijn vader en mij betrekking had. En ik schaamde me voor mijn reacties; het was een complex soort schaamte die voortkwam uit het gevoel dat ik tekortschoot, dat me bijna mijn hele leven al parten speelde.

Ik zei zacht: 'Maar we hebben het nu niet over mij.'

Penny zuchtte. 'Evelyn wil nog een kind.'

Dat gaf te denken. Ik begreep totaal niet wat er problematisch kon zijn aan een tweede Cassie die we met liefde konden overladen. 'O ja? Daar zijn toch manieren voor?'

Penny pakte een pot met blauwe druifjes van de vensterbank en begon met haar duim op de aarde te drukken. Ze hield de pot onder de kraan en zette hem op het afdruiprek om het teveel aan water te laten weglopen. 'Ze wil dat het kind ook van Jerry is, zodat Cassie een echt broertje of zusje krijgt.'

Ik had Jerry wel eens gezien als hij Cassie kwam opzoeken, maar omdat hij nog meer kinderen had, was zijn tijd beperkt en hij was nooit een geregelde bezoeker geweest. Hij had een hoog rond voorhoofd, een kaarsrechte neus, en dik zwart haar dat hij in kleine vlechtjes droeg. Hij was een meter negentig lang en betoverend mooi. Met zulke ouders was het geen wonder dat Cassie zo'n prachtig kind was.

'Ja, dat is één manier, toch?'

Penny lachte weer honend. 'Zie jij dan voor je dat Jerry braaf doet wat er van hem gevraagd wordt en het resultaat hier in een potje komt afleveren?'

'Nee,' zei ik, na een poging te hebben gedaan het voor me te zien. 'Maar wat wil ze dan?'

'Wat ze gedaan heeft om Cassie te krijgen, natuurlijk. Weer met Jerry neuken.' Penny gebruikte dit soort woorden nooit, of zelden. Haar gezicht stond strak en haar lijf was verkrampt van de inspanning die het haar kostte om haar verdriet in toom te houden. 'Ik kan geen kant op. Als ik niet goedvind dat ze een tweede kind neemt, dan gaat ze weg. Maar als ze teruggaat naar Jerry, ben ik haar sowieso kwijt.'

'Geloof jij dat ze dat echt wil? Weer met Jerry naar bed gaan?'

'Ze zegt dat ze het alleen maar wil om zwanger te worden.'

'Maar jij gelooft haar niet?'

'Ik weet het niet.' Ze schudde haar hoofd en ik zag dat ze het nu echt te kwaad kreeg. Haar mond vertrok en ze kneep haar ogen stijf dicht om haar tranen terug te dringen. 'Ik weet niet wat ik zonder haar moet. Zonder hen allebei.'

Ik liep naar haar toe om haar te omarmen. Ik legde een hand op haar hoofd, als was ze Cassie, en liet haar voorhoofd tegen mijn schouder rusten. Ze snikte slechts één keer; het was een vreselijk geluid, alsof het uit haar borst werd losgewrongen; ik streelde haar rug en sprak nutteloze woorden van troost. Penny's verdriet was zo intens, dat het vertrek er te klein voor leek. Ik wachtte af terwijl ik doorging met haar rug aaien en tegelijkertijd dacht dat zoveel verdriet tenminste iets voorstelde: het leefde, het ademde, het overspoelde haar als een huizenhoge golf. Ik hield van Jack en Lola, en de genegenheid voor mijn vrienden diende me tot anker, maar het was al heel lang geleden dat ik een hartstochtelijke liefde had gekend zoals die ik bij Penny waarnam; ik droomde er zelfs niet meer van. Vergeleken bij haar was ik dor en kleurloos. Misschien had Tony wel gelijk, misschien bedolf ik Jack onder het restje smachtende liefde dat ik nog in me had, omdat ik er verder geen kant mee op kon.

'Sorry,' mompelde Penny.

'Het is nog niet zover,' zei ik.

'Nóg niet, nee.'

'Misschien is het toch een goed idee om Jerry wat tijdschriften en een jampotje te geven. Je weet maar nooit.'

Ze snufte, met haar hoofd nog steeds tegen mijn schouder. 'Ik hou zo ontzettend veel van haar. Stom, hè.'

'Ik weet hoeveel je van haar houdt. En nee, dat is niet stom. Het is geweldig.'

'Als ze weer beneden komt, wil ik het liefst alleen zijn met haar. Vind je dat erg?'

Ik duwde haar schouders omhoog en veegde de tranen onder haar ogen weg met mijn duim. 'Ik zie je morgen,' zei ik.

'Bedankt, Sadie.'

Ik liep langs het kanaal naar huis. In de sluis het dichtst bij Penny's huis werden twee vrolijk beschilderde schepen geschut. Op het dek zaten mensen met een drankje en in de kleine ruimte bij het stuurwiel stonden nog meer mensen op elkaar gedrongen. Muziek, luidruchtige conversatie en het gestage geronk van de motoren weerkaatsten tegen de druipende wanden van de sluis en ik rook barbecuegeuren, die zich vermengden met de sterke lucht van rottende waterplanten die uit het kanaal opsteeg. Zoals gewoonlijk stond er een kluwen mensen te kijken bij de sluismuur, terwijl de boten begonnen te zakken en de bemanningen druk bezig waren ze aan meerpalen vast te leggen. Voorbij de sluis zaten vissers, met potjes wormen, blikjes maïs en boterhammen in vetvrije zakjes naast zich op het weelderige gras van de waterkant. Toen ik langsliep, haalde een van de vissers een zilveren visje op, waardoor een uitdijend patroon van concentrische cirkels op het kakikleurige wateroppervlak ontstond. Een eindje verderop, na een bocht, was ik helemaal alleen. Het water zag hier stoffig, het was overdekt met stuifmeel van de vlierstruiken die bij het hek langs het paadje stonden, en deze laag wekte de indruk stevig genoeg te zijn om op te lopen. Naast mij maakten de naargeestige staken van de gashouders patronen in het vervagende blauw van de hemel. Ik liep onder de spoorbrug door, waar het licht getemperd was, en zag het met stenen bezaaide niemandsland waar eilandjes van kartonnen dozen en volgepropte plastic zakken duidden op een zwerverskamp. Op dat moment was er niemand te zien. Van de metalen spanten boven mijn hoofd druppelde water, dat het donkere kanaalwater met kringen bezaaide.

Een forensentrein daverde over de brug en al had ik het geluid al talloze malen gehoord, toch schrok ik opnieuw van het geweldige gedreun en de aanrollende echo's. Bijna had ik een kreet geslaakt. Ik versnelde mijn pas en liep weldra weer in het licht van de zon. Voor me uit kwam een groep gehelmde fietsers een bocht uit zetten en schoot langs me heen, nodeloos tringend met hun fietsbel. Ik liep gehaast door terwijl onkruid en gras langs mijn benen veegden, ik wilde zo snel mogelijk thuis zijn.

Jack zat weer in zijn gebruikelijke houding op zijn gebruikelijke plekje. We voerden weer het ritueel van vragen en ontwijkend antwoorden uit terwijl ik een maaltijd in elkaar flanste, de natte was uit de wasmachine in de droger stopte en de mand met strijkgoed reorganiseerde. Om de tafel te kunnen dekken moest ik het stapeltje bezittingen van Ted opzijschuiven. Het adresboekje, dat op de witzijden sjaal lag, viel daarbij op de grond. Ik bukte me om het op te rapen, en zag dat de houten vloer weer onder het stof en de kruimels zat.

Jack hield me in het oog. Zijn haar stond plukkerig alle kanten op en door de alerte uitdrukking van zijn kraalogen deed hij me aan een knaagdier denken. Ik schaamde me ogenblikkelijk voor deze gedachte en schonk hem een innige glimlach. 'Heb je honger?'

'Uhuh. Ga je haar nog bellen?'

'We gaan zo eten. Wie moet ik bellen?'

'Die vriendin van opa. Die op de crematie was.'

Ik keek naar het in bruin leer gebonden boekje. Het beeld van de oude vrouw met het hoedje vermengde zich in mijn hoofd met beelden van de tantes Viv, Maxine en Angela; hun rode monden namen de plaats in van haar oude-bessenmondje en de schelle kleuren van hun opzichtige jongemeidenkleren verdrongen haar doffe zwart.

Toch wist ik zeker dat... hoe heette ze ook alweer? Audrey, dat was het... Toch wist ik zéker dat Audrey niet een van de 'tantes' was geweest.

De stilte die ik in Teds huis had aangetroffen, kapselde me in, hier, in mijn eigen keuken, hoewel de blèrende intromuziek van *Eastenders* een aanval op mijn oren deed. Ik had het kwartiertje voor het eten willen opvullen met telefoontjes met Caz en Mel, maar in plaats daarvan sloeg ik nu het adresboekje open bij de A en pakte de telefoon.

Aan de andere kant van de lijn ging het bellen zo lang door, dat ik al bijna had neergelegd toen een stem klonk: 'Hallo?'

Alleen maar 'Hallo'. Ze was het, dat wist ik wel zeker, maar ik vroeg desondanks: 'Spreek ik met Audrey?'

'Met wie spreek ik?' vroeg de stem op bevelende toon.

'Met Sadie Thompson. De dochter van Ted.'

Het was even stil, maar toen grinnikte ze nogal minachtend. 'Nee maar.'

Ik praatte hakkelend verder. Ik merkte dat Jack nu rechtop in zijn stoel zat en ingespannen meeluisterde. Ik legde Audrey uit dat ik Teds huis had opgeruimd, dat ik wat spullen van hem had meegenomen en me afvroeg of zij misschien geïnteresseerd was in een aandenken. 'Volgens mij zijn we bijna buren,' besloot ik mijn verhaal, nogal in verwarring gebracht doordat het aan de andere kant doodstil bleef. 'Kan ik misschien een keertje bij je langskomen?'

'Dat is best,' zei ze uiteindelijk, na nog een lange pauze. Ze gaf me haar adres, dat inderdaad nog geen tien minuten lopen bij mij vandaan was. Ik schreef het op het aantekeningenblokje in de keuken. We spraken af dat ik de volgende dinsdag vroeg in de avond zou langskomen.

Jack zat nog steeds mee te luisteren. 'Ik ga wel met je mee als je wilt,' bood hij aan toen ik had opgehangen.

Ik staarde hem opgetogen aan. Moeder en zoon die samen bij een oude vriendin van de familie aangingen om, wie weet, herinneringen aan Ted uit te wisselen. Dat was op zijn minst bijzonder. 'Te gek,' zei ik.

Het weekend kwam en ging en het was een heel gewoon weekend. Het had kunnen dienen als voorbeeldmodel van de eentonigheid van mijn bestaan, dat desondanks druk en ingewikkeld in elkaar stak.

Lola kwam thuis, hoofdzakelijk omdat ze op zaterdag een feestje had van een vriendin die eenentwintig werd. Ze kwam vrijdagavond laat aan en stopte de wasmachine vol met haar kleren. We zaten een uurtje samen te praten met een glaasje wijn erbij en ik hoorde lachend de verhalen over haar escapades aan. Ze had het over een student geografie die ze helemaal zag zitten. Alleen maakte hij in het weekend vaak wandeltochten in het Penninisch Gebergte en wist ze nog niet zo zeker of ze dat wel trok.

Zaterdag overdag hing ze aan de telefoon of was bezig met de voorbereidingen voor haar avondje stappen. Als ze klaar was met een telefoongesprek werd er meteen weer gebeld en het kwam geregeld voor dat ze tegelijkertijd zowel met de vaste telefoon als met haar mobieltje aan het bellen was.

Ik ging naar de supermarkt, probeerde in een uur tijd de tuin een beetje op orde te krijgen, betaalde mijn rekeningen en dweilde de keukenvloer. Ik ging normaal mijn gang, besteedde overdreven veel aandacht aan routineklusjes, maar ervoer niets van de geneugten van een normaal bestaan. De karweitjes die ik mezelf oplegde, kwamen me nutteloos voor en ik voelde me ontzettend eenzaam.

's Avonds kwam een buurmeisje, dat moest leren voor haar eindexamen vwo, op Jack passen, en ging ik bij Caz en Graham eten. Die hadden een van hun kibbelbuien; ze zaten elkaar gemoedelijk in de haren over het eten en over wie van tweeën het hardst moest werken. De andere gasten waren een stel dat ik al vaker had gezien en met wie het heel gezellig praten was, en een onlangs gescheiden neef van Graham, die iets te veel dronk en in herhalingen verviel.

Het duurde op zijn minst twee uur voordat iemand over de prijzen op de huizenmarkt begon. Caz en Graham vertelden dat ze erover dachten kleiner te gaan wonen omdat hun zoons binnenkort het huis uit zouden zijn.

'Ik zou er nog even niet op rekenen, ma,' zei de jongste, die net zijn neus in de koelkast stak.

Ik keek om me heen, naar de planken die uitpuilden van de borden en kopjes, naar de opkrullende foto's op het prikbord, naar de kat van aardewerk, die ik Caz ooit met Kerstmis had gegeven omdat hij zo leek op hun echte kat, die inmiddels het loodje had gelegd. Ik had hier al honderden keren gezeten en al deze dingen om me heen gezien op de plek waar ze thuishoorden. Ik wilde niet dat mijn vrienden verhuisden, want ik was bang om te verliezen wat zo vertrouwd was. Ik wilde dat alles bleef zoals het was, maar het leek alsof de grond onder mijn voeten steeds onvaster begon te worden.

'Wat vind jij ervan, Sadie?'

'Het lijkt me een goed plan,' zei ik, en het gesprek kabbelde voort.

Toen de andere gasten weg waren en Graham naar bed was gegaan, wasten Caz en ik af en zetten een pot thee. Ik wist dat ik eigenlijk ook zou moeten gaan, maar ik wilde me graag nog even koesteren in de veilige warmte van dit vertrouwde huis.

Caz merkte dat ik rond zat te kijken. 'Ik weet het. Het zal erg vreemd zijn om hier weg te gaan, maar het is toch echt tijd om te verkassen.'

Ik ben veel langer dan zij. Caz verft haar haar, maar ik zag het zilverige grijs aan de wortels bij de scheiding midden op haar hoofd. Ik wilde me aan haar vastklampen, een anker van haar maken voor ons beiden, maar vroeg in plaats daarvan pardoes: 'Ben je gelukkig?'

We kennen elkaar al zo lang en onze omgang met elkaar is zo gewoon geworden, dat we elkaar eigenlijk nooit meer van dit soort vragen stellen. Caz keek dan ook enigszins verschrikt, maar ze dacht er op haar nuchtere manier een ogenblik over na en zei toen: 'Ja, ik geloof het wel. Niet om in jubelen uit te barsten, maar het gaat goed. Ik ben tevreden, misschien is dat een beter woord. En jij?'

Ik aarzelde. Een aantal weken geleden zou ik glimlachend 'Ja, natuurlijk' hebben gezegd. En dat zou maar nét bezijden de waarheid zijn geweest.

'Je lijkt op het moment niet zo erg gelukkig,' hielp Caz me op weg.

'Nee,' gaf ik toe. Ik had fouten gemaakt tegenover Jack en tegenover Tony, maar de oorzaken daarvan lagen veel verder weg, in de tijd dat ik net zo oud was als Jack nu. Ik begon erachter te komen dat Teds dood de muren aan het wankelen had gebracht die ik in veertig jaar tijd met zoveel zorg om me heen had opgetrokken.

'Wat kan ik voor je doen?' vroeg Caz. Haar hand lag om het handvat van de theepot en het licht weerkaatste in haar smalle gouden trouwring. Ik was getuige geweest op het stadhuis toen ze met Graham trouwde.

'Mijn vriendin zijn,' zei ik onhandig.

Ze begon breed te glimlachen. 'Alsof je me dát nog moet vragen.'

Toen ik om een uur 's nachts thuiskwam, zaten Jack en zijn oppas een eind bij elkaar vandaan zwijgend te kijken naar iets op de televisie wat niet al te geschikt leek voor zijn leeftijd. De oppas incasseerde twaalf pond en ging er meteen vandoor. Ik keek haar vanaf de drempel na tot ze veilig thuis was. Jack stond intussen aarzelend aan de voet van de trap te wachten.

'Je had allang in bed moeten liggen,' zei ik niet onvriendelijk.

'Jij was heel laat terug.'

Deze woorden openden een venster naar het verleden, een van die gaten in het continuüm van de tijd waarin je wordt teruggezogen met de snelheid waarmee de reukzenuw geuren naar het brein vervoert.

Toen ik zo oud was als Jack had ik avond aan avond in bed gelegen zonder in slaap te kunnen komen. Ik lag te kijken naar de strepen licht op het plafond van mijn slaapkamer en luisterde of ik Teds auto hoorde aankomen. Ik was bang dat Ted die avond of een volgende niet zou thuiskomen en ik alleen achter zou blijven. Paniek vrat aan mijn ingewanden en kroop langs mijn ruggengraat op tot ik onder de dekens als een vis op het droge naar adem lag te happen.

Ik probeerde mijn zoon nu een helpende hand toe te steken. 'Ik wil niet dat je over mij inzit, Jack. Ik beloof je dat ik altijd zal zorgen dat ik weer veilig thuiskom.'

Maar hij wou niet dat ik het idee kreeg dat hij zich zorgen had gemaakt. 'Ik zit helemaal niet over je in,' snauwde hij. 'Je bent bijna altijd thuis, of niet soms? Ik zei alleen maar dat je laat was.'

Hij draaide zich om en liep de trap op. Hij was boos op de hele wereld omdat die zich niets van hem aantrok, en op zijn leven thuis, waar wat hem betrof van alles niet aan deugde, en ik was de meest voor de hand liggende pispaal. Zijn vijandigheid was vermoeiend. Ik wist niet hoe ik na al die tijd nog een goede verstandhouding met hem voor elkaar zou kunnen boksen.

Later die nacht werd ik wakker van het gestommel van Lola toen ze thuiskwam. Ik wist dat het ontzettend laat moest zijn, maar ik wist me te bedwingen en keek niet op de klok om erachter te komen hoe erg het precies was.

Mijn spruiten lieten zich de volgende dag allebei pas rond het middaguur zien. Geeuwend zaten ze, nog in pyjama, achter hun cornflakes en maakten elkaar het leven zuur.

'Wat was jij dronken vannacht, zeg,' zei Jack om haar te tergen. 'Je botste tegen van alles op.'

'Nietwaar.'

'Het was víjf uur.'

'We waren ergens aan het chillen, oké? Als jij niet zo'n zielenpoot was zou je weten hoe zoiets gaat.'

'Nee, Lola. Hij is twaalf, geen twintig,' zei ik, maar ze negeerden me allebei. Uiteindelijk liet ik ze maar aan hun lot over en ging bij Mel langs. Bloedrode pioenrozen in crèmekleurige vazen stonden her en der op bijzettafeltjes en op het glimmend geboende parket, waarop lichtgekleurde kleden lagen, was geen stofje te bekennen. Mel zelf was net uit bed en nog niet opgemaakt, maar slaagde erin er zo nog beter uit te zien dan wanneer ze zich volledig opgetut in het openbaar vertoonde. Als ik niet zo gek op haar was geweest, zou ik stikjaloers zijn. Toen ze langs me heen liep, rook ik haar parfum van die dag, een sterk zoet wolkje tuberoos.

Het leek wel alsof de laatste dagen van overal om me heen geuren op me afkwamen, alsof ik behalve die van Ted nog duizend andere geesten uit de fles had gelaten toen ik de dop van zijn reukwaterflacon schroefde. Het parfum dat de vriendin van Caz de vorige avond droeg, rook zo sterk naar gember en nootmuskaat dat het bijna culinair te noemen was; en vanochtend rook Lola naar patchoeli, vermengd met sigarettenrook. Waar ik ook ging, steeds drongen zich allerlei geuren aan me op, die mijn geheugen aanspoorden en aan de rand van mijn bewustzijn knaagden, zoekend naar een manier om zich toegang te verschaffen.

Mel schonk thee in witporseleinen theekommen met doorschijnende rand en we dronken ze samen uit in haar zonnige keuken. Ik zag een lege champagnefles op de vloer naast de afvalbak staan.

Mel volgde mijn blik. 'Jasper was gisteravond hier. Moet je horen: hij heeft voor me gekóókt. Hij had alle ingrediënten bij zich en ik hoefde niets anders te doen dan toekijken, ik kreeg zelfs geen ogenblik de aandrang om me ermee te bemoeien. Gesauteerde griet met een kruidenkorstje en paksoi erbij...' We keken elkaar lachend in de ogen. 'Niets is zo sexy, weet je. Een man die als een chef-kok voor je kookt en na het eten met je vrijt dat de stukken eraf vliegen.'

Dus dat was het. Geen wonder dat ze er zo stralend uitzag.

'De eerste keer?' informeerde ik.

Ze knikte. 'Maar zeker niet de laatste. Als het aan mij ligt, tenminste.'

We praatten er nog even over door, maar lang niet zo uitgebreid als Mel anders altijd deed. Ze was zuinig op de herinnering aan hem en op het nieuwe van wat haar overkwam. 'Het is echt ontzettend fijn,' zei ze ongelovig. 'Maar ik wacht verder gewoon af hoe het gaat. Ik heb dit keer geen behoefte aan verleidingsspelletjes en trucjes.'

Ik glimlachte. Mel was een regelrechte kanjer, een drievoudig olympisch kampioene, zeg maar, in het versieren van mannen, en het was echt nieuw voor me haar zo te horen praten. Ik moest door haar weer aan Lola denken, die me over haar geografiestudent had verteld. Ik strekte mijn stramme knieën onder de tafel en meende ze te kunnen horen kraken. 'Vertel me nog eens wat over hem.'

Hij was zesenveertig, jonger dan Mel, maar niet zo heel veel. Hij was grafisch ontwerper en was niet rijk, maar direct arm was hij ook niet. Hij was gescheiden en had een dochter van achttien jaar die bij haar moeder woonde, maar met allebei had hij nog een goede band. Hij had tot voor kort iets met een ander gehad, maar die relatie was doodgebloed. Mel en hij waren elkaar op een pr-feestje tegengekomen en toen had hij haar telefoonnummer gevraagd.

'Hij is geen loser, geen mafkees, geen doodsaaie plurk, hij draagt geen rare onderbroeken en pulkt niet tussen zijn tanden. Hij is interessant en grappig en hij toont ook interesse in mij. Hij is...' Ze weifelde en ik wachtte op de uitsmijter die hem net genoeg naar beneden zou halen om Mels zelfbeschermingsmechanisme in werking te zetten. Ik bleef wachten tot ze uiteindelijk zuchtte: 'Hij is te gek.'

'Dat is mooi,' zei ik. 'Wanneer krijg ik hem te zien?'

'Binnenkort,' zei ze, en ik begreep dat ze hem voorlopig nog met niemand wilde delen.

Toen ik thuiskwam, had Lola haar spullen al in de auto zitten en was klaar om naar Manchester terug te rijden. Ik bleef op de stoep staan zwaaien totdat de auto uit het zicht verdwenen was.

Later maakte ik avondeten voor Jack en mij, controleerde zijn lijst met huiswerk en zette er mijn handtekening onder. Hij had in elk geval wát gedaan, zij het beslist niet meer dan het minimum. Ik zei dat hij maar eens vroeg moest gaan slapen en hij toog naar boven met zijn vogeldagboek.

Ik belde Penny op. We bespraken snel even wat er voor de komende week aan werkzaamheden op het programma stond, want dat was handiger dan met Andy en Leo in de buurt. Toen vroeg ik: 'Hoe is het met Evelyn?'

'O, eh, ze heeft met Jerry gepraat. Hij heeft ons en onze vrienden voor een feestje uitgenodigd.'

'O ja?'

'Hij wil dat we allemaal vrienden worden, zoiets zei hij. Wie weet, helpt het. Wist je dat hij in een band speelt?'

'Nee, echt?'

'Kom jij ook op dat feestje? Alsjeblieft?'

'Ja, goed,' beloofde ik.

En zo zag mijn weekend eruit. Een normaal weekend, zoals zoveel andere. Sinds die avond enkele weken geleden, toen ik door de lenteschemering op weg was naar mijn afspraak met Mel, was er niets veranderd; het enige echte verschil was dat de echte Ted me nu volledig was ontglipt. Voorheen had ik mezelf altijd kunnen voorhouden dat ik ooit nog wel tot hem zou doordringen en we met elkaar in het reine konden komen. Dus had ik het moment steeds uitgesteld, tot de kans voorgoed verkeken was. Nu had ik alleen nog mijn herinneringen aan hem, en aan mijn moeder, plus de onprettige herinneringen aan mijn jeugd. De muren om me heen waren aan het afbrokkelen en ik was blootgesteld aan de kou en de onverwachte grillen van de werkelijkheid.

Was dit dan soms verdriet, zo vroeg ik me af. Als dat zo was, dan was het wel een heel raar soort verdriet, want ik was boos op Ted en ik geloofde dat ik hem niet zo erg had gemogen, ondanks onze bloedverwantschap. Maar toch, en nog steeds, had zijn dood als effect dat alles op een subtiele wijze anders was geworden. Het was alsof ik alles – mijn huis, het paadje langs het kanaal, Jacks gezicht, mijn werkbank op de binderij – vanuit een iets ander perspectief of door een helderder lens zag. En er was die impressie van parfums die in dichte wolken rondwervelden, net iets voorbij het punt waarop mijn reukzenuw ze kon onderscheiden, als duizend geesten die aan een glinsterende falanx van flesjes waren ontsnapt. Er was die drang om nog een keer terug te gaan en de stilte te doorbreken die zich als een deken in Teds oude huis had uitgespreid, deze stilte uiteen te scheuren door een hoop kabaal te maken met mijn vragen en eisen aan zijn adres. Ik wist dat dit de reden was dat ik naar de onvriendelijke Audrey toe werd getrokken. Ik wilde haar leren kennen.

Ik wilde weten wat zij wist.

Op dinsdagavond liepen Jack en ik naar haar huis. Het was juni geworden en op de nog in daglicht badende straten was het een lawaai van kinderen die op hun fietsen aan het crossen waren of op skateboards over het trottoir roetsjten. Veel flatbewoners zaten op hun balkon en bij de open deuren van pubs was het een drukte van belang. De atmosfeer rook naar diesel en vette happen, maar had tegelijk iets aangenaams.

Turnmill Street was een yuppenstraat met veel groen. De meeste huizen uit de vroeg-Victoriaanse periode waren helemaal opgeknapt en zaten goed in de witte verf; ze waren voorzien van erkers en naambordjes van koper of emaille. Er waren blijkbaar minder parkeerplaatsen dan auto's van bewoners. Terwijl Jack en ik naar nummer 27 liepen, reed een BMW langzaam door de straat, op zoek naar een plekje. Ik wist eigenlijk al lang voordat we er waren welk huis van Audrey moest zijn.

Het bevond zich ongeveer halverwege de rij. Het stucwerk bij de deur was aan het afbrokkelen; het rottende pleisterwerk deed denken aan schilferende huid. De lage tuinmuur was overgroeid met klimop, die op het trottoir doorwoekerde. In de voortuin zelf ontbraken keurig bijgehouden struiken en tegels, maar lagen een afgedankt bad en enkele geologische lagen van vele malen doorweekte kartonnen dozen. Het huis zelf zag eruit als een rotte tand in de witte grijns van de huizenrij. Uit de muren groeide buddleja en er zaten grote vochtplekken in de baksteen, afkomstig van lekkende goten. Het houtwerk had ooit een crèmekleur gehad, maar de verf was er bijna geheel afgebladderd en er zaten scheuren in. De ramen waren bijna ondoorzichtig van het vuil, zodat de gescheurde gordijnen erachter nauwelijks te zien waren.

Jack bleef, met zijn hoofd scheef als een van zijn vogels, bij het hek staan.

'Zal ik aankloppen?' vroeg ik zachtjes. Er was geen bel en de deur zelf was groen uitgeslagen en had al minstens veertig jaar geen kwast meer gezien.

'Natuurlijk,' zei Jack.

Ik klopte, en toen er geen reactie kwam, begon ik met mijn vuist te hameren.

Opeens zwaaide de deur open en daar stond Audrey. 'O, ben jij het.' Ze keek kwaad.

'Verwachtte je ons dan niet?'

'Vaak kloppen er kinderen aan die weer hard wegrennen.'

Ik keek de keurige straat naar twee kanten af. 'O ja? Daar lijkt het me anders niet zo'n buurt voor.'

'Ze deden het,' zei ze. De verandering naar de verleden tijd maakte duidelijk dat ze hier al vele jaren woonde en altijd exact dezelfde was gebleven, terwijl haar omgeving onweerstaanbaar werd meegezogen in de vaart der volkeren. 'Willen jullie binnenkomen?' vroeg ze, maar haar uitnodiging was vooral tot Jack gericht.

Hij probeerde langs ons heen een blik te werpen in het donkere interieur. 'Alstublieft,' zei hij keurig.

We volgden haar door een smerige gang naar het achterste gedeelte van het huis. In een lang, smal vertrek dat uitkeek op de tuin, waren een aanrecht met een fornuis, een uitklapbare tafel met rechte stoelen, twee ouderwetse leunstoelen, een radio en een oude draagbare televisie met een antennering die in een hoopvolle stand was gedraaid. Kennelijk bracht Audrey hier de meeste tijd door. Nog meer geologische lagen, ditmaal gevormd van oude kranten, bevonden zich op alle denkbare oppervlakken. En overal waar ik keek waren katten.

'Hou je behalve van vogels ook nog van andere dieren?' vroeg Audrey aan Jack.

Hij knikte.

'Hij heet ook Jack.' Ze wees naar een enorme zwart-witte kat die in een van de leunstoelen lag. Er was zoveel beest dat aan alle kanten kattenbont van het kussen leek te druipen.

Jack knielde neer bij het dier en begon hem te aaien. 'Is hij de leider?' vroeg hij.

'Nou en of. Alle andere katten moeten eerst zijn toestemming hebben voordat ze zelfs maar durven geeuwen. Ja toch, hè, Moshe?' Ze stak haar voet uit en porde in een oranjerood exemplaar dat naast het fornuis lag te slapen.

'Hoeveel katten hebt u wel niet?' vroeg Jack verwonderd.

'Elf, dat wil zeggen, de laatste keer dat ik ze geteld heb.'

Ik had net zo goed in het niets kunnen oplossen als de lijm van het vergeelde behang. Ik keek om me heen naar de sedimenten van Audreys bestaan, en probeerde me haar voor te stellen zoals ze dertig of veertig of nog meer jaren geleden was toen Ted haar kende. Zonder haar lippenstift en eigenaardige uitvaartoutfit, zag ze er niet meer zo excentriek uit als de eerste keer dat ik haar aanschouwd had.

Ze had een gezicht met ferme botten en een ietwat kromme neus, en haar onderlip was nog goed gevuld, ook al was haar mond nu doorploegd met verticale voren en zaten er diepe vouwen bij de hoeken. Ik vermoedde dat ze vroeger mooi was geweest.

'Vet cool,' zei Jack.

Audrey vulde de waterketel en stak het gas eronder aan. 'En jij?'

'Of ik katten heb? Geen een,' zei hij.

Audrey en hij wisselden een blik van verstandhouding uit. 'Ik doe wat ik wil, ik leef zoals ik wil,' zei ze tegen hem. Ik kreeg het gevoel dat grote brokken van hun conversatie zich afspeelden in een dimensie waartoe ik geen toegang had.

Jack knikte en glimlachte, een van zijn zeldzame spontane blijken van waarachtige en bewonderende bijval. Toen keek hij heel even naar mij. Heel anders dan jij, leek zijn blik te zeggen.

Audrey zette thee. Ze moest behoorlijk rommelen in de kast om drie kopjes bij elkaar te krijgen, waaruit duidelijk bleek dat ze niet vaak bezoek kreeg. Terwijl ze in de weer was, haalde ik Teds zilveren sigarettendoos en de opzichtige jarenvijftigaansteker uit mijn tas en legde ze op tafel. Ze deden vreemd aan te midden van de kranten en lege koekjesverpakkingen.

'Neem een koekje,' zei Audrey tegen Jack.

Hij ging op een stoel zitten met zijn kop thee en een koekje, waarop een van de minder karaktervolle katten bij hem op schoot sprong. Jack leek zich volkomen thuis en op zijn gemak te voelen.

'Nou,' zei Audrey eindelijk tegen mij, na me al vanaf het moment dat ik binnenkwam volledig genegeerd te hebben, 'vertel maar eens waarvoor je precies komt.' Ze duwde Jack-de-kat van zijn stoel af en beduidde me zijn plaats in te nemen. Ik begon haar te vertellen dat ik alleen maar was gekomen om haar een aandenken aan Ted te brengen, maar ze liet me niet uitpraten.

'Ik neem aan dat je intussen het testament gezien hebt?'

Ik knikte.

'Heeft hij mij iets nagelaten?'

'Nee.' Van verrassing hapte ik even naar adem, maar ik slaagde erin om eraan toe te voegen: 'Het spijt me, verwachtte je dan iets van hem?'

Audrey haalde haar schouders op. Ze schepte suiker in haar thee en roerde. 'Ik dacht dat hij uiteindelijk misschien toch gedaan zou hebben wat hem betaamde, maar dat ik het nu echt verwachtte, nee, dat niet.' Ik zag dat Jack bedaard de chocola van zijn koekje zat te knagen, alsof het volkomen voorspelbaar was wanneer het weer zijn beurt zou zijn om aan de conversatie deel te nemen.

'Hoe hebben jij en Ted elkaar leren kennen?'

'We kwamen elkaar tegen.'

Er viel een stilte. Audreys mond plooide zich in een glimlach en ik kon wel zien dat ze genoot van de geheimzinnigdoenerij. Ik mocht haar niet en ik vond het helemaal niet prettig dat we in haar huis zaten tussen de langzaam vergane kranten en naar vis riekende bakken kattenvoer. Ik vond haar een soort afgetrapte en goedkope versie van Mrs Danvers*, met sleutels in haar bezit van kamers die te lang afgesloten waren geweest. Ik was bang voor de rotzooi die in deze kamers lag opgeslagen, maar desondanks wilde ik ze geopend zien. Op wat voor andere manier kon ik anders nog iets over Ted te weten komen nu hij gestorven was? 'Maar hoe kwamen jullie elkaar tegen?'

Haar rimpelige glimlach verbreedde zich nog. 'Gewoon. En ik heb hem geld gegeven om een zaak op te zetten.'

O nee, niet nog zo een, dacht ik. Teds levensverhaal was er een van steeds maar weer geld lenen om een bedrijfje te beginnen. Zelfs ik, die voortdurend door hem om de tuin was geleid en overal buiten was gehouden, zelfs ik was daarvan op de hoogte. Wie weet wat er gebeurd zou zijn als zijn zakeninstinct net zo sterk ontwikkeld was geweest als zijn fenomenale geheugen voor geuren en zijn ongebreidelde romantische fantasie. 'Je was niet de enige,' zei ik.

'Hij heeft me nooit een penny terugbetaald.'

'Wat dat betreft was je ook niet de enige, vrees ik.' Straks ging ze me vast om geld uit Teds erfenis vragen, om een oude schuld te vereffenen.

Audrey nam ineens een eigenaardig theatrale pose aan op het versleten kleedje voor het gasfornuis. De stapels kranten en andere rommel bij haar in de buurt trilden ervan.

'We zouden samen de wereld veroveren. Parijs, Rome, Rio, New York! Winkels in de duurste straten. Teams van experts achter de schermen. Grootse feesten ter introductie van onze parfums, waarvan we niet meer dan een paar druppels in schitterende flaconnetjes zou-

---

* Mrs Danvers: De onheilspellende huishoudster in de door Hitchcock verfilmde roman *Rebecca* van Daphne du Maurier.

den stoppen. Vrouwen zouden er een moord voor doen en mannen zouden gek worden van begeerte. Rozenblaadjes, pauwen en diamanten, dat waren de ingrediënten van het leven dat Ted en ik voor ons zagen.'

Bij deze grootse plannen staken de kleinburgerlijke dromen van tante Viv over haarversteviging en conditioner maar magertjes af. Audrey was een beetje getikt, besefte ik, of misschien wel meer dan een beetje. En mijn zoon zat met gefascineerde bewondering naar haar te kijken.

Audrey zette een arm in haar zij. 'En wat is er met mijn geld gebeurd, zo kun je je afvragen. Ík heb in elk geval geen idee.'

Ik zei: 'Er is op dit moment zeker geen geld. Misschien wel als zijn huis is verkocht.'

Audrey lachte kakelend. 'Toe maar.' Ze veegde haar ogen af, mogelijk omdat ze het echt amusant vond, maar vervolgens zuchtte ze en ging weer zitten. 'Ach, maar het was wel een goeie tijd, hoor. Geweldig zelfs. Niemand kon de bloemetjes zo goed buiten zetten als Ted. Ik weet nog dat hij me een keer meenam naar Parijs. Dat was heel wat in die tijd. 's Avonds stapte je op Victoria Station in de Golden Arrow en dan ging je met slaaprijtuig en al het ruim van de veerboot in. Iedereen lag te slapen, maar ik was veel te opgewonden, ik trok het rolgordijn op om naar buiten te kunnen kijken en ik zag al die zeelui aan het werk in hun dikke truien. En toen we in Parijs waren, sliepen we in een hotel dat stijf stond van het verguldsel en klatergoud, en we gingen naar een parfumeriehuis in de Rue de Rivoli, waar we een afspraak hadden. Ted had speciaal voor die gelegenheid een pied-de-poulepakje voor me gekocht.'

'Wanneer was dat?'

Dit soort herinneringen interesseerden Jack maar matig. Hij stond op en liep naar de achterdeur. 'Is het goed als ik de tuin in ga?'

'De sleutel zit in de deur,' zei Audrey. Hij ging naar buiten en zijn schaduw verwijderde zich achter de groezelige ruit.

'Even kijken, 1958, denk ik.'

Vóór de dood van mijn moeder! Audrey merkte dat ik zat te rekenen en voegde er bedaard aan toe: 'Of ergens in die buurt. Ik weet het niet meer zo goed. Het is al zó lang geleden en Ted en ik zijn een hele tijd met elkaar omgegaan.'

'Ik wist niet dat je een vriendin was van Ted,' zei ik koeltjes. 'De meesten kende ik wel.'

Audrey kwam recht overeind zitten, trok haar knieën en enkels bij elkaar en keek me vanover haar neus aan. Ik had haar met mijn gevolgtrekking beledigd. 'Ik was niet zijn vriendín.'

'O,' zei ik. Maar ik geloofde haar niet. 'Sorry.' Wilde ze me nu echt wijsmaken dat ze alleen maar een zakenpartner van Ted was geweest? Dat ze alleen maar met Ted naar Parijs was geweest om een voornaam parfumeriehuis te bezoeken, hij in een van zijn goedgesneden pakken, en zij in haar geruite pakje? Moest je haar nu zien zitten, in haar hol van een kamer met al die katten om zich heen, verschanst in het stoffige binnenste van een huis in verregaande staat van verval, terwijl al haar buren nieuwe erkers met trendy markiezen hadden aangebouwd. En Ted zelf was er niet meer. Het was al met al een zielig plaatje en ik had spijt dat ik niet echt hartelijk tegen haar was.

Maar toen liet Audrey haar kakelende lachje weer horen. 'Je weet niet bijster veel van je vader.' Het was geen vraag. Ik kon alleen maar knikken dat ze gelijk had. 'Hij heeft jou altijd in bescherming genomen, kind. Wat hij niet gedaan heeft om jou toch vooral overal buiten te houden.'

Ik keek haar recht in de ogen. Ze wendde haar blik niet af. Ik kwam op dat moment tot de slotsom dat er helemaal niets zieligs aan Audrey was. Ze had vrijwel zeker geen woord teveel gezegd toen ze tegen Jack verkondigde dat ze deed wat ze wilde.

'Het leek meer op verwaarlozing dan op bescherming,' zei ik binnensmonds.

Audrey haalde onverschillig haar schouders op. 'Dat was misschien ook wel zo. Doet dat er nog wat toe, nu hij dood is?'

Ik dacht terug aan Dorset Avenue en al die lege uren dat ik ofwel op Ted wachtte, ofwel hoopte dat hij niet wéér weg zou gaan. Ik was nooit zo interessant voor hem geweest dat hij langer dan een ogenblik zijn aandacht tot mij bepaalde, ik had nooit geloofd dat ik ooit zoveel uitstraling zou bezitten dat dat nog een keer zou gebeuren, ik betwijfelde zelfs of ik ooit een echte volwassene zou worden. Grijze amber, muskus en vetiver. De woorden waarden rond in mijn geest als een toverformule en ik dacht aan de banden met Teds parfumeursaantekeningen die bij mij thuis in de keuken lagen. Zijn toverformules. Hij had nooit geprobeerd er een voor mij te ontwerpen. 'Ja, dat doet er zeker toe,' zei ik plompverloren.

De achterdeur ging krakend open en Jack kwam weer binnen. 'Wat gaaf,' zei hij.

'Ik wist wel dat je het interessant zou vinden,' merkte Audrey op. Ik keek van de een naar de ander. 'Wat?'

'Het is net een dierentuin.' Jacks gezicht straalde. 'Kom ook kijken.' De tuin was misschien een meter of tien lang. Aan één kant stonden hokken en kooien, gemaakt van een samenraapsel van hout en kippengaas, met daarin konijnen en marmotten die voor het merendeel wezenloos bij een hoopje wortels en groen zaten te kijken. Jack trok me mee naar de laatste hokken en liet me een egel zien en een hoopje roodbruin bont dat een slapend vossenjong bleek te zijn.

'Zijn moeder is vast in een val gekomen of vergiftigd,' zei Audrey boos snuivend. 'Hij lag voor dood bij de afvalcontainers naast de supermarkt. Ik kan hem niet binnen houden, want dan maken de katten korte metten met hem. Maar ik zál hem redden.'

Ik dacht aan de mannetjesvos die ik in de buurt van mijn huis had gezien, met zijn neus in de avondlucht geheven luisterend naar de stadsmuziek.

De rest van de tuin was een chaos van etensbakken gevuld met schillen, botten, maïs en groenteafval. De stank die ervanaf kwam was op deze warme avond niet onaanzienlijk. Over een gammele schutting van larikshout kon ik in de tuin van de buren kijken, waarin clematissen en klimrozen bloeiden, en ik vroeg me af wat die buren van Audreys onwelriekende menagerie vonden.

'Ik zet eten neer voor de vossen en de egels,' zei ze tegen Jack. 'Maar de vogels zijn er natuurlijk ook gek op. Er komen hier heel veel merels en lijsters, en af en toe eksters en Vlaamse gaaien, en natuurlijk duiven. Ze weten meestal meteen dat ze moeten uitkijken voor de katten.' Samen liepen ze tussen de rommel door langs de hokken en kooien, terwijl ik tegen de achtermuur van het huis leunde en naar hen keek. Ik voelde me buitengesloten van een clubje waar ik niet bij wilde horen.

Uiteindelijk moest ik wel tegen Jack zeggen dat het tijd was om naar huis te gaan. Hij volgde me met tegenzin het huis in, waar ik Audrey de sigarettendoos en de andere spulletjes van Ted liet zien die ik had meegebracht. Ze bekeek de dingen stuk voor stuk, waarna ze ze weer op tafel teruglegde. 'Ik hoef ze niet,' zei ze. 'Ik heb herinneringen zat.'

Ik was gegriefd, al was dat het laatste wat ik wilde. 'Nou, best,' zei ik terwijl ik alles in mijn tas terugstopte.

'Waren er geen foto's?' vroeg ze.

'Er is er een waar je op staat. Die had ik moeten meenemen. Je zit op een stenen muurtje, zo te zien was het een winderige dag.'

'Ja. Zo, dus jullie gaan weer?'

Ze liep met ons mee door de stoffige tunnel van haar huis en maakte de deur voor ons open. Fris licht stroomde naar binnen.

'Kom nog eens aan,' zei ze, maar deze uitnodiging, die eerder als een bevel klonk, was alleen aan Jack gericht.

'Goed,' zei hij. 'Dan neem ik die foto wel voor u mee.' We waren al bij het hek, toen Jack zich plotseling omdraaide en weer naar de deur rende. 'Wacht. Wacht even. Weet u nog van de crematie? Toen had u een vossenbontje om, toch? Ik weet nog hoe zijn oogjes en staart naar beneden hingen. Maar u houdt van vossen, toch? Vindt u dat dan niet gemeen?'

Soms leek Jack wel een oud mannetje, maar op andere momenten leek hij nauwelijks ouder dan Cassie.

'Die arme vos was al dood toen ik hem kreeg, toch? Ik bezorg hem af en toe graag een uitje, meestal als ik naar een begrafenis ga, dan ziet ie weer eens wat van de wereld. Daar is toch niks mis mee?'

'Nee,' zei hij. Blijkbaar vond hij het een bevredigend antwoord.

We liepen naar huis. Audreys thee had een vies laagje op mijn tong achtergelaten en ik wou dat ik hem niet gedronken had. Wat Audrey voor Ted ook betekend mocht hebben, mij bezorgde ze een onbehaaglijk gevoel.

'Ik vond het daar best cool,' was alles wat Jack kwijt wilde over ons uitstapje toen ik probeerde hem erover uit te horen.

Ons eigen huis zag er ineens heel schoon, functioneel en verzorgd uit, dus dat was wel een plusje. Maar toen ik over mijn schouder een blik wierp in de spiegel in de gang, zag ik dat mijn T-shirt van achteren grijs zag van de kattenharen.

Later die avond, toen Jack al op zijn kamer was, pakte ik de drie delen met aantekeningen van Ted van de plank en bladerde ze weer door, op zoek naar Audreys naam. Ik kwam hem nergens tegen. Wel een overvloed aan andere namen en de parfumrecepturen die ooit voor zoveel vrouwen een belofte van begeerlijkheid, passie en dromen inhielden. Het was alsof er wolken parfum van de bladzijden af sloegen, wolken die me inkapselden en een teken leken te geven.

7

De eerste zomerdagen verstreken vrijwel ongemerkt, als droog zand dat tussen mijn vingers door liep.

Jack ging 's ochtends naar school, na een aantal strubbelingen die onderhand bij de routine hoorden. Soms kwam hij veel later thuis dan anders, dan was hij naar het nieuwe ornithologieclubje geweest; hij had verteld dat de juf biologie hem daarvoor gevraagd had. Denkend aan de luidruchtige stroom kinderen die me omspoelde toen ik met meneer Rainbird ging praten, vroeg ik stomverbaasd hoeveel kinderen zich al voor deze vogelclub hadden gemeld. Jack trok een boos gezicht en zei: 'Niet veel.' Meer zei hij er niet over en ik drong niet verder aan. Zolang alles maar een béétje goed ging, wilde ik hem niet lastigvallen met vragen naar het hoe en waarom.

Ik ging elke dag naar mijn werk, deed wat ik moest doen, kon daarna als ik geluk had nog even met Cassie spelen, en ging weer naar huis. Colins kookboek begon al aardig vorm te krijgen. Ik had de freelance kalligrafe die wel eens voor ons werkte overgehaald om alle kopjes, zoals 'Een maaltijd die staat als een huis', in fraai schrift aan te leveren, als een speciale gunst, want ik had haar wel eens uit de brand geholpen als ze om werk verlegen zat. Leo en Andy verzorgden het knip- en plakwerk en de gevouwen vellen werden voor het innaaien gereedgemaakt.

Mel zag ik een tijdlang niet. Ze had het druk met haar werk en de weinige vrije tijd die ze had spendeerde ze met Jasper, althans dat nam ik aan. Caz en Graham waren intussen op huizenjacht. 's Avonds na het eten, als Jack naar boven was, pakte ik de eerste band met Teds aantekeningen en zat er een tijd in te lezen.

Hele bladzijden bevatten alleen maar opsommingen. De lange namen van chemische stoffen, die ik anders toch ook nauwelijks had kunnen ontcijferen, waren vaak op een verwarrende manier afgekort in Teds potloodkrabbels. Alleen de oude vertrouwde namen van geuren sprongen er voor me uit – sering, chypre, amber – terwijl ik peinzend het geschrevene bestudeerde en me probeerde voor te stellen wat hij zich voorstelde als hij bezig was met ruiken en noteren en zo gaandeweg een nieuwe geur ontwikkelde. Hier en daar trof ik tussen de dorre formules stukjes tekst aan die vreemd poëtisch aandeden. Langzamerhand begon ik meer van het hele proces te begrijpen, maar dat gold niet voor de inspiratie die erachter schuilging.

Soms werkte hij in opdracht van een cosmeticabedrijf, of was hij bezig aan een project voor zijn eigen bedrijf ET&P, maar op andere momenten creëerde hij privé een parfum voor de laatste Janice of Linda. Elke keer moest hij een idee in iets substantieels omzetten en hij begon door voor zichzelf een beeld in woorden te schetsen. Geen beeld van de potentiële klant of de 'tante' van het moment, maar een abstracte voorstelling. 'Zwoele fluistering in een rumoerige ruimte', 'sidderende pauwenstaart', 'weide dromend in het maanlicht', dit soort dingen waren in zijn aantekeningen terug te vinden.

Ik herinner me hoe hij aan tafel in de voorkamer in het huis aan Dorset Avenue door de donkere vitrage naar de onveranderlijke quasi-Tudorgevels aan de overkant zat te staren. De tijd tikte langzaam door in de doodse stilte in huis en zoals altijd hunkerde ik naar aandacht. Vaak deed ik in die omstandigheden een spelletje waarbij ik steeds dichter bij zijn stoel in de buurt kwam, in een poging hem erbij te betrekken, net zo lang tot hij snauwde: 'Sadie, hou op. Heb je niks anders te doen?' Ik vond het niet eerlijk. Hij zat immers niks te doen. Nu begreep ik dat hij zat na te denken, probeerde een beeld om te zetten in iets stoffelijks door middel van iets bij uitstek onstoffelijks: parfum.

Ik heb geen idee hoe hij daarbij te werk ging. Hoe kon je een 'zwoele fluistering' nu vangen, vertalen en door middel van een orkestratie van basisnoten, middentonen en topnoten omzetten in een geur die uiteindelijk onder de naam Fluistering in een flacon werd gestopt en verkocht? Ik werk met dingen die je kunt vastpakken, ik werk met mijn handen. De enige abstracte dingen waarmee ik worstel zijn de veelvormige ruimten tussen letters, of de juiste balans tussen stof en bijvoorbeeld kalfsleer voor dure banden. Ik sloeg bladzijde na bladzijde om en kreeg steeds meer bewondering voor Teds gave.

Hij was in staat om in opdracht een parfum te componeren dat voldeed aan bepaalde wensen van de klant. Aan de ene kant was het een heel gewoon, commercieel vak, waarin budget en marktpositie een belangrijke rol speelden, maar aan de andere kant was het pure romantiek. Hij kon een receptuur aan een klant verkopen, maar hij kon een parfum ook zelf in een voldoende hoeveelheid bereiden om het aan de klanten in zijn zaak te verkopen. En als hij een vrouw wilde verleiden kon hij ook besluiten net voldoende van een creatie te mengen om er één enkel flesje mee te vullen en dat aan zijn laatste vlam aan te bieden, als was het een boeket bloemen. Alleen was zíjn boeket met het grootst mogelijke vernuft en liefdevolle intimiteit samengesteld, en zou het nooit verwelken omdat hij de receptuur in zijn aantekeningen had opgenomen.

Geen wonder dat mijn vader zoveel succes had gehad met zijn trucje om het gezicht van vrouwen tussen zijn handen te nemen en zachtjes hun geur op te snuiven. Welke vrouw was daartegen bestand? Het was alleen jammer dat zijn vaardigheden op handelsgebied in geen enkele verhouding tot zijn verleidingstalent stonden.

Op de kalme avonden dat ik in zijn aantekeningen zat te lezen, besefte ik maar al te goed hoe heerlijk ik het zou vinden als ik een parfumreceptuur zou tegenkomen waar 'voor Sadie' bij stond. Ik keek alles na, maar er was ook geen beeld in woorden of lijst met ingrediënten waar 'voor Faye' bij stond geschreven. Ik wist helemaal niets over hoe mijn ouders verliefd op elkaar waren geworden of over de eerste jaren van hun samenzijn: ik vroeg me af of er een tijd was geweest dat mijn moeder ook zo van de kaart en flirterig was geweest als een van de tantes, volledig in de ban van Teds charmes. Dat kon toch niet anders, dacht ik. Hij moest ook haar gezicht tussen zijn handen hebben genomen en haar daarbij in de ogen hebben gekeken. Ik wou dat ik me haar zo kon herinneren, en niet als een weggedraaid hoofd op een foto en een doffe maar constante aanwezigheid in mijn kindertijd.

Als ik had geweten dat ik haar zou verliezen, zou ik haar niet als vanzelfsprekend hebben ervaren terwijl ik intussen alleen maar naar Teds aandacht hunkerde. Ik legde mijn vingers op de bladen met aantekeningen. Die arme moeder van mij, dacht ik. Teds schaduw was nu over de hare heen geschoven en zijn ondoorzichtigheid ontnam me het zicht op haar. Ik kon niet met mijn hand door alle lagen van de tijd heen reiken om haar aan te raken, en wist dat ik dat ook nooit zou kunnen.

Waar ben je? fluisterde ik tegen haar, maar ik hoorde niets.

Ik probeerde Ted in mijn geest naar de achtergrond te schuiven, hem af te weren. Hij was immers dóód. Ik wilde dat hij me met rust liet zodat ik voor mezelf kon denken.

Ergens aan het begin van de eerste band met aantekeningen stuitte ik op de beschrijving van een geur die geen naam had. Het eerste woord dat Ted in zijn beeld van woorden gebruikte was 'mysterie'. En ter uitbreiding van deze gedachte had hij het volgende opgeschreven: 'verschillende lagen, plagerig complex. Een gesluierde vrouw, de vormen van haar lichaam vertonen zich door rijke lagen van fluweel. Bedwelmend met rook en wierook.' Ik wist zeker dat dit geen beschrijving van Faye kon zijn.

Ik herinnerde me dat het woord parfum is afgeleid van het Latijnse *per fumum*, 'door rook'. En ik meende ergens gelezen te hebben dat haremvrouwen hun gewaden boven een wierookbrander hielden om een vleugje van de geur mee te nemen, waar ze ook gingen. De gedachte aan rook en wierook was dus rechtstreeks terug te voeren op de origine van parfum; ik vroeg me, vergeefs, af of de oorsprong van deze ene creatie ook zo diep verankerd lag in Teds hart en fantasie.

Na de beschrijving van het parfum volgde de receptuur, die ruim honderd ingrediënten omvatte. Ik keek de lijst door, maar ik zou me hoe dan ook geen idee kunnen vormen van hoe dit mengsel van geuren ongeveer zou kunnen ruiken, in de verste verte niet. Er kwam geen onmiskenbare geur uit de bladzijde opstijgen om zich in mijn voorstellingsvermogen te nestelen, zoals bij Ted het geval zou zijn geweest. Toen zag ik iets wat ik eerder over het hoofd had gezien. Onder aan de laatste bladzijde stond bij de receptuur simpelweg een kleine 'A', met potlood geschreven. Misschien stond deze letter wel voor Audrey.

Het lezen, het gemijmer en mijn pogingen om er wijzer van te worden, haalden nog meer beelden van Ted naar boven die me niet welkom waren.

In plaats van hem thuis staande bij de schoorsteen voor me te zien, in een ruitjesoverhemd met een lavallière, en met vier vingers van een hand in de zak van zijn blazer gestoken, zag ik hem op zijn werk. Hij zat aan het parfumorgel, een tafel met een opbouw van meerdere verdiepingen, met honderden flesjes in een halve cirkel. Hij hield een papieren strookje bij zijn neus en rook, met zijn ogen dicht en zijn lichaam volkomen stil. Zijn gezicht was uitdrukkingloos. Hij zag er zo ontspannen uit dat hij ook zou kunnen slapen, maar op dat moment bestond er voor hem niets anders dan het miniatuurlandschap dat aan het uiteinde van een strookje papier was samengebald. Hij rook niet alleen met zijn neus, maar met zijn hele wezen: lichaam en geest.

Dit beeld moet ik met me hebben meegedragen sinds die dag dat ik met hem mee mocht naar Phebus Fragrances. Of misschien was het een beeld uit een latere, zeer korte periode toen hij een winkel had aan South Audley Street. Ik weet nog dat er een piepklein lab was achter de showroom, waar hij werkte aan nieuwe geuren om in de winkel te verkopen. Maar dit was op het hoogtepunt van de periode waarin het Ted voor de wind ging. Hij ging toen helemaal op in de rol van meesterparfumeur en had het er erg druk mee; hij kuste de handen van dames uit het chique Mayfair en beloofde hun de geur van de begeerte zelf, gevangen in een kristallen flesje en naar hen vernoemd. Ik kon hem zoals hij was in die tijd niet in verband brengen met de man die bewegingloos en in vervoering al zijn zintuigen tot het uiterste spande om zich volledig te concentreren op één enkele geur. Die man hoorde thuis in de periode bij Phebus Fragrances, toen Ted het vak leerde bij de oude man.

De winkel in Mayfair heette Scentsation. Ik ben er maar twee, drie keer geweest in de maanden dat de zaak van Ted was, maar ik bewaar er levendige herinneringen aan. De winkel zelf was een pijpenla van slechts enkele meters breed, maar aan de wanden hingen allemaal spiegels tussen donkere, glimmend geboende mahonie panelen. De toonbank glom ook als een spiegel en de vloer bestond uit zwartmarmeren tegels die ook al zo glanzend geboend waren en fel glinsterden. Aan het plafond hing een vergulde kroonluchter waaraan talloze kristallen pegels hingen en die met zijn vele lampjes in kaarsvorm een felle gloed verspreidde. De lichtvlammetjes weerspiegelden zich eindeloos in de spiegels, zodat de kleine ruimte een en al toverachtige illusie werd. Tenzij je met je hand aan het koude glas van een spiegel voelde, was niet uit te maken wat werkelijkheid was en wat reflectie. Na mijn ritten met de bus en de ondergrondse vanaf ons huis in Hendon en mijn voettocht door de baksteenrode en betongrijze canyons ten zuiden van Oxford Street kwam de winkel op mij over als een exotische en ontzagwekkende omgeving. Ik was me toch al zo pijnlijk bewust van mijn schooluniform met de kersrood en chroomgeel gestreepte das, de krappe donkerblauwe rok en de witte blouse van synthetische stof, maar nu werd ik in deze outfit nog eens ontelbare malen weerspiegeld ook. Overal waar ik keek werd ik in wisselend perspectief geconfronteerd met een puisterig schoolmeisje met haar haar in een vlecht en kleren die duidelijk maakten dat ze een niemendallerig persoontje was.

En dan die geur die er hing. De wanden met spiegels en panelen wasemden een zwakke lucht van verse bloemen en warme aromastoffen uit, die een wereld van glamour en luxe deed opengaan. In deze geparfumeerde en verstilde sfeer werkte Ted samen met een verkoopster die Valerie heette. Valerie had een deftig Engels stemgeluid, maar haar eigen naam sprak ze op z'n Frans uit: 'Valérie.' Ze droeg een antracietkleurig pakje waarvan het jasje ruimte bood aan een flinke boezem en de rok strak was, en haar voeten waren in puntschoenen gestoken. Ze droeg haar haar opgestoken in een wrong, met als extraatje een haarband van zwart fluweel. Als ze zich achter haar toonbank verplaatste, was haar parfum, hetzelfde als de geur die in de winkel hing, in haar kielzog net iets sterker waarneembaar – zoals bij haremdames het geval was.

Op spiegelende glasplaten in de vitrine van de toonbank en tegen de spiegelwanden stonden en lagen de doosjes en flacons met Teds ter plekke bereide parfums keurig in het gelid of in piramidevorm gestapeld. Alle verpakkingen waren in wit en groen met gestrikte witte linten, en de naam van de zaak stond er in zeer krullerige letters op gedrukt.

De merkparfums die Ted voor zijn zaak in Mayfair had ontwikkeld, hadden vreemd genoeg zeer eenvoudige en rustieke namen gekregen, River and Sky, Leaf and Rain en zo. In die tijd waren het voor mij niets meer dan luchtjes, dat wil zeggen dat ik ze wel lekker vond ruiken, maar totaal geen idee had van het effect dat ze beoogden. Maar ook toen al vond ik de namen niet zo goed passen bij het spiegelpaleis. Ze hadden eerder namen moeten hebben in de trant van Ecstatic, Masquerade of Cause Célèbre, en er had meer glans en glitter aan de verpakkingen te pas moeten komen. Uiteraard was Ted zijn tijd gewoon ver vooruit. Maar dat betekende meteen dat zijn in 1964 geopende zaak in Mayfair slechts een kort leven beschoren was.

Een kort leven waar hij weliswaar intens van genoot.

Ik herinner me hem in een grijs pak met een krijtstreepje en een pastelkleurige glanzende das met een forse strop. Ik had een reden om naar Scentsation te komen, en die was dat ik ging winkelen. Een meisje van school, Daphne, had me tot mijn verrassing uitgenodigd voor een platenfeestje bij haar thuis: iedereen moest zijn singletjes meenemen om op haar kamer te draaien. En wie weet kwamen er zelfs wel jongens, want ja, ze werd niet voor niets veertien... Ik wist welke jurk ik wilde, want ik had hem op weg naar mijn vaders winkel gezien. Hij was van een soort blauwgroene satijnachtige stof met moiré-effect, had een hals met smokwerk, en de lange mouwen waren afgezet met een randje van kant dat naar mijn idee heel elegant over mijn handen zou vallen.

Ik kwam schuchter de winkel binnen en Valerie gaf me een koel knikje terwijl ze me van hoofd tot voeten opnam.

'Is mijn vader er?'

'Hallo, Sadie. Je komt net van school, zeker? Ik zal even kijken.' Ze klopte op de deur van de testruimte en boog haar hoofd met het opgestoken haar ernaartoe om de reactie te kunnen verstaan.

Na een kort moment kwam Ted in zijn grijze pak naar buiten. Er verscheen een verbaasde en lichtelijk geïrriteerde uitdrukking op zijn gezicht toen hij me zag. 'O, Sadie. Wat is er?'

Ik keek van mijn vader naar Valerie en weer terug. 'Ik wou de stad in. Je weet wel, voor Daphnes feestje. Dat heb ik toch verteld? En toen zei je dat...' Mijn stem stierf weg, zoals maar al te vaak gebeurde als ik iets tegen hem zei. De manier waarop hij gewoonlijk afwachtend naar me luisterde had iets ongeduldigs. Wat ik nog had willen zeggen, was dat hij dagen geleden beloofd had me geld te zullen geven voor nieuwe kleren. Maar geld was altijd een lastig onderwerp om bij hem mee aan te komen; ik moest het heel omzichtig doen of er liefst maar helemaal niet over beginnen. Waarschijnlijk had hij zijn belofte ook alleen maar gedaan om zich op een ander moment dat ik hem stoorde van me af te maken.

Maar ik wilde die groenblauwe jurk met smokwerk. Ik zag helemaal voor me hoe ik in die jurk bij Daphne aankwam en me als een vrouw van de wereld tussen de andere gasten bewoog. Het was niet de eerste keer dat ik zou willen dat tante Viv er nog was om me een handje te helpen, als ik dan toch geen moeder had als ieder ander. Ik zette me nu schrap tegenover Ted. 'Ik heb de jurk gezien die ik wil hebben.' Maar hij keek al langs me heen naar buiten door de hoge smalle winkelruit. Het woord Scentsation was in een halvemaanvormige boog op het glas aangebracht. Net boven de t in het midden, als een exotische bloem op een zwarte steel, was daar het gezicht van een vrouw verschenen, die naar ons keek. Ze bleef een ogenblik in alle rust staan kijken en liep toen naar de deur. Ted stond daar intussen al om hem voor haar te openen.

De klant zag er zeer verzorgd, zelfverzekerd en rijk uit. Ze had zilverig blond haar dat in een klokvorm gekapt was en vanonder een fraai rond hoedje dat ze achter op het hoofd droeg meeliep met haar kaaklijn. Het hoedje was van dezelfde lavendelkleurige tweed als haar pakje en haar pumps en handtas waren van grijze peau de suède. Onder haar arm droeg de vrouw een wit hondje met haar dat boven op zijn kop was samengebonden met een blauwe strik. Ik vermoedde dat deze verschijning de belichaming was van hoe Valerie zichzelf in haar mooiste dromen zag, maar in het echt zag Teds assistente er opgedirkt uit vergeleken bij deze dame en had haar pakje niets chics meer. Het stak kreukelig af bij de lichtgekleurde soepele tweed. Valerie stond achterin, maar ik stond pontificaal midden in de winkel. Ik probeerde zo weinig mogelijk op te vallen naast een van de spiegels, maar toen ik mijn ogen draaide zag ik een kop als een boei met een openhangende mond vanuit minstens honderd verschillende hoeken weerspiegeld. Mijn handen, die ik plat tegen de spiegel had gedrukt, lieten vochtige afdrukken achter op de spiegel.

'Mevrouw Ingoldby,' zei Ted ingetogen.

'Hallo,' zei de vrouw nonchalant. Ze zette de hond neer in de buurt van haar slanke enkels en natuurlijk liep het beest recht op mij af en begon aan mijn voeten te snuffelen.

'Kan ik u vandaag ergens mee van dienst zijn?'

'Ik heb eens nagedacht over de geur waarover we gesproken hebben,' antwoordde ze. 'Mijn eigen parfum. Ik zou graag iets... eh, exótisch willen. Maar ook weer niet té, natuurlijk. Het zou een geur moeten zijn die mijn naam zachtjes murmelt, niet uitschreeuwt.' Ze keek naar niemand van ons speciaal terwijl ze dit zei. Ze pakte hier en daar groen met witte doosjes en flaconnetjes op, om ze weer lukraak terug te zetten na ze slechts heel even te hebben bekeken.

'Heel elegant geformuleerd,' zei Ted met een twinkeling in zijn ogen. 'Wilt u misschien gaan zitten...' Hij gebaarde naar de verste hoek van de winkel, waar twee frêle vergulde stoelen met groen met witte kussens erop stonden en een tafeltje. Mevrouw Ingoldby liep wiegend naar de dichtstbijzijnde stoel, waarbij haar hoge hakken op het marmer tikten, en wachtte tot hij die voor haar had bijgetrokken. Toen ze ging zitten bedankte Ted haar alsof hij degene was die een stoel aangeboden had gekregen. Terwijl de vrouw haar tasje neerzette, haar handschoenen uittrok en tegen de hond zei dat hij stil moest blijven zitten en zich gedragen, wierp Ted over haar hoofd een snelle blik in mijn richting.

Maak dat je uit de buurt komt, jij, zei die blik. Zit niet met je vingers aan mijn spiegels en weg met dat spiegelbeeld van je dat overal te zien is.

Een ogenblik stond ik als verstijfd.

Ted haalde een in leer gebonden aantekeningenboekje uit een lade en schroefde de dop van zijn vulpen. Zijn ogen waren weer op mevrouw Ingoldby gericht, en nu hadden ze wel een vriendelijke glans. 'Laten we eens even bespreken wat u graag zou willen. Want ik heb voor u een zo elegant en subtiel geurtje in...'

'Ik kom straks wel terug...' wist ik uit te brengen in de richting van een plekje ergens tussen Valerie en mijn vader in. Haastig liep ik de winkel uit en de straat op.

Ik bleef een uur weg. Zo lang had ik nodig om heen en weer te lopen naar Oxford Street om te kijken of mijn jurk nog steeds in de etalage stond. Ik ging de winkel zelfs binnen, al had ik niets anders in mijn portemonnee zitten dan mijn busretourtje; om dat te kunnen betalen had ik het hele huis moeten afzoeken naar munten. Er hing nog precies zo'n jurk in de winkel, en ik bad dat het mijn maat was. Een kauwgum kauwende verkoopster die er niet veel ouder uitzag dan ikzelf vroeg of ze me kon helpen, en ik zei dat ik later terug zou komen om déze jurk te kopen.

Het meisje haalde hem uit het rek en we bekeken hem samen. Vier pond zoveel. 'Ja, echt mieters, hè?' zei ze.

Toen ik weer terugkwam bij Scentsation stonden Ted en Valerie allebei achter de glazen toonbank en was mevrouw Ingoldby verdwenen. Ted keek net zo verbaasd als toen ik de eerste keer kwam – kennelijk was hij dat alweer vergeten.

'Ik wil een jurk kopen voor Daphnes feestje,' zei ik luid. 'Ik heb er een gezien en die kost vijf pond.'

Valerie keek tactvol uit het raam. Maar Ted had blijkbaar prima zaken gedaan met mevrouw Ingoldby, want hij liep naar de kassa, sloeg er iets op aan en haalde er een biljet van vijf pond uit. Hij vouwde het op en stopte het in het zakje van de blouse van mijn schooluniform, waarvan de stof inmiddels over mijn borsten spande. Ik was de laatste tijd behoorlijk gegroeid. 'Alsjeblieft,' zei hij.

Ik staarde hem aan, totaal verrast door zijn snelle capitulatie.

'Hup, ga dan,' zei Ted, met een knikje in de richting van de deur. 'Koop maar wat je hebben wilt.'

Geen wonder dat die dag me nog zo helder voor de geest staat.

Ik kocht de jurk, haastte me naar huis en toen Ted later die avond thuis was, trok ik hem aan en draaide voor zijn neus een mislukte pirouette. Maar hij keek nauwelijks op van de papieren die hij voor zich op de eettafel had uitgespreid. Ongeduldig liet hij een potlood tussen zijn vingers rondjes draaien en keek even met opgetrokken wenkbrauwen naar me. 'Heel mooi,' zei hij.

Ik ging weer naar boven en hing de jurk in mijn kast, waar hij tot Daphnes feestje zou blijven. Van die verjaardag herinner ik me niets, behalve dat ik niet de kans kreeg om met Stephen Allardyce aan te pappen, want dat was uiteraard Daphnes privilege.

Een van de recepturen in Teds boeken zou wel voor mevrouw Ingoldby zijn, veronderstelde ik. Ik vroeg me af of Teds alchemie de tanende belangstelling van haar man tot leven had gewekt, haar een nieuwe minnaar had opgeleverd of haar simpelweg het gevoel had bezorgd dat ze mooier en begeerlijker was dan al haar vriendinnen – wat haar verwachtingen ook geweest mochten zijn toen ze Scentsation binnenstapte. Met andere woorden: of haar parfum een belofte in een flaconnetje was geweest en of die belofte was bewaarheid.

Ik sloot het deel waarin ik had zitten lezen. Het was tijd om naar bed te gaan, al was er nog steeds blauw in de zomeravondhemel. Toen ik de tuin in liep, rook ik de kamperfoelie in de tuin van mijn buren, maar de grote stad overstemde dit vleugje landelijkheid en drong zich nog veel sterker op dan in de winter. Het geraas van het verkeer klonk luider en de huiselijke geluiden van andere mensen kwamen via open ramen aangedreven. Niet dat ik dit erg vond. De gedachte dat er in de buurt van Jack en mij nog veel meer mensen leefden was eerder vertroostend dan storend. Ik bleef een hele tijd buiten staan om de stoffig geurende zwoelheid van de avondlucht in te ademen en naar de muziek van de grote stad te luisteren.

'Ga je?' vroeg Caz.

Ze stond op een trapje om bij de hoogste keukenkastjes te kunnen. Ze haalde steeds dingen als melkkannetjes of juskommen van de tjokvolle planken, bekeek het voorwerp aandachtig, reikte dan naar beneden om het bij de bescheiden verzameling spullen te zetten die ze zou weggooien. Dan veranderde ze weer van gedachten, boog zich weer naar beneden en zette kannetje of kom weer op de plank.

'Hoeveel melkkannetjes heeft een normale vrouw nodig, Caroline?' vroeg ik om haar te plagen.

'Eh...' zei ze weifelend. 'Nou, je weet maar nooit, hè? Drie? Zes? Voor als de dominee en god weet wie op bezoek komen?'

'Je kent niet eens een dominee, laat staan zes van dat soort lieden.'

'En van die dominees komt er maar één tegelijk op bezoek, natuurlijk, dat is wel zo. Tenzij ze hier een vergadering beleggen.'

'Of een komische sketch opvoeren.'

'In welk geval het acteurs of conferenciers zouden zijn. En die zouden achter elkaar stickies roken en meer van dat fraais.'

'Precies. En de naam van God misbruiken.'

'Je hebt gelijk. Die zou het geen bal kunnen schelen of de theekopjes bij de schoteltjes passen.'

Ze kwam het trapje af en zette alsnog een kannetje bij de rest van de afdankertjes. Het was een erg warme middag en haar met henna gekleurde pony plakte in sliertjes tegen haar voorhoofd. En mijn T-shirt plakte tegen mijn rug. Caz en Graham hadden hun huis verkocht, voor de prijs die ze gevraagd hadden, aan het tweede stel dat was komen kijken. Na zelf drie weken driftig op huizenjacht te zijn geweest, hadden ze precies het kleinere huis gevonden dat ze zich wensten, en het begon Caz eindelijk te dagen dat ze echt gingen verhuizen en dat ze een hoop van haar spullen zou moeten wegdoen als ze voor hun vieren nog een beetje ruimte in het nieuwe huis wilden overhouden. We waren op deze zaterdagmiddag bezig al haar kasten uit te mesten.

'Nou, ga je?' vroeg ze nog eens. Waarmee ze bedoelde te vragen of ik van plan was om het volgende weekend naar het feestje van Evelyns ex te gaan.

'Ja,' zei ik, 'ik ga zeker, als ik tenminste iemand kan vinden om op te passen.' Het buurmeisje zat midden in haar examen.

'Misschien kan Matt of Dan Jack gezelschap houden.'

Ik keek uit het raam. Na veel tegenstribbelen was Jack met me meegegaan naar Caz, maar toen Graham en zijn twee zoons hadden voorgesteld om in het park te gaan tennissen had hij ondanks zichzelf geglimlacht. 'Oké. Gaan we dubbelen?'

'Ja,' zei Graham, 'heren dubbel. We laten deze twee lekker hier met hun kastjes.'

Ze zouden al snel weer terugkomen en Caz had het plan om in de tuin te barbecuen. We hadden zoiets al tientallen keren eerder gedaan, maar de laatste tijd had Jack vaak geen zin gehad om mee te komen. Lola was dol op de jongens van Caz, maar Jack voelde zich niet meer zo bij hen op zijn gemak. Als Graham en zijn zoons samen waren, zag ik Jack wel eens met een opzettelijk blanco uitdrukking op zijn gezicht naar hen kijken, die zijn jaloezie toch niet geheel wist te verhullen. Hij zou het ontzettend fijn vinden om op dezelfde manier met zijn vader te kunnen voetballen of met de barbecue te knoeien, natuurlijk. En ik zou ook willen dat dat kon.

'Ze komen zo terug,' zei ik tegen Caz, hoewel dat nergens voor nodig was. Ik hield een ovale ovenschotel met een afschuwelijke opdruk omhoog. 'Wat moet hiermee gebeuren?'

'Die moet ik wel bewaren. Het was een huwelijkscadeau.'

'Van wie?'

'Dat weet ik niet meer.'

'Weg ermee, dus.'

Jack was met de anderen inderdaad nog geen uur later weer terug. Matt en Dan kwamen naar de keuken en liepen direct op de koelkast af. Jack liep in hun kielzog zijdelings langs de tafel. Matt haalde de dop van een flesje koud bier en gaf het aan Jack. Jack keek snel naar Caz en mij.

'Matt, hij is pas twaalf,' zei Caz verwijtend.

'Ma, ik was ook twaalf toen ik met bier begon. Het is geen crack, weet je. En we hebben een keiharde wedstrijd gespeeld, toch, Jackson?'

Jack glom helemaal. 'Proost, maat,' mompelde hij, en nam een grote slok. Zijn adamsappel in zijn magere nek ging op en neer.

'Wie heeft er gewonnen?' vroeg ik.

Jack haalde alleen maar even een schouder in mijn richting op. Tussen de blonde, monter ogende zoons van Caz zag hij er klein en smalletjes uit.

'Jack en ik,' zei Dan. 'Hij is echt super bij het net. Hij moet alleen nog een decimeter of wat groeien.'

Jack gaf hem een zwak stompje in zijn maag, maar wist zijn voldoening niet te verbergen. Ik probeerde zijn blik te vangen en naar hem te lachen, maar hij keek van me weg. 'Mag ik tv-kijken?' vroeg hij aan Caz.

'Natuurlijk.'

Een poosje later zaten we in de zoele, van mugjes vergeven avondlucht naar Graham te kijken, die met zijn speciale barbecueschort voor de karbonaadjes op de grill stond te keren. Jack stond naast hem met een tang in de gloeiende houtskool te porren en water op de vlammen te spuiten. Hij wilde zijn plek geen ogenblik aan Matt of Dan afstaan en hoewel hij zijn best deed om neutraal te kijken, kon ik zien dat hij het erg naar zijn zin had. Toen het eten klaar was, viel hij hongerig aan. Hij zei niet veel, maar luisterde ingespannen naar de plagerijtjes die Graham en zijn zoons uitwisselden, alsof hij de essentie ervan in zich wilde opzuigen, niet alleen de woorden.

Toen we klaar waren met eten stonden Matt en Daniel op met de mededeling dat ze weg moesten. Het was zaterdagavond en ze hadden met vrienden afgesproken in een pub, en zouden daarna nog verder gaan stappen. Ze raakten allebei in het voorbijgaan Jacks schouder even aan. 'Tot kijk. Bedankt dat je meespeelde,' zei Dan. 'Tot kijk,' echode Matt. 'Oké. Dag.' Jack glimlachte niet, maar hij volgde hen met zijn ogen toen ze wegliepen.

Nadat er een korte stilte was gevallen, zei Graham: 'We moeten vaker samen tennissen, wat vind jij, Jack?'

Nu hij hier alleen nog met ons drieën zat, verdween Jacks goede humeur als bij toverslag. Hij haalde zijn schouders op. 'Misschien,' zei hij somber.

Caz en Graham keken allebei naar mij. Ze wilden me beduiden dat het wel goed kwam, dat ze hetzelfde met hun eigen jongens hadden meegemaakt. Jack zat intussen chagrijnig te kijken.

Ik had nog graag heel wat langer in de aangenaam warme schemering met Caz en Graham willen praten, kijkend naar het langzaam doven van de gloeiende kolen, maar al om tien uur reed ik met mijn stille Jack terug naar huis. Ik bedacht allerlei manieren om een gesprek met hem te beginnen over ons gezin en zijn onvrede daarmee. Of zijn onvrede met mij, als ik eerlijk was. Ik vertraagde bij het stoplicht en reed toen de doorgaande weg op. Er was veel verkeer. 'Jack? Wil je alsjeblieft proberen me te vertellen wat ik zou kunnen doen om het leven voor ons allemaal wat plezieriger te maken? Want als je me niets vertelt, kan ik niets doen om te zorgen dat je zo kunt leven als jij fijn vindt. Of wel soms?' Ik had een pesthekel aan het teleurgestelde en beschuldigende toontje dat mijn stem al weer was binnengeslopen. Altijd als ik met Jack over zijn problemen probeerde te praten moest ik het weer horen.

'Als ik fijn vind?' echode hij, en de sarcastische klemtoon maakte maar al te duidelijk hoe breed naar zijn idee de kloof was tussen wat hij wilde en de kans dat hij dat ook zou krijgen. Ik herinnerde me natuurlijk maar al te goed hoe het was om zo tegen de dingen aan te kijken.

'Ja,' zei ik op ferme toon. Hij was twaalf en omdat hij twaalf was

153

dacht hij waarschijnlijk dat hij voor altijd gedoemd was tot een leven dat zich beperkte tot school en zijn moeder, en dat hij nooit de kans zou krijgen om zelf keuzes te doen, vrienden te maken of zijn eigen plekje in de wereld te vinden. Maar ooit zou hij groot zijn, zoals Lola altijd zei. Ik wist alleen niet zo goed hoe hij en ik het met elkaar moesten uithouden tot het eindelijk zover was.

Ik verwachtte niet anders dan dat hij verder niets meer zou zeggen. Ik zou proberen hem uit zijn tent te lokken met nog een paar vragen die zelfs in mijn oren verbitterd klonken, maar Jack zou geen sjoege geven, en als we dan thuis waren zou hij meteen naar zijn kamer verdwijnen. Maar toen ineens draaide hij zijn hoofd naar me toe, met zo'n ruk dat ik zijn wervels meende te horen kraken, en keek me woedend midden in mijn gezicht. Ik moest langs een bus met pech, die buiten de busbaan stil was blijven staan, en de stroom auto's voor me kwam maar langzaam vooruit. Uit de meeste auto's klonk muziek en de verschillende deuntjes versmolten in een bonkende basdreun die dwars door onze stille auto heen leek te gaan. Ik klemde mijn kaken opeen. Toen begon Jack tegen me te schreeuwen. 'Ik wil in één gezin wonen, met mijn vader. Ik wil niet bij jou wonen, want je doet niks anders dan zuchten en zeuren. Jíj, jij blijft maar vragen, maar ik heb geen idee wat je nou eigenlijk van me wilt, en dat doe je gewoon omdat ik niet ben zoals jij wilt dat ik ben. Ik ben niet zoals jij en Lola willen, nou, jammer dan, maar jij bent ook niet zoals ik wil! Maar daar denk jij nooit aan. Ik wil de dingen doen die ík wil! En ik wil niet dat mensen me zielig vinden en kijken alsof ik een rare ben, want ik ben helemaal niet raar, er zijn meer mensen zoals ik, ook al denk jij van niet. Ik hou van vogels en dieren, dat weet papa zelfs, en opa wist het ook. Jij kunt een duif en een fuut niet eens uit elkaar houden, want het interesseert je gewoon voor geen meter, maar dat wil nog niet zeggen dat het stom is. Het is helemaal niet stom, weet je, het is juist belangrijk.' Hij zat te draaien op zijn stoel en de woede kwam in razende vlagen van hem af, woede die heet genoeg was om je aan te branden en machtig genoeg om je tegen de grond te slaan.

Ik probeerde een los eindje te vinden in de kluwen van woorden, om het eruit te kunnen trekken. 'Niemand vindt jou zielig. Denk jij dat Caz en Graham en de jongens je zielig vinden? Waarom zouden ze? En ik wil jou zoals je bent en niet anders,' probeerde ik hem te sussen.

'Dat lieg je. Wat wou je nou zeggen? Jij zou willen dat ik was zoals

Dan, of dat ik een meisje was, net als Lola. Je kunt wel doen alsof het niet zo is en je nog zo zogenaamd begrijpend en aardig voordoen, maar ik weet heus wel beter, ik weet heus wel hoe het echt zit.'

Hij had gelijk. Ik zou best willen dat hij zo'n gemakkelijk joch was als Dan of Matt van Caz, twee jongens die werkelijk alles mee hadden – wie zou dat niet willen? Maar als Jack net zo opstandig was geweest als Lola, of nog opstandiger, dan zou ik geweten hebben wat ik eraan moest doen. Ik dacht dat ik elk ander probleem met hem wel aangekund zou hebben, maar zijn vijandigheid bracht me volledig uit het lood. Ik zou ontzettend blij zijn geweest met de aandacht en liefde waarmee ik hem vruchteloos overlaadde. Maar ik was me er ook van bewust dat hij moest opgroeien met maar één ouder in huis, en wat dat betrof had ik dezelfde situatie voor mijn kinderen geschapen die ikzelf had meegemaakt, al was dit nu juist waarvoor ik hen had willen behoeden.

Ik klemde mijn handen steviger om het stuur, dat glibberig dreigde te worden van het zweet in mijn handpalmen. 'Wil je dan bij je vader gaan wonen?' vroeg ik.

Ik vond het een afschuwelijk idee, maar als dat was wat Jack wilde, dan zou ik me erbij neerleggen. Of Tony en Suzy het een goed idee zouden vinden, betwijfelde ik echter.

'Nee,' zei Jack smalend. 'Ik wil een echt gezin, ik wil niet nu eens bij de een en dan bij de ander.'

'We hebben het hier al vaak over gehad, toch? Tony en ik wonen niet bij elkaar, maar dat wil niet zeggen dat we niet van jóú houden, Jack. En jij bent niet de enige die in zo'n positie verkeert. Er zijn een heleboel kinderen met gescheiden ouders.'

Zijn woede kwam geleidelijk tot bedaren. 'Ja, ja,' sneerde hij, en mijn dooddoeners verdienden ook niet beter.

Ik probeerde het nog via een andere benadering. 'Ik weet dat ik niet veel van vogels af weet. Ik wou dat het wel zo was. Maar je kent toch andere mensen die er wel veel van weten, toch? Je hebt toch je vogelclubje?'

Een zwarte BMW met open dak spoot langs me heen en de daverende muziek die eruit kwam deed mijn auto zowat schudden.

'Ja,' zei Jack vlak, 'ik heb mijn vogelclub.'

'Zullen we samen lunchen?' stelde Mel een paar dagen na deze uitbarsting via de telefoon voor. Ik had haar zo erg gemist dat alleen al de klank van haar stem een glimlach op mijn lippen bracht. Ik stemde ogenblikkelijk toe en zei tegen Penny dat ik waarschijnlijk een paar uurtjes weg zou blijven. Ze knikte zonder haar hamertje neer te leggen en ik keek over het erf naar de gesloten achterdeur van haar huis. Evelyn en Cassie waren nergens te bekennen. Komende zaterdag zou het feestje van Jerry zijn.

Ik zag Mel uit een taxi stappen toen ik op weg was naar het Thaise eetcafé waar we hadden afgesproken. Ze lachte toen ze zich door het raampje van de chauffeur naar binnen boog om voor de rit te betalen en heel haar wezen straalde energie uit, als was ze ingekapseld in een aura van leven in de gedaante van Mel. Ik voelde me bij haar vergeleken een dooie pier.

'Je ziet er goed uit,' zei ik, en dat was een echt understatement. Toen ze me omhelsde rook ik haar parfum – kruidig vandaag, met kaneel- en eikenhoutnoten – en ik zou het liefst mijn gezicht tegen haar brede schouders laten rusten. Ik miste Lola, en Jacks prikkelbaarheid maakte elk lijfelijk contact met hem onmogelijk. Had ik dan zoveel behoefte aan fysieke nabijheid? Geen wonder dat ik het zo heerlijk vond om Cassie op te tillen en haar gummiledematen en kleine botten in mijn armen te voelen.

'Je ziet er moe uit.'

'Bedankt.' Maar het was wel waar, ik was ook moe, al kon ik er geen echte reden voor bedenken.

We zaten nog maar net toen Mel aankondigde: 'Misschien komt Jasper een halfuurtje bij ons zitten. Hij heeft hier ergens om de hoek een vergadering.'

Het drong ogenblikkelijk tot me door dat het bij deze lunch niet om Mel en mij ging, maar dat die alleen bedoeld was om mij met Jasper te laten kennismaken. En ook dat Mel het met opzet op deze manier geregeld had, omdat ze niet wilde dat er een aanloopje naartoe zou zijn. Dat ze er zo over had nagedacht, was niet zonder betekenis, want bij al haar vorige liefdes was er nooit sprake geweest van berekening van haar kant. Ik voelde me op het verkeerde been gezet en niet alleen omdat ik er nu in mijn werkkloffie bij zat – spijkerbroek en grijs t-shirt – terwijl Mel in taupekleurige designkleding gehuld was. Ik had het graag van tevoren geweten. Dan zou ik mezelf hebben kunnen opwerken tot een passende vriendelijke geesteshouding tegenover deze man, die mijn rivaal zou worden in de strijd om Mels aandacht en genegenheid. Ik wílde niet dat we elkaars rivalen werden, maar het was alsof Mel met deze vertoning duidelijk maakte dat ze niet anders verwachtte dan dat dat zou gebeuren.

'Daar is hij,' zei Mel, al was dat niet nodig, want zodra de deur openging wist ik dat hij het was. Jasper was een beer van een vent met een kop grijzend haar dat modieus kort was geknipt. Hij droeg kleren waarin hij zich kennelijk op zijn gemak voelde en die niet gekozen waren om wat voor indruk dan ook te maken. Zijn ogen speurden langs de tafeltjes naar Mel en toen hij haar ontwaarde kwam er een glimlach op zijn gezicht zo breed als een voetbalveld.

Mel verdween zo'n beetje in zijn armen. Toen ze er weer uit tevoorschijn kwam, met een rozerode blos, stelde ze ons aan elkaar voor, waarbij ze de woorden verhaspelde. Jasper pakte mijn hand vast. 'Ik heb al veel over je gehoord, Sadie,' zei hij hartelijk.

Ik glimlachte terug. Dat ik over hem nog maar zo weinig had gehoord, sprak boekdelen over Mels gevoelens.

We gingen zitten. Het was een ongedwongen eetgelegenheid, met lange gemeenschappelijke tafels waaraan de groepjes eters niet duidelijk van elkaar gescheiden zaten, en het drong tot me door dat Mel ook dit in haar berekening had laten meewegen. Als de ontmoeting stroef zou verlopen, zou het eenvoudig zijn om na een snelle hap mie weer uit elkaar te gaan.

'Ik wilde dat jullie tweeën elkaar ontmoetten,' zei ze.

'Ik weet het. En dat is nu gebeurd en ik ben er blij om.' Ik glimlachte opnieuw.

Jasper en Mel zaten samen tegenover me. Onze bestelling kwam, kommen *tom ka*-kippensoep. Jasper wachtte beleefd tot we onze witporseleinen Chinese lepels hadden opgepakt en begon toen met smaak te eten. Hij knikte na één hap goedkeurend en lepelde toen verder. Mel begon over Thailand te praten, ze vertelde dat zij en Jasper erover dachten daar een lange vakantie door te brengen. Ik kon me eigenlijk niet herinneren dat Mel ooit meer dan vier opeenvolgende dagen vrij had genomen en dus zette ik waarschijnlijk een verbaasd gezicht. Jasper hield van scubaduiken, lichtte Mel toe, en hij zou dat graag eens in Thailand doen.

'Mel vindt zoiets vast ook fantastisch,' zei Jasper tegen mij. 'Denk jij ook niet?'

Mel protesteerde: 'Mij niet gezien. Ik ben een echt stadsmens. Het enige wat ik in de vrije natuur wil is op het strand liggen. Ik zou het trouwens doodeng vinden.'

'Ik pas wel op je,' zei hij.

'Maar ik heb geen oppas nodig,' zei ze tegen hem. Ze draaiden zich naar elkaar toe om elkaar glimlachend in de ogen te kijken en ik kreeg door hoe ver het al met ze gesteld was.

Tot voor kort was onafhankelijkheid voor Mel een eerste levensbehoefte geweest, maar tijdens onze Thaise lunch leken haar gezicht en haar hele houding het tegenovergestelde uit te drukken. Er kwam de nodige humor aan te pas, en ze praatte een tikkeltje minachtend over zichzelf, maar zoveel was wel duidelijk: ze bood zich aan Jasper aan. Ze had geen behoefte aan zijn zorg en ze stoorde zich er niet aan dat ze die wel kon krijgen. Ze erkende alleen maar zijn vermogen en bereidheid om voor haar te zorgen, en aanvaardde dit op elegante wijze.

Terwijl ik het aanzag, leek het alsof een volledige roman in een toneelstukje van nog geen vijf minuten werd gepropt.

Volgens mij had Jasper dit alles heel goed in de gaten en het genoegen dat hij hieraan en aan Mel zelf beleefde was vermengd met een gezonde dosis aangeboren vrolijkheid. Ik vermoedde dat Jasper een optimist was, een van die gelukkige lieden die altijd vreugde weten te peuren uit wat hen omringt.

'Ach, dat was ik even vergeten. Goed dat je me eraan herinnert,' zei hij.

We lachten nu alle drie en gingen door met soep eten. Die verspreidde een scherpe geur van citroengras en rode pepertjes. Het was buiten stralend weer en het licht dat door de ramen van het café naar binnen viel werd gefilterd door glazen vazen met ontspruitende bamboestokjes. De schaduwen van de blaadjes maakten een stippelpatroon op de houten vloer en de geboende tafeltjes werden gesierd met regenbogen gevormd door onze waterglazen, die als prisma dienden. De tafels waren goed bezet, maar het was geen onaangename drukte en het geroezemoes viel mee. Mels linnen topje en Jaspers overhemd kregen iets pluizigs door het zonlicht en ik voelde een golf van warme genegenheid voor hen beiden in me opwellen. Ze waren verliefd en dat was simpel en fenomenaal tegelijk. Ik was blij met hun geluk en ik dacht: ze hebben elkaar gevonden. Het lijkt zo eenvoudig en logisch nu het eenmaal gebeurd is.

'En jij, Sadie?' vroeg Jasper.

Met die vraag bedoelde hij waarschijnlijk wat ík voor vakantieplannen had, maar het zou ook om iets heel anders kunnen gaan, want hij had de vertederde uitdrukking op mijn gezicht vast wel opgemerkt.

Ik zei dat ik het nog niet wist. Maar vervolgens zei ik, zonder er zelfs maar een ogenblik over te hebben nagedacht: 'Misschien neem ik Jack en Lola – dat zijn mijn kinderen – wel mee naar Zuid-Frankrijk. Naar Grasse of zo.'

De herinnering en de hunkering kwamen als bij toverslag in me op, zodat ik even beduusd op mijn stoel zat.

Toen ik vijftien was heb ik een hele zomervakantie in de buurt van Grasse doorgebracht. Dat klinkt vreemd, maar het was echt zo. Er stond daar een vierkant huis midden in velden beplant met Centifolia-rozen en jasmijnstruiken, en daar woonde ene madame Lesert. Ze was een oude zakenvriendin van Ted, althans zo werd mij verteld, en hij stuurde me naar haar toe om redenen die ik toen niet begreep en die me nog steeds niet duidelijk zijn. Ik weet wel dat ik er een fijne tijd heb gehad, het was het beste wat me in de periode na mijn moeders dood en voordat ik Tony ontmoette is overkomen. Toen ik bij madame Lesert aankwam, was ik een kind dat het moeilijk met zichzelf en met het leven had, en tegen de tijd dat ik weer wegging, was ik helemaal losgekomen door de warmte en simpele genegenheid die ik bij haar ondervonden had. Ik ben er daarna nooit meer geweest, misschien omdat ik vreesde dat het beeld van volmaaktheid dat ik er in mijn herinnering van had, aangetast zou kunnen worden. Maar nu ik hier in dit Thaise eethuis in een bundel zonlicht zat, werd ik van het ene moment op het andere overvallen door een hevig verlangen om Grasse terug te zien.

Mel en Jasper zaten allebei naar me te kijken.

Jasper knikte. 'Dat vinden ze vast fijn.'

Ik knipperde met mijn ogen. Ik begreep even niet waar hij het over had.

'Om naar Frankrijk te gaan,' vulde hij aan.

Ik kwam weer tot mezelf. 'Ja. Maar ik heb nog niets geregeld of zo.'

Jasper wist van het bestaan van Jack en Lola. Hij herinnerde zich wat Mel hem had verteld, maar gelukkig was dat niet zo veel dat ik het onaangename gevoel zou kunnen krijgen dat ze samen té veel over mij gepraat hadden.

Jasper was een gemakkelijk iemand om mee te praten. Hij was met zijn aandacht volledig bij het gesprek en hield zijn hoofd scheef als hij zat te luisteren, en dat vond ik leuk. Hij had een niet geringe eetlust en ook dat beviel me. Zijn bewegingen terwijl hij met zijn bestek in de weer was en toen hij zijn hand opstak om bij de serveerster koffie voor Mel te bestellen, waren precies. Hij mocht dan behoorlijk groot zijn, hij had de uitstraling van iemand die zeker is van zichzelf en al zijn zaakjes goed op orde heeft. Jasper was waarschijnlijk noch onhandig noch gestrest, wat hij ook deed.

Mel en hij zaten de hele tijd dicht bij elkaar, maar zonder elkaar te raken, zodat het geknetter van de elektrische vonken die over de paar centimeter afstand tussen hen heen en weer sprongen bijna te horen was. Ik was afgunstig, maar dat had met onwelwillendheid niets te maken. Het zou geweldig zijn als ik me zo zou kunnen voelen als Mel zich overduidelijk voelde, maar ik maakte me niet langer zorgen over Jasper als rivaal. Misschien zou ik Mel minder vaak zien dan voorheen en zou ik niet meer de eerste zijn aan wie ze vertrouwelijke dingen vertelde of die ze om raad vroeg. Maar het was duidelijk dat Mel en Jasper bij elkaar hoorden, en afkeer koesteren tegen iets wat net zo natuurlijk was als regen of de seizoenen zou idioot zijn.

Jasper keek op zijn horloge. 'Ik moet weer aan het werk.' Hij zuchtte. Hij betaalde voor ons alle drie; hij wees mijn voorstel om de kosten te delen resoluut van de hand. 'De volgende keer,' zei hij, als was hij er volledig van overtuigd dat die volgende keer er zou komen, plus nog een heleboel keren meer dat we met ons drieën zouden zijn. Ik merkte dat ik naar hem glimlachte. Bij het afscheid gaf hij me een hartelijke kus op allebei mijn wangen. Daarna nam hij Mel weer in een berenomhelzing. We keken hem allebei na toen hij zich tussen tafels, boodschappentassen en vazen met bamboe door een weg naar buiten baande.

'Nou, wat vind je van hem?' vroeg Mel zodra hij uit het zicht verdwenen was.

Het ontroerde me dat ze zoveel waarde hechtte aan mijn oordeel. 'Ik vind hem geweldig,' zei ik. En hij wás ook geweldig. Ik zou zó voor hem kunnen vallen.

'Ja,' stemde ze in. Ze glom van geluk. 'Hoor eens? Zullen we onszelf nog een uurtje gunnen om samen te winkelen? Wat vind jij?'

Ik wist hoe druk Mel het had en ik wist ook dat dit aanbod te vergelijken was met de lunch die ze geregeld had en het restaurant dat ze had gekozen, want ze had er ongetwijfeld over nagedacht. Ze wilde me op deze manier duidelijk maken dat er ook nog tijd zou zijn voor ons tweeën samen, dat ze daarvoor zou zorgen.

'Goed idee,' zei ik. Ik was bezig met een klus die af moest, maar ik kon vandaag wel wat langer doorwerken. Jack ging toch naar zijn vogelclub.

Samen liepen we de straat uit. Mel gaf me een arm en omdat de zon scheen en het zo'n ongebruikelijke tijd voor ons was om op een doordeweekse dag buiten te zijn, leek het een beetje vakantie. Op de hoek was een kledingzaak die we allebei leuk vonden. Mel bleef staan om in de etalage te kijken. 'Die pas jij vast,' zei ze, wijzend naar een rode jurk met een diepe v-hals. 'Wat trek je aan naar Evelyns feestje?'

'Het feestje van Evelyns ex,' zei ik automatisch. 'Ga jij ook?'

'Ja, Penny heeft me gevraagd en Jasper komt ook.'

'Leuk.'

We gingen de winkel in en hoewel ik er niet over peinsde een vlammend rood niemendalletje naar Jerry's feestje aan te trekken, liet ik me toch door Mel overhalen de jurk te passen.

In de kleedkamer begon Mel te fluiten. Ze tilde mijn haar uit mijn nek en bekeek het effect. 'Je bent afgevallen. Hij staat je fantastisch.'

'Mel...'

'Toe, koop hem. Doe het voor mij. Alsjeblieft.'

We waren op vakantie, bijna dan. Ik kocht de jurk, die behoorlijk prijzig was, en om de een of andere reden moest ik weer terugdenken aan de blauwgroene jurk die ik lang geleden naar Daphnes – haar achternaam kon ik me niet eens meer herinneren – feestje had aangehad. Ik hief mijn hand op en snuffelde aan de aderen in de binnenkant van mijn pols als verwachtte ik dat de geest van een parfum nog steeds te ruiken zou zijn.

Het was al bijna vier uur toen ik weer terug was op mijn werk. Andy en Leo hadden theepauze; ze stonden over Andy's werkbank gebogen met hun hoofden bij elkaar in een motortijdschrift te kijken. Penny draaide aan het wiel van de grote pers, waarin een stapel pasgelijmde rechtbankverslagen lagen. Door het raam dat op het kanaal uitkeek vielen zonnestralen naar binnen, die het stof op de stapel leer en het rek met gereedschap naast mijn werkbank goed zichtbaar maakten.

Ik liet de plastic tas waarin mijn aankoop zat aan Penny zien. 'Mel heeft me overgehaald om iets te kopen voor zaterdagavond.'

Ze knikte en beet toen op haar mondhoek. 'Ik kan niet zeggen dat ik er erg naar uitkijk.'

Ik probeerde haar ervan te overtuigen dat het vast wel leuk zou worden, maar Penny knikte alleen maar. Ik legde de tas weg en ging weer aan het werk. Ik vroeg me af hoe het hier in The Works en in Penny's huis zou zijn als Evelyn met Cassie wegging.

161

8

'Het feest? Ja, daar achterin naar boven.'

De barman wees naar de trap achter in de pub en ik baande me een weg door het drinkende zaterdagavondpubliek. Bij de deur van de ruimte boven grijnsde een boom van een vent in een leren jas me toe nadat hij mijn uitnodiging had bekeken. 'Hallo. Maak er een fijne avond van.'

Binnen was het ontzettend druk. Overal om me heen zag ik blanke meisjes in strakke T-shirtjes die hun gepiercte navels vrijlieten, zwarte mannen met dreadlocks en rastamutsen, tatoeages, rook, grote oorbellen, en piercings in allerlei soorten en maten; een zweterige hitte sloeg me tegemoet, vergeven van de herrie. Achter in de ruimte stond op een laag podium, omringd door microfoons, gestapelde versterkers en koffers voor muziekinstrumenten, een broodmagere DJ achter een mengtafel. De band moest nog komen.

Het eerste gezicht dat ik herkende, was dat van Cassie, want dat stak boven iedereen uit. Ze zat boven op Jerry's schouders, meedeinend op het ritme van het dansen van haar vader, en wuifde de menigte koninklijk toe. Het hoge gewelfde voorhoofd hadden vader en dochter gemeen. Cassie was door het dolle heen, haar ogen glinsterden. Ze spoorde Jerry aan door te schoppen met haar enkels, die hij in zijn vuisten had geklemd. De volgende bekende die ik zag was Graham. Hij stond tegen de muur geleund met een glas bier in zijn hand en viel behoorlijk op in zijn normale weekendtenue, bestaande uit een corduroy broek en een gesteven overhemd. Ik wrong me tussen de dansenden in zijn richting.

'Allemachtig,' zei hij. Vanaf deze plek zag ik Caz, die op de haar eigen intense manier aan het dansen was met een dikke man die ik niet kende. Vlak achter haar zag ik Evelyn. Haar haar, in het midden gescheiden, viel in prerafaëlitische golven langs haar gezicht. Ze droeg een lange rok die om haar enkels zwierde en een vestje dat haar sleutelbeenderen vrijliet en onthulde dat ze er verder niets onder aanhad. Ze bewoog zich dromerig en om haar lippen speelde een glimlach.

'Allemachtig,' mompelde Graham nogmaals. Ik vatte het op als een algemene manier om aan te geven dat hij veel liever thuis achter de barbecue zou staan.

'Waar is Penny?' vroeg ik.

'Daar ergens. Die jurk staat je trouwens goed. Zal ik iets te drinken voor je halen?'

'Nee, dank je, Graham. Ik ga eerst kijken of ik Pen kan vinden.'

Ze bevond zich in het midden van de ruimte, met Kathy en Dee, twee van haar lesbische vriendinnen.

'Bedankt dat je gekomen bent, Sade,' schreeuwde ze in mijn oor. Kathy en Dee legden ieder een arm om mijn schouder en knuffelden even. Het waren allebei stevige rooksters en ze stonken naar Franse sigaretten.

'Ik wist niet dat jullie Cassie zouden meenemen.' Ze was het enige aanwezige kind. Jack was thuis, met Matt als oppas.

Penny keek boos. 'Dat wist ik ook niet. Toen het haar bedtijd was, zei Evelyn ineens dat ze meeging omdat Jerry haar erbij wilde hebben. Ik zei dat ik het belachelijk vond om een klein kind mee te nemen naar een feestje als dit. En toen zei Evelyn dat het te laat was om nog een babysit te vinden. Ik zei dat ik wel thuis zou blijven. Maar Evelyn zei dat ik haar niet steunde als ik niet meeging, dat ik niet van haar hield. Ik zei... Nou ja...' Penny haalde haar schouders op en liet ze toen weer hangen. Ze zag er erg ongelukkig uit. 'Ik zei dat ik van hen allebei hield en toen zei Evelyn dat dat mooi was, maar dat Cassie haar dochter was, de dochter van haar en Jerry, en dat het dus aan haar was om te beslissen of ze haar wel of niet mee naar een feest zou nemen. En verder hebben we het er eigenlijk niet meer over gehad.'

Dee kwam aanzetten met een glas waarin zo te zien wodka zat, dat ze aan Penny gaf. Die sloeg het in één teug bijna helemaal achterover. Door de alcohol was ze openhartiger dan normaal. 'Het is maar voor een avond,' zei ze, en keek me aan, op zoek naar ondersteuning. 'Morgen is het allemaal weer voorbij.'

'Natuurlijk,' zei ik. Ik gaf haar een klopje op haar schouder en liet haar bij Dee en Kathy achter.

Graham haalde een glas wijn voor me. Ik zwaaide naar Leo, die in een hoekje naast de bar stond; zijn neus had hij in de haren van zijn vriendin begraven. Penny's vrienden en aanhang waren vanavond op volle sterkte. Ik dronk van mijn wijn, danste met Graham en daarna met de danspartner van Caz; hij bleek een muziekcriticus met een bijtend gevoel voor humor te zijn. Mijn oren waren onderhand een beetje gewend aan het lawaai en ik begon schik in het feest te krijgen. Na een poosje zag ik Mel en Jasper, die zich zijwaarts door de kluwen dansers heen worstelden om bij ons te komen.

'Had ik gelijk of niet over die jurk?' pochte Mel.

Ik keek er van boven op neer. 'Ja, je had gelijk.'

Jasper gaf me een kus alsof we al jaren met elkaar bevriend waren. Natuurlijk kon hij goed dansen, zoals ik ontdekte toen hij eraan toe was om mij te vragen. Iemand haalde nog meer drankjes. Eindelijk brulde de DJ dat hij ging pauzeren, dat we vet publiek waren en dat hij later weer terug zou komen.

De bandleden begonnen hun instrumenten te stemmen. Ik keek naar Jerry, nu zonder Cassie, die de hoogte van de microfoon bijstelde en zijn heupen liet meezwaaien met de muziek in zijn hoofd. Onder de spotlights glom zijn huid als was hij geboend. Toen ineens zag ik tussen de muzikanten achter hem iemand die ook iets bekends had. Hij zette zijn lippen even tegen het mondstuk van zijn trompet en boog zich toen voor iemand anders langs naar de trombonist. Het duurde heel even voordat ik de man kon plaatsen, want hij droeg een zwart t-shirt met een witte afbeelding van Marilyn Monroe erop, in plaats van zijn blauwe lerarenoverhemd, maar toen wist ik het: het was niemand anders dan meneer Rainbird van Jacks school.

'Oké, mensen,' murmelde Jerry in de microfoon, 'daar gaan we. Een, twee, drie.'

Ze begonnen met een nogal rommelig 'Mustang Sally'. Ik leunde tegen de bar en moest lachen om het absurde toeval. Een soulband met de ex van Penny's Evelyn en met meneer Rainbird. Er kwamen een hoop koper en een hoop enthousiasme aan te pas, en Jerry's stem was lang niet slecht. Alras bleek dat ze geen gering repertoire hadden, ze speelden van alles, van 'Knock on Wood' tot 'Three Little Birds'. Iedereen was nu aan het dansen. Mel boog haar hoofd naar me toe en een van haar krullen kietelde mijn wang.

'Wat vind je ervan?' schreeuwde ik.

Ze rolde met haar ogen. 'Jerry gaat het helemaal maken.'

Ik danste nog een keer met Jasper, toen met Andy, die ineens uit de mensenzee tevoorschijn was gekomen, en daarna met Dee, die haar handen op mijn heupen legde en me het bevel gaf me een kléín beetje te laten gaan. Ik vond het een hartstikke leuk feest. Ik had het zelfs zo naar mijn zin, dat ineens tot me doordrong dat ik al lange tijd veel te weinig uitging.

Ik ving een glimp op van Evelyn en Cassie. Evelyn danste vooroverhellend, zodat het prachtige lange wervelsnoer van haar rug te zien was. Met haar slanke polsen gekruist had ze Cassies handen vast en samen draaiden ze wilde rondjes, waarbij Cassie haar hoofd achteroverhield, een en al opgetogenheid, maar aan de rand van de uitputting. Ik danste weer bij hen weg. Een paar minuten later hoorde ik Cassie ineens gillen. Het was maar net boven de dreunende muziek uit hoorbaar, maar toch hoorde ik het zo scherp alsof de ruimte helemaal stil en leeg was.

Als een waanzinnige wrong ik me naar de plek waar ik haar het laatst gezien had. Cassie lag op de grond, haar gezicht was vlekkerig en haar hielen trapten wild in het rond. Door de opluchting kon ik weer ademhalen. Ze had alleen maar een driftaanval, doordat ze zo ontzettend moe was. Evelyn stond over haar heen gebogen en Penny, die naast Evelyn hurkte, probeerde langs Evelyn heen bij Cassie te komen.

'Wat is er?' vroeg ik aan Penny boven de herrie uit van het nummer dat Jerry ter ere van Desmond Dekker aan het zingen was.

'Ze is moe. Wat niet zo vreemd is.'

Evelyn schreeuwde tegen Cassie en trok haar overeind. Om ons heen was enige ruimte ontstaan, maar niemand lette erg op wat er gebeurde. Jerry achter zijn microfoon stond met zijn ogen dicht te zingen.

'Nee,' schreeuwde Cassie, en begon nog woester te trappelen.

Penny probeerde Evelyn te laten ophouden met haar getrek aan Cassie. Ze hadden het met elkaar aan de stok en toen Cassie heel even haar oogjes opendeed om te kijken wat er gaande was, had ze dat onmiddellijk door en begon nog harder te gillen. Penny omklemde Evelyn met haar armen en Evelyn liet Cassie los om zich tegen Penny te kunnen verzetten.

Ik zag mijn kans schoon, deed een stap naar voren en pakte het kind op. Haar lijfje hield ze strak gespannen. 'Cassie! Cassie! Rustig maar, rustig maar. Kom maar bij Sedie-de-pedie.'

Ze haalde even diep adem om het daarna weer op een schreeuwen te kunnen zetten, maar deed dat toch maar niet. In plaats daarvan ontspande ze in mijn armen, zodat ze heel zwaar aanvoelde.

'Wat doe jij nou?' vroeg Evelyn met iets van stemverheffing, maar niet echt kwaad. We waren alle drie blij dat Cassies aanval was uitgewoed. Penny's ogen keken me smekend aan.

'Ik pas wel even op haar,' zei ik. 'Gaan jullie tweeën maar. Ga weer dansen of zo. Vermaak je. Ik hou Cassie wel bij me.'

Penny's armen lagen nog steeds om Evelyn heen. Ze mompelde iets bij Evelyns oor en veegde het golvende haar weg uit haar gezicht. Evelyn knikte, met een ietwat pruilend gezicht, en liet haar hoofd op Penny's schouder rusten.

Ik liep met Cassie naar een deur aan de zijkant, waarboven in groene letters EXIT stond. Onderwijl zag ik dat meneer Rainbird, die een paar maten rust had, me met zijn ogen volgde.

De deur kwam op een brandtrap uit. Er was een ijzeren platform, en vandaar voerde een ijzeren trap naar de steeg aan de zijkant van de pub. Ik liet de zware deur achter me dichtvallen en meteen veranderde het lawaai in gedempt gedreun. Terwijl ik Cassie tegen me aanklemde, ging ik op de bovenste trede van de trap zitten. 'Stil maar,' mompelde ik met mijn lippen tegen haar bezwete hoofd aan. 'Rustig maar.' Ze haalde hijgerig adem en hikte af en toe even tussendoor. Ze snufte een beetje en legde haar hoofd tegen mijn borst. Mijn ogen prikten en het ingewikkelde netwerk van aderen en buisjes rond mijn tepels deed pijn, doordat ik overliep van liefde. Ik neuriede wat onsamenhangende noten, diep in mijn keel, om haar en ook mezelf te troosten en gerust te stellen.

Het was een warme juniavond. Mijn jurk was mouwloos, maar de atmosfeer waarin een briesje merkbaar was, voelde warm tegen mijn huid. Er hing een vieze kattenpislucht vermengd met de geur van gefrituurde vis en patat die uit de keuken van de pub beneden opsteeg. Onder mijn voeten werd met veel lawaai een deur geopend, waarna een keukenhulp de steeg in liep om een vuilniszak te dumpen in de overvolle minicontainer die tegen de muur stond. Cassie zuchtte en kroop nog dichter tegen me aan. Haar ademhaling was rustig geworden en het hikken was opgehouden. Ik bleef rustig zitten, kijkend naar de katten die zich in de buurt van het vuilnis ophielden. Toen begon ik naar de sterren te kijken. Cassie viel in slaap. Het gedreun achter mijn rug hield op en na enkele minuten klonk er een ander soort lawaai op. De band was klaar met de eerste set en de DJ was weer muziek aan het draaien.

De deur achter me ging krakend open. Vanuit mijn ooghoeken zag ik de benen van een man, die zich bogen toen hij naast me kwam zitten. Heel even was ik geïrriteerd dat iemand mijn samenzijn met Cassie en de fluwelige nachthemel kwam verstoren.

'Hallo,' zei meneer Rainbird. Hij liet zijn polsen op zijn knieën rusten en getweeën zaten we even naar het gore steegje beneden te kijken.

'Ik wist niet dat u muzikant was,' merkte ik op.

'Dat ben ik ook niet. Ik speel parttime trompet in een pub-soulband.' Zijn stem was een en al vrolijkheid, waardoor ik heel even aan Jasper moest denken.

'Is dat uw dochter?' vroeg meneer Rainbird.

Ik lachte. 'Bedankt voor de vleierij. Nee, ze is de dochter van de vriendin van mijn zakenpartner. En van Jerry,' voegde ik er alsnog aan toe.

'Aha, o ja, ik zag haar eerder op Jerry's schouders zitten. Toen ik zag dat u met haar naar buiten ging, dacht ik dat hij en u misschien...'

Ik lachte nu voluit en toen ik mijn hoofd naar hem toe keerde, verbaasde het me hoe dicht meneer Rainbird naast me zat. De trap was niet erg breed. 'Nee,' zei ik.

'O. Mooi. Jerry lijkt me geen ideaal vriendje. Ook geen ideale vader, trouwens.'

Er viel een lange, maar beslist niet ongemakkelijke stilte.

'Zoals u hier met haar zit, zou u toch best voor haar moeder kunnen doorgaan. Hoe gaat het met Jack?'

'Het lijkt wel redelijk te gaan. Hij gaat naar school, zij het met forse tegenzin. Maar hij blijft wel vaak langer op school, als hij naar de vogelclub moet.'

'De vogelclub?'

'Ja.'

Na weer een pauze vroeg ik hem: 'Hoe komt het dat u trompet speelt in Jerry's band?'

'Dat is helemaal niet interessant. Zal ik niet een exotischer verhaal verzinnen?'

'Nee.'

'Nou goed. Mijn vriendin en ik gingen op dinsdag altijd naar een jazzclub in Shoreditch. En daar dronken we een keer iets met ene Phil die trombone speelde. Ik vertelde hem dat ik eigenlijk niet zo gek was op jazz, dat Jane de echte fan was. Wat vrij ongebruikelijk is, want echte jazzfanaten zijn bijna altijd mannen. Maar dat weet u ook wel, denk ik.

Maar goed, hij vroeg van wat voor muziek ik dan wel hield. Wat ik trouwens erg beleefd van hem vond, omdat ik net de grote passie van zijn leven de grond in had geboord. Ik zei dat ik soulmuziek leuk vond. Grappig, zei hij, hij was zelf gevraagd voor de blazerssectie in een soulband die een vent die Jerry heette aan het oprichten was, en ik speelde toch trompet? Ik zei van ja, eigenlijk om eraf te wezen. Ja, ik speelde ook wel, maar ik had eigenlijk al tijden niet geoefend en moest uitkijken dat de trompet er niet de brui aan gaf voordat ik zelf afhaakte. Volgens Phil klonk dat alsof ik goed genoeg was voor het niveau van de nieuwe band. Ze kwamen een trompet tekort. Of ik geen zin had om auditie te doen.

En dus ging ik met hem mee naar Jerry's huis, waar het stikte van de muzikanten en de hasjiesj. Het was erg leuk om met die gasten te jammen, en ook met Phil, en voor ik het wist zat ik in de band. We spelen zo'n keer of vier, vijf per maand en erg vaak oefenen doen we niet, dus dat bevalt me prima. Ik doe het nu ongeveer een jaar.'

Cassie zuchtte en trapte even met haar benen. Voorzichtig verschoof ik haar op mijn schoot, zodat haar gewicht nu grotendeels op mijn andere been rustte, verder bij meneer Rainbird vandaan. Dit had als onbedoeld gevolg dat hij en ik nu nog meer op elkaars lip leken te zitten.

'Zal ik haar even nemen?' vroeg hij. Zijn schouder raakte de mijne even.

'Nee, hoor, ze zit best zo.'

'Hoe gaat het met Lola in Manchester?'

'U hebt een goed geheugen.'

'Eerlijk gezegd heb ik helemaal geen goed geheugen. Maar alles wat u me pasgeleden vertelde, weet ik nog heel goed.'

Ineens kwam de gedachte bij me op dat meneer Rainbird met mij zat te flirten, hoewel hij een vriendin had met wie hij naar jazzclubs ging. Vagelijk herinnerde ik me hoe zoiets toeging. 'Met Lola gaat het prima,' zei ik rustig.

'En Jack gaat mee op schoolvakantie?'

Ik had heel erg mijn best moeten doen om Jack zover te krijgen, maar uiteindelijk had hij gezegd dat hij met de andere kinderen van zijn jaar mee zou gaan naar Cherbourg. Ik merkte wel dat het de bedoeling was dat er gesjacherd ging worden: als hij met school meeging, dan moest ik hem op andere terreinen van zijn bestaan meer vrijheid laten. Wat zijn onderhandelingsvoorwaarden precies inhielden, wist ik echter nog steeds niet. Daarom zat de reis me niet helemaal lekker. 'Ja,' zei ik. En ik voegde eraan toe: 'Ik neem dan ook een paar dagen vrij. Ik heb het plan om naar Suffolk te gaan.'

Het kwam eigenlijk pas op dat moment in een flits bij me op. Jack was een week lang in veilige handen en dus zou ik met gemak naar Suffolk kunnen gaan.

Zodra ik het idee had uitgesproken, bleef het in mijn hoofd rond-zingen. Tante Angela, een van de weinige tantes met wie ik nog con-tact had gehouden – dat wil zeggen dat we elkaar met Kerstmis een kaart stuurden – woonde aan de oostkust. Ze had me een briefje ge-stuurd om me te condoleren; ze schreef dat haar gezondheid het niet toeliet dat ze naar de crematie kwam. Als ik haar ging opzoeken, zou ze me zeker willen vertellen over het verleden.

In alle voorgaande jaren had ik eerder mínder dan méér willen weten van onze geschiedenis: die van mij en Ted en die van Faye. Ik voelde me erdoor geschaad en wilde alles liefst uitvlakken om mijn diepgewortelde verbittering achter me te kunnen laten. Zo werden mijn herinneringen als blauwe plekken, die geen pijn deden zolang je er maar niet op drukte. Maar ik begon er steeds sterker van door-drongen te raken dat alles door Teds dood helemaal veranderd was. De geur van het verleden kolkte als een dichte walm om me heen en raasde via de reukzenuw alle cellen en holten van mijn hoofd binnen. Mijn onderbewustzijn werd erdoor geprikkeld en daardoor kwam het dat ik publiekelijk een plan ontvouwde dat ik in mijn stoutste dromen nog niet bedacht had. Het geurspoor leidde me naar Suffolk en bracht me Grasse in herinnering, en het kwam me voor dat ik geen andere keuze had dan het te volgen. Mijn huid prikte en de haren op mijn armen gingen overeind staan bij de gedachte. En mijn poriën wasemden waarschijnlijk een zwakke maar bijtende geur van angst uit, want Cassie bewoog zich en begon zachtjes te jammeren.

Ik was meneer Rainbird een ogenblik vergeten.

'Naar Suffolk? Als ik niet met de kinderen mee moest naar Cher-bourg, ging ik zo met u mee.'

Ik legde Cassie tegen mijn schouder aan en wreef met mijn hand over haar rug om haar te sussen, maar draaide mijn hoofd nu naar hem toe om hem recht in de ogen te kijken. Hij had regelmatige, on-opvallende gelaatstrekken en een brede bovenlip die aan de hoeken naar binnen gekruld leek te zijn, alsof hij gewoon was heimelijk ver-maak te onderdrukken. Ook bij zijn ooghoeken zaten lachrimpeltjes. Gezien de alledaagsheid van de componenten had zijn gezicht niets opmerkelijks moeten hebben, maar toch was het bijzonder en attrac-tief. Ik vroeg me af waarom dit me eerder was ontgaan.

Hij zei snel: 'Daar kom ik vandaan. Het is mijn geboortegrond, be-doel ik. Ik kom uit de buurt van Ipswich. Ik had u... ik had u een paar geweldige plattelandspubs kunnen laten zien.'

Ik haalde diep adem in een poging me te concentreren, en de opdringerige parfumlucht verloor iets van zijn intensiteit. 'Dat zou leuk geweest zijn. Maar ja, Cherbourg lokt, hè?'

'Zeg dat wel, ja. Leerlingen voortdurend afhouden van alle dingen die schoolreisjes te pruimen maken, om ze in elk geval nog een páár woordjes Frans of culturele indrukken mee te geven. Dat hoor ik eigenlijk niet te zeggen, hè?'

'U vertelt me niets nieuws. Ik ben de moeder van Lola Bailey, weet u nog wel.'

'En Lola is op haar pootjes terechtgekomen. Ik vermoed dat dat meer met u dan met school te maken heeft gehad.'

We weifelden allebei, maar geen van tweeën vond het een goed moment om over Jack te beginnen. De basdreun die de trap en de gesloten deur achter me deed trillen, was opgehouden.

Meneer Rainbird strekte zijn benen ondanks de beperkte ruimte en kwam overeind. 'Ik moet weer trompet gaan spelen.'

'Bedankt voor uw gezelschap.'

'Sadie? Is het goed als ik Sadie zeg?'

'Natuurlijk.'

'Ik heet Paul. Mag ik je een keertje bellen?'

Ik dacht terug aan die lenteavond in het nieuwe restaurant met Mel. Ik dacht toen na over mijn leven en was tevreden. Dit is wat ik wil, dacht ik: een gezin, vrienden, werk, en de kalme voldoening die ze me geven. Maar in de volgende weken leek het alsof er verscheidene lagen dikke, comfortabele, van zenuwuiteinden ontdane huid waren weggeschraapt. Ik voelde me er naakt door, beverig blootgesteld aan koortsige verwachtingen. Ik bedacht dat ik me niet alleen anders voelde, maar er voor de rest van de wereld blijkbaar ook anders dan anders uitzag, want ik was nooit mee uit gevraagd door een van Lola's leraren, ook al zat ik mijn halve leven op school om haar escapades goed te praten. Maar ik herinnerde me ook – natuurlijk herinnerde ik het me – hoe dit soort dingen ook alweer gingen. Iemand vroeg je om je telefoonnummer en dat gaf je of je gaf het niet, of je hield de persoon in kwestie aan het lijntje. Zo simpel was het. Zo simpel als het, van buitenaf bekeken dan, voor Mel en Jasper was geweest.

Ho, ho, wilde ik zeggen. Ik heb al zo'n druk bestaan. Ik vind het idee heel leuk, of in elk geval dat wat erachter zit, maar er is iets anders waar ik me eerst op moet storten. Ik heb een geurspoor te volgen.

Meneer Rainbird stond afwachtend op me neer te kijken. Jerry stond onderhand vast al achter de microfoon om de laatste set aan te kondigen. 'En je vriendin dan?'

'Mijn ex-vriendin, bedoel je. Ze heeft nu iets met een slagwerker.' Ik lachte en hij ook. Ik hield een slag om de arm. 'Als ik jou nou eens bel?'

'Goed,' zei hij onmiddellijk. Hij haalde een agenda uit zijn zak, schreef zijn nummer op, scheurde het blaadje eruit en gaf het aan mij. 'Niet verliezen.' Echt iets voor een leraar om zoiets te zeggen, maar ik vond het niet erg. Hij opende de nooddeur en ging weer naar binnen.

Ik bleef naar de katten zitten kijken, maar Cassie begon rusteloos te worden en na een minuut of twee was ze aan het huilen. Het was tegen elven en ik wist dat er na twaalven geen muziek meer mocht worden gemaakt. Als ik Cassie thuis in haar eigen bedje stopte, konden Penny en Evelyn wat langer blijven.

Binnen was het zo mogelijk nog voller en benauwder dan eerst en Jerry had het volume nog met een decibel of twintig opgeschroefd. Cassie maakte een schrikbeweging en jammerde zachtjes, ze drukte haar warme gezichtje tegen mijn hals.

'Waar was je?' voeg Mel, terwijl ik me een weg door de ruimte zocht.

'Ik zat op de brandtrap met deze kleine hier.'

'Én met een niet-onknappe trompettist.'

Mel had altijd alles in de gaten. En ze was zo gelukkig dat ze iedereen om zich heen net zo veel geluk toewenste. Mijn beschermingsinstinct zette me ertoe aan slechts lichtjes mijn schouders op te halen toen ik met een kus afscheid van haar nam. 'Hij is de mentor van Jack. Ik ga Cassie in bed stoppen. Ik bel je morgen.'

Caz en Graham waren al weg. Maar Penny en Evelyn waren gelukkig nog ergens samen in de drukte aan het dansen. In Evelyns ogen lag nu de opgewonden glinstering die een tijdje daarvoor in Cassies ogen te zien was.

'Je bent een engel,' mompelde Penny. Haar gezicht was egaal rood. 'Ik kan Eve hier zo niet achterlaten, toch?'

De bar beneden was aan het sluiten. Ik haastte me om tussen de glazig uit hun ogen kijkende kroeggangers door naar buiten te komen, ontsnappend aan de wat agressieve atmosfeer van zaterdagavond laat. Mijn auto stond op de hoek geparkeerd. Ik zette het slapende kind in het kinderstoeltje dat ik speciaal voor haar op de achterbank had geïnstalleerd. Zodra we in de gloed van lantaarnpalen en fluorescerende ramen van nachtbussen aan het rijden waren, voelde ik me sereen en gelukkig.

Op deze warme avond leek de stad wel binnenstebuiten gekeerd. Op de trottoirs voor smerige snackbars was het heel druk en toen we langs een onooglijke met bomen omzoomde strook groen gleden zaten en lagen daar tientallen mensen op het gras; een ijscowagen en een hotdogkar deden hier uitstekende zaken. In mijn achteruitkijkspiegel verscheen het knipperende blauw van een ambulance en ik veranderde van rijstrook om hem langs te laten razen. Sneller rijdende auto's vulden onmiddellijk de ruimte in zijn kielzog. In mijn voorruit spiegelden de gezichten van voetgangers toen ik voor een kruispunt moest wachten en ik controleerde met mijn elleboog of de deuren wel vergrendeld waren. Mijn auto was een veilige cocon die zich een weg door alle drukte baande, met achterin Cassie, die in een diepe slaap verzonken was.

Ik liet mezelf binnen in Penny's huis en droeg Cassie naar boven. Toen ze haar bed zag, strekte ze haar armpjes uit als om deze veilige haven te omarmen. Haar hoofdje liet ze zwaar neervallen op het kussen, waarna ze diep zuchtte. Ik trok de deken op tot boven haar schouders en bleef nog even op de rand van haar bed zitten voor het geval ze nog iets nodig had. Maar volgens mij lag ze al te dromen. Ik knipte haar nachtlampje aan en bleef nog even door het raam naar het donkere kanaal staan kijken alvorens de gordijnen dicht te trekken. Drie bleke weerkaatsingen van de ramen trilden op het oppervlak; even verderop was het paadje een vage strook stoffige aarde die langs het dichte duister van struikgewas voerde en in het inktzwart onder de brug verdween. Ik sloot de met sterren bezaaide gordijnen tegen alles wat daar mogelijk dreigde.

Ik belde Matt om hem te vertellen waar ik was en hij zei dat het geen punt was, dat hij wel in Lola's kamer ging slapen als hij moe werd. Ik zette theewater op en ging aan de keukentafel zitten met het weekendsupplement van de krant. Het was een uur 's nachts toen er een taxi voor het huis stilhield.

Penny en Evelyn kwamen binnen met een lucht van rook om zich heen; ze maakten de overdreven gebaren van mensen die een hoop gedronken hebben. Evelyn kwam direct op me af, legde haar handen op mijn schouders en boog zich toen naar voren zodat haar haar aan beide kanten langs mijn gezicht golfde. Ze rook naar het feestje.

'Ze slaapt als een roos,' zei ik.

'Zie je nou,' zei Evelyn tegen Penny. 'Ik zei toch dat het best ging.' Er klonk iets gelijkhebberigs in haar stem door, maar gelukkig glimlachte ze erbij. Evelyns stemming was er de afgelopen twee uur blijkbaar vriendelijker op geworden.

'Dankzij Sadie, ja,' zei Penny.

'Ja, dankzij Sadie.' Evelyn streek peinzend over mijn haar. 'Ze is een kanjer, Sadie. Altijd is ze een kanjer.' Ze wankelde weer achteruit in de richting van Penny en bleef met haar slanke lijf gekromd tegen Penny's heupen geleund staan. 'Mmmm-m-m-m?' murmelde ze. Het theewater kookte, maar Penny schonk er geen aandacht aan, ze draaide alleen haar gezicht naar dat van Evelyn toe, zo opgelucht dat ze nergens anders oog voor had. Hun lippen raakten elkaar.

'Ik ga naar huis,' zei ik, een overbodige opmerking. Alles was hier in orde, in elk geval vannacht.

Ik keerde de auto en reed naar huis. De televisie hield zijn onheilspellend blauwe oog gericht op Matt, die op de bank in slaap was gevallen.

173

9

Bij het hek van de school stonden drie bussen geparkeerd. Kinderen klommen in drommen naar binnen terwijl leraren de koppen telden. Jack zat al in de eerste bus. Ik kon hem zien vanwaar ik met een groepje ouders stond; allemaal hadden ze al gedag gezegd, maar ze konden maar niet besluiten om echt weg te gaan. Jack had zijn weekendtas in de bagageruimte gepropt, zijn rugzak nagekeken om nógmaals te controleren of zijn dierbare verrekijker wel goed zat ingepakt, en zich mijn afscheidskus laten welgevallen, al hield hij zijn hoofd wel scheef.

'Veel plezier,' zei ik. 'Tot over een week.'

'Dag, mam.'

Hij klom de bus in zonder een blik achterom. Mijn hart deed pijn bij het zien van zijn eenzaamheid te midden van al die drukke kinderen en ik had er spijt van dat ik hem had aangemoedigd om met dit reisje mee te gaan. Een week kon voor een eenzame twaalfjarige ontzettend lang duren, zoals ik maar al te goed wist. Ik bleef op het trottoir ronddrentelen, af en toe een paar woorden wisselend met andere moeders, voor het geval hij op het laatste moment mocht besluiten zich uit de bus naar buiten te storten en weer met mij mee naar huis te gaan. Maar hij zat daar maar met gebogen hoofd, blijkbaar was hij verdiept in zijn boek.

Eindelijk ging de chauffeur op zijn stoel zitten. Een lerares kwam de bus uit met een klembord onder haar arm en de deuren sloten zich met een hydraulisch gesis. Toen de motor gestart werd, hief Jack zijn hoofd op. Hij zocht naar mijn gezicht in de menigte, en hield toen zijn arm als scherm boven zijn ogen tegen het licht van de zon in het oosten. Ik ging op mijn tenen staan om te zwaaien en een brede grijns zette zich vast op mijn gezicht. Jack lachte terug met zijn arm nog steeds tegen het raam gedrukt. Op het allerlaatste moment, terwijl de bus al reed, maakte hij gebruik van dit schild om zijn andere hand naar zijn mond te brengen en me een kushand toe te werpen.

Ik bleef staan kijken tot de bus in een slakkengang het einde van de straat had bereikt en om de hoek uit het zicht verdween. Toen draaide ik me om en botste bijna tegen Paul Rainbird op. Het was te laat om een ander gezicht te trekken.

'Maak je maar geen zorgen. Ik hou wel een oogje op hem,' beloofde hij.

'Dat hoeft niet. Of, nee, zo bedoel ik het niet. Ik wil niet ondankbaar klinken, maar ik hoop gewoon dat hij het naar zijn zin zal hebben en geen speciale aandacht nodig heeft.'

Paul Rainbord had ook een klembord bij zich. De tweede bus reed met veel geraas bij het trottoir weg.

'Ben je mijn nummer kwijt?'

Het feest was inmiddels tien dagen geleden. Het papiertje zat nog gewoon in mijn portemonnee. 'Nee.'

'En?'

'Ik...' Mijn hoofd was een warboel van herinneringen en tegelijkertijd hield het heden me sterk bezig. In mijn gedachten liepen Lola en Jack, Audrey, Penny en tante Angela, die me in Suffolk verwachtte, door elkaar heen. En ik was in gedachten ook al bij de autorit die ik ging maken. 'Het spijt me,' zei ik.

'Meneer? Meneer?' Twee heel grote jongens met enorme gymschoenen aan hun voeten kwamen aangeslenterd vanaf de derde bus. Ik herkende Wes en Jason uit Jacks klas.

'Ja, wat is er?'

'Meneer, juf Clarkson zei dat we in de verkeerde bus zaten, ja? Maar er is geen andere bus meer.'

'Nou, stap dan daar maar in, dan zoeken we het straks wel verder uit.' Paul zuchtte en keek op zijn klembord.

'Veel plezier van de week,' zei ik.

'Dank je wel, Sadie. Jij ook. Vergeet niet wat we hebben afgesproken, oké?'

Paul Rainbird was blijkbaar niet van plan het erbij te laten zitten. Ik verzekerde hem dat ik het niet zou vergeten, zonder er echter bij te zeggen of dit ook betekende dat ik hem zou bellen. De deuren hadden zich al achter hem gesloten toen ik me realiseerde dat er al weer een grijns op mijn gezicht stond. Ik hield deze man aan het lijntje. Of ik hem nu wel of niet zou gaan bellen, ik draaide in elk geval – na zó lange tijd – weer mee in het afspraakjescircuit.

Al deze dingen – Teds overlijden, de opdringerige herinneringen, mijn wedergeboorte als vrouw die blijkbaar aantrekkelijk voor mannen was – hielden verband met elkaar. De stop was uit de fles getrokken en er was met parfum gemorst. En die stop zou er pas weer op gaan als het laatste beetje was verdampt. De straat bij de school was ineens leeg en rustig. Ik keek langs de wanden van glas en beton naar de poederig witte ochtendhemel. Het beloofde weer een warme dag te worden.

Later die dag reed ik over de drukke snelweg langs Colchester in de richting van Ipswich. Op de ringweg langs deze stad vroeg ik me af waar Paul Rainbird precies vandaan kwam. Voorbij Ipswich begon ik aan een rustiger route. Ik bracht mezelf in herinnering dat ik geen haast had. Ik verlaagde mijn snelheid en keek naar de voorbijglijdende velden met lichtgeel koolzaad en de vlakke weiden met zwart-witte koeien. Naar het platteland kijk ik altijd met de bewondering van een stadsbewoner en buitenstaander. Wandelpaden lokten me met de belofte van weelderig gras en door wilgen omzoomde trage riviertjes, maar ik wist dat, als ik de auto stilzette en de prentbriefkaart binnenging, ik trappend in koeienvlaaien en brandnetels in een wolk van muggen terecht zou komen. Daarom stopte ik in een dorpje, waar ik op een bankje voor het postkantoor een voorverpakt broodje met ham en kaas en een chocoladeijsje nuttigde. Het plaatselijke oorlogsmonument wierp een vingervormige schaduw over dikke jonge moeders die baby's en peuters in buggy's voortduwden, op weg om oudere kinderen van school te halen. Ik vroeg me af hoe het geweest zou zijn om Jack en Lola in zo'n klein plaatsje op te voeden, en ogenblikkelijk liep mijn hart over van een intense, partijdige liefde voor de groezeligheid en de herrie van de grote stad.

Tegen het einde van de middag kwam ik aan bij het hotel dat ik besproken had. Het bleek een van kantelen voorzien gevaarte van rode baksteen, dat aan de voorkant uitzag op kortgeschoren golfbaanvelden en aan de achterkant op het rimpelige doffe blauw van de Noordzee. In mijn kamer stond een lits-jumeaux met houten hoofdeinden en bedekt met chenille spreien, en een toilettafel van hetzelfde glanzende bruine hout als van het bed, met een spiegel in drie delen. Ik bestudeerde mijn groengetinte reflectie vanuit verschillende hoeken en zette daarna het bakje voor haarspelden en de poederpot, beide in roosjespatroon, terug op hun plek op de glazen afdekplaat.

Nadat ik mijn extra broek had opgehangen en mijn opgevouwen topjes in een naar naftaleen ruikende lade had gelegd, maakte ik een wandeling over de havenmuur. Aan het einde was een fort en omgeven door bejaarde toeristen en inwoners van het plaatsje die hun hond uitlieten, slenterde ik naar het gesloten hek waarachter zich een smalle loopbrug en een kleine zware deur bevonden. Ik zou graag even in de vesting hebben rondgekeken, maar alles zat op slot. Op de terugweg liep ik zelfs nog langzamer, voorbij de jachthaven waarin de boten in keurige rijen lagen aangemeerd. Ik genoot van het alleenzijn. Ik voelde hoe ik langzaam tot mezelf kwam, genietend van de luxe te kunnen doen waar ik zin in had en de geneugten van een kamer, helemaal voor mezelf.

Ik at in mijn eentje en die nacht, bij het geluid van golven op kiezelstrand, sliep ik beter dan ik in weken had gedaan.

De volgende dag reed ik de kleine tien kilometer landinwaarts naar het dorp waar tante Angela woonde.

Haar moderne kleine laagbouwwoning stond aan een hofje met cementpaden die naar identieke voordeuren leidden. Aan weerszijden van Angela's deur stonden potten met salvia en vlijtig liesje en haar interieur ging schuil achter de verticale jaloezieën voor het grote raam aan de voorkant. Ik drukte op de bel en moest naar mijn idee een behoorlijke tijd wachten voordat ze opendeed. Maar eindelijk verscheen ze dan toch.

'Mijn hemel,' zei Angela.

We hadden contact gehouden, maar dat mocht eigenlijk geen naam hebben. Het was al twintig jaar geleden dat we elkaar voor het laatst hadden gezien, niet lang na de geboorte van Lola. Angela's uitroep betekende niets anders dan dat ik er niet meer uitzag als een jonge moeder, laat staan als de puber die ik was toen zij Ted leerde kennen. En ik van mijn kant zou haar waarschijnlijk niet herkend hebben als we elkaar op straat waren tegengekomen. In de Dorset Avenue-periode was ze mollig geweest, met plompe bleke kuiten en zachte armen met kuiltjes, maar nu was ze ronduit moddervet. Haar gezicht was een maanronde vleesklomp, met lillende concentrische cirkels rondom een kleine kern van gelaatstrekken.

'Kom toch binnen.'

Ik volgde haar door de smalle gang. Ze bewoog zich langzaam voort op twee zuilen van vet, vet dat zich in lagen over de bovenkant van haar pantoffels leek uit te storten. Haar voeten leken wel zwemvliezen en te kort om haar overeind te kunnen houden. In de woonkamer gingen we tegenover elkaar zitten met het haardkleedje tussen ons in en geflankeerd door in rijen opgestelde familiefoto's.

Ik wist dat Angela na Ted met een kok was getrouwd en twee dochters had gekregen, waarna de kok haar had laten zitten en naar Australië was geëmigreerd. Angela had in het levensonderhoud van zichzelf en haar dochters voorzien door in hotels te werken, waarschijnlijk ook in het hotel waar ik nu verbleef. De twee dochters waren allebei getrouwd en naar elders verhuisd en Angela was hier in haar eentje achtergebleven. Ze had geen gemakkelijk leven gehad.

'Nou, jóú heb ik lang niet gezien,' zei Angela.

De lichtelijk agressieve ondertoon deed me aan Audrey denken. Ted had iets met vrouwen die niet op hun mondje waren gevallen, maar wat bij een jeugdige schoonheid voor grappig-brutaal doorging, klonk bij een oude vrouw krengerig.

'Het spijt me van je vader,' voegde ze er vriendelijker aan toe.

Ik rommelde in mijn tas. 'Ik dacht dat je deze misschien wel zou willen hebben, als aandenken,' zei ik, en gaf haar een foto die ik had laten bijmaken en had ingelijst. Hij was van Ted in blazer en met zijn RAF-das om, en hij was ergens eind jaren vijftig genomen. Hij zag er ontzettend knap en door en door onbetrouwbaar op uit.

Angela bestudeerde het portret een tijdje en legde het toen weg. 'Zo'n mooie jongen, die Ted. Altijd even knap.'

Terwijl ze in de keuken was om koffie te zetten, staarde ik naar buiten, naar het hofje dat er verlaten bij lag, terwijl ik het beeld van mijn vader als mooie jongen probeerde te laten samenvallen met het beeld dat ikzelf van hem had. Wat niet meeviel. Angela had moeite met het dienblad en dus nam ik het van haar over; hijgend waggelde ze achter me aan. Ze zat in dit huis dubbel opgesloten: in kolossale eenzaamheid.

We dronken onze koffie uit dunne porseleinen kopjes, met chocoladewafels op een bijpassend schaaltje: mijn bezoek was blijkbaar een speciale gelegenheid.

Ik vertelde Angela over Lola en Jack en zij praatte over haar kleinkinderen en daarna over de jaren waarin ik haar niet meer had gezien. Door de dikke sluier van de tijd heen bereikte me het geluid van hoe ze vroeger lachte: het plotselinge gegiebel van een jong meisje, dat niet veel verder dan haar keel kwam, alsof ze bang was dat het plezier dat ze had al te duidelijk te horen zou zijn. Geen van de tantes haalde het in de verste verte bij Viv, maar Angela behoorde wel tot de betere. Zij behandelde me tenminste niet als iemand met wie ze om Teds aandacht moest vechten. Ik probeerde na te gaan hoe lang ze in beeld was geweest. Misschien een maand of zes; ze was er in elk geval niet meer toen ik van mijn zomervakantie in Grasse was teruggekomen.

Onze koffiekopjes waren leeg en Angela had alle wafels soldaat gemaakt. Haar tong begon een speurtocht naar achtergebleven kruimels rond haar lippen. Het zonlicht stroomde de kamer binnen, tot strepen gefilterd door de jaloezieën, en ik begon me slaperig te voelen.

'Ben je hier op vakantie?' vroeg ze.

'Zo zou je het kunnen noemen,' antwoordde ik.

'Ben je alleen hier?'

'Ja.'

Ze tuitte haar lippen; haar mond vormde zo een paarsrode bloem in het vlekkerige landschap van haar gezicht. 'Je bent ergens naar op zoek.'

Het was geen vraag en dus deed ik geen poging hem af te wimpelen. De stilte van haar huis en de meisjeslach die in mijn hoofd klonk, deed mijn afweer toch al afbrokkelen. Mijn queeste kreeg de overhand, het was gemakkelijker te zeggen wat ik dacht dan om eromheen te draaien. 'Het is vooral dat ik over hem wil praten. Ik weet dat het te laat is om nog iets te veranderen nu hij dood is, maar ik wil graag horen hoe iemand anders over hem denkt.'

Audrey. Je zou dit aan Aúdrey moeten vragen, zeurde een stem in mijn hoofd.

Hoe kwam het toch dat ik me Angela, Viv, Maxine en al die anderen zo goed wist te herinneren en Audrey totaal niet? Als dat kwam doordat ik haar nooit gezien had, waaróm was dat dan zo?

Ik zei tegen Angela: 'Mijn herinneringen zijn nogal verwrongen. Ik ben boos op hem omdat ik vind dat hij me verwaarloosd heeft, maar misschien zou ik het allemaal wel minder erg gaan vinden als ik daardoorheen zou kunnen kijken, als ik zou kunnen begrijpen waarom.'

Psychotherapeutisch spraakgebruik dreigde mijn tong over te nemen. Een hoofdstuk afsluiten, het synchroon dichtdoen van de deuren van de dood en van de geest... was dat wat ik wilde? Wat ik op dat moment voelde was te schrijnend om zich alleen in woorden te laten vangen; het verdriet was te pijnlijk, het was alsof er messen tot in het merg van mijn botten staken. Ik was bang dat ik in huilen zou uitbarsten.

Angela knikte. Ze zat massaal over de bank uitgespreid met haar handen ineengestrengeld voor haar borst. 'Je was een beetje een vreemd meisje,' zei ze.

Het verbaasde me dat ík nu ineens vanuit de coulissen het toneel op kwam, want ik verwachtte dat Ted in de schijnwerper zou komen te staan.

'Het leek wel alsof je altijd zat te luisteren. Speelde je luistervink of zo? Wilde je je de pret niet laten ontgaan?'

Ik dacht na. Ik was niet uit op de pret, zo zat het niet precies. Ik wilde alleen maar niet buitengesloten worden. Wat ik het meest vreesde was alleen achter te blijven, en dat was ook niet zo verwonderlijk. 'Ja, ik geloof dat dat op een bepaalde manier wel zo was.'

Angela zei: 'Ik weet niet goed wat ik je over hem moet vertellen, lieverd. Voor mij was je vader gewoon mijn vriend. Ouder dan alle andere vriendjes die ik had gehad, en heel interessant natuurlijk vanwege zijn auto en zijn parfums en zo. Een ontzettend knappe vent, zoals ik al zei, ik vond hem er altijd mieters uitzien. Maar hij was ook een gemenerik. Zoals hij met vrouwen omging, bedoel ik, je weet wel... Maar verder... Wat hij verder deed vond ik niet zo erg, en het viel allemaal ook reuze mee. Ik zou in elk geval langer op hem hebben gewacht dan die zes maanden of wat het ook was. Alleen, toen hij er weer uit kwam, wilde hij mij niet meer. Hij wilde ermee kappen. Nou, en toen kwam ik Michael tegen en dat was dat.'

Ik luisterde niet slechts met mijn oren en hoofd, maar met mijn hele lijf, al mijn vezels gespannen van aandacht. Mijn sufheid was geheel verdwenen. Ik zat recht overeind en probeerde wijs te worden uit de brij die Angela's woorden vormden.

'Ik kan me jou nog zo goed herinneren van toen. Je was vijftien en je had ogen als schoteltjes, je wilde werkelijk alles zien wat er om je heen gebeurde, maar tegelijk was je zo naïef als een kind van acht. Zo ging Ted ook met je om. Hij wilde niet dat jij ook maar iets van al die dingen merkte.'

Een grote angst maakte zich van mijn binnenste meester, als een onafwendbaar opkomende misselijkheid. 'Wat voor dingen?'

'Wat wil je precies van me weten?' vroeg Angela. Ze knipperde met haar ogen. Haar oogleden leken bleke maansikkels van deeg.

Ik koos mijn woorden voorzichtig. 'Ik weet helemaal nergens iets van. Wat bedoel je, dat je het niet zo erg vond wat hij deed, en dat je op hem wilde wachten? Wat mocht ik van mijn vader niet merken?'

Voor de woning aan de overkant was een auto tot stilstand gekomen en een vrouw was nu bezig tassen met boodschappen uit de achterbak te halen. Angela had haar hoofd gedraaid, maar ik geloof niet dat ze naar haar overbuurvrouw keek. Ik vermoed dat ze de omvang van mijn onwetendheid trachtte te peilen. 'Je hebt dus echt geen idee?' vroeg ze uiteindelijk.

'Nee.'

'Hij stuurde je naar Frankrijk.'

'Ja, en je was degene die me op Victoria Station op de boottrein heeft gezet, weet u nog wel?'

Ted wist alles van boottreinen, natuurlijk; Audrey had me verteld dat ze per boottrein naar Parijs waren geweest.

'Dat had je vader me gevraagd.'

Ik kon die andere Angela zien, als een kleiner Russisch poppetje dat schuilging onder het enorme exemplaar waartoe ze was uitgedijd. Ze droeg een zomerjurk, getailleerd, met een patroon van bloemblaadjes op de wijd uitwaaierende rok. Ze hielp me mijn koffer in het bagagerek leggen en gaf me twee blaadjes met instructies voor de rest van de reis. Ik was als de dood, maar het had geen zin Angela te smeken niet te hoeven gaan.

'Het is allemaal al zo lang geleden,' draaide ze eromheen.

Ik keek haar aan. 'Vertel me wat ik niet weet,' zei ik.

Ook zij keek me recht in de ogen terwijl ze probeerde tot een besluit te komen. Toen zei ze: 'Je vader moest de gevangenis in. Wegens fraude. Hij heeft drie maanden uitgezeten van een straf van een half jaar.'

Het eerste wat ik ervoer was een gevoel van opluchting. Ik was bang geweest voor iets veel ergers. Ted was zijn hele leven een oplichter geweest; dat hij er de bak voor was ingedraaid was voor mij niets meer dan een bevestiging van dat feit. 'Aha. Wat weet je verder nog?'

'Niet bar veel. Hij had geld achterovergedrukt, maar niet zoveel. Het had met die winkel in Mayfair te maken.'

'Scentsation.'

'Ik heb dat altijd een achterlijke naam gevonden.' Angela liet haar meisjesgiechel horen. 'Hij werd betrapt en veroordeeld, en daarna heb ik hem niet meer gezien. Toen hij in de gevangenis zat schreef hij me een brief om het uit te maken.'

'Aha,' zei ik nog eens. Ik begon een beetje een idee te krijgen van de omvang van zijn geheimzinnigdoenerij.

Van de maanden die voorafgingen aan die zomer herinnerde ik me niet zoveel. Vaag stond me bij dat Ted het druk had en met zijn aandacht altijd elders was. Hij was vaak van huis en als hij 's avonds laat thuiskwam was hij geprikkeld; hij hield zich dan met zijn papierwerk bezig en als ik hem iets vroeg, kreeg ik eenlettergrepige antwoorden. Maar dat was voor mij niet ongewoon. Ik zorgde voor mezelf, ik maakte mijn huiswerk aan de tafel in de woonkamer en at als avondeten zelfgemaakte boterhammen onder het licht van de tl-buis in de keuken. In de stilte van het huis klonk het opstarten van de koelkast vaak zo luid dat ik ervan schrok. Meestal was die koelkast zo goed als leeg. Keer op keer tuurde ik in het pastelblauwe binnenste, als hoopte ik dat het zich vanzelf met voedsel had gevuld.

Vlak voor het einde van het schooltrimester kondigde Ted aan dat hij voor zaken op reis moest. Hij stond op het halvemaanvormige kleedje voor de kachel, dat onder de brandplekken zat, zijn hakken op en neer bewegend.

Ik kwam van mijn stoel af, ik wilde zijn arm grijpen en hem bezweren niet weg te gaan. Maar ik kwam niet verder dan tot vlak voor hem. 'Nee,' wist ik uit te brengen. Een vloedgolf van woorden diende zich aan en zelfs die zouden niet toereikend zijn om mijn angst op hem over te brengen, maar ik kreeg er niet meer uit dan één verstikte lettergreep.

Teds wenkbrauwen gingen omhoog en hij keek me waarschuwend aan. 'Ga nou niet moeilijk doen, Sadie. Alles is al geregeld. Jij gaat op vakantie, naar het zuiden van Frankrijk. Wat zeg je me daarvan?'

Ik was nog nooit in het buitenland geweest. Ik staarde hem aan, mijn argwaan groeide aan als ijs aan de rand van een vijver in de winter. 'Ga je niet mee dan? Ik wil niet zonder je op vakantie.'

Hij keek nors. 'Ik kan niet mee. Ik zei toch dat ik voor zaken weg moet. Jij gaat logeren bij een goede vriendin van me. Je zult het echt naar je zin hebben, Sadie, geloof me nou maar.'

Ik wilde graag geloven wat hij zei, maar ik vertrouwde hem niet. Ik probeerde een offensief te lanceren. 'Bij wie moet ik dan logeren? Bij welke tante nou weer?'

'Bij madame Lesert,' antwoordde hij op koude toon, en ik kromp ineen onder zijn woedende blik.

Ik wist dat ik niet tegen Ted op kon, want hij was degene die alle macht bezat. Als ik iets van hem wilde, al was het maar geld voor de bus of om eten te kopen – en al helemaal voor een nieuwe jurk – dan moest ik me aan zijn regels houden. Wat erop neerkwam dat ik precies moest doen wat hij wilde. 'Hoe lang moet ik weg?' vroeg ik fluisterend.

'Dat weet ik nog niet. Misschien een paar weken, misschien ook langer.'

Vermoedelijk hoopte hij dat hij zou worden vrijgesproken, besefte ik nu ineens. Die vader van mij, eeuwige optimist.

En dus vertrok ik naar Frankrijk, die zomer dat ik vijftien was, en bleef daar drie maanden.

Angela bracht me weg.

Ted had me eerder die dag verstrooid gedag gezegd, waarbij hij mijn handen losmaakte van de mouwen van zijn jasje. 'Doe niet zo mal, Sadie. Je gaat een fantastische reis maken waar een heleboel meisjes stikjaloers op zouden zijn... Ga nu niet moeilijk lopen doen over van huis gaan.'

Al zag ik Dorset Avenue nooit meer terug, dat maakte me niet uit. Ik was bang om bij Ted weg te gaan. Er was geen vaste datum afgesproken waarop ik terug zou komen en dus wist ik niet wanneer ik hem zou weerzien. Het was net als die andere keer, die waarover we het nu niet hadden en waaraan ik hem ook niet kon herinneren omdat hij alleen maar kwaad zou worden en misschien nog minder geneigd zou zijn om me uit mijn mysterieuze ballingschap in Frankrijk te laten terugkomen.

Ik omklemde mezelf met mijn armen, in plaats van hem, en hield mijn angsten voor me. Ik droeg een angora trui die ik van Angela voor de vakantie mocht lenen, en de vezels voelden zacht pluizig aan onder mijn vingers. Ik gaf mijn vader een snelle kus op zijn wang. Als het afscheid dan toch niet te vermijden was, wilde ik het liefst alles maar zo snel mogelijk achter de rug hebben.

Hij gaf me een knipoog. 'Mijn meisje.'

Angela boog iets naar voren over het dienblad en gaf me een klopje op mijn knie. 'Ik heb je toch niet van streek gemaakt?'

Ik schudde mijn hoofd, maar niet erg overtuigend. 'Het is al heel lang geleden, zoals je zei. Maar waarom heeft hij me nooit iets verteld?'

'Dat weet ik niet, liever. Misschien was jij het enige dat hij had dat lief en goed was en wilde hij dat zo houden.'

Misschien, dacht ik.

'Je vader was geen slechte kerel, hoor. Hij liet zich alleen meeslepen door zijn ideeën en hij was zó goed in het mengen van parfums, dat hij geloof ik niet inzag waarom hij op financieel gebied ook niet een beetje creatief kon zijn. Maar de arm der wet kon hij met zijn charme niet betoveren zoals hij mij betoverd had, hè?' Angela gaf me een knipoog.

'Bedankt voor wat je me verteld hebt,' zei ik.

Ik wilde weg, om na te kunnen denken over wat deze nieuwe informatie te betekenen had. Een bedrieger, mijn vader was behalve parfummaker écht bedrieger. Zo had ik hem Mel beschreven en nu bleek het nog dichter bij de waarheid te zijn dan ik op dat moment had geweten.

Ik keek op mijn horloge.

Angela schuifelde met me mee naar de deur. Ze omvatte me met haar kolossale armen en kuste me op de wang. Ik gaf haar ook een kus, en voelde de bepoederde zachtheid van haar huid.

'Ik was altijd gek op je, Sadie.'

Angela had, ook toen ik al ver in de twintig was, altijd aan mijn verjaardag gedacht. Ze had mijn adreswijzigingen bijgehouden en me trouw elk jaar met Kerstmis een kaart gestuurd. Voor mij was zij er slechts één uit een hele ris 'tantes', een van de betere, dat wel, maar toch altijd een uit een heel regiment. Ik had voor haar meer betekend, misschien simpelweg omdat ik die zomer zo'n kwetsbaar meisje was geweest. Die gedachte maakte dat ik me liefst nog verder in mijn schulp zou terugtrekken. Ik wilde niet dat het kind dat ik was geweest en achter me had gelaten aan Angela's medelijden werd blootgesteld. Ik wilde mezelf niet zo zien.

Ik legde mijn handen op haar armen. Mijn vingers leken onpeilbaar diep in haar vlees weg te zinken.

'Dat weet ik, Angela. Bedankt. Ik zal proberen me als een betere vriendin te gedragen.'

Ik liet haar beloven dat ze bij Jack en Lola en mij in Londen kwam logeren. Misschien in de herfst, als het wat koeler was, zei ze. Als het zo warm was, moest ze er niet aan denken om te reizen. Ze keek me vanaf haar drempel na toen ik wegreed.

Ik nam dezelfde route terug naar de kust en zette mijn auto neer op een plek die uitzag op een breed kiezelstrand. Ik liep naar de waterlijn en begon met mijn gezicht naar de zon toe te wandelen over de strook hard nat zand naast de kiezels, af en toe opzij stappend voor de golven. Ik dacht eraan dat ik terug in Londen de draad van mijn bestaan weer gewoon kon oppakken, als ik wilde. Ik zou me op het standpunt kunnen stellen dat Ted nu eenmaal dood was en dat ik op mijn manier om hem had gerouwd, min of meer, maar dat het nu tijd was om gewoon verder te gaan met mijn leven.

Maar dat zou een ontkenning van de waarheid inhouden, en na al die tijd hongerde ik naar de waarheid.

Ik wist niet waarom Ted zoveel voor mij verborgen had gehouden. Ik wist zelfs niet wat hem bezield had om zijn kind zo hardvochtig tegemoet te treden. 'Je vader was geen slechte kerel, hoor,' had Angela gezegd. 'Hij wilde niet dat jij ook maar iets van al die dingen merkte. Misschien was jij het enige dat hij had dat lief en goed was en wilde hij dat zo houden.'

Ik was ook hardvochtig geweest naar hem toe, want dat was de houding die ik mezelf als volwassene had aangemeten om het verleden en alles wat er niet aan deugde op afstand te houden. Alles wat ik had gezien, waren zijn egoïsme en zijn charme, die vergiftigde en geparfumeerde kelk die hij alles en iedereen had voorgehouden, behalve mij. Maar mogelijk was wat Angela zei waar. Op grond van deze nieuwe glimp van kennis over hem begon ik me af te vragen of hij misschien toch niet op zíjn manier van mij gehouden had en zijn best had gedaan om mij te beschermen. De zoektocht die ik mijns ondanks was gestart, was een manier om uit te vinden wat er werkelijk tussen ons was voorgevallen. En misschien zou ik hem kunnen vergeven als deze zoektocht ten einde was.

Ik liep verder, de bocht die het strand maakte volgend. Ik dacht weer terug aan Grasse.

Ik kwam de volgende dag rond het middaguur op het Gare du Nord in Parijs aan en klom onhandig uit de hoge coupé, waarbij ik met mijn koffer tegen mijn schenen stootte. Ik had tijdens de overtocht op de veerboot niet geslapen – er was geen slaapplaats voor me gereserveerd en ik durfde in de drukke passagiersruimte mijn ogen niet dicht te doen. Twee minuten lang bleef ik als versteend op het perron staan kijken naar symbolen en borden die me vreemd waren, terwijl er aankondigingen werden gedaan in een taal die ik niet verstond. Toen kwam er een vrouw op me af die wel wat weg had van Valerie van Scentsation. In Engels met een sterk accent zei ze dat ik Sadie Thompson moest zijn en ik was zo opgelucht over mijn redding dat mijn ogen zich met tranen vulden.

De Française zei dat ze een vriendin van een vriendin van mijn vader was. Ze nam me mee naar een café in de buurt van het station en bestelde biefstuk met friet en een *salade verte* voor me. Het eten was lekkerder dan ik ooit geproefd had, maar ik was bijna misselijk van vermoeidheid en eenzaamheid en kon er nauwelijks iets van naar binnen krijgen. Ik weet nog dat ik in de metro de namen van de stations in mijn hoofd bleef herhalen en dat ik de krullerige vormen van de borden en letters verschrikkelijk mooi vond vergeleken bij die van de Londense ondergrondse.

Aan het einde van de middag ging ik weer een trein in en ik bracht een avond en nacht door in een bedompte slaapwagen voordat ik in de vroege ochtend uit het raam keek en in het paarlemoeren licht voor het eerst van mijn leven de Middellandse Zee aanschouwde. Op het station in Nice wachtte Philippe Lesert me op. Hij pakte mijn koffer aan alsof die niets woog en opende het portier van een stoffige 2cv voor me. We reden weg van het onthutsende blauw met wit van de kust, waar het licht zo fel was dat het pijn deed aan mijn ogen, langs boerderijen, velden met bloemen en kleine huizen met oker-kleurige pannendaken. Het was rustig op de weg en we reden door de schaduwvlekken van mimosabomen.

Eindelijk wees Philippe naar het middeleeuwse Grasse dat op een heuvel voor ons uit verschenen was, maar voordat we er in de buurt waren sloeg hij af. Even later kwamen we aan bij een huis dat aan alle kanten omgeven was door velden met bloemen. Het was een lelijk huis, de hoogte ervan stond in geen verhouding tot de breedte en het licht hellende grijze dak leek er helemaal niet bij te passen. Maar het had helgroene luiken en aan de vensterbanken hingen bakken met afrikaantjes, terwijl bij de trap aan de achterkant een kruidentuin was ingericht. Philippe parkeerde de auto op een stoffig plekje en liep er toen omheen om het portier voor me te openen, alsof ik een belang-rijk iemand was. Ik stapte uit en werd geheel omhuld door de koele, delicate geur van jasmijn. Het aangolvende aroma kwam aan als een schok en vol bewondering zei ik: 'Oooo.'

'Sterk, hè?' lachte Philippe.

Meneer Phebus had me, alweer jaren geleden, een papieren strook-je met jasmijngeur gegeven om aan te snuiven, maar die geur had in mijn herinnering beslist niet de zoetheid en bijna tinkelende klaar-heid van dit volmaakte aroma. Het was Valerie, tante Viv en mevrouw Ingoldby tegelijk, maar dan verfijnd, veraangenaamd en gezuiverd tot de pure essentie van onbereikbare schoonheid.

Philippe sprak een paar woordjes Engels. Hij was achttien, drie jaar ouder dan ik, en hij had zo'n echt Frans gezicht: mager, levendig en olijfkleurig. Ik vond hem meteen geweldig, niet alleen omdat hij met mijn koffer sjouwde en het portier voor me opende, maar ook omdat hij tegen me praatte alsof ik een vriendin van hem was, niet een of ander raar Engels meisje dat ze hem op zijn dak hadden gestuurd. 'Jij ruiken 's ochtends, als wij bloemen pluk. Dan... ahhhhh.' Philippe blies op zijn vingernagels en vervolgens op zijn hand alsof hij zich gebrand had. Zijn wenkbrauwen vormden zwarte circumflexen. 'Voilà, maman, la petite est arrivée.'

Madame Lesert kwam de trap af. Ze droeg een schort van ruwe stof en ze veegde haar handen af aan een doek. Ze was klein, ze kwam nauwelijks boven me uit. Ze had brede heupen en forse, sterke benen, en haar voeten waren in bemodderde klompen gestoken. Haar weerbarstige grijze haar zat opgestoken onder een bonte hoofddoek. Ik hoorde later dat ze een weduwe was die het bloementeeltbedrijf van haar man met ferme hand dirigeerde. Philippe was haar enige kind en ze kwam op voor zijn erfgoed. Ze klopte me ter begroeting op mijn schouder. 'Alors, Sadie, bienvenue.' Ze sprak mijn naam uit met de klemtoon op de laatste lettergreep. 'Tu as faim?'

Ze sprak geen woord Engels. Al die weken dat ik bij haar was, bestond haar remedie tegen mijn verlegenheid, neerslachtigheid en heimwee uit voedsel: 'Tu as faim?' Ik kan haar stem nu nog horen, en haar dikke groentesoep en geweldige gebraden kip ruiken.

Ik was meer dan zesendertig uur onderweg geweest en zat onder de pluisjes van Angela's angora trui. Ik knikte en glimlachte flauwtjes.

Ze nam me mee naar mijn slaapkamer boven. Die bevond zich helemaal boven in het hoge huis en bood een weids uitzicht over de velden. Het ledikant was van ijzer en op een houten standaard stonden een lampetkan en -schaal van porselein. Alles wat ik zag boeide me zo dat ik mijn misère twee tellen vergat. Madame liet me alleen zodat ik de paar kleren die ik bij me had kon uitpakken en in een ouderwetse kleerkast kon opbergen, en even later riep Philippe dat het déjeuner klaar was. Ik zat tegenover hem en naast madame, en we aten een tomatensalade die naar pure zonneschijn smaakte. Blijkbaar hadden ze wel door hoe moe ik was, want ze stelden geen vragen en overlaadden me ook niet met informatie. Ze aten langzaam en wisselden bedaard enkele woorden met elkaar, en ik wist meteen dat ze altijd op deze manier met elkaar omgingen en dat ze mij geaccepteerd hadden. Ik luisterde toe en keek ondertussen naar het zonlicht op de kale stenen vloer. Langzamerhand voelde ik hoe mijn lichaam iets van zijn gespannenheid begon te verliezen.

Die nacht sliep ik op een veren matras met mijn hoofd op zo'n eigenaardig langwerpige, harde Franse peluw, en ik werd weer wakker bij het ochtendgloren. Ik hoorde de stemmen van mensen die buiten langsliepen, en dus klom ik uit mijn warme nest van veren en trippelde op blote voeten over de kale houten vloer naar het raam. Ik maakte de luiken open en leunde naar buiten. De hemel in het oosten was zachtroze, met aan de horizon een onaards groene streep. Tussen de twintig en de dertig vrouwen waaierden over de velden met jasmijnstruiken uit. Ze droegen net zulke schorten en hoofddoeken als madame Lesert en sommigen hadden een baby in een doek op hun rug. Aan hun middel hing een zak die van boven wijd openstond en terwijl ze de rijen struiken afgingen, plukten ze de witte sterachtige bloesems en deden die erin. Ze riepen naar elkaar in verschillende talen, niet in het Frans. Later hoorde ik dat het Italiaanse en Portugese gastarbeidsters waren.

En dan die geur.

Nu begreep ik pas echt wat Philippe me op zo'n curieuze manier had proberen duidelijk te maken. Het jasmijnaroma was tijdens de dageraad het sterkst, het steeg in voluptueuze wolken van allerzoetste geurigheid naar mijn raam op. Nu wist ik pas wat er met parfum werd bedoeld.

De bloemenpluksters keken naar mij als was ik een plaatje uit een boek of een schilderij op een tentoonstelling. Hun handen vlogen heen en weer, maar toch boden ze een statische, of zelfs tijdloze aanblik. Ik wist van niets, maar voelde toch aan dat ik naar iets keek dat al honderden jaren op dezelfde manier gedaan werd. Bij die gedachten gingen de haren in mijn nek overeind staan.

Ik bleef een hele tijd bij het raam staan, tot het helemaal licht geworden was en ik me realiseerde dat ik honger had.

Tu as faim?

Het ontbijt bestond uit brood met honing die naar lavendel smaakte. Philippe brak stukken van zijn stokbrood af en doopte die in zijn brede kom met koffie met veel melk erin. Ik vond het maar raar en thuis zou er met een afkeurende blik naar gekeken worden, maar ik deed hem na en hij grijnsde me bemoedigend toe.

Ik ontdekte al snel dat de dagen volgens een eenvoudige routine verliepen, en dat vond ik heerlijk na mijn onzekere bestaan met Ted thuis. Madame Lesert en Philippe waren altijd al voor zonsopgang uit de veren, want dat was de tijd dat de pluksters al kwetterend aan kwamen lopen om naar de velden te gaan. Als de zonnewarmte intenser was geworden en het onaardse jasmijnparfum minder sterk werd, verzamelden ze zich bij ruwhouten tafels onder een afdak. Philippe en madame Lesert wogen de zakken van alle pluksters en noteerden de getallen in een kasboek. Daarna haalde Philippe kannen koffie en flessen wijn zonder etiket en zetten madame Lesert en ik mandjes met brood, tomaten en kaas neer. Ik luisterde naar het onverstaanbare gepraat en gelach van de vrouwen terwijl ze zaten te eten. Ik vroeg me vaak af hoe het mogelijk was dat hun bruine, eeltige vingers zo behendig wisten om te springen met de tere bloesems. De vrouwen die een baby bij zich hadden, maakten hun draagdoeken los en begonnen kalmpjes borstvoeding te geven, met alleen een gevouwen doek ter afscherming.

Als de stroom pluksters weer via het pad verdwenen was, laadde Philippe de oogst van die ochtend op een grijs vrachtwagentje met drie wielen en bracht de zakken naar de parfumfabriek in Grasse. Madame wijdde zich geconcentreerd aan haar administratie en ik ruimde de restanten van het ontbijt van de pluksters op en deed nog andere karweitjes die ze me had geleerd. Ik veegde de stenen vloeren en besprenkelde ze met water om het dwarrelen van stof tegen te gaan. Ik deed de vaat. Ik voerde de kippen en raapte eieren. Ik bewaterde de kruidentuin. Niets van wat ik deed leek ook maar in de verte op werk, hier in dit zonovergoten, vrolijke oord. Ik had het gevoel alsof ik een boek was binnengewandeld, zo'n boek dat ik in de bibliotheek had kunnen aantreffen en waarbij ik had kunnen zuchten van hunkering naar een leven zo pittoresk en zo verschillend van mijn eigen bestaan.

Later op de dag werd er gekookt. Ik keek toe hoe madame Lesert brood bakte, groente voor de soep sneed en een kip in een pan stopte om heel langzaam te laten stoven voor het avondeten. Ze leerde me hoe ik brooddeeg moest kneden en hoe ik uien moest snijden, met mijn vingertoppen veilig weggekruld van het scherpe mes; hoeveel handjes deegwaren of rijst er nodig waren voor het eten; welke kruiden het best pasten bij bepaalde gerechten. Ik keek en luisterde, ik hunkerde niet minder naar haar gezelschap en aandacht dan naar haar heerlijke maaltijden. Ze merkte wel hoe geïnteresseerd ik was en leerde me steeds weer nieuwe dingen; op haar aanwijzingen bereidde ik stroperige vinaigrette die slabladeren in een glanzend laagje hulde, of bakte een omelet van onze eigen eieren, die vanbuiten goudbruin uitgezet maar vanbinnen boterzacht was. *'Bien fait, chérie,'* zei ze vaak goedkeurend als ik iets voor elkaar had gekregen. Philippe was een prima zoon, maar ik geloof dat ze het heerlijk vond om een meisje in huis te hebben. Aanvankelijk konden we nauwelijks een woord met elkaar wisselen, maar met het optrekken van wenkbrauwen, glimlachjes en gebaren konden we toch communiceren op een manier die voor ons allebei bevredigend was. Na verloop van tijd sprak ik een paar woordjes Frans en kende ook een aantal standaardzinnetjes; steeds als ik ze gebruikte, blies zij bewonderend haar rode wangen vol lucht en moedigde mijn schuchtere pogingen aan met een goedkeurende woordenstroom.

Op het heetst van de dag zat ze vaak in haar leunstoel in het koelste hoekje van de keuken naar muziek uit haar radio te luisteren. Ik ging liever naar buiten, genietend van de aangename streling van de zon op mijn huid en haar. Vaak zat ik met mijn rug tegen de muur van het huis en met mijn benen voor me uitgestrekt loom te kijken naar hagedissen die over de stenen roetsjten en vlinders die neerstreken op de rozenstruiken en weer wegfladderden. Ik werd bruin en ik werd flinker: ik was niet langer een muisje dat ineengedoken wachtte op alle verrassingen die het leven in petto had. Afgezien van de zondagen verliep het leven bij de Leserts elke dag precies hetzelfde, doelgericht maar vredig; zelfs aan de zonneschijn kwam geen einde.

Op zondag werd er geen jasmijn geplukt. Op die dag trokken we keurig gestreken kleren in plaats van ons alledaagse kloffie aan en gingen naar de mis in de kleine dorpskerk. Madame en Philippe kenden werkelijk iedereen van de parochie, en het ritueel van handen schudden en kussen na afloop leek zelfs nog langer te duren dan de kerkdienst zelf.

De dagelijkse routine werd verder alleen verbroken door tochtjes over een steile weg naar Grasse in de 2cv. Madame ging graag naar de markt om de weinige etenswaren te kopen die ze niet zelf produceerde. Met een grote rieten mand liep ze dan tussen de stalletjes door, testte citroenen door ze tussen haar kundige vingers te nemen of rook aan de worst die een koopman haar voorhield. Philippe nam me mee naar de oude vestingmuren en schouder aan schouder keken we uit naar de verre blauwe boog die de zee in het zuiden beschreef;

of we keken binnen in schemerige cafés waar oude mannen schuilden tegen de zon met glazen wolkige pastis voor zich. Toen het patroon van de oude nauwe straatjes me enigszins vertrouwd was, ging ik er graag in mijn eentje opuit en ontdekte dan steeds nieuwe dingen. Het leukst vond ik de bloemenmarkt, op een verzonken met stenen geplaveid pleintje midden in de stad. De bonte rijen boeketten boven elkaar deden bijna pijn aan mijn ogen en hun geur leek nog sterker door de beschutting en schaduw van hun sobere omgeving. Na de markt reed Philippe ons weer naar huis; ik zat dan helemaal ingesloten tussen de boodschappen in de ruimte achter de twee canvas voorstoelen. Intussen zat madame te mopperen over de prijzen die ze had moeten betalen en te vertellen over wie ze allemaal tegen het lijf was gelopen.

's Avonds na het eten, dat altijd vroeg werd opgediend omdat we altijd zo vroeg opstonden, zat madame nog een uurtje te naaien of in de krant te lezen en tegen negenen maakte ze aanstalten om naar bed te gaan. Sommige avonden kamde de knappe Philippe zijn zwarte haar naar achteren, stopte zijn pakje Gitanes in het borstzakje van zijn overhemd en ging de deur uit, waarbij hij mij een knipoog gaf. Ik wist dat hij dan een meisje ging opzoeken, maar het lukte me niet om jaloers te worden. Voor het eerst in mijn leven koesterde ik een volkomen belangeloze, louter goedaardige liefde voor iemand: als Philippe blij was, was ik het ook. En alleen al het feit dat hij bestond was voor mij voldoende om gelukkig te zijn. Een lachje dat speciaal voor mij bedoeld was, een plagerijtje, een nachtzoen op mijn ene en nog een op mijn andere wang, meer verlangde ik niet.

Er waren ook de verrukkelijke avonden dat hij zijn visgerei uit de hoek pakte en een wenkbrauw naar me optrok. Dan sprong ik op en volgde hem over het pad en tussen de wilgen door naar de kakikleurige rivier. Hij leerde me hoe ik aas aan het haakje moest doen en lachte als ik walgend terugschrok voor de maden in hun bakje met meel. Hij legde zijn armen van achteren om me heen om mijn polsen te leiden bij het uitwerpen van de hengel, maar ik was een hopeloze leerlinge. Hoe kon ik me nu concentreren terwijl ik zijn warme lachende adem in mijn nek voelde en zijn hart tegen mijn ruggengraat voelde kloppen? Ik vond het veiliger om naast hem te zitten terwijl hij aan het vissen was en naar het water te kijken terwijl om ons heen de schemering zich langzaam verdichtte. Ik kan me niet herinneren of we ooit een vis hebben gevangen, maar ik zie nog wel zijn profiel voor me en kan zelfs de Franse tabak in zijn verder zo zuivere adem nog ruiken.

Ik hoorde niets van Ted, maar madame verzekerde me, bijgestaan door Philippe, dat hij het druk had met zijn zaken en dat alles in orde was. En omdat ik gelukkig was bij de Leserts, accepteerde ik wat ze me vertelden en probeerde niet te veel te denken aan hoe het thuis zou zijn. Het leven te midden van de velden leek zo tijdloos, dat ik half en half het gevoel had dat het onmogelijk was dat er ooit nog iets zou veranderen en dat ik altijd daar zou blijven. Maar natuurlijk veranderde er van alles. Er kwam een einde aan de jasmijnoogst en ik werd niet meer gewekt door het geluid van stemmen, dat al voor de dageraad door mijn raam naar binnen kwam. Philippe bracht lange uren tussen de jasmijnstruiken door met snoeien en het opbinden van nieuwe scheuten. Er kwam een brief met een Engelse postzegel erop en nadat madame en Philippe er met elkaar over gepraat hadden, riep madame me om me te vertellen dat mijn vader me over een week thuis verwachtte.

Ik was blij en opgelucht, maar tegelijk ook verdrietig bij de gedachte dat ik bij de Leserts weg zou gaan. 'Mag ik jullie nog eens komen opzoeken?' smeekte ik.

'*Bien sûr, chérie,*' zei madame.

Precies een week later bracht Philippe mij met mijn koffer naar het station. Het afscheid van mijn beide vrienden was innig, maar zonder veel emotie. Zij bleven achter met de veilige routine van hun bestaan tussen de bloemen, en de zomer was voor hen heel gewoon geweest; alleen had er een Engels meisje bij hen gelogeerd dat heel goed in hun leven bleek te kunnen meedraaien. Ik geloof niet dat ze ooit beseft hebben hoe belangrijk het voor mij allemaal was geweest. Ik verwachtte geen brieven van ze te zullen krijgen en die kwamen ook niet. Ik wist dat het geen typen waren om brieven te schrijven.

Toen ik eindelijk weer op Dorset Avenue aankwam, was Ted thuis. Ik zette mijn koffer neer en voelde me bijna verlegen toen ik hem weer zag.

'Mijn hemel, Sadie,' zei hij. Ik wilde me in zijn armen werpen, hem omhelzen en door hem geknuffeld worden, maar hij hield me op armlengte van zich af om me te kunnen bekijken. 'Wat ben je bruin en wat ben je groot geworden. Ik zou mijn kleine meid bijna niet herkend hebben.'

Ik beet op mijn lip. Het was een compliment dat hij me gaf, maar het legde nog eens de nadruk op de grotere afstand die de zomer tussen ons gecreëerd had. 'Ik ben nog hetzelfde, hoor,' mompelde ik. Ted was magerder geworden. 'Hoe gaat het met je? Waar ben je geweest?' gooide ik er toen uit. 'O, zo hier en daar,' zei hij, op de toon die aangaf dat ik verder geen vragen moest stellen. Ik liep achter hem aan de keuken in en zette theewater op. Ik deed de koelkast open om melk te pakken, maar de koelkast was helemaal leeg.

Er bleek dus nog een heel ander perspectief te zijn, zoals bij een plaatje waarin je óf twee naar elkaar toe gewende gezichten ziet of anders een kandelaar, afhankelijk van hoe je ernaar kijkt. Ik was verbannen, óf ik had de fijnste zomer van mijn leven meegemaakt. Mijn vader had me in de steek gelaten, óf hij had me de vernederende wetenschap dat hij in de gevangenis zat proberen te besparen.

Ik had een fors eind over het glinsterende strand afgelegd. Ik draaide me een slag en keek uit over de golven. Het was nu net of Ted heel dichtbij was. Ik kon hem niet zién, omdat zijn vorm, de uit de fles ontsnapte geest, voortdurend veranderde. Ik zou geen vat kunnen krijgen op hem, op het verleden en zelfs niet op mezelf als ik niet afmaakte wat ik begonnen was.

Mijn gezicht was eindelijk nat van tranen en terwijl ik terugwandelde en mijn eenzame sporen in het zand achterliet, zag ik nauwelijks waar ik liep.

10

Turnmill Street zag er in het licht van de middagzon rustig en welvarend uit, althans voor het grootste deel. Plassen schaduw van de keurige bomen vielen over de geparkeerde auto's en goed bijgehouden heggen, en in potten en bakken aan de vensterbanken bloeiden smaakvol bij elkaar gezochte planten met witte of zilverachtige bloemen. Drie jonge kinderen in het uniform van een particuliere school stapten onder leiding van een jonge vrouw, waarschijnlijk hun kindermeisje, uit een grote auto.

Verfbladders en schilfers pleister van de voorgevel van Audreys huis dwarrelden over het paadje met gebroken tegels naar haar voordeur en over de rotzooi in haar voortuin. Ik bonkte op de deur en wachtte. Toen bukte ik om door de brievenbus naar binnen te kijken. Toen ik me oprichtte om nogmaals te kloppen, haalde de deur opnieuw de truc uit onverhoeds open te gaan en stond ik tegenover Audrey.

'Ja?'

'Ik kwam toevallig langs,' zei ik, wat behoorlijk bezijden de waarheid was.

'Ja?'

'En toen dacht ik: ik ga even langs, misschien is ze wel thuis.'

Haar volle lippen plooiden zich een beetje, als zag ze de humor hiervan in, maar wilde ze die voor zichzelf houden en beslist niet met me delen.

'Mag ik binnenkomen?' drong ik me verder op.

'Nou, goed.'

Ik volgde haar weer door de gang naar het smalle vertrek aan de achterkant. Het was er warm en benauwd, want de zon viel pal door de smerige ruiten naar binnen en de atmosfeer was verzadigd van de hier gebruikelijke lucht van kattenvoer en levende have. Ik wierp een blik op de dubbele rij kooien en hokken in de tuin en het groenteafval en de broodkorsten die er verspreid lagen. Vlak bij mijn kuiten hing Jack-de-kat weelderig uitgespreid over zijn favoriete leunstoel. Bij hem in de buurt lagen nog verschillende andere katten zich te koesteren in de zon, of liepen rond.

'Gooi hem er maar af,' zei Audrey, maar ik nam een stoel met hoge rug bij de hoek van de tafel.

'Ik ben een paar dagen in Suffolk geweest,' zei ik op babbeltoon toen Audrey in mijn plaats bezit had genomen van de leunstoel en Jacks indrukwekkende massa op haar schoot had gesjord. Een vliegtuig dreunde over het huis heen en ik dacht dat het mijn woorden overstemd had, want er kwam totaal geen reactie. Ik gaf haar de doos die ik bij me had en zei, luider ditmaal: 'Ik ben in Suffolk geweest en daar ben ik op zo'n speciale boerderij aan het plukken geweest. Ik had zoveel, ik heb maar wat voor je meegebracht.'

In de doos zaten een mandje met aardbeien en wat losse tuinbonen, nog niet gedopt. De vier dagen die ik in mijn eentje op het platteland had doorgebracht, hadden me een hoop gelegenheid tot nadenken gegeven, wandelend over het keienstrand en te midden van de rijen bonen op de 'plukboerderij'. Ik had bedacht dat ik van Audrey, zonder haar direct een kruisverhoor af te nemen, misschien toch nog meer over Ted en het verleden te weten zou kunnen komen als ik nog een keertje bij haar langsging in de twee dagen die me restten voordat Jack terugkwam uit Frankrijk. Het leek wel of ik me in mijn geest met de dag intenser bezighield met Ted en met het gegeven dat hij er nooit meer zou zijn. Ik begon te geloven dat ik een geheel eigen versie van onze gezamenlijke geschiedenis had geconstrueerd. Misschien had ik mezelf een dik pantser van vijandigheid aangemeten en begon dit nu eindelijk barstjes te vertonen. Angela's herinneringen aan de mooie jongen die ze gekend had droegen nog eens bij aan het gevoel dat mijn wereld op zijn kop was gezet.

'Suffolk?' mompelde Audrey, als had ik een exotisch oord genoemd, Lhasa of zo. Haar hand met de zwartgerande nagels verdween in het mandje met aardbeien en ze nuttigde twee flinke exemplaren.

'Ik ben bij Angela op bezoek geweest. Herinner je je haar nog? Ze was een van Teds vriendinnen.'

'Ja,' zei ze. Niets meer en niets minder.

'Waren jullie bevriend met elkaar? Heb je nog contact met haar?'

'Nee.' Dit nee was blijkbaar op beide vragen van toepassing. Toen ik in Suffolk liep te wandelen en plannen smeedde, had ik geen rekening gehouden met Audreys ontoeschietelijkheid.

'Ik heb heel lang met haar gepraat en ze heeft me een aantal dingen over Ted verteld die ik nog niet wist. Onder andere iets waar ik behoorlijk van schrok.'

195

Audrey draaide haar hoofd naar mij toe en Jack hield op met het ritmisch kneden van de bobbelige stof van haar lange broek. Twee paar ogen keken me onvervaard aan.

'Ik wist niet dat hij in de gevangenis had gezeten,' zei ik.

'Was je verbaasd?'

Ik merkte op dat Audrey zeker niet verbaasd was. Ik had gelijk gehad toen ik dacht dat ik met Audrey over het verleden zou moeten praten. Wie ze ook was en wat ze ook precies voor Ted betekend mocht hebben, ze wist in elk geval veel, veel meer over hem dan ze tot dusverre bereid was geweest te laten blijken.

Mijn vader was parfummaker en bedrieger. Je zou hem leuk vinden.

'Nee,' zei ik. 'Niet echt.'

'O.'

De kater hervatte het gekneed met zijn poten, blijkbaar bespeurend dat het dramatische moment voorbij was. Er dreunde nog een vliegtuig boven ons hoofd. Als de wind een bepaalde richting had, kwamen er ook boven mijn huis vliegtuigen over, hemelsbreed nog geen twee kilometer hiervandaan, maar normaal gesproken viel me dat niet op. Ik luisterde nu dus blijkbaar ingespannener dan anders, zonder te weten wat ik precies wilde horen.

'Ik heb nog iets meegebracht. Je had toch gevraagd of er foto's waren?'

Ik gaf haar dezelfde foto van Ted die ik aan Angela had gegeven. Ik had mijn huis afgezocht naar de foto van Audrey zelf, die waarop ze als jonge vrouw op een stenen muurtje zat terwijl de wind haar haar deed opwaaien, maar ik had hem nergens kunnen vinden, ook niet tussen de andere foto's die ik uit Teds huis had meegenomen. Ik dacht dat hij misschien achter een bank of stoel was gevallen of tussen een stapel papier was beland en weggegooid, en ik schaamde me dat ik er zo nonchalant mee was geweest. Audrey pakte de foto aan en keek er een behoorlijke poos naar. Toen legde ze hem voorzichtig neer, op een manier die me het idee gaf dat ze hem als ik weg was meteen weer op zou pakken om er nog veel langer naar te kijken.

'Waarom ben je hier? Toch niet alleen om me een oude foto en wat aardbeien uit Suffolk te brengen, of wel soms?'

Ik boog me naar voren op mijn stoel met de rechte rug. Ik betrapte mezelf op de gedachte dat ik niets voor Audrey te verbergen had, of nergens bang voor hoefde te zijn in haar huis, waarna ik me afvroeg waarom die gedachte bij me op zou zijn gekomen. Het was hier een treurige toestand, door alle rommel en het verval, en doordat eenzaamheid als een waas voor alle ramen hing. Maar er was niets sinisters aan dit huis. Waar ik bang voor was, was wat Audrey me mogelijk zou dwingen onder ogen te zien.

'Sinds Ted overleden is,' legde ik uit, 'blijft hij maar in mijn hoofd rondspoken. Hij is er niet meer en ik heb hem nooit genoeg vragen over hemzelf gesteld toen hij nog leefde. Ik heb het nooit met hem gehad over wat ons uit elkaar dreef. Dat weet je toch over ons? Dat we nooit goed met elkaar overweg konden, ook al hadden we alleen maar elkaar? Mijn moeder is overleden. Dat weet je ook.'

Audrey knikte nauwelijks merkbaar. Haar dunne grijze haar was naar achteren gekamd, zodat de beenderen van haar gezicht goed zichtbaar waren. Haar hand, met geen enkele ring aan de vingers en bovenop één netwerk van donkere aderen en pezen, streelde de vacht van de kat met lange doelgerichte halen, van kop tot staart, van kop tot staart. Hóé wist ze deze dingen eigenlijk? Ik wist van haar vrijwel niets af, afgezien van wat ze me zelf verteld had. Alles wat ik met zekerheid over haar kon zeggen was dat haar naam voorkwam in Teds oude adresboekje met de duimgrepen, dat hij een foto van haar had bewaard, die inmiddels weg was, en dat zij van haar kant genoeg om hem, of om wat dan ook, had gegeven om op zijn crematie te verschijnen, compleet met bestoft vossenbontje.

Ik keek naar haar, probeerde iets van een glimlach in haar ogen te ontwaren die ik zou kunnen beantwoorden. Maar Audreys gezicht was gesloten als een boek en de enige emotie die ervan af viel te lezen was boosheid. Ted had geld van haar geleend en dat nooit teruggegeven. Dus was het niet zo verwonderlijk dat ze mij of hem niet zo'n goed hart toedroeg. Maar om de een of andere reden had ik het gevoel dat dit niet het enige was dat erover te vertellen viel. Ik wist ook bijna zeker dat Audrey de spil was waar het verhaal om draaide, hoe dit verhaal ook uitviel.

Ik ploeterde voort, ik praatte bijna op goed geluk in de hoop dat mijn woordenstroom me mee zou voeren in de richting van wat ik wilde weten. 'Nu hij weg is, bespeur ik overal zijn geur. Kun je je hier iets bij voorstellen? Ik dacht altijd dat ik niet van hem hield. Volgens mijn herinnering is dat ook zo, maar er is iets veel dieper dan mijn geheugen dat me het gevoel geeft dat ik wel van hem gehouden moet hebben. En nog steeds van hem hou. Zijn aanwezigheid overvalt me onverhoeds, zoals een vertrouwde geur je onmiddellijk kan meevoeren naar een andere plek, voordat je zelfs maar een ogenblik hebt kunnen nadenken.

Ik ben hier omdat ik nauwelijks iets van Teds leven weet. Hij hield van alles voor me verborgen, zelfs dat hij de gevangenis in moest. Maar als ik iets meer te weten kan komen over de tijd dat hij en ik samen aan Dorset Avenue woonden, vanaf het moment dat mijn moeder stierf totdat ik volwassen werd en van huis wegging, dan begrijp ik misschien beter wie hij in werkelijkheid was en waarom we zo uit elkaar zijn gegroeid. Misschien helpt dat om het verleden uit te bannen.'

Audrey verschoof de kat op haar schoot, waarop deze zijn klauwen waarschuwend boven haar knieën kromde. 'Ik dacht even dat je ging zeggen dat je hém wilde uitbannen.'

'Nee, nee, dat zeker niet.'

Misschien wilde ik de geest wel weer in de fles krijgen. In het kristallen flaconnetje met het bruin opgedroogde residu van de laatste druppel parfum, als een traan op de bodem gevangen. Ik raapte mijn moed bij elkaar voor nog een bekentenis. 'Ik dacht dat hij niet van me hield.'

Ik had nauwelijks de gelegenheid om tot me te laten doordringen dat het als een bittere weeklacht over mijn lippen kwam, want Audrey snauwde me toe: 'Is het wel eens bij je opgekomen dat hij hetzelfde van jou dacht?'

Ik staarde haar in stomme verbijstering aan. Nee, wilde ik zeggen, nee, dat kan toch niet? Als kind had ik om Ted heen gehangen, me voortdurend opgehouden in de coulissen van zijn bestaan, hunkerend naar zijn aandacht en zelfs, bij gebrek daaraan, naar aandacht van de tantes. Hij kon toch onmogelijk gedacht hebben dat ik niet van hem hield, niet smachtte naar zijn liefde?

Maar toen dacht ik: het is net als met Jack en mij. Ted en ik konden als ouder niet méér van elkaar verschillen en dat was ook altijd mijn streven geweest in de tijd dat Lola en Jack bij me waren en ook voor de toekomst. Toch was er ook een deel van mij dat vreesde dat Jack niet van me hield. Hoe ik ook mijn best deed om hem naar me toe te trekken en om goed te maken dat ik zijn vader in de steek had gelaten, toch keerde hij zich van me af en trok zich in zichzelf terug. Ik was degene die een breuk in ons gezin had veroorzaakt, en of hij het nu bewust deed of niet, Jack liet me ervoor boeten. Had ik Ted ook laten boeten voor Fayes dood en wat erop volgde?

Het is een cyclus, bedacht ik. Teds vader en moeder waren allebei gestorven voordat ik geboren werd. Ik zou de waarheid over hen nu nooit te weten komen, maar zij waren het die het kind hadden gemaakt dat mijn vader zou worden, en ik had op mijn beurt een moeilijke verhouding met mijn zoon, van wie ik zielsveel hield.

Maar het is verdorie helemaal geen cyclus, hield ik mezelf toen voor. Het is nu gewoon afgelopen. Met Jack en mij zou het helemaal goed komen, en wat nog veel belangrijker was: met Jack zelf zou alles in orde komen. Daar zou ik voor zorgen.

'Zo had ik het niet precies bekeken, nee,' zei ik. 'Maar misschien heb je wel gelijk. Ik zou heel graag meer over dit soort dingen te weten komen om ze beter te snappen.'

Het was een ogenblik stil en even dacht ik dat Audrey met de hand over het hart zou strijken en met me ging praten. Haar strelende hand bleef in de lucht hangen terwijl ze nadacht over wat haar te doen stond. Maar toen ging ze nog aandachtiger verder met het gladstrijken van de vacht van de kat, en het beest sloot zijn ogen in volmaakte tevredenheid. 'Ik was een paar jaar lang de zakenpartner van je vader. Hij leende geld, dat hij in de zaak stopte, raakte die zaak kwijt en heeft me nooit terugbetaald. Hij deed allerlei beloften, waarvan hij er geen een nakwam. Wat verwachtte je nog meer te horen?'

'Was het vanwege jouw geld dat hij in de gevangenis belandde?'

'Heeft Angela je dat dan niet verteld?' Haar stem had een scherpe toon gekregen.

'Angela zei dat het haar niet kon schelen wat hij wel of niet gedaan had. Hij zat drie maanden in de bak, dat is alles, en voordat hij er weer uit kwam, maakte hij het uit met haar.'

Audrey haalde haar schouders op. 'Het had niets met mijn geld te maken.'

'Met wiens geld dan wel?'

'Waarom wil je dit allemaal zo graag weten? Ik kan je trouwens niet op weg helpen. Het is bijna veertig jaar geleden.'

Ik haalde diep adem. Ik begon zelf nu ook boos te worden. 'Wie kan me dan wel helpen?'

'Je zou het bij het Rijksarchief kunnen proberen, lijkt me. Als je echt meer te weten wilt komen.'

Ik schoot hier verder niet op. Audrey wilde me niets over Ted vertellen en het zou me niet lukken haar met vleierij of andere trucjes op andere gedachten te brengen. Maar ik kon niet nalaten nog één vraag

199

op haar af te vuren. 'Kende je mijn vader en moeder voordat mijn moeder stierf?'

'Nee,' zei Audrey. Haar brede mond vertrok in rimpels, en de verticale vouwen ernaast verdiepten zich toen ze die ene lettergreep had uitgestoten.

'Maar u zei...'

'Ik ben niet goed in data. En ik herinner me de laatste tijd een heleboel andere dingen ook niet meer zo goed. Weet je hoe oud ik ben?' De vraag werd gesteld met het soort nou-doe-eens-een-gok-je-zult-versteld-staan-bravoure van een kittig omaatje in de kroeg. Maar ondanks de menagerie waarmee ze zich omringd had, de vervallen staat van haar huis, en de indruk van excentrieke kluizenares die ze wekte, geloofde ik geen moment dat Audrey ook maar een tikje vergeetachtig was, laat staan seniel. Ze was te uitgekookt en op haar hoede en de woede die ik bij haar bespeurde was veel te recent.

'Nee,' zei ik.

'En dat ga ik je niet vertellen ook,' zei ze triomfantelijk ter afsluiting van ons gesprek. De kat sprong van haar schoot af en liep naar een van de vieze etensbakken die bij de achterdeur op een rijtje stonden.

Ik pakte mijn tas en stond op. 'Nou goed,' zei ik. 'In elk geval bedankt voor de ontvangst.'

'Nee, jíj bedankt voor de groente en het fruit. Uit Suffolk.'

Geen van tweeën zeiden we iets over de foto.

'Ik moet gaan. Ik heb nog wat dingen te doen in huis. Jack is in Frankrijk en komt overmorgen weer terug.'

'Ja, da's waar,' beaamde Audrey.

Ik was al door de groezelige gang op weg naar de zonneschijn in Turnmill Street, toen ineens tot me doordrong dat Audrey iets vreemds had gezegd. Ik liet mezelf uit en sloot de afbladderende groene deur achter me.

'Ja, da's waar,' had ze doodleuk gezegd, alsof ze volledig op de hoogte was van Jacks verblijfplaats en ik degene was die om bevestiging had gevraagd.

Ik liep de rij glanzende geparkeerde auto's af tot ik bij de mijne was, terwijl ik nadacht over wat dit te betekenen had. Onder het rijden dacht ik er nog steeds aan en tegen de tijd dat ik thuiskwam was een vaag vermoeden uitgehard tot een bijna rotsvaste overtuiging.

'Hoe gaat-ie, mam?' vroeg Lola toen ze me die avond opbelde. Ik klemde de hoorn vast onder mijn kin en haalde al pratend de afwas-machine leeg. We spraken elkaar meestal eens in de twee, drie dagen en ze wist al van mijn reisje naar Suffolk en mijn bezoek aan Angela. 'Kijken. Op het werk is het behoorlijk druk, we zijn met een grote opdracht voor Quintin Farrelly bezig geweest. Ik ben alles hier een beetje aan het schoonmaken voordat Jack thuiskomt. En ik ben bij Audrey langs geweest om haar een foto van Ted te brengen.' Mijn le-ven ging zijn gewone gangetje, min of meer dan.

'Ja?' zei Lola afwachtend. Ik hield van het geluid van haar stem en van het beeld dat ik erbij kreeg, van haarzelf in haar studentenkamer, met de fotocollage aan de muur, kleren en boeken die overal rond-slingerden, de vlam van een geurkaars die zich in het donkere glas van haar raam weerspiegelde.

'Dat is het wel zo'n beetje.' Als ik nog meer zei, zou ik haar alles moeten vertellen en hoewel ik niet voor haar wilde verbergen hoe in-tens ik de laatste tijd in gedachten met Ted bezig was geweest, was ik er nog niet aan toe om mijn hart bij iemand uit te storten, zelfs niet bij Lola. 'En wat heb jij te vertellen?'

'O, mam...' zei ze. Haar stem klonk lacherig en opgewonden. 'Sam en ik zijn gisteravond samen wezen stappen.'

Sam was de geografiestudent die zo graag wandeltochten in de heu-vels maakte. Lola was al weken bezig met besluiten of ze voor hem zou vallen of niet.

'O. En?'

'Nou...'

'Vertel...'

'Hij is super.'

We lachten allebei.

'Dat doet me deugd. Super is wel het minste wat je verdient. Ben je blij?'

'Ja, mam, hartstikke.'

We praatten nog even door over Sam en hoe geweldig die was en toen zei Lola dat ze moest ophangen want dat ze ergens met hem had afgesproken.

'Bel je zondagavond? Dan kun je ook met Jack praten.'

'Heeft hij het leuk gehad?'

Jack had me maar één keer gebeld, met de telefoonkaart die ik hem had meegegeven. Hij had niet veel losgelaten, niet over Cherbourg en niet over andere dingen. 'Ik heb werkelijk geen idee, Lo.' Wat Audrey had gezegd, hield ik voor me, en ik zei ook niets over het sterke vermoeden dat bij me was opgekomen.

'Maar gaat het wel goed met jou, mam? Ik wil dat jíj het ook naar je zin hebt, weet je.'

'Met mij is alles oké, hoor.'

'Ik hou van je, weet je.'

'Dat weet ik. En ik van jou,' zei ik ten afscheid. Het was zo eenvoudig om van Lola te houden. Ze was opgewekt, blaakte van zelfvertrouwen en was er volledig van overtuigd dat iedereen het beste met haar voor had. En net als Mel was ze op dat moment zo gelukkig dat ze iedereen om zich heen hetzelfde toewenste.

Ik ging door met soppen, schuurde de gootsteen en belde daarna Mel. Ze nam meteen op. Op de achtergrond hoorde ik tinkelende sfeermuziek. In haar in pasteltinten geschilderde appartement brandden nu ongetwijfeld ook kaarsen. Heb ik het even verkeerd bekeken, dacht ik. Of er niets beters bestaat dan het aanrecht poetsen...

'Is Jasper bij je?' vroeg ik. Ik wilde niet afgunstig klinken, maar waarschijnlijk was dat toch zo. Ik zou deze avond maar wat graag met iemand als Jasper willen doorbrengen.

'Nee,' zei Mel.

Ik hoorde het afstrijken van een lucifer en daarna geïnhaleer.

'Sadie? Ben je daar nog?'

'Ja, natuurlijk. Is er iets niet in orde?' Het kan toch niet nu al uit zijn, dacht ik.

'Ik ben een beetje bang,' zei Mel.

'Waarvoor?'

'Ik ben bang dat ik te veel aan hem hang. Dat ik zoveel van hem hou dat ik doodga als ik 's nachts wakker word en hij er niet meer is. Ik heb hem gezegd een poosje weg te blijven, zodat ik een beetje op adem kan komen.'

Ik kon me wel iets bij haar gevoelens voorstellen. Mel was gewend haar eigen gang te gaan en had de mannen met wie ze omging nooit de kans gegeven haar leven te bepalen. Ze was er heilig van overtuigd geweest dat geen van hen ooit aan haar vader zou kunnen tippen, laat staan een nog belangrijker rol in haar leven kon vervullen. Het moest inderdaad beangstigend zijn, eindelijk geconfronteerd te worden met de paradox dat liefde sterker is dan wat dan ook, maar je kwetsbaar maakt in je hunkering.

'Begrijp je wat ik bedoel?'

'Ja,' zei ik, denkend aan Stanley. Toen hij er niet meer was, voelde het inderdaad een tijdlang alsof ik liever dood zou gaan dan zonder hem verder te moeten.

'Ik geloof niet dat Jasper het begrijpt.'

'Nee, misschien niet. Maar Mel, ben je niet bezig jezelf in een positie te manoeuvreren waarin je alleen maar kunt verliezen? Je bent bang dat je hem kwijtraakt en dus doe je je best om dat maar zo snel mogelijk te laten gebeuren. Heb ik gelijk? Op die manier raak je hem inderdaad kwijt. Waarom zou je het niet gewoon een kans geven? Ik kan me niet voorstellen dat Jasper er op dezelfde manier tegenaan kijkt. Of wel?'

Ze begon te lachen. 'Nee, die is alleen maar optimistisch.'

En overtuigd van zijn zaak, dacht ik. Dat was onderdeel van zijn aantrekkingskracht. 'Luister, Mel, volgens mij moet je het volgende doen. Stort je erin, neem het risico gewoon. Laat je hart spreken en zie maar wat ervan komt. Wie weet maken jullie Antonius en Cleopatra nog jaloers.'

'Of hoe heten ze ook alweer, dinges en dinges uit *Sleepless in Seattle*.' Wonderlijk genoeg hield Mel erg van tranentrekkers. Als ze ziek was, lag ze het liefst in bed naar films als *Love Story* te kijken. Volgens mij kwam dat omdat ze in haar dagelijks bestaan van zichzelf nooit sentimenteel mocht zijn.

'Of je blijft zitten met een gebroken hart. Toch is het altijd beter om het tenminste geprobeerd te hebben, of niet soms?'

Het was zo simpel om anderen van advies te dienen, dacht ik. Ik had mooi preken. Zelf had ik alle passie eraan gegeven. Ik leidde een saai leventje waarin alleen plaats was voor getob over mijn kinderen en mijn werk, en voor vrienden die ik al jaren kende. En toch leek het alsof mijn beschermingslaag, die me als een huid omsloot, dunner was geworden, en geurige dampen erin doordrongen en mijn hoofd vulden. Misschien was alles wel aan het veranderen. Misschien wilde ik het echte leven niet meer alleen overlaten aan Mel, met haar rode lippenstift, springerige haar en dorst naar alles wat nieuw was. Wilde ik niet meer veilig vanaf de zijlijn toekijken.

Mel zuchtte. 'Ik weet het allemaal wel, Sade. Maar toch ben ik bang.'

'Als het niet zo was, zou dat alleen maar betekenen dat hij niet echt belangrijk voor je is.'

'Ja, dat is waar,' gaf ze toe, 'dat weet ik best. Hij is wel belangrijk voor me. Ik ga hem nu bellen.'

'Goed idee.'

'Bedankt, Sadie.'

'Graag gedaan,' zei ik.

De volgende dag was een zaterdag. Ik verschoof de meubels in Jacks slaapkamer om tot in alle hoeken te kunnen stofzuigen en schoof ze weer terug, ik zette de omgekrulde hoeken van zijn vogelposters vast met punaises en stofte zijn lees- en studieboeken af. 's Avonds ging ik met Caz en Graham naar de bioscoop en na afloop aten we in hun oude keuken een geïmproviseerd maaltje van dingen die ze nog in huis hadden. Alles wat ze niet direct nodig hadden, was al ingepakt, ook de kat van beschilderd aardewerk, en aan de wanden waren donkere rechthoeken waar prenten hadden gehangen die allang niemand meer waren opgevallen omdat ze zo vertrouwd waren. Over drie dagen was de verhuizing en zowel Caz als Graham was nogal prikkelbaar door alle spanningen die dit met zich meebracht. Alles was aan het veranderen.

Op zondagmiddag reed ik naar school om Jack te gaan halen. Met de andere ouders hing ik het onvermijdelijke halve uur vertraging zo'n beetje rond, tot de bussen eindelijk de hoek om kwamen. De taferelen van de vorige week speelden zich nu in omgekeerde volgorde af: kinderen kwamen roepend en schreeuwend de bus uit en verdrongen zich om de bagage die werd uitgeladen. Jack kwam als een van de laatsten tevoorschijn. Ik baande me een weg door de menigte en omhelsde hem. Hij liet het zich welgevallen, omarmde mij zelfs op zíjn beurt, maar slechts heel even. Toen wurmde hij zich gauw weer los.

'Heb je het leuk gehad?'

'Ging wel.'

De andere ouders verwijderden zich met hun druk pratende kroost. Ik droeg Jacks weekendtas naar de auto. Paul Rainbird zag ik nergens.

Thuis keek Jack vol afgrijzen rond in zijn keurig nette kamer. 'Je hebt alles overhoop gehaald.'

'Ik heb schoongemaakt. Ik heb niets weggegooid of zo. Ik heb alleen maar gestoft en gezogen.'

Hij draaide zich met een kwaad gezicht naar me om. 'Je moet van mijn spullen afblijven.'

'Jack.'

'Ik wil niet dat je aan mijn spullen komt. Dit is mijn kamer en jij blijft eraf.'

Ik deed de deur dicht, hoewel er uiteraard niemand in huis was die ons zou kunnen horen. 'Jack, we moeten hier even over praten.'

'Nee.' Hij had zijn verrekijker al uit zijn rugzak gehaald. Hij maakte het drukknoopje van het leren foedraal los en wreef met zijn duim over een van de geribbelde draairingen; zijn ogen waren al verlangend op het raam gericht. Hij wilde weer naar de duiven kijken, hij wilde geen confrontatie met mij. Ik ging op zijn bed zitten en liet een minuutje stilte wegtikken terwijl Jack met de verrekijker stond te frummelen; op het dak aan de overkant zaten vogels, een gevederde jury. Nu of nooit, dacht ik. Anders vervielen we meteen weer in onze normale routine van vragen en niet-antwoorden. Zo rustig mogelijk zei ik: 'Laten we het dan niet over schoonmaken hebben. We kunnen beter over jou en mij praten.' Hij hield zijn hoofd nog steeds afgewend en daarom wist ik niet of hij wel luisterde. 'Ik ben namelijk bang dat het helemaal verkeerd gaat tussen ons. Als we het over niets anders met elkaar kunnen hebben dan over schoonmaken en of het eten al klaar is, wordt het steeds moeilijker om het nog over andere dingen te hebben en dan zijn we op een gegeven moment voorgoed uitgepraat. Jij kunt wel zeggen dat ik je met rust moet laten en weg moet gaan, maar ik blijf je moeder, Jack, en ik hou van je, meer dan van wat dan ook.'

Hij ging zeer gedecideerd door met niet naar mij kijken.

'Ik mag toch wel tegen je praten, ook al geef je me geen antwoord? Er zijn een paar dingen die je moet weten, want dan begrijp je misschien waarom dit allemaal heel belangrijk is. Een van de dingen die je moet weten, is dat ikzelf heel ongelukkig was toen ik zo oud was als jij. Je oma ging dood, zoals je weet, en toen bleven opa en ik alleen in huis. Net als jij en ik nu.' Ik maakte een gebaar dat ons beiden in de kleine ruimte omvatte. 'Alleen was opa er nooit om met me te praten.'

'Hoezo niet?'

Ik schrok op van zijn antwoord. Hij luisterde dus wel.

'Nou, hij ging naar zijn werk. En dat moest natuurlijk ook. Maar hij had ook vriendinnen en hij ging graag met ze uit en bleef lang weg. Het kwam hem niet goed uit dat hij een kind had om voor te zorgen en hij wilde zich zijn pleziertjes niet ontzeggen. Ik was jaloers en om die reden was ik waarschijnlijk ook erg veeleisend.'

Dat was een vrij eerlijke omschrijving van de situatie, vond ik. Ik wilde Ted in de ogen van zijn kleinzoon niet al te zeer naar beneden halen.

'Er waren ook nog andere dingen die ik niet zo goed begreep, en die hadden met geld te maken. Hij leende geld van andere mensen en betaalde hun niet terug, en als die mensen dan aan de deur kwamen verstopte hij zich. Ik begin nu pas zo'n beetje te begrijpen dat hij dat misschien wel deed om mij te beschermen, al zal ik dat nooit zeker weten. Ik heb nooit doorgehad dat hij niet wilde dat ik zou worden – hoe moet ik het zeggen? – besmet? Maar het treurige is dat ik veel liever geweten zou hebben wat er precies met hem aan de hand was en graag de kans zou hebben gekregen hem beter te leren kennen. Maar wat er gebeurde, was dat we steeds verder uit elkaar groeiden naarmate ik ouder werd. Zelfs op het allerlaatst, toen hij in Bedford in het ziekenhuis lag, lukte het ons nog niet om echt contact met elkaar te krijgen.'

Jack zei niets.

'Ik wilde tegen hem zeggen dat ik van hem hield, maar ik kreeg het niet voor elkaar. En dus wil ik dat jij in elk geval weet dat ik van je hou en dat ik er altijd voor je zal zijn. Als je me de kans geeft, tenminste.'

Ik moest en zou de vicieuze cirkel op de een of andere manier doorbreken. Ik wou dat ik het allemaal op een fraaiere manier had kunnen zeggen, maar nóg meer woorden zouden Jack alleen maar afschrikken.

Jack zei nog steeds niets. Hij zou nooit zo'n zelfverzekerd type worden als Lola, die dit van nature was. Dat wist ik. Maar het lukte hem zelfs totaal niet om iets te zeggen en ik voelde zijn verwarring en ook zijn koppigheid. Ik wist dat ik wat Jack betrof de vijand was. Misschien was het beste wat ik doen kon dit feit accepteren en proberen er niet al te zwaar aan te tillen.

'Jij bent er altíjd, mam,' zei hij. Hij maakte met zijn handen een gebaar om aan te geven dat ik hem verstikte met mijn bezorgdheid en bezitterigheid. Misschien had Tony gelijk en spande ik me overdreven in. Deden ouders het dan altijd verkeerd, vroeg ik me af, al bedoelden ze het nog zo goed? Of was dat alleen met mij zo?

Ik glimlachte en stond op. 'Ja, Jack, en dat blijft ook zo.'

Duidelijk opgelucht pakte hij zijn verrekijker weer op. 'Ben ik volgend weekend bij papa?'

Het was het weekend waarop hij normaal zou gaan. 'Ja, natuurlijk, als je dat wilt.'

Hij knikte. 'Ja.'

'Oké.' Ik gaf hem een snelle kus op zijn stoffige kruin, voordat hij kans had om weg te duiken. 'Kom, we pakken je vuile was even uit, dan kan die in de machine. Vanavond maak ik macaroni met tonijn.' Een van zijn lievelingsgerechten.

'Oké,' zei hij zuchtend.

De vochtige kleren in zijn tas roken naar zeewater en toen ik ze uitrolde viel er een hoop zand op de grond. Na enig aandringen vertelde Jack dat ze een paar zeillessen in de haven hadden gehad, dat ze lange wandelingen hadden gemaakt waarbij ze moesten kaartlezen, en dat Wes en een paar anderen in de Hypermarché rode wijn hadden gekocht en dronken waren geworden. 'Dean Gower heeft liggen kotsen op de slaapzaal,' zei hij. 'Het zag helemaal rood.'

'Lekker!'

'Meneer Rainbird heeft het opgeruimd. Hij deed er niet moeilijk over.'

'Nee? Wat vond je het leukste van de hele reis?'

'De nestelende zeekoeten op de rotsen vlak bij de stad. Een hele grote kolonie.'

De volgende ochtend ging Jack naar school zonder een ogenblik moeilijk te doen. Hij zei dat hij laat terug zou zijn omdat hij vogelclub had.

Ik legde die dag de laatste hand aan Colins boek. Het zag er prachtig uit in de dikke rode cassette met zijn naam in sierletters op de voorkant en de rug gedrukt. Penny was bezig met een reeks rechtbankverslagen en Cassie zat naast haar werkbank op een krukje. Om haar heen lag een berg Duplo verspreid, die ze driftig met een houten hamertje bewerkte. 'Mijn werk,' zei ze ernstig. 'Ik heel druk, mefrou.'

Penny vertelde dat Cassies oppas ziek was en dat Evelyn naar haar cursus reflexologie moest. Ik zei dat ik het heerlijk vond om Cassie erbij te hebben, en dat was ook zo, maar het had wel tot gevolg dat ik steeds opkeek van mijn werk om me ervan te vergewissen dat ze niet met een mes zat te spelen of lijm in haar mond stak.

Rond het middaguur verscheen Colin. Hij kwam binnengestommeld met zijn regenjas tot aan zijn nek dichtgeknoopt, ook al was het warm buiten. 'Is mijn boek nu eindelijk klaar?' vroeg hij. Ik had zijn moeder nog geen uur geleden gebeld met de mededeling dat hij het kon komen halen.

'Alsjeblieft,' zei ik, en gaf hem het zware boekwerk in handen. Penny en Cassie keken beiden toe terwijl hij het boek uit de cassette haalde. Hij tuitte zijn lippen terwijl hij naar zijn naam keek en de dikke crèmekleurige bladzijden opsloeg. De knipsels uit tijdschriften zaten allemaal in op maat gesneden eigen plastic hoesjes, verdeeld over de categorieën voor-, hoofd-, tussen- en nagerechten en voorzien van een met zwarte inkt gekalligrafeerd kopje. Hij bekeek alle bladzijden, zwaar door zijn mond ademend terwijl hij de vettige knipsels in en uit de hoesjes schoof en tussen toegeknepen oogleden door naar de opschriften tuurde.

'Nou, wat vind je ervan?' vroeg ik.

Eindelijk knikte hij. 'Het ziet er heel mooi uit,' zei hij, en even zag zijn gezicht er heel anders uit. Zijn mollige trekken en rimpelloze huid verleenden hem de ontwapenende aanblik van een schooljongen als hij glimlachte.

'Ik hoopte al dat je tevreden zou zijn,' zei ik.

'Ja, ja. Ik ben zelfs heel tevreden. Mijn moeder zal het prachtig vinden.'

'Wie isse man?' vroeg Cassie keihard.

'Dit is Colin,' zei ik tegen haar. 'Hij is een klant van ons.'

'Colin,' zei ze me na.

Tot mijn verrassing – Colin toonde behalve in zichzelf en wat hem bezighield vrijwel nooit enige interesse in anderen of wat dan ook – nam Colin meteen zijn boek onder zijn arm en liep naar het einde van de werkbank waar Cassie zat. Meteen stelden Penny en ik ons vlak bij haar op.

'Hoe heet jij?' vroeg hij haar.

Ze vertelde het hem luid en duidelijk. Evelyn was geen doorsneemoeder en door haar opvoedkundige praktijken was Cassie wel gewend aan volwassenen die haar vragen stelden.

'Wil je mijn boek zien?'

'Asjeblief. Is rood,' zei Cassie. Ze reikte naar voren om het aan te raken zodra hij het op de werkbank had gelegd, maar hij trok het weg zodat ze er niet bij kon.

'Geen vieze vingers, alsjeblieft.'

Ze liet haar kin op haar knuistjes rusten en bekeek de bladzijden die hij voor haar omsloeg met gehoorzame interesse. Penny en ik keken elkaar achter zijn rug schouderophalend aan.

'Letters,' zei Cassie, met haar mollige vingertje naar het gekalligrafeerde handschrift wijzend.

'Ja, letters,' zei Colin instemmend. 'Nu kan ik tenminste eindelijk

208

weer verder met koken. Het was ontzettend lastig dat het zo lang moest duren, weet je. Maar ja, het was toch wel de moeite waard.'

'Ik heb ook boek,' zei Cassie, en wilde hem een van haar prentenboeken geven.

'Dat is niet hetzelfde,' zei Colin, maar wel vriendelijk. 'Maar nu moet ik gauw naar huis, want mijn moeder is hier ook heel benieuwd naar.' Hij deed het boek terug in de cassette en stopte die in een plastic tas van de supermarkt die hij in de binnenzak van zijn regenjas had zitten. 'Dan ga ik maar.'

Ik reikte hem een dichtgeplakte envelop aan. 'Onze factuur,' zei ik discreet.

Hij keek verbaasd en rechtte zijn rug. 'Wat is dit?'

'Onze rekening. Voor het binden van je recepten.' Ik had enig denkwerk besteed aan deze hachelijke kwestie. Uiteindelijk had ik besloten tot de willekeurige somma van 110 pond. Het was belachelijk weinig, gezien de hoeveelheid tijd die we aan de klus hadden besteed, maar het bedrag leek me niet beledigend laag en kwam misschien enigszins in de buurt van wat hij ons zou willen betalen.

Zijn frons verdiepte zich terwijl hij de envelop openscheurde en het enkele vel papier eruit haalde. 'Wat is dit?' herhaalde hij.

Ik legde het nogmaals uit. Cassie zat met grote interesse naar ons te kijken, maar Penny had het blijkbaar opeens heel druk met haar rechtbankverslagen.

'Honderd en tien pónd?'

'Inderdaad.'

'Zoveel kost een boek helemaal niet. Dat weet ik heel zeker. Denk je soms dat ik van gisteren ben? Een gebonden boek kost iets van vijftien, zestien pond. En met plaatjes misschien vijfentwintig. Dat weet ik, want ik heb bij boekhandel Smith's gekeken, moet je weten.'

'Ja, maar dat zijn...'

'Je probeert misbruik van me te maken, hè? Maar ik ben niet gek, weet je. O nee.'

'O néé,' zei Cassie hem na, net als Colin heftig haar hoofd schuddend.

Hij haalde zijn portefeuille tevoorschijn en haalde er twee briefjes van tien en vijf pond in muntgeld uit. 'Daar. Dat is voor jou.'

'Dank je wel,' moedigde Cassie me aan.

Ik moest me verbijten om niet in lachen uit te barsten. 'Oké, dan, Colin,' wist ik uit te brengen, 'dank je wel.' Ik nam het geld mee naar de kassa en deed het erin terwijl hij de factuur in vieren scheurde en op de toonbank liet vallen.

'Ik laat me geen oor aannaaien. Ik behoor niet tot degenen die geen Engels verstaan, of wel soms?'

Hij nam zijn boek op en stevende op de deur af. 'Dag, Cassie,' zei hij, zonder Penny en mij nog een blik waardig te keuren. 'Tot ziens, hè?'

'Dagdag,' riep Cassie stralend, en wuifde hem na.

Penny en ik wisten ons gezicht in de plooi te houden tot de deur achter hem was dichtgevallen. Cassie keek verbaasd van de een naar de ander en begon toen opgetogen met ons mee te lachen.

'Wees maar blij met die vijfentwintig pond,' zei Penny gnuivend. 'Andy en Leo hebben om een vijfje met me gewed dat je geen penny van hem los zou krijgen.'

'Hij is grappig,' zei Cassie.

'Dat is hij zeker,' zei ik instemmend.

Quintin Farrelly kwam om drie uur de zes zeldzame boeken ophalen die ik gerestaureerd had en in kalfsleer had gebonden. Hij betaalde me het hele bedrag onmiddellijk contant, zoals altijd, en zoals altijd wenste ik dat we meer klanten hadden zoals hij.

Toen hij weg was, stak Evelyn haar hoofd om de hoek van de deur. 'Ik ben er weer,' zei ze. Ze droeg een zigeunerrok die uit verschillende lagen bestond en daaronder cowboylaarzen met puntneuzen.

'Mammie,' gilde Cassie, en gleed van haar kruk af om naar haar toe te rennen.

Met Cassie in haar armen vroeg Evelyn flemend: 'Pen, kom je even theedrinken? Je kunt toch wel heel even ophouden met werken? Ik moet je echt vertellen hoe het op cursus ging.'

Penny aarzelde en ik zei: 'Zullen we de boel maar wat vroeger dichtgooien? Met Colin zijn we gelukkig klaar en Quintin heeft net betaald.'

En er was iets wat ik zelf wilde doen.

Ik liep naar huis langs het kakikleurige water van het kanaal, maar natuurlijk was ons huis leeg toen ik aankwam. Jack had gezegd dat hij later thuis zou zijn vanwege de vogelclub. Ik ging meteen de deur weer uit en reed naar Turnmill Street. Ik moest helemaal aan het eind van de straat parkeren, want er was verder geen plekje meer vrij. Ik zat nog in de auto toen ik Jack zag aankomen. Hij liep regelrecht naar Audreys huis, zonder mijn auto te zien, en liep het hek binnen. Ik kon

210

haar voordeur vanuit mijn positie net niet zien, maar hij hoefde niet lang te wachten op het stoepje.

Al vanaf het moment dat Audrey 'Ja, da's waar' had gezegd, vermoedde ik dat de vogelclub een smoesje was en dat Jack na schooltijd bij haar langsging.

Ik deed de auto op slot en liep vijf stappen in de richting van haar huis, maar bleef toen staan. Ik probeerde een aantal onbehaaglijke gevoelens met elkaar in overeenstemming te brengen. Ik wilde niet dat Jack geheimen voor mij had, net zomin als ik hem wilde onthouden wat ik zelf wist. Ik was jaloers op Audrey omdat mijn zoon na school blijkbaar bij haar wilde zijn, en ik was ongelukkig maar niet volslagen verrast over de ontdekking dat hij vond dat hij moest liegen over waar hij heen ging.

Ik deed nog een aantal passen, maar bleef toen opnieuw staan. Het beviel me allemaal niets, hoe ik het ook bekeek.

Een vrouw die een tweelingbuggy voortduwde keek me doordringend aan toen ze langsliep. Ik liep verder de straat in en was al bijna bij het afbladderende hek voor Audreys huis. Ik was van plan geweest om aan te kloppen en te vragen of Jack er was. Ik zou vriendelijk maar recht op de vrouw af zeggen dat ik wilde weten bij wie mijn zoon na school langsging en vragen waarom ze hier geen van tweeën ook maar iets over gezegd hadden. Maar nu kon ik die vraag niet meer stellen, omdat ik het antwoord al kende. Het zou lijken alsof ik mijn zoon bespioneerde, ook al was het door een toeval zo gekomen.

Ik hou niet van geheimen, wilde ik zeggen, maar tegen de achterkant van mijn nek voelde ik de kille huivering van een herinnering en ik rilde. Ik haatte geheimen; Ted had zich met dikke lagen geheimzinnigheid voor mij afgeschermd en bij de gedachte aan het bedompte, naar schuldgevoel riekende huis van Audrey prikten er plotseling tranen achter mijn oogleden. Als ik nu de confrontatie aan zou gaan met Audrey, bij wie boosheid op de loer lag en die een air had alsof ze meer wist over mijn leven dan ikzelf, dreigde ik meer van mezelf aan haar te onthullen dan me lief was.

Ik draaide me nogmaals om en liep weer naar mijn auto. Ik vond het laf van mezelf dat ik de benen nam en ik voelde me ook eenzaam, maar toch liep ik door. Ik zou naar huis gaan en wachten tot Jack thuiskwam om te eten.

Tijdens het wachten schilde ik aardappels en stopte een was in de droger. Aan de keukentafel stelde ik een lijstje met boodschappen op en daarna zette ik het nieuws van zes uur aan, maar luisterde er nauwelijks naar. Eindelijk hoorde ik Jacks sleutel in het slot. Zijn tas belandde met een plof op de vloer van de gang en zijn gymschoenen kwamen sloffend de trap naar de keuken af. Hij liep meteen naar de koelkast en haalde er een pak sinaasappelsap uit terwijl ik afwachtend aan tafel bleef zitten.

'Hai, mam,' zei hij uiteindelijk, toen tot hem was doorgedrongen dat ik niet gevraagd had hoe het die dag gegaan was en of hij honger had. Toen pas keek hij naar me. 'Wat is er?' vroeg hij.

Terwijl ik het hem vertelde, liet hij het hoofd hangen en wreef met de punt van zijn gymschoen tegen de deur van de koelkast. 'Waarom bespioneer je me?' vroeg hij.

'Het spijt me dat het lijkt alsof ik dat doe,' zei ik. 'Het was helemaal niet mijn bedoeling, maar als jij niet naar Audrey was gegaan zonder dat ik het wist, dan was er ook geen sprake van geweest, of wel soms?'

'Nee.'

'Waarom heb je het niet verteld?'

Hij keek me woedend aan. 'Omdat ik niet wou dat je het wist, nou goed? Ik vind het leuk bij Audrey. Ik mag de beesten te eten geven en met de katten spelen. We praten niet veel met elkaar, als je dat soms wou weten. Audrey is heel stil. Zij laat me gewoon met rust.'

Anders dan zijn moeder.

'En trouwens, ik ga gewoon bij een oude vriendin van opa op bezoek. Is dat nou zo erg? 't Is niet zo dat ik iets vreselijks doe, want weet je, dat zou ook nog kunnen.'

'Dat weet ik wel. Ik zou alleen willen dat je mij niet wijsmaakt dat je ergens bent terwijl je intussen heel ergens anders bent.'

Nu richtte hij zijn hoofd op. 'O, ja, nou, maar ik weet heus wel dat je niet wilt dat ik naar haar toe ga. Ik zou niet weten waarom niet en het maakt me ook niet echt uit. En je hoefde er toch ook niet achter te komen?'

Hij had gedeeltelijk wel gelijk. Jack was intelligent en even was ik heel trots op zijn inzicht in de situatie. Mijn probleem was Audrey.

Ik maakte het eten klaar en we aten tegenover elkaar gezeten. Jack zat in een vogelboek te lezen en ik probeerde mijn aandacht te beperken tot het nieuws in de krant. Dat stond bol van een ophanden zijnde staking van het metro- en buspersoneel. Toen Jack de tafel had afgeruimd en de vaat in de afwasmachine had gezet, zei hij dat hij naar bed ging. Hij gaf me een onhandige kus, maar toen ik hem probeerde vast te grijpen om hem te omhelzen, maakte hij dat hij wegkwam.

Ik wachtte tot ik zeker wist dat hij op zijn kamer was en belde toen Audrey op.

De abrupte manier waarop ze met 'Ja?' opnam, begon al vertrouwd te worden.

'Ik wil het met je over Jack hebben.'

'O ja?'

Ik had mijn best gedaan om mijn stem neutraal te laten klinken, maar de hare droop van vijandigheid.

'Ik weet dat hij vandaag bij je was. Volgens mij is hij de laatste tijd heel vaak bij je langs geweest. En ik wil graag uitvinden, met jouw hulp als het meezit, waarom hij vindt dat hij hierover tegen mij moet liegen. Hij heeft me wijsgemaakt dat hij naar een ornithologieclubje op school ging.'

'Is het dan zo moeilijk om dat uit te vinden?'

'Waarom mijn zoon tegen me liegt?'

'Waarom hij liever heeft dat jij denkt dat hij ergens anders is in plaats van bij mij.'

Ik haalde even adem om mijn stem in bedwang te krijgen. 'Misschien kun je mij vertellen waarom je goedvindt dat Jack zijn middagen bij je doorbrengt en daar smoesjes over ophangt? Ik zou er waarschijnlijk helemaal niet moeilijk over hebben gedaan, maar blijkbaar gaan jullie er allebei van uit dat het wel zo zou zijn. Al van het begin af aan hebben jullie me erbuiten gehouden. Ik vind het niet correct dat je op een stiekeme manier contact met hem hebt. Ik vind niet...'

'Wat heb jij toch met correct?'

'Ik ben zijn moeder. En ik ben er verantwoordelijk voor dat hij niet leert om leugens te verkopen. Ik probeer hem op een goede manier op te voeden.'

Audrey gniffelde. 'Jij houdt ervan om de baas te spelen, Sadie. Jij wilt dat je zoon is waar jij vindt dat hij moet zijn en dat hij doet wat jij vindt dat hij moet doen. Van jou moet alles volgens de regels van een gelukkig gezinnetje zoals jij je dat voorstelt. Als je dat zou inzien, zou je misschien iets beter begrijpen waarom Jack niet thuis wil zijn en je niet vertelt waar hij is. Hij wil niet door jou of door wie ook gekoeioneerd worden. Toevallig wist ik helemaal niet dat hij tegen je gelogen heeft. Hij heeft het er uit zichzelf niet over gehad en ik heb hem

213

niks gevraagd. Maar ik zal niet zeggen dat ik ervan sta te kijken. Hoe kwam je er eigenlijk achter waar hij uithing?'

'Ik zag hem aankomen. Ik was mijn auto aan het eind van de straat aan het parkeren, want ik wilde bij jou aangaan.'

'Goed, nu weet je het dus. En voel je je nu beter?'

Ik kon niet begrijpen waarom Audrey zo vijandig deed. Ik was geen vijand. Waarom deed ze zo haar best om er een van mij te maken?

'Nee,' zei ik. Ik had me verbeeld dat Jack en ik alleen maar overhoop lagen omdat hij een puber en ik een volwassene was, zoals Lola, Caz en Graham ook dachten. Ik had gedacht dat we er samen wel uit zouden komen als ik maar erg mijn best deed. Maar nu was het alsof zich een afgrond voor mijn voeten had geopend en ik turend in deze winderige, donkere spleet moest vrezen dat ik hem voor altijd kwijt was.

Ik wist mezelf zover te krijgen dat ik het volgende tegen haar zei: 'Het spijt me dat ik dacht dat je van zijn leugens afwist.' Tegelijk dacht ik dat Audrey waarschijnlijk donders goed had doorgehad hoe de vork in de steel zat. Maar ik kon haar niet zomaar beschuldigen.

Mijn verontschuldiging interesseerde haar overigens hoegenaamd niet. 'Wat ben je nu van plan? Wou je hem verbieden om nog bij me langs te komen?'

'Ik denk niet dat me dat gaat lukken, wel? Ik zou je alleen kunnen vragen of je wilt proberen een positieve invloed op hem uit te oefenen.'

Audrey lachte honend. 'Jack is oud en meer dan intelligent genoeg om zelf uit te maken wat een goede invloed is of niet, dacht je ook niet?'

Het stak me dat ze zo agressief uit de hoek kwam. 'Waarom werk je niet een beetje mee, verdorie. Ik begrijp niet wat er met je aan de hand is dat je zo onaangenaam tegen me doet, maar als je contact met mijn familie wilt houden, vanwege Ted, vanwege Jack of om wat voor reden dan ook, dan zou je toch op z'n minst een beetje je best kunnen doen om begrip te tonen voor hoe ík ertegenaan kijk. Ik maak me zorgen om Jack.'

'Je lijkt wel een schoolfrik, Sadie, wist je dat?'

'Misschien is dat wel zo,' beaamde ik, naar adem happend.

'Goedenavond,' zei Audrey kalmpjes, en hing op.

Ik liep rondjes door de keuken om mezelf weer een beetje in bedwang te krijgen. Heel langzaam zakte mijn woede terwijl ik thee zette en die vervolgens zittend aan tafel opdronk. Mijn eerste impuls was om Mel of Caz op te bellen en hun op te roepen te weerleggen wat Audrey had gezegd. Maar ik wist dat ik hier zelf uit moest zien te komen. Ik bleef een hele tijd zitten en probeerde de draden van de waarheid in de kluwen van afkeer te ontdekken.

Mijn grote behoefte om de boel onder controle te houden, kwam voort uit het feit dat ik zonder houvast was opgegroeid. Lola had op de gebruikelijke manier tegen me gerebelleerd, en Jack verkoos om op een andere, maar even karakteristieke wijze opstandig te zijn.

Ik had inderdaad wel iets van een schoolfrik, met mijn ideeën over plichten en de waarheid. Daar had Audrey gelijk in.

Maar ik hield ook van mijn kinderen. En daar zou ik me aan vasthouden.

11

Op vrijdagavond bracht ik Jack met de auto naar zijn vaders huis in Twickenham. Toen Tony de deur opendeed, spreidde hij zijn armen meteen voor Jack en onder het afdak van het portaal omhelsden ze elkaar langdurig.

'Ga maar naar binnen, jongen,' zei Tony toen ze zich eindelijk van elkaar hadden losgemaakt. Hij gaf me een vederlichte kus op mijn wang toen ik er ook bij kwam staan.

'Dag, mam,' riep Jack, en verdween het huis in.

'Kom je even binnen om wat te drinken?' vroeg Tony. 'Suzy brengt net de meiden naar bed.'

Achter hem zag ik speelgoed, schoenen en een omgevallen driewieler die de doorgang versperden, getuigen van het chaotische bestaan van een gezin met kleine kinderen. 'Nee, dank je,' zei ik glimlachend. 'Ik moet weg.'

'Oké.' Mijn ex keek opgelucht en tegelijk beschaamd vanwege die opluchting. Suzy en ik hadden vrijwel niets met elkaar gemeen, behalve Tony dan, en als we bij elkaar waren, ontstond er altijd een nogal gespannen sfeer.

'Gaat het goed met iedereen?' vroeg ik.

'Ja, best. Dus ik breng hem zondagavond weer thuis?'

'Ja, bedankt,' knikte ik. Zo spraken we het meestal af. 'Veel plezier.'

Zelfs na al die jaren voelde het nog vreemd om bij Tony weg te lopen. De klank van zijn stem en zijn silhouet tegen de verlichte gang waren me zo ontzettend vertrouwd. Ik wist precies hoe het zou zijn als Suzy en de tweeling er op de een of andere manier ineens niet zouden zijn en ik binnen met hem en Jack aan tafel zou gaan. Ik wist waarover we zouden praten en wat Tony zou antwoorden op dingen die ik zei. Ik wist hoe hij na het eten op de bank zou neerstrijken en nog wat papieren voor zijn werk zou doornemen.

Terwijl ik door de Londense schemering terugreed naar huis wist ik ook dat dit de reden was dat ík niet in het huis in Twickenham woonde. Ik hield nog steeds van Tony en ik kende zijn gezicht, de vorm van zijn handen en de zwaarte van zijn lichaam, zoals ik die van mij kende. We ontmoetten elkaar toen ik nog studeerde. Ik was op een feestje en ging in de keuken op zoek naar een drankje. En daar was Tony. Hij stond bij de gootsteen glazen te spoelen met een brandende sigaret tussen zijn lippen, en hij praatte vanuit zijn ene mondhoek geanimeerd met een meisje dat puntig uitlopende strepen op haar onderste oogleden had geschilderd.

'Hier, een glas,' zei hij tegen mij, zijn ogen half dichtknijpend tegen de rook, 'en daar staat de vino pericoloso. Schenk je er voor mij ook een in?'

Het was geen liefde op het eerste gezicht. We bewogen ons in dezelfde kringen en liepen elkaar steeds weer tegen het lijf. Toen hij me eindelijk een keer mee uit had gevraagd, verscheen hij stipt op het afgesproken tijdstip in zijn Triumph Herald om me op te halen. Hij werkte toen al in de reclamebusiness. Hij bracht me ook weer thuis. Hij kwam nooit te laat, hij zei nooit een afspraak af en liet me nooit in het ongewisse. Vreemd genoeg werd hij al heel gauw verliefd op me. Ik was lang niet zo happig als hij, maar gaf me uiteindelijk over. Ik had een vader die het toonbeeld van wispelturigheid was, terwijl Tony me verrukkelijke zekerheid bood en de geruststelling van onvoorwaardelijke liefde. Ik klampte me aan hem vast.

Pas veel later ontdekte ik dat ik helemaal niet op veiligheid uit was. Stanley was iemand die overliep van grootse gebaren en onvoorspelbaarheid. Op Valentijnsdag sneed hij onze verstrengelde initialen in alle vloerplanken en panelen van onze huiskamer, maar een maand later slaagde hij erin mijn verjaardag compleet te vergeten. Hij kon ongelofelijk gul zijn, zoals de keer dat hij me vol verlangen met mijn hand over een voor mij onbetaalbare trui van kasjmier zag strijken en de volgende avond kwam aanzetten met zes van die truien, allemaal in een andere kleur. Maar hij kon ook verschrikkelijk gierig zijn. Zo liet hij me een keer precies de helft betalen van de benzine die we nodig hadden om naar zijn moeder in Sunderland te rijden.

Ted was idolaat van hem. Hoe kon het ook anders: ze leken erg op elkaar.

'Dat vriendje van je is een beetje een louche gozer, maar je kunt wel enorm veel lol met hem hebben.'

Ted was ontzettend teleurgesteld toen Stanley ervandoor ging, maar toch ontkwam hij er niet aan iets van mannelijke sympathie te laten blijken. 'Zonde en jammer. Maar ja, jij bent ook een stukkie ouder dan hij en je hebt twee kinderen. Dat is waarschijnlijk toch niet wat een knaap als Stanley uiteindelijk wil.'

Tony en Stanley waren de twee mannelijke tegenpolen die mijn wankele kompasnaald deden uitslaan toen ik bij Ted weg was. Toen Stanley me verlaten had, probeerde ik Jack en Lola zo goed mogelijk te compenseren voor het uiteenvallen van ons gezin, en veel ruimte of tijd voor een nieuwe geliefde was er daardoor niet overgeschoten. In plaats daarvan had ik een boel contacten met gewone vrienden en kennissen.

Diep vanbinnen voelde ik me echter nog steeds zevenentwintig, al was mijn buitenkant ermee in tegenspraak. Het was nog niet te laat. Toen ik bij mijn huis aankwam, wilde ik nog niet meteen naar binnen. Ik liep door onze straat, langs de bordessen en souterrains, naar de supermarkt vlak bij het station van de ondergrondse. Omdat Jack toch niet thuis zou zijn, had ik nog niet de moeite genomen om boodschappen voor het weekend te doen en er was geen eten in huis. Ik kocht kip, kaas en salade en liep daarna nog een eindje verder door de grote straat. Er hing een luidruchtige en feestelijke vrijdagavondsfeer; voor de bars stonden mannen uit de City in hemdsmouwen met bier in hun hand en overal op het trottoir liepen meiden met blote benen te flaneren. Voorbijkruipende bussen spuwden dampen uit en het stonk naar diesel en gebakken uien. Met een paar uurtjes, als de kroegen sloten, zou de sfeer waarschijnlijk minder feestelijk zijn. Ik keerde de drukke straat de rug toe en liep door rustige zijstraten naar huis terug.

Toen ik binnen was, had ik zelfs geen zin om het simpele maaltje klaar te maken dat ik in gedachten had gehad. Ik schoof mijn aankopen lukraak de koelkast in en verlegde mijn aandacht naar de telefoon. Caz en Graham waren in hun nieuwe huis en ik was van plan de volgende ochtend te gaan helpen met uitpakken. Mel en Jasper waren voor een lang weekend naar Parijs en Lola was bij Sam. Het leek wel of de aarde met alleen stellen bevolkt was, zoals de ark van Noach.

Zonder mezelf de kans te geven er nog even over na te denken, haalde ik het papiertje met Paul Rainbirds telefoonnummer uit mijn portemonnee.

'Hallo. Met Sadie Thompson,' zei ik toen hij opnam.

'Ja, ik herken je stem.'

Ik liet mijn voorhoofd tegen mijn vrije hand rusten en vroeg me af wat ik in godsnaam had aangehaald. 'Hoe gaat het ermee?'

'Heel goed. Dank je. Ik zit wat proefwerken te corrigeren.' We luisterden naar de afstand tussen ons beiden en probeerden te bedenken wat we nog meer konden zeggen. Het was al lang geleden dat ik
iets als dit had gedaan en het was een opluchting toen hij het initiatief overnam. 'Heb je soms zin om met mij naar de film of uit eten te
gaan?'
'Ja, graag. Misschien kunnen we allebei doen? Eerst naar de bioscoop en dan eten?'
Ja, zo doe je dat.
'Ben je morgenavond vrij?'
'Ja,' zei ik, 'ja, toevallig heb ik morgen niets.'
'Mooi, dan kom ik je ophalen. Om een uur of zes, is dat goed?' Hij
sprak snel, alsof ik anders misschien van gedachten zou veranderen.
Ik gaf hem mijn adres.

'Dus hij is de mentor van Jacks klas?' vroeg Caz. We waren haar melkkannetjes en vleesschotels uit het verpakkingspapier aan het halen om
ze op te bergen.
'Uhuh.' Ik haalde de aardewerken kat tevoorschijn en zette hem op
de schoorsteenmantel. Hij zag er stoffig en niet op zijn plek uit in deze
nieuwe omgeving en ik streek troostend met mijn vinger over zijn ge-
verfde rug.
'Beschrijf hem eens.'
'Hij ziet er een beetje slonzig uit, hij heeft een olijk gezicht en hij is
aardig. Echt het type van een Engelse schoolmeester, eigenlijk. Een
van de jongens op het schoolreisje had stiekem gedronken en kotste
de hele boel onder. Volgens Jack ruimde hij alles op zonder er moeilijk over te doen.'
Caz kwam uit haar gebogen houding boven de verhuiskist overeind
en blies omhoog zodat haar pony opwaaide. 'Mooi zo. Zorg dat je
hem krijgt.'
'Caz, we gaan samen naar de film. Hij heeft me niet ten huwelijk
gevraagd.'
'Zou je willen dat hij dat deed?'
Ik begon te lachen, maar verslikte me bijna. 'Nee, zeg, alsjeblieft. Ik
ben een zelfstandige vrouw en dat wil ik wel zo houden.'
Caz trok een wenkbrauw op. 'Dat lijkt Mels mantra wel: "Mannen,
wat moet je ermee? Na gebruik dumpen."'
'Maar moet je haar nu zien.'

Caz knikte. 'Ja, maar die Jasper is ook niet te versmaden. En die meneer Rainbird van jou lijkt me ook niet gek. Sommige mensen hebben ook wel mazzel. Neem nou jou en Mel. Dat gaat maar uit eten en te gek gave dingen doen, met de belofte van een interessante vrijpartij op de koop toe. Ik ben echt jaloers.'

We keken allebei door de patiodeuren naar buiten, waar Graham een tikje chagrijnig bezig was met het opbergen van tuingereedschap in een gammel schuurtje. Alleen al de gedachte aan seks met Jacks mentor joeg me het schaamrood naar de kaken. Toen ontmoetten mijn ogen die van Caz en begonnen we allebei te lachen; we waren beiden bekend met de voortdurende en ingewikkelde compromissen die het huwelijk met zich meebracht en hoefden die echt niet af te zetten tegen de dagelijkse kleine teleurstellingen van het vrijgezellenbestaan.

'Ik ben anders niet van plan om met hem het bed in te duiken. Maar hoor eens, zou je echt willen ruilen?'

'Nee, zeg, ik moet er niet aan denken, alleen al dat gedoe met fancy beha's en bijpassende slipjes.'

Paul Rainbird belde om vierenhalve minuut over zes aan. Ik nodigde hem binnen en hij volgde me de trap af naar de keuken.

'Je... je ziet er mooi uit,' zei hij.

Ik voelde me gevleid, want het was duidelijk dat hij het meende. 'Dank je. Maar jij ook.'

Hij droeg een zwartlinnen jasje over een effen t-shirt en het kortgeschoren haar boven zijn oren en achter in zijn nek deed vermoeden dat hij pas bij de kapper was geweest. Hij klopte tegen zijn mouw. Mijn andere jasje is van corduroy en heeft leren elleboogstukken.'

'O ja. Ik stel me je eerder voor in je Marilyn Monroe-t-shirt.

'Zoiets draag ik alleen als ik moet spelen.' Maar het deed hem zichtbaar genoegen dat ik me zijn shirt nog herinnerde. Ik gaf hem een glas wijn aan.

'Waar is Jack?' vroeg hij.

'Die is dit weekend bij zijn vader.'

'Ah.' Ik kon niet uitmaken of dit een opluchting voor hem was. 'Wat vindt hij ervan dat ik met jou uitga? Of weet hij het niet?'

Ik vond het prettig dat hij er meteen over begon. Ik had me ook afgevraagd hoe Jack zou reageren en wist bijna zeker dat hij het een afgrijselijk idee zou vinden. 'Nee, nog niet. Maar ik zal hem er morgen alles over vertellen.'

220

Paul knikte. 'Dan hoop ik maar op een goed rapport.'

We reden in zijn auto naar het dichtstbijzijnde bioscoopcomplex. Hij had een groene Morris Minor Estate, compleet met houten zijkanten. Ik begon er bewonderend over en hij grijnsde. 'Hij is van mijn vader geweest. Hij wilde hem verkopen, maar dat mocht niet van mij. Uiteindelijk heb ik hem mijn Honda in ruil gegeven, alleen maar om te zorgen dat deze auto in de familie blijft. Ik heb niet zoveel met auto's, maar deze vind ik mooi.'

'Ik ook. Leeft je vader nog? Wat deed hij?'

'Ja, hij leeft nog. Hij was ook leraar. Leraar scheikunde. En mijn moeder gaf economie. Zij is vorig jaar gestorven. Ik mis haar erg, maar hij mist haar nog veel meer. Ze waren vijftig jaar met elkaar getrouwd en ze waren altijd de beste maatjes. Ik herinner me dat Jacks grootvader het afgelopen trimester overleden is. Was dat jouw vader?'

'Ja.'

Hij wachtte of ik nog meer ging zeggen, maar toen dat niet zo was drong hij niet aan. We namen een drukke rotonde en slaagden er daarna niet in om een bus in te halen die op een irritante manier net buiten de busbaan reed.

'Erg veel pit zit er niet in het ouwe beestje,' zei Paul liefdevol.

Ik vond het heerlijk om niet te hoeven rijden en dus ook geen parkeerplaats te hoeven zoeken toen we bij de bioscoop kwamen. Ik zat heel genoeglijk en keek naar de mensen die nog laat gewinkeld hadden en met tassen vol het parkeerterrein op kwamen.

We konden kiezen uit drie films. We bepaalden onze keuze unaniem op een verfilming van een boek dat de Booker Prize had gekregen, en versmaadden aldus het oorlogsepos met Mel Gibson en een avonturenfilm voor het hele gezin. Paul kocht de kaartjes en het was naar mijn idee geen goede gelegenheid om aan te bieden voor mezelf te betalen. We waren ook eensgezind in het achterwege laten van popcorn en installeerden ons. Ik ging vaak met Lola en Jack naar de bioscoop, en soms met Mel, maar het was heel anders om hier te zitten terwijl mijn arm bijna die van Paul Rainbird raakte.

Ik vond het een aardige film, maar als ze me er achteraf vragen over hadden gesteld, zou ik maar mondjesmaat antwoord hebben kunnen geven. Ik moest lachen toen we na afloop samen naar buiten liepen tussen al die andere stellen, knipperend tegen het felle licht, en ons moeizaam een weg baanden door de menigte die voor de volgende voorstelling stond te wachten.

Paul raakte mijn elleboog even lichtjes aan. 'Het leek mij een goed idee om bij Casa Flore te gaan eten.'

Een uitstekende keuze. Zelfs Mel vond het een goed restaurant. Het was er vol, maar hij had een tafeltje gereserveerd. We zaten tegenover elkaar in een hoek, tussen een technicolor-zonsondergang bij Amalfi en een beeld van schelpen dat dienstdeed als wandlamp.

'Jack heeft het volgens mij wel naar zijn zin gehad in Cherbourg,' zei Paul, me over de in leer gebonden menukaart aankijkend.

'O ja?' Wat fijn dat te horen. 'Hij vertelde er bijna niets over toen hij thuiskwam. Hij had het alleen over een kolonie zeekoeten en over een jongen die de slaapzaal heeft ondergespuugd.'

'Ja, dat laatste was voor de meesten het ultieme hoogtepunt van de reis. Toen we daar waren, zei Jack trouwens ook niet zoveel, maar hij deed wel mee. Het is een jongen die voornamelijk observeert, maar hij valt niet buiten de groep. En hij weet een hoop van vogels af.'

'Bedankt dat je op hem gelet hebt,' zei ik.

'Graag gedaan,' antwoordde Paul, en opnieuw wist ik dat hij de waarheid sprak. Hij had iets erg opens, iets transparants dat niets met oppervlakkigheid van doen had.

We bestelden pasta en *scallopa Milanese* en toen ons eten gebracht werd, kreeg ik tot mijn verrassing de complete *bella signora*-behandeling van de ober, met inbegrip van het gezwaai met de pepermolen. Dat was voor het eerst in al die tijd sinds ik hier met Lola en Jack of Caz en Graham kwam. Hetgeen betekende dat ik blijkbaar meer aandacht waard was, ofwel omdat ik de helft van een stel vormde ofwel omdat ik er die avond anders dan anders uitzag.

We praatten na over de film. Paul had het boek gelezen – ik niet – en kende ook alle andere boeken van de schrijver. Door de manier waarop hij erover vertelde, kreeg ik zin om ze ook te gaan lezen. Hij is vast een goeie leraar, dacht ik. Vervolgens hadden we het over de boeken die we het laatst gelezen hadden en toen vertelde ik hem over de boekbinderij en over het verschijnsel dat de fysieke verschijningsvorm van een boek mijn mening erover al dadelijk beïnvloedde. Ik vertelde ook over Colins plastic zak met vettige, uit kranten en bladen geknipte recepten, die we hadden omgetoverd in een indrukwekkend boekwerk.

Hij moest erom lachen, en zei toen: 'Wat aardig dat jullie al dat werk voor hem verzet hebben.'

'Het is niet iets wat we al te vaak kunnen doen. Zoveel verdienen Penny en ik niet.'

Paul glimlachte. 'Toch krijg ik het idee dat je je leven aardig op orde hebt.'

'Over het geheel genomen wel,' stemde ik in. 'En jij?'

Even viel er een huiverige stilte tussen ons, die nog eens extra benadrukt werd door het rumoer in het restaurant. Hij had dingen kunnen zeggen waardoor hij hulpbehoevend, eenzaam of zorgelijk kon overkomen of – het tegenovergestelde – juist volledig in harmonie met zichzelf, maar die dingen zei hij allemaal niet. Hij bepaalde zich tot: 'Min of meer.'

Ik wilde er meer van weten. 'Zei je dat het uit was met je vriendin?'

Hij vond het blijkbaar geen probleem dat ik hierover begon. 'Sinds een maand of zes, ja.'

'Hoe lang waren jullie samen?'

'Tien jaar. Goh, dat is een behoorlijke tijd, hè?'

'Ongeveer tweederde van de tijd dat ik met Tony getrouwd ben geweest. Heeft zij het uitgemaakt?'

'Nee, ik. We wisten allebei dat het niet goed meer zat tussen ons. Maar toen we uiteindelijk uit elkaar gingen had ze het er wel moeilijk mee.'

Zijn beslissing getuigde van karakter en dat sprak me aan. Ik weet hoeveel moed ervoor nodig is om een punt te zetten achter een langdurige relatie. Ik dacht aan Tony en mij, en aan Stanley, van wie ik al in jaren niets meer had gehoord, hoewel ik me ooit had ingebeeld dat ik nog geen ogenblik buiten hem zou kunnen. Ik vroeg: 'Had je een ander?'

'Nee. En nog steeds niet.'

Ik merkte dat ik naar de vorm van zijn gezicht zat te kijken, als was het voor de eerste keer. Er gonsde iets in mijn oren, een geluid dat ik identificeerde als het ruisen van mijn bloed. Het plotselinge besef dat ik me tot iemand aangetrokken voelde – tot hém, Jacks leraar Engels – bracht me zo van slag dat ik geen woord meer wist te zeggen.

Toen zei hij: 'Ik ben bang dat ik een beetje te veel gekletst heb toen we laatst samen op die brandtrap zaten. Blijkbaar ben jij iemand met wie praten erg gemakkelijk gaat.'

'Zou je willen dat je het niet gedaan had?'

'Ik had misschien wel een wat betere indruk op je willen maken, zo in het begin.'

Ik glimlachte. 'Maak je daar maar geen zorgen over.'

'Dat je hier nu bent, geeft misschien wel aan dat dat inderdaad niet hoeft.'

We zaten samen aan een fles montepulciano en gingen helemaal op in ons gesprek. Ik zag dat hij zijn hand even optilde van het tafellaken, alsof hij hem op de mijne wilde leggen. Kennelijk besloot hij vervolgens dat dit geen goede zet was. Hij pakte in plaats daarvan de wijnfles en goot de laatste druppels in mijn glas.

'Ben je nog naar Suffolk geweest? Hoe was het?'

'Jij bent daar geboren, hè, dat weet ik nog. Ik ben op bezoek geweest bij een oude vriendin van mijn vader. Ik wilde graag met iemand die hem kende over hem praten.'

'Mijn vader en ik praten ook erg veel over mijn moeder. Om de herinnering levend te houden. Aan hoe ze praatte, bijvoorbeeld. Ze had van die ouderwetse stopwoordjes, ze zei om de haverklap "warempel". En ze sneed altijd heel secuur de korstjes van boterhammen, al waren ze maar voor mij. Ik weet wat je bedoelt.'

Nee, dat weet je niet, dacht ik, maar ik zei het niet. Het zou me moeite kosten om Paul op die manier op afstand te houden. Misschien was ook hij iemand met wie het gemakkelijk praten was.

'Heeft het geholpen?' vroeg hij nu.

'Ik wil je er een andere keer misschien wel over vertellen, maar nu niet. Niet dat het zo verschrikkelijk veel om het lijf heeft, maar, nou ja, het heeft met het verleden te maken.' Het verleden: een ontoegankelijk terrein.

'Oké,' zei hij zonder meer.

De wijn was op en we hadden ook al koffie gedronken.

'Zullen we gaan?' vroeg hij.

Ik knikte en hij vroeg om de rekening. Ik bood aan de helft te betalen, maar hij schudde zijn hoofd.

'Dan betaal ik de volgende keer,' zei ik.

'Dat zou fijn zijn,' zei hij. We waren blijkbaar de fase voorbij dat er nog gedubd moest worden over een volgende keer. Op zijn eigen bedaarde manier was Paul Rainbird net zo zelfverzekerd als Jasper.

Buiten bleek er nog een restje groenig blauw in de lucht te zitten en ik hoorde het laatste gekwetter van vogels in de bomen op het grasveldje tegenover Casa Flore. Het was half juni en opnieuw was het een zwoele avond in de stad.

'Kom mee, ik wil je iets laten zien,' zei Paul. Hij maakte een driehoek van zijn arm en zonder erbij na te denken stak ik de mijne erdoor. Hij was nauwelijks langer dan ik en we liepen prettig met elkaar in de pas, schouder aan schouder.

Hij leidde me tussen het verkeer door naar de overkant, waar we de hoek van het grasveld omsloegen en een straat in liepen die er in diagonale richting tegenover lag. Ik moest denken aan de talrijke andere netwerken die samen het enorme centrale zenuwstelsel van Londen vormden. Paul hield halt bij een smalle steeg. Er zat een groot ijzeren hek voor, maar aan de zijkant was een smalle doorgang voor voetgangers. Hij ging opzij staan om me door te laten. Aan de andere kant voelde ik de kinderhoofdjes door de dunne zolen van mijn schoenen heen.

Ik kende het hier wel, natuurlijk, en ik had vaak een blik in het steegje geworpen, maar het was de eerste keer dat ik erin liep.

Er stond een volmaakt gespiegelde dubbele rij huisjes, allemaal met petieterige voortuintjes die van het straatje gescheiden waren door een laag muurtje. De huizen hadden spitse gevels met fijn gotisch ijzerwerk en de kleine dubbele erkerramen waren bekroond met weelderige pinakels van smeedwerk. In het midden van het straatje stond een rij straatlantaarns met gekrulde armen en gedraaide ijzeren onderkanten. De oorspronkelijke gaslampen waren vervangen door elektrisch licht, maar het schijnsel daarvan was in stijl: gelig en vaag.

Ik wist dat dit een hofje was dat honderdvijftig jaar geleden was aangelegd door een filantropisch ingestelde Victoriaanse ijzerfabrikant ten behoeve van nooddruftige maar deugdzame vrouwen van de parochie hier. Een dun laagje sneeuw zou voldoende zijn om de perfecte sfeer van een kerstkaart op te roepen. In plaats daarvan lichtte het wit van nicotiana en massa's klimroosjes in het duister op en ik kneep mijn ogen half dicht om daar sneeuw van te maken.

We wandelden langzaam tot aan het einde van de steeg, vol bewondering voor zijn volmaaktheid.

'Hoeveel nooddruftige, deugdzame vrouwen zouden hier nog wonen?' vroeg ik me hardop af. Het straatje was tot in het belachelijke veryupt; de armenhuisjes brachten in de verkoop waarschijnlijk een half miljoen pond per stuk op.

'Best mogelijk dat hier deugdzame advocaten, televisiebonzen en bankiers wonen,' zei Paul lachend, 'maar arm zullen ze niet zijn.'

We wilden net weer teruglopen, toen we opeens lawaai van hollende voetstappen hoorden. Het straatje liep aan het einde uit in een nog nauwere doorgang met kinderhoofdjes, net breed genoeg voor één persoon en uitkomend op een gewone straat. Twee donkere figuren kwamen eruit gehold, recht op ons af. Ze hadden capuchons op en hun handen en voeten leken wanstaltig groot. Paul trok me opzij en ging voor me staan, maar een van de figuren knalde al rennend tegen hem op zodat we allebei tegen het muurtje van de dichtstbijzijnde tuin werden geduwd. Paul wist me overeind te houden en ik hoorde mezelf een onwillekeurige kreet van schrik slaken. Het volgende moment waren de twee rennende gestalten al via het hek aan de andere kant van de steeg verdwenen en resteerde alleen de echo van hun luide gelach. 'Niks aan de hand, het zijn gewoon grote lummels,' zei Paul. Ik bleef nog een seconde roerloos staan met mijn hoofd dicht bij zijn borst, me verbeeldend dat ik zijn trage, regelmatige hartslag kon horen. Hij was natuurlijk gewend aan het gedrag van flink uit de kluiten gewassen knapen; ze zwermden met de regelmaat van de klok op Jacks school om hem heen. Ik maakte mezelf behoedzaam van hem los, nog nahijgend. De plotselinge sfeer van dreiging in de prachtige stadsenclave had me erger doen schrikken dan ik wilde toegeven. Zoeven dacht ik nog over de stad als een kolossaal, vormeloos maar in wezen goedaardig organisme, maar nu leek zij een kolkende krater van onrust, afgedekt met een dun vliesje ordelijkheid. Ik schudde mijn hoofd om het onwelkome beeld te verdrijven.

'Gaat het?'

'Ja,' zei ik. Het was weer stil in het straatje: verlichte kamers achter de ramen, grotendeels verscholen achter dikke kwaliteitsgordijnen, wit oplichtende bloemen in het duister. We liepen naar de auto terug en Paul bracht me naar huis. Op de trottoirs was het nog steeds een drukte van belang en het gestage verkeer verliep in ritmisch bewegende en stilstaande stromen.

'Ik bel je,' zei hij toen we bij mijn huis waren. Hij kuste me licht op mijn wang.

'Dat zou ik fijn vinden,' zei ik.

Hij bleef wachten terwijl ik mijn sleutels pakte en de voordeur openmaakte, en reed pas weg toen ik die veilig achter me gesloten had.

Het huis was heel stil en leeg. Ik maakte een methodische rondgang om overal het licht aan te doen en de gordijnen te sluiten en terwijl ik dat deed, begon ik me steeds onbehaaglijker te voelen. Het was al over elven, maar ik wist zeker dat Penny nog op zou zijn. De telefoon ging twee keer over, toen nam ze op.

Mijn onrust richtte zich op Cassie, wat nergens op sloeg. 'Is alles oké bij jullie?'

'Weet je hoe laat het is, Sadie?'

'Slaapt Cassie?'

'Ja, natuurlijk. Al uren.'

Ik zuchtte van opluchting. 'Hè, gelukkig. En wat ben jij aan het doen?'

'Ik zit zo'n beetje te lezen. Evelyn is ergens heen met Jerry. Om "de relatie te verbeteren", zoals zij het uitdrukt, maar volgens mij betekent het gewoon dat ze wil uitvinden of ze echt een tweede kind van hém wil en dus of ze met hem naar bed wil. Op een puur technische manier, natuurlijk.'

Ik hoorde de wanhoop in de stem van mijn vriendin, begeleid door een politiesirene in de verte. In mijn verbeelding zag ik het blauwe zwaailicht door de hoofdstraat oprukken.

'Je kunt er niets tegen doen, Penny.'

'Ik kan niet met een fileermes naar zijn huis gaan om die kloteballen van hem eraf te snijden, bedoel je?'

'Nee, dat ook niet. Maar ik bedoel eigenlijk dat Evelyn toch doet wat ze wil' – dat was gewoon zo – 'en dat het enige wat jij kunt doen is afwachten en haar duidelijk maken dat jij van haar en van Cassie houdt. Evelyn is niet gek,' besloot ik, waarmee ik doelde op het feit dat Evelyn wist hoeveel Penny van haar hield, maar ook dat ze heus wel wist wie het beste in staat was om zich om haar en haar kind te bekommeren.

Penny ging hier niet op in. 'Gelukkig is Cassie er nog,' zei ze.

Ik dacht aan Cassies kinderlijke geur onder het dekentje in de slaapkamer boven en de kattenmandachtige vormen van de gashouders buiten haar raam. 'Ja,' zei ik. 'Welterusten, Pen. Ik wilde alleen maar even checken of je er nog was. En je laten weten dat je altijd van mij op aan kunt.'

'Bedankt,' zei Penny.

Ik ging opnieuw het huis door om de lichten uit te doen. Ik zette thee en nam die mee naar boven om in bed op te drinken, zittend met mijn knieën opgetrokken. Ik zou het liefst iedereen van wie ik hield dicht tegen me aan drukken, en in mijn geest ging ik alle namen en gezichten van mijn dierbaren af, als een soort bezwering tegen dreigend onheil. Jack en Lola, Tony, Mel, Penny en Cassie, Graham en Caz. En opeens, toen ik het licht al had uitgedaan en in het donker lag, was daar Ted, opdringeriger dan ooit met zijn sterke geur, een mengeling van frisse citrustonen, mannelijke feromonen en onverschilligheid voor mij, zijn kind.

'Nou, vooruit, jij ook,' mompelde ik. Waar je ook mag zijn.

Toen het weer dag was, vergat ik mijn gevoelens van onrust. Tony bracht Jack om vijf uur 's middags terug. Zodra Jack het huis binnenkwam, bespeurde ik woede jegens mij, die als een zwarte bal in hem lag opgekropt. Tony nam mijn uitnodiging om thee te komen drinken aan en volgde hem. Beneden in de keuken liep Jack regelrecht naar de koelkast om die te inspecteren.

'Heb je een fijn weekend gehad?'

'Er is geen smeerkaas.'

'Nee,' zei ik.

'Ik ga naar boven.'

'Drink je niet even thee met Tony en mij?'

'Nee.'

'Jack...' begon Tony vermanend, maar ik schudde mijn hoofd.

Toen Jack de keuken uit was, ging ik in de weer met de thee en maakte toast met marmite, zoals Tony en ik vroeger op zondagmiddag altijd aten. Hij moest lachen toen ik het potje marmite uit de kast haalde. 'Je bent echt een gewoontedier, Sadie.'

'Helemaal niet. Niet meer, althans.' Ik wist eigenlijk niet of het klopte of niet. De laatste paar weken leek het alsof niets meer gewoon was.

Ik zette alles op een dienblad en zette dat neer op het krukje naast de bank waarop Tony zat. Hij maakte ruimte en ik ging naast hem zitten. Het gaf een vertrouwd gevoel, zo knie aan knie te zitten en een theekopje van hem aan te nemen. Het voelde zelfs ronduit knus.

'Hoe ging het?' vroeg ik.

'Hij was nogal chagrijnig. Ja, dat is het woord, chagrijnig.'

'Je meent het.'

'Hè, Sade, doe niet zo sarcastisch.' Tony zette zijn tanden in de toast. 'Zijn het de meiden, denk je?'

'Nee. Was het maar zoiets normaals als interesse voor het andere geslacht, prematuur of niet. Ik zou het al fantastisch vinden als hij gewone vrienden had.'

'Hij is twaalf. Toen ik twaalf was, was ik allang in meisjes geïnteresseerd.'

'Dat weet ik wel, Tony. Maar jij bent Jack niet, of wel soms?'

'Nou, ik wou dat ik weer twaalf was.'

Ik lachte en hij trok in protest zijn schouders op. Hij zag er een stuk ouder en vermoeider uit dan anders, maar verder was Tony altijd dezelfde. Hij was goedgehumeurd, had een bijna door niets te schokken positieve instelling en was bewonderenswaardig loyaal, zelfs tegenover mij.

'Hoe staat het met je werk?' vroeg ik.

'Laten we het daar niet over hebben. Die speelgoedreclame. De klant wil om de haverklap wat anders. Ik moet morgenochtend vroeg weer naar Duitsland. En hoe gaat het bij jullie?'

"'t Is redelijk druk. Het zou nog beter kunnen. Maar ik zit nog het meest met Jack, het zou zo fijn zijn als het met hem wat makkelijker ging.'

'Het komt heus wel goed met hem.'

'Dat zegt Lola nou ook steeds. Volgende week is ze weer thuis.' Ik vond het een heerlijke gedachte dat haar lange zomervakantie weer begon en ik haar weer wekenlang om me heen zou hebben.

'Ja, dat hoorde ik. We hebben gisteren een hele tijd aan de telefoon gehangen.'

Ik knikte. Het was Lola en haar vader gelukt een goede band te blijven onderhouden, geheel los van mij. In het begin, toen alles wat met de scheiding samenhing nog zo pijnlijk was, was ik nogal jaloers geweest op hun ononderbroken innige genegenheid, maar tegenwoordig vond ik het vooral geruststellend.

'Sadie, is er iets niet in orde met je?'

Tony veegde mijn haar tot achter mijn oor en draaide mijn gezicht naar het zijne toe. We raakten elkaar nooit meer aan, behalve tijdens het ritueel van begroeten en afscheid nemen. Nu bezorgde de streling van zijn vingertoppen me een schok, die me zelfs even deed beven, en opnieuw was er dat rauwe gevoel, alsof ik een aantal beschermende laagjes opperhuid was kwijtgeraakt.

'Waarom vraag je dat?'

'Mis je Ted erg?'

Kwam het doordat ik iemand miste die dood was dat ik voortdurend het gevoel had dat de hele wereld veranderd was? Dat de manier waarop ik vroeger tegen de dingen aan keek en waaraan ik alles afmat niet meer klopte?

'Een beetje wel, ja.'

'Weet je, ik wou nog steeds dat ik op zijn crematie had kunnen zijn. Ik moet er steeds weer aan denken en het spijt me dat ik niet geweest ben.'

Ted had nooit zoveel met Tony opgehad. Hij vond mijn echtgenoot maar een saai type. 'Je boekhouder,' zo had hij hem altijd nogal minachtend genoemd, hoewel hij drommels goed wist dat Tony op een reclamebureau werkte. 'Maar hij ziet eruit als een boekhouder,' maakte Ted zich er altijd van af.

'Ted was er zelf niet eens,' zei ik. En dat was waar, het hele gebeuren had hem, als hij nog geleefd had, gestolen kunnen worden. 'Toch wou ik dat ik erbij was geweest.' Tony zette zijn lege kopje terug op het schoteltje en depte met zijn vinger de laatste toastkruimels op en likte hem af. 'Nou, ik moet weer eens gaan. Ik moet de presentatie van morgen nog voorbereiden en Suzy heeft het dit weekend heel druk gehad met de twee meiden.'

'Natuurlijk. Bedankt dat Jack bij jullie kon zijn. Hij mist je erg. Niet dat jij daar iets aan kunt doen,' voegde ik er haastig aan toe. 'Zo bedoelde ik het niet, maar het is nu eenmaal zo.'

Tony omhelsde me. 'Maak je toch niet zo druk.' We vonden elkaar nog steeds aardig, Tony en ik, en soms verlangde ik dat we nog bij elkaar konden zijn, in een knus afgetrapt huis zoals dat van Caz en Graham, waar we elkaar goedmoedig in de haren zouden zitten en op elkaar zouden mopperen maar toch, als de wortels van een boom, met elkaar vergroeid zouden zijn.

Op weg naar de voordeur riep hij nog naar boven om Jack gedag te zeggen.

Jack verscheen boven aan de trap, zijn kleine gestalte stak scherp af tegen het licht in het trapgat. Ik zag dat hij worstelde met de neiging om naar zijn vader toe te rennen, die in strijd was met zijn boosheid omdat hij wegging en omdat ik degene was die altijd bleef. 'Dag,' zei hij. Nog voor de deur achter Tony was dichtgevallen, had hij zich alweer omgekeerd.

Hij beweerde dat hij huiswerk moest maken en dus vond ik goed dat hij op zijn kamer at.

Mel belde een hele tijd later om me te vertellen wat ze samen met Jasper in Parijs allemaal had gezien en gedaan. Zo hadden ze in een restaurant hoog op Montmartre gegeten, vanwaar ze een schitterend uitzicht hadden op de lichtjes van Parijs.

'Geweldig,' zei ik.

'Ja.' Mel grinnikte even. 'Raar, hè? Ik zat tegenover hem aan tafel en toen dacht ik: jij bent het. Moet je je voorstellen, na al die jaren dacht ik: jíj bent het helemaal voor mij.'

'Dus je bent over je angst heen?'

'Ik ben nog steeds benauwd, hoor.' En dat was zo, ik hoorde het aan de hapering in haar stem. 'Maar het is ook geweldig. Hoe zou ik dan niet bang zijn om het allemaal weer kwijt te raken? Toen ik tegen hem had gezegd dat ik hem een poosje niet wilde zien, merkte ik dat ik helemaal niet buiten hem kon. Ik kreeg het er koud van en het leek wel alsof mijn hart op hol sloeg. Zo lichamelijk is het echt. Maar verder ben ik er ook voortdurend mee bezig. Ik heb echt nooit geweten hoe het voelde om zó van iemand te houden.'

Mel klonk nederig, vol ontzag – mijn sarcastische, grappige Mel die altijd zo zeker wist dat ze nooit van iemand zou kunnen houden zoals ze van haar vader gehouden had.

'Ja, ja, zo gaat dat,' zei ik.

We spraken af om later die week samen uit eten te gaan.

'Suzy bakt 's ochtends altijd spek,' zei Jack aan het ontbijt. Hij had kleine oogjes, alsof hij te lang geslapen had.

'O ja?' Ik was niet van plan te happen. Ik zat giro's uit te schrijven om de achterstallige telefoon- en elektriciteitsrekening te betalen, om niet binnenkort te worden afgesloten. 'Wat heb je vandaag op school?'

Hij gaf geen antwoord.

'Hoe laat ben je thuis?'

Zijn gezicht kreeg een sluwe uitdrukking. Hij goot melk in een kom, en toen hij het pak weer neerzette, morste hij op tafel. 'Hoezo? Ben jij dan thuis?'

'Je weet hoe laat ik meestal thuiskom. Ik moet werken, Jack.'

'Suzy niet.'

'Dat is fijn voor haar.'

'Ik ga na school naar Audrey.'

Ik legde mijn balpen ergens neer tussen de chaos op tafel. Jack nam tergend langzaam een hap cornflakes en werkte die met opzet slobberend weg, me onderwijl uitdagend aankijkend.

'Hoe zit het met je huiswerk?'

'Dat doe ik daar. Audrey helpt me. Zij is wel thuis, zie je.'

'Goed.' Ik stopte de giro's in een envelop. Het had geen zin er ruzie over te maken. Als hij naar Audrey wilde, dan moest hij dat maar doen. 'Zorg dat je op tijd thuis bent voor het eten.' Ik stond op van tafel om mijn tas te pakken. 'Het is tijd voor school.'

Hij verroerde zich niet. Misschien begon ik er genoeg van te krijgen om zoveel van Jack te houden.

'Ik wil niet.'

231

'Nou, dan ga je niet,' zei ik. Ik vond mijn tas en stopte de envelop erin.

Tegen de tijd dat ik klaar was om de deur uit te gaan, was Jack me voor.

'Zeg Audrey maar gedag van me,' zei ik lachend.

Hij haalde zijn schouders op en hees zijn schooltas op zijn rug. Ik keek hem na tot hij sjokkend om de hoek verdwenen was.

Terwijl ik naar mijn werk reed, bedacht ik dat ik het gedoe met Audrey in mijn voordeel zou kunnen ombuigen, tenminste als ik het goed aanpakte. Als Lola thuis was, zou ik het er met haar over hebben.

Twee dagen later was ze er. Het huis was weldra gevuld met de lucht van sigaretten, rondslingerende kleren, cd's en gebruikte asbakken. Ze waste alle kleren die ze had, liet die vervolgens nog vochtig en kreukelig in de mand met strijkgoed zitten, terwijl ze in kleren van mij rondliep, en liet de telefoon ergens liggen op een plek waar ik hem niet kon vinden als hij eindelijk een keer voor mij ging. Ze schonk bellen wijn voor ons in en zat vervolgens met haar benen onder zich gevouwen op de bank in de keuken terwijl ik aan het koken was. Ze kwebbelde over Sam en de rest van haar bestaan en hoorde me uit over het mijne.

'Heeft hij nog gebeld?'

'Eén keer, maar toen was ik er niet,' antwoordde ik. Ik had verteld over mijn uitje met Paul Rainbird en natuurlijk boeide dat haar enorm.

'Weet je, Zoe Slavin uit mijn klas was helemaal wild van hem,' vertrouwde ze me toe. 'En ze was niet de enige.'

'Lo, dat wil ik niet weten.'

'O, maar hij deed nooit klef tegen meisjes, hoor. Niet zoals meneer Allan.'

'Nou, fijn dat ik dat weet.' Ik had Jack niet verteld over mijn afspraakje met zijn mentor en ik kon me ook niet voorstellen dat er een goed moment zou komen om het wel te doen, gezien onze verhouding van de afgelopen tijd. Om van onderwerp te veranderen, zei ik: 'Ik heb misschien een ideetje wat ik met Audrey aan moet.' Jack zat 's middags vaker bij Audrey dan dat hij thuis was. En ook Lola maakte zich daar zorgen over.

'Vertel.'

'We zouden kunnen zorgen dat ze in Jacks ogen minder interessant wordt.'

'Hoe wou je dat voor elkaar krijgen dan?'

'Door haar bij ons gezin te betrekken,' zei ik. 'Blijkbaar is ze belangrijk voor Jack. En ze was een vriendin van opa. Dus is het toch niet zo gek als ik haar vraag om zondag te komen lunchen?'

'Je kunt het proberen,' zei Lola met een grijns. 'Wie weet wat er gebeurt.'

12

We zaten al weer in een nieuw restaurant, Mel en ik. Mel had het uit-gezocht. Het zag er erg trendy uit en was erg duur in vergelijking met de gelegenheden die we anders bezochten. 'Ik trakteer deze keer,' zei ze toen we aan ons tafeltje gingen zitten. 'Ik wilde deze tent eerst met jou uitproberen.'

Mel bezat de gave je het gevoel te geven dat jij degene was met wie ze een bepaald moment het liefst wilde doorbrengen. Ik had ook erg naar ons samenzijn uitgezien – het leek ontzettend lang geleden dat ik haar voor mezelf had gehad. Ze paste wonderwel in deze omgeving. De muren hadden een lich-te crèmekleur, de stoelen waren van leer en midden in de zaak be-vond zich een bloemstuk dat tot twee meter hoogte reikte, waarin tro-pische bladeren verwerkt waren en bloemen die veel weg hadden van exotische vogels. De hoge ramen waren gedeeltelijk van matglas maar boden de gasten net genoeg zicht op de straat om hun het gevoel te geven dat ze zich in een bevoorrechte positie ten opzichte van de buitenwereld bevonden, op een veilig afstandje ervandaan. Obers in het zwart en met een passend Frans accent brachten ons het menu, een schaaltje met perfect brood en blauwgekleurde flesjes mineraal-water.

'Heerlijk,' zei ik. Ik had een zware dag achter de rug, zo'n dag waar-op je je heel erg uitslooft maar toch het gevoel hebt dat er niets uit je handen is gekomen. Ik had een stomme fout gemaakt bij het zetten van de letters van een titel en deze zonder het zetsel te controleren gedrukt, met als gevolg dat ik een ingewikkelde band helemaal op-nieuw moest doen. Er was een staking van de ondergrondse, de zo-veelste in een hele reeks aan het begin van de zomer, en Mel en ik hadden ons allebei in de bloedhitte door overvolle straten een weg hierheen moeten banen. Maar in de koelte en rust van dit luxe res-taurant was alle ellende zo vergeten.

'En zo nieuwerwets ook,' zei Mel, na het menu bestudeerd te heb-ben. 'Alles is hier retro.'

Het eten was ouderwets Frans. Ik bestelde kikkerbilletjes, van pure

234

verrassing dat ik ze op de kaart zag staan, en Mel nam een salade van krulandijvie met roquefort. En we konden geen van beiden de verleiding van een *côte de boeuf sauce béarnaise* als hoofdgerecht weerstaan.

'En daar hoort op zijn minst een stevige bourgogne bij, vind je ook niet?' Mel had de wijnkaart voor zich.

'Doe maar ruig, jij.'

Ze wisselde uitgebreid met de sommelier van gedachten om haar uiteindelijke keuze te bepalen. Dit was mijn vriendin op haar best: een en al enthousiasme, weetgierig en hongerig, genietend van haar omgeving en de kansen die haar geboden werden. Ik vond het heerlijk om haar zo te zien.

'Dat komt omdat ik zo gelukkig ben. Ik zou iedereen kunnen omhelzen. Echt waar. Ik heb zin om de boter uit het potje te likken, de gerant te zoenen en aan die achterlijke bloemen daar te gaan snuffelen.' Ze nam me aandachtig op. 'Vind je het vervelend als ik zo tegen je praat?'

'Nee, hoor.' Natuurlijk niet, al was het onmogelijk om niet een klein beetje jaloers te zijn.

'Niet dat ik mijn angsten nu volledig kwijt ben, hoor. Ik heb mijn idiote toneelstukje opgevoerd, zo van "Help, gun me de ruimte, ik kan het niet aan om zoveel voor iemand te voelen", maar op hetzelfde moment wist ik al dat het menens was en deed het me gewoon lichamelijk pijn om hem niet te zien. Nou, en toen zijn we in Parijs geweest en het was fantastisch.'

'Ja.'

'Sadie, hij wil dat ik kennismaak met zijn dochter.'

'Dat is goed, hè?'

'Ja, zeker.'

Uit de manier waarop ze het zei, sprak toch iets van twijfel.

'Mel, het is zijn dochter. Alleen al om die reden vind je haar vast leuk, zul je van haar houden. En natuurlijk houdt ze van jou zodra ze je ziet, dat kan gewoon niet anders.'

Het voorgerecht werd met iets van eerbied voor ons neergezet. Met de punt van mijn mes sneed ik het spiervlees van mijn kikkerbillen van de botjes en nam een glibberige mondvol. De smaak van knoflook en boter deed me terugdenken aan die zomer van lang geleden in Grasse, toen ik voor de eerste keer dit soort eten had geproefd. En gemerkt had hoe heerlijk voedsel kan smaken.

'Mag ik wat van jou proberen?'

We wisselden volgeladen vorken uit.

'Dit noem ik echte kookkunst.' Het eten belette Mel evenwel niet om aandachtig te luisteren naar wat ik te vertellen had. Het vormde een van de fundamenten van onze vriendschap: praten tijdens het eten en elkaar precies vertellen wat ons bezighield. 'Je hebt vast wel gelijk. Ik hoop echt dat we het goed met elkaar zullen kunnen vinden. Maar ja.'

Ik wist precies wat ze met dat 'Maar ja' bedoelde. Toen ik met Mel bevriend raakte verlangde ze nog altijd hevig naar een kind, en ik had meegemaakt hoe verdrietig ze was toen ze eenmaal had geaccepteerd dat het er nooit van komen zou. Het was een groot gemis dat ze zou blijven voelen; het vooruitzicht kennis te maken met Jaspers dochter, het beminde kind van een vrouw die hij had liefgehad, moest moeilijk voor haar zijn, ook al was het tegelijk iets om naar uit te kijken.

Ze weifelde even en zei toen: 'Een deel van mij is in de rouw, omdat het zo treurig en jammer is dat we elkaar nu pas gevonden hebben, nu het te laat is om samen nog een kind te krijgen.'

'Zou hij dat willen?'

Mel schudde haar hoofd, zodat de zwarte krullen rond haar hoofd uitwaaierden. 'Nee, hij zegt dat hij met Clare alles heeft gekregen wat hij zich maar had kunnen wensen.'

'Dan boft hij dus.' Heel even vroeg ik me af of Paul Rainbird, die door zijn werk voortdurend omringd werd door het kroost van andere mensen, zelf graag kinderen zou willen hebben. 'En wat kinderen betreft is er voor jou dus ook niets veranderd, toch? Behalve dat je nu als troost hebt dat jij van Jasper houdt en hij van jou? Want ik weet zeker dat je van hem houdt. Ik heb je nooit eerder zo gezien en ik heb je ook nooit op zo'n manier horen praten.'

'Ja, omdat ik weet dat het echt serieus is. En zo ga ik er ook mee om. Een heleboel mannen met wie ik vroeger uitging, hadden ook kinderen, maar daar hield ik me verder nauwelijks mee bezig.'

'Nee. Maar nu is het anders. Je moet die Clare echt ontmoeten, Mel. Zie haar als nóg iemand om lief te hebben, ook al is ze niet je eigen kind. En wie weet, wordt ze na verloop van tijd zelfs wel een soort substituut voor je, op een bepaalde manier dan.'

Ik had makkelijk praten, want ik had het allemaal meegemaakt: de alles absorberende gevoelsintensiteit die met zwangerschap verbonden was, de intimiteit van het geven van borstvoeding aan je eigen

236

kind, waardoor Jack en Lola met elke vezel van mij verbonden waren, toen en nu nog, voor altijd. Mel had zo'n sterke band nooit kunnen ervaren en het was verkeerd van me om, al was het maar een klein beetje, jaloers te zijn op wat ze op het moment meemaakte.

'Bedankt, Sadie.' Ze glimlachte, haar felrode lipstick stak plezierig af tegen de smaakvolle monochromie van het restaurantdecor.

Ik hield van haar. Haar vriendschap was voor mij een van de belangrijkste dingen op aarde. 'Niets te danken.'

'Tijdens de volgende gang wil ik niet de hele tijd maar doorpraten over mezelf. Nu is het jouw beurt. Vertel eens wat.'

Die avond dat Ted ziek was geworden, had ik Mels vragen over hem afgewimpeld en Mel had het gemerkt. Ze had het niet fijn gevonden dat ik iets van mezelf voor haar achterhield. Nu wilde ik dat goedmaken. Maar er speelde nog iets anders mee: het idee om in vertrouwen met haar over mijn vader te praten, was niet langer onverdraaglijk, maar integendeel aanlokkelijk geworden.

Dezelfde dag, tijdens de lunchpauze, nadat ik de afwerking van dat boek verknald had en voordat ik met het herstelwerk zou beginnen, had ik het telefoonboek gepakt en het nummer opgezocht van het Rijksarchief in Kew. Penny was het erf overgestoken naar haar huis en had de deur achter zich dichtgedaan. Ik vermoedde dat ze weer zo'n half gefluisterd dringend gesprek met Evelyn ging voeren, zoals ze de laatste tijd steeds vaker deed. Andy en Leo waren allebei de deur uit en ik was in mijn eentje in de binderij.

Toen ik alle toetsen had ingedrukt die ik volgens een bandje moest indrukken om diep in het archief te kunnen doordringen, kreeg ik eindelijk een levend persoon aan de lijn. Zijn stem klonk verbazend hartelijk. Ik legde deze vreemdeling met het aanlokkelijke stemgeluid uit dat ik iets te weten wilde komen over iemand die ooit in de gevangenis had gezeten. Hoe kon ik erachter komen waarvoor die persoon veroordeeld was en wat de omstandigheden eromheen waren?

De man van het archief schraapte zijn keel. 'Eens zien. Is de persoon in kwestie veroordeeld door het Hooggerechtshof of door een strafrechtbank? Wij hebben hier namelijk alleen de verslagen van het Hooggerechtshof en die blijven gedurende vijfenzeventig jaar geheim.'

'Ik weet het niet,' moest ik toegeven. Misschien wist Audrey het wel, of misschien nam ze gewoon maar aan dat al het materiaal over strafzaken op het Rijksarchief te vinden moest zijn. Ik verstrekte hem de summiere informatie waarover ik beschikte.

'Hmm, het klinkt niet als een zaak voor een hogere rechtbank. Ik kan u wel doorverwijzen naar andere archieven, maar dat lijkt me niet zo zinvol. Ik kan u misschien beter vertellen wat ik zelf in zo'n geval zou doen.'

'Graag.'

'Waar woonde uw vriend, ik bedoel, deze persoon?'

'In Hendon,' zei ik. Dorset Avenue: half vrijstaande woningen in namaak-tudorstijl, burgertuintjes, alles o zo fatsoenlijk.

'De datum weet u, dus is het het handigst om in de wijkbibliotheek in exemplaren van de plaatselijke krant te zoeken. Daar vindt u vast wel wat u zoekt.'

De *Hendon & Finley Times*. Die las mevrouw Maloney altijd. 'U hebt gelijk,' zei ik, 'daarin moet het te vinden zijn.' Ik bedankte hem voor zijn hulpvaardigheid.

'Daar ben ik voor,' zei hij. 'Veel succes, ik hoop dat u wijzer wordt.'

Dit leek me heel goed te doen. Ik stelde me al voor hoe ik met een kolossaal boek met ingebonden kranten voor me zat, bladerend in verslagen over fuiven waar prinses Margaret zich vertoond had, concerten van Helen Shapiro en plaatselijke evenementen als fancy-fairs en blo28mententoonstellingen, tot ik opeens op een foto van Ted zou stuiten. Misschien was het zelfs wel dezelfde als die ik voor Angela en Audrey had laten bijmaken.

'Weet je nog dat ik tegen je zei dat mijn vader een bedrieger was?'

'Een parfummaker en bedrieger, dat zei je,' zei Mel, terwijl ze achteroverleunde.

'Dat blijkt nog beter te kloppen dan ik toen dacht,' zei ik. 'Ik ben namelijk meer over hem aan de weet gekomen. Hij heeft in de gevangenis gezeten.' Ik vertelde haar dat ik naar Suffolk was geweest om Angela op te zoeken.

'Ben je daardoor anders over hem gaan denken?'

Ik dacht even na. 'Nee.' Ik was niet geschokt of boos, zoals Mel waarschijnlijk bedoelde.

'Maar hoe kijk je er dan tegenaan?'

Opnieuw moest ik nadenken, en zelfs nog dieper. 'Ik heb het gevoel alsof ik in het duister rondtast,' zei ik ten slotte.

Zo was het precies. Ted had zoveel rookgordijnen voor me opgetrokken. Het kan niet zo zijn geweest dat hij alleen voor mijn moeder en mij dingen verborgen hield, dat deed hij ook voor zijn andere vrouwen en voor degenen die nog geld van hem kregen. En de consequenties van alles wat hij gedaan had leken hem te omringen als een cirkel van rechtop gezette dominostenen die bij het minste of geringste konden omvallen.

Toen ik nog een meisje was, leek Ted altijd zo sterk en zelfverzekerd, dat ik me schikte in zijn voorstelling van zaken zonder er vraagtekens bij te plaatsen. (En wat dat betreft was ik niet de enige, zoals het hele regiment 'tantes' wel bewijst.) Toen ik volwassen was, meende ik dat ik hem doorhad, maar zelfs al probeerde ik mezelf daarvan te overtuigen, toch maakte hij me nog vaak kwaad en vond ik hem soms intimiderend, wat wel aangeeft hoeveel macht hij over me had. Maar nu leek het alsof er achter de kleurige flarden rook die rondwervelden in het spiegelpaleis waarin mijn vader zich ophield, alleen maar een leegte was geweest. Er was daar niets wat houvast bood en misschien viel er ook wel niet zoveel bijzonders te verbergen en bestond er alleen maar de angst van mijn vader dat zijn ware aard voor iedereen zichtbaar zou zijn.

Hoe passend dat hij zo'n groot talent bezat voor het maken van parfums, het creëren van illusies. En hoe treurig eigenlijk dat dit grote talent niet meer had opgeleverd dan een aantal ouderwetse en goeddeels vergeten geurtjes en drie banden met aantekeningen.

Ik keek over onze glazen en borden heen in het gezicht van Mel, en het rumoer in het restaurant leek gedempt als het geruis van een schelp tegen mijn oor.

Voor het eerst voelde ik pure sympathie voor Ted, het was alsof iemand een hand tot diep in mijn borstholte had gestoken. Arme Ted, dacht ik, terwijl de vingers van die hand mijn hart vaster omknelden. Zijn leven lang was hij op de vlucht geweest. Hij was zo driftig aan het goochelen geweest, en zo langdurig, dat hij aldoor bang geweest moest zijn dat hij met zijn trucjes door de mand zou vallen. Hij was zelfs handig genoeg om te verhinderen dat ik iets merkte toen hij nota bene naar de gevangenis moest. Alles wat de Ted van mijn jeugd uitmaakte, zijn RAF-jargon, zijn keurige blazers, zijn auto's, zijn winkel in South Audley Street, zijn – echte of emotionele – verdwijntrucs, het bleken allemaal konijnen uit een hoed te zijn.

'Maar weet je, je kunt het licht aanknippen, als je dat wilt, tenminste,' zei Mel voorzichtig.

'Dat weet ik.' Maar stel dat de blote feiten van zijn leven iets heel magers te zien gaven, terwijl de weerschijn van de gekleurde rook zulke interessante beelden opleverde?

Ik vertelde dat ik naar het Rijksarchief had gebeld en het advies had gekregen om oude kranten na te pluizen.

'Dus je gaat op jacht naar hem?'

Wat een interessante omschrijving koos ze daarvoor uit. Alsof Ted een vluchtend individu was dat door het rookgordijn van mij wegrende, het ontoegankelijke verleden in.

'Misschien. Zo'n beetje.'

'Wil je mij erbij hebben?'

Ze bood aan me bij te staan voor het geval ik op dingen stuitte die misschien moeilijk te verteren zouden zijn.

'Ik weet het niet. Als ik denk dat ik je nodig heb zal ik het je vragen, maar ik ben gewoon niet gewend om met mijn leven van vroeger te koop te lopen. Ik schaamde me dat ik anders was dan andere kinderen en daarom ben ik altijd heel druk bezig geweest om net te doen alsof ik precies zo was als zij. En als dat niet lukte, kroop ik in mijn schulp. Bij jou thuis ging het er heel anders aan toe, hè?'

'Op het eerste gezicht wel, ja. Maar mijn vader was zo overheersend, dat dat voor ons ook belemmerend was. Kijk maar naar mij, het lukt me nu pas om verliefd te zijn op iemand die niet mijn vader is. Als je het zo bekijkt, zijn we allebei een gevangene van onze vader.'

Ze stopte het laatste stukje vlees in haar mond en leunde glimlachend achterover in haar stoel. 'Moet je mij horen, nou gaat het al wéér over mij. Dat moet uit zijn. Wat vind jij van mij?'

Dit was een van Mels lievelingsgrapjes over zichzelf, en het was ook wel toepasselijk, omdat ze ook echt tamelijk in zichzelf was geïnteresseerd. Omdat ze haar vaders prinsesje was geweest, blaakte ze van zelfvertrouwen en daarvan kon ik uit de tweede hand genieten, want de houding die er het gevolg van was, was heerlijk om naar te kijken. Daarbij was Mel ook nog eens verliefd, zodat ze straalde als de zon die op het heetst van de dag in een spiegel schijnt. Ik zag de gasten aan andere tafeltjes af en toe steels naar haar kijken. Die vroegen zich vast af wie dat wel mocht zijn.

'Ik vind dat je maar eens om de toetjeskaart moet vragen. Misschien vertel ik het je als ik een *tarte tatin* achter de kiezen heb.'

Mel bestelde er twee glazen barsac bij en we proostten.

'Dat we nog tig van dit soort etentjes mogen meemaken,' zei ze. 'Ook als we oud en grijs zijn.'

'Juist als we oud en grijs zijn. Zal ik je eens wat vertellen? Je bent

240

de beste vriendin die een vrouw zich kan wensen. Laten we toasten op onze vriendschap.'

Mel kneep even in mijn hand. 'Dank je, Sadie,' zei ze. 'Insgelijks.' Ze betaalde de gepeperde rekening zonder blikken of blozen, een en al elegante zwier. 'Jíj bedankt,' zei ik op mijn beurt.

Ik worstelde me een weg naar huis door de chaos in de straten. Nergens was een taxi te krijgen, de toegang naar de ondergrondse was nog steeds afgesloten en de twee bussen die ik langs zag komen puilden uit. Maar ik vond het helemaal niet vervelend om te lopen. Ik had me uitgebreid te goed gedaan aan overheerlijk eten en bezag alles met een nogal rooskleurige blik als gevolg van overvloedig drankgebruik. Ik voelde me opgepept door mijn avondje met Mel en het deed me genoegen dat ik Mel een blik had gegund in de diepten van mijn bestaan. Zo moeilijk bleek het dus helemaal niet te zijn.

'Op onze vriendschap,' herhaalde ik hardop, tegen de katten en de geparkeerde auto's, toen ik eindelijk dansend de hoek omsloeg van mijn eigen straat.

De volgende paar dagen bleek dat het maar goed was dat mijn etentje met Mel zo'n oppepper was geweest.

Lola had een baantje aangenomen als invalreceptioniste in dienst van een uitzendbureau, omdat dat meer opleverde dan het werken in een bar, maar dit betekende wel dat ze elke ochtend vroeg op moest en fris gewassen en keurig gekleed in een rok en met nette schoenen om halfnegen de deur uit moest. Maar omdat ze niet van zins was haar bloeiende nachtleven eraan te geven, was ze voortdurend moe, katterig en prikkelbaar. De bende op haar kamer breidde zich uit over het hele huis en dook nu op in de meest onverwachte hoeken, alsof daar een explosie had plaatsgevonden. Zo trof ik mijn beste schoenen en mijn Nicole Farhi-blouse aan onder een halfgevulde koffer op de vloer van haar slaapkamer. Ze had nog minder tijd nodig dan Jack om de koelkast leeg te plunderen en wat ze er niet van opat, belandde op de keukenvloer, het aanrecht of de keukentafel. Als ik tegen haar schreeuwde begon ze ontwapenend te kreunen en te steunen: 'Sorry, mam, maar ik heb het ook zó druk.'

'Zo zit het leven in elkaar, Lo. Je gaat naar je werk en als je verder nog wat wilt moet je zien te schipperen. Je hoeft echt niet elke avond de hort op te gaan.' Ik hoorde het zanikende toontje op het moment dat de woorden uit mijn mond kwamen. Moest ik nu echt het plezier van mijn twintigjarige dochter bederven? Waarom zou ik dat doen als zij blijkbaar de energie had om avond aan avond uit te gaan en lol te trappen? 'Nou ja, zo zit mijn leven in elkaar,' voegde ik er berouwvol aan toe.

Lola legde onmiddellijk haar armen om me heen, zodat ik een mengeling van patchoeli, sigarettenrook en elastische huid inademde. 'Arme mama. Kom, vanavond moet je niet koken. Laten we uit eten gaan. We slepen Jack wel mee. We maken er een echt gezinsuitje van.'

'Ga jij trakteren dan?'

'Uh. Ik krijg volgende week pas betaald. Dat heeft met de administratie te maken. Kun je het niet voorschieten?'

Daar moest ik hartelijk om lachen.

Jack bracht de laatste dagen van het schooljaar als een soort zombie door. Meestal ging hij na school bij Audrey langs en de paar wakende uren die hij thuis doorbracht lag hij ofwel op bed te niksen of tuurde hij door zijn verrekijker naar de plaatselijke vogelpopulatie. Hij zei bijna niks tegen Lola of mij en als hij het een keer wel deed, was het snauwend.

Ik belde Audrey op en stak mijn vredestak naar haar uit. 'Heb je zin om zondagmiddag bij ons te komen eten? Je bent zo gastvrij voor Jack, en Lola en ik zouden het erg leuk vinden als je een keer kwam.'

'Waarom?'

'Nou...' Haar gebrek aan toeschietelijkheid bracht me in verwarring. Maar misschien bezondigde ik me vaak aan het tegendeel. 'Daarom.'

'Goed. Dan kom ik zondag.'

Ik vertelde Jack wat ik had afgesproken, waarop hij zich met fonkelende ogen naar me toe wendde en me toebeet: 'Kun je me nou echt niet met rust laten?'

'Ze komt alleen maar eten, Jack. Jij komt zo vaak in Turnmill Street, dat het me niet meer dan redelijk leek om Audrey een keer hier te vragen.'

'Jij moet je ook overal mee bemoeien, hè? Je kunt het gewoon niet hebben als ik iets van mezelf heb.'

Ik deed te veel mijn best. Volgens Tony en Paul Rainbird was dat zo. Maar sinds Teds dood had ik niets anders gedaan dan rekenen, in een poging de precieze grens te bepalen tussen een overdaad aan liefde en een normale liefde voor mijn zoon. Ik was mijn voortdurende strijd met hem meer dan zat, maar ik wist nog steeds niet hoe ik minder openlijk mijn zorg om hem kon uiten zolang ik nog door tegenstrijdige herinneringen werd bestookt. 'Nou goed, dan bel ik haar wel om af te zeggen,' zei ik.

Ik wilde niet door Audrey verslagen worden in wat voor wedstrijdje dan ook, en al helemaal niet als het om Jack draaide, maar ik wilde ook niet dat hij moest aanzien hoe ik mezelf verloor in een kleinzielige, kinderachtige kibbelpartij met haar.

'Nee, doe niet zo stom. Ze vindt je toch al zo'n rare.'

'Aúdrey vindt míj een rare?'

'Má-ám, laat maar zitten, ja,' zei Jack zuchtend. 'Het is toch alleen maar voor het middageten?'

De zondag met Audrey bleef in de agenda staan.

Ik ging op zoek naar een vakantiehuisje. In het verleden hadden we huisjes gehuurd in Cornwall, Wales en het Lake District, en in de vettere jaren, toen de boekbinderij behoorlijk draaide, hadden we een keer een appartement op een Grieks eiland gehad en een andere vakantie een *gîte* in Normandië. Maar dit jaar, nu de geest uit de fles was en er één werveling van geur en rook om me heen was, wilde ik beslist terug naar Grasse.

We hadden niet al te veel geld te besteden, maar na een speurtocht van twee dagen kwam ik uit bij een vakantieoord tussen Grasse en Cannes in, waar je kon kamperen of een caravan of een appartement in een omgebouwde boerderij kon huren. Ik dacht terug aan het zonovergoten platteland, bezaaid met olijfbomen, wijngaarden en okerkleurige huizen met pannendaken. Lola weigerde pertinent met een tent op vakantie te gaan en de caravans zagen er vreselijk uit, zelfs in de brochure. En dus waren we het er samen over eens dat we het beste een appartement konden nemen.

'Is er een zwembad?' vroeg Lola. 'En is er een bar of een disco?'

'Er is een zwembad op het terrein zelf,' zei ik, en liet haar de foto zien. 'In Grasse zijn bars te over en in Cannes stikt het waarschijnlijk van de disco's. Het zal wel heel erg anders zijn dan ik het me herinner.'

'Oké dan,' zei ze.

Jack haalde alleen maar zijn schouders op. Ik boekte de eerste twee weken van de schoolvakantie en prees mezelf gelukkig dat ik een plekje in Zuid-Frankrijk had gevonden dat een beetje te betalen was.

Ik sprak ook met Paul Rainbird.

'Het lijkt al zo'n tijd geleden dat we elkaar gezien hebben,' merkte hij op, nadat we beleefdheden hadden uitgewisseld.

'Ja, het spijt me.'

'Zullen we daar eens wat aan doen dan?'

Ik aarzelde. 'Ik weet niet goed hoe ik het Jack moet vertellen.'

'Wat precies?'

'Dat ik uitga met de mentor van de brugklas.'

'Meer hoef je toch niet te zeggen?' Het klonk geamuseerd, maar ook lichtelijk geïrriteerd.

'Tussen Jack en mij gaat het op het moment niet al te best. Hij is kwaad op me, om honderd en een redenen, voor het grootste deel terecht.'

'Sadie, kinderen zijn zo vaak kwaad. Wil je nog een keer met me uit?'

Ik luisterde naar zijn ademhaling. 'Jawel.'

'Fijn. Ik ook.'

Ik ook, maar... Ik wachtte tot hij met zijn 'maar' op de proppen kwam.

'Dus als je vindt dat je voordat we verdergaan eerst een goede manier moet vinden om Jack te vertellen dat jij en ik naar de bioscoop gaan, dan wacht ik wel tot je dat gedaan hebt en me weer belt. Goed?'

Helemaal geen 'maar' dus.

Paul Rainbird, je bent me er een, dacht ik. En het volgende moment betrapte ik mezelf op gegiechel. Half grinnikend zei ik: 'Ja, goed. Ik beloof het.'

'Tot ziens dan,' zei hij, en ik kon horen dat ook hij het reuze grappig vond. Ik vond het leuk dat hij mijn probleem om het Jack te vertellen niet al te serieus nam, maar ook niet als onzin afdeed.

Lola was voor de verandering thuis. Ik dacht dat ze helemaal opging in een televisieprogramma, maar ze keek direct op toen ik neerlegde. 'Was dat 'm?'

'Ja.'

Ze grijnsde. 'Top, mam.'

Ik nam Teds aantekeningen weer ter hand en las wat hij in de lente en zomer van 1965 had opgeschreven, vlak voordat hij me naar Grasse stuurde. De aantekeningen verschilden nauwelijks van de voorgaande, althans zo leek het voor mijn ongeoefende oog. Ik zag dezelfde lijsten met natuurlijke en chemische ingrediënten, hier en daar een naam en de flarden tekst waaruit al het andere voortvloeide. Misschien zag Teds handschrift er iets gehaaster uit, misschien zette hij zijn ideeën net iets minder vloeiend op papier, maar uit niets bleek dat hij op het punt stond om in de gevangenis te verdwijnen. Daarna was er een hiaat van bijna vier maanden, van half juli tot eind oktober. Bij de laatste formule die eraan voorafging stond de aanduiding 'MAL'.

Vanaf de bladzijde dat de aantekeningen weer verdergingen, in november, zag ik wel verschil. De nieuwe formules waren maar kort en zo op het oog deden ze al meteen akelig aan omdat de ingrediënten allemaal van synthetische oorsprong waren en er geen enkele natuurlijke olie of natuurlijk extract aan te pas kwam. Teds handschrift zag er ongeïnteresseerd uit en ik meende in elke haal van zijn pen weerzin te kunnen ontdekken. Het kopje waaronder ze stonden luidde 'R & J'.

Ik herinnerde me die periode nog heel goed.

In de kerstvakantie van 1965 had ik een baantje bij Restall & Jackson, de nieuwe werkgevers van Ted. Ik kreeg handje-contantje betaald, het eerste geld dat ik ooit verdiende. De munten en briefjes in mijn portemonnee leken pure hitte af te geven waaraan ik mijn handen kon warmen als ik wachtte op de bus van en naar Hendon. 'Kersthulpjes' noemden Teds bazen ons, en we vormden een eigenaardig clubje. Er waren Jamaicaanse vrouwen bij in bonte kledij die de vochtige winterse atmosfeer meer kleur leek te geven, magere en zorgelijke blanke moeders met hoofddoeken op, en verder horden tieners die overal lak aan hadden en rookten ondanks de verbodsborden die de werkvloer sierden. Ik was nog net het jongste gezichtsloze kersthulpje, maar er waren ook twee zestienjarige meiden, van wie de ene duidelijk zwanger was. Ze kauwden aldoor kauwgum en scholden de getatoeëerde mannen die op de machines moesten letten voortdurend verrot, maar mij negeerden ze. Dat deden de anderen ook, maar dat maakte mij niet uit. Ik had iets te doen, ik kreeg ervoor betaald en ik zat dus niet de hele dag thuis te koekeloeren.

Natuurlijk had ik dit baantje via Ted gekregen. 'Je kunt er een mooi zakcentje mee verdienen, Sade,' zei hij. 'We zitten nogal krap en op het werk zijn er in deze tijd een hoop extra handen nodig.'

Ik wist heel goed dat we krap zaten, zoals hij het uitdrukte. Er brandde geen kachel bij ons thuis en we waren zelfs door dagelijkse behoeften als zeep en thee heen.

'Binnen de kortste keren liggen we weer op koers,' verklaarde hij met een knipoog. 'Sinds ik weg ben geweest voor die klus, heb ik nog geen tijd gehad om de boel op orde te krijgen.'

Hij was die hele zomer weggeweest voor een klus, beweerde hij dus. Ik geloofde hem, maar voelde me ongemakkelijk, want ik bespeurde wel dat er nog meer over te zeggen viel, maar dat ik dat liever niet wilde weten en dus beter geen vragen kon stellen. Ik was op reis geweest 'om Frans te leren, in het kader van een belangrijke culturele uitwisseling', zo had hij mijn afwezigheid gedurende de eerste maand van het schooljaar op school verklaard. In die maand waren in mijn nieuwe klas al groepjes ontstaan en de vriendschap die ik het vorige jaar zo'n beetje had opgebouwd met Daphne en een paar anderen was blijkbaar vergeten. In het begin toonden enkele kinderen nog wel enige interesse in de exotische zomervakantie die ik had gehad, maar de waarheid was dat ik maar weinig te vertellen had, al probeerde ik mijn verslag over Philippe behoorlijk aan te dikken. Sommige meisjes giechelden als ze me zagen en begonnen dan te fluisteren, maar ik sloot mijn oren ervoor en deed of ik niks in de gaten had. Algauw zochten ze daarom een andere zielenpiet als mikpunt voor hun gepest.

Ik vond het dan ook geen punt om door de andere kersthulpen genegeerd te worden, want ik was gewend aan eenzaamheid. Wat ik het fijnst vond van het werken bij Restall & Jackson, nog fijner dan het geld, was dat Ted in de buurt was. Ik werkte ofwel in de vroege ofwel in de late dienst en dus zaten we niet al te vaak samen in de bus (we hadden al heel lang geen auto meer), maar ik zag hem tenminste elke dag. Ik wist waar hij was en het feit dat ik niet over hem in hoefde te zitten – geen last had van de knagende angst dat hij op een keer echt weg zou zijn om nooit meer terug te komen – was nog plezieriger dan een brandende haard of een maaltijd van biefstuk met friet.

De fabriek was ondergebracht in een grote ijzeren barak in de buurt van Wormwood Scrubs op een winderig vlak terrein bij een spoorweg. In de kale takken van lage doornstruiken had zich allerlei afval verzameld, de grote plassen leken dode ogen en de gure wind voerde de geluiden van het rangeerterrein aan. Het was een lange, koude wandeling vanaf de bushalte en zelfs binnen de metalen wanden van de fabriek was het niet veel warmer. Wat voor eentonig werk ik in opdracht van de dikke voorman ook uitvoerde, altijd kon ik de condens zien die ik uitblies.

Het bedrijf Restall & Jackson produceerde goedkope toiletartikelen, en de kersthulpen waren ingeschakeld om een extra voorraad flessen te vullen en cadeauverpakkingen met shampoo, badolie en bodylotion klaar te maken voor transport ten behoeve van de kerstverkoop. De fabrieksruimte was gevuld met rijen grote metalen vaten waarin rusteloos bewegende schoepen eindeloos verdwijnende ellipsen trokken in melkige zeeën van lotion. De basis voor de producten zag er altijd hetzelfde uit: wittig druiperige vloeistof die de machinisten uit kolossale tonnen zonder enig opschrift in de vaten lieten stromen. Uit andere containers werden ingrediënten bijgemengd, totdat de bedrijfsleider aangaf dat het hieruit ontstane goedje gebotteld kon worden.

Soms stond ik aan de lopende band op de plek waar de lege flesjes in rap tempo werden gelanceerd tot onder de vulmonden om hun portie roze, gele of zachtgroene smurrie te ontvangen. Ik moest controleren of ze tot de juiste hoogte gevuld werden en de foute exemplaren uit de eindeloze processie verwijderen. Of ik werkte aan de etiketteringsband. Een aftandse machine drukte gegomde rechthoeken op de gevulde flesjes, die op hun kant werden aangevoerd. Het ging om goedkope producten en de bijbehorende etiketten waren voorzien van belabberd gedrukte letters en grof getekende lavendel, roosjes of varens. Het zou naar mijn idee een koud kunstje moeten zijn om het er allemaal fraaier te laten uitzien en ik doodde de tijd met gemijmer over artistieke hoogstandjes.

Soms moesten producten die in niet zo ruime hoeveelheden werden geproduceerd handmatig van een etiket worden voorzien. Met twee of drie andere kersthulpen worstelde ik me dan door een stapel etiketten en regimenten flesjes heen. Of ik kreeg een grote plastic kan, die ik steeds moest bijvullen uit een vat met geparfumeerd spul, om hele kratten lege flesjes handmatig mee te vullen. Het ergste werk vond ik het inpakken van het eindproduct in kartonnen dozen. Die dozen moesten eerst gevouwen worden en ik haalde mijn onervaren vingers voortdurend open aan de ruwe randen. Het steeds weer reiken naar de flesjes op de band om ze met meerdere tegelijk in de dozen te stoppen was erg vermoeiend, zodat ik te weinig energie overhield om te dagdromen. Ik luisterde naar Radio Caroline – dat moest wel, de muziek kwam keihard door de luidsprekers en de mensen aan de lopende band zongen mee en schreeuwden boven de herrie uit – en probeerde de dag door te komen door net te doen alsof ik er niet was maar van op een afstandje naar mezelf keek.

Ted was de eigen parfumeur van Restall & Jackson. 'Een uiterst talentvolle neus met een reputatie van distinctie.' Zo hoorde ik meneer Eddie Restall over hem zeggen tegen een klant die in de fabriek werd rondgeleid. De klant trok een wenkbrauw op en keek over zijn schouder in de richting van Teds werkplek. De kantoren bevonden zich op de bovenverdieping aan de zijkant, waar een ijzeren trap naartoe voerde. De vuile ramen keken uit op de fabriekshal. Maar Teds werkhok bevond zich op de begane grond. Hij droeg een witte overall en zat achter zijn parfumorgel, omringd door etages bruine flesjes. Meestal stond zijn gezicht nors terwijl hij notities maakte, en was zijn mond vertrokken alsof hij dingen rook die hem tegenstonden.

Ik wist dat dit werkhok, met zijn smerige vloer, gammele metalen kasten en gore emaillen gootstenen, bevlekt met groene snotachtige smurrie, een geweldige stap terug was vergeleken bij de verleidelijke elegantie van Scentsation, of zelfs de oude gribus bij Phebus Fragrances. Maar koppig hield ik vast aan mijn verering voor mijn vaders gave. Die was gewoon te verheven voor deze blikken toestand.

Als hij niet zat te schrijven in zijn kriebelige handschrift was Ted in de weer met flesjes van verschillend formaat uit zijn kasten en mengde druppels vloeistof. De bedrijfsleider kwam af en toe een volle fles synthetische parfum bij hem ophalen om die leeg te gieten in een van de vaten, waarin de schoepen de geur mengden met de zee van lotion. De parfumvloeistof maakte maar een heel klein gedeelte uit van het totaal, maar ik kon dat niet zo erg vinden. Alle producten van Restall & Jackson roken min of meer hetzelfde: zoetig met een poederachtige chemische nageur, een weeïg en ziekelijk ouwedamesluchtje. De formules had Ted met potlood neergekrabbeld onder het hoofdje R & J. Meneer Phebus had hem kennelijk zo door en door getraind dat hij ook de receptuur van deze geuren, waarvoor hij zelf zijn neus ophaalde, nauwgezet noteerde.

Ik stelde hem geen directe vragen over wat hij bij Restall & Jackson deed, ik keek wel uit. Ik begreep ook zonder dat mij iets verteld was, dat hij zich na die zomer opnieuw moest bewijzen. Hij zou er niet lang blijven werken, stelde ik mezelf gerust. Natuurlijk niet.

Twee weken lang, tot en met twee dagen voor Kerstmis, toen de laatste vrachtwagen met verpakte producten wegreed, kon ik mijn vader vanuit mijn ooghoeken bezig zien en was aan het einde van de werkdag mijn bruine loonzakje gevuld met munten en nu en dan een opgevouwen bankbiljet.

Op de dag voor Kerstmis ging Ted erop uit om inkopen te doen en spendeerde ik een deel van het geld dat ik verdiend had aan een kleine kerstboom, die ik op een bijzettafeltje in de erker van onze voorkamer neerzette. De versieringen zaten tussen watten in een kartonnen doos die in de kast onder de trap bewaard werd. Mijn moeder had er 'kerstversiering' op geschreven en ik dacht aan haar terwijl ik op Ted wachtte en de glazen kerstballen in de boom hing en engelenhaar over de naar hars geurende stekelige takken drapeerde. Ik zou het heel fijn hebben gevonden als ik die avond met mijn vader had kunnen doorbrengen en we, wie weet, over haar hadden kunnen praten. We hadden herinneringen kunnen ophalen aan de kerstdagen van vroeger, die we met ons drietjes hadden doorgedacht; die herinneringen waren al te snel aan het vervagen, omdat ze vrijwel nooit werden opgehaald. Maar Ted trok een kraakhelder overhemd aan, deed zijn RAF-das om en kondigde met een glimlach aan dat hij er een paar uurtjes tussenuit ging. Hij was weer zijn oude elegante, zelfverzekerde zelf. Hij leek zelfs groter dan op de fabriek. Daar zat hij er in zijn witte jas bijna voortdurend ineengedoken bij.

'Blijf vanavond maar niet op.' Hij gaf me een knipoog. 'Waarom ga je niet even bij mevrouw Maloney langs?'

Dat deed ik niet, ik keek naar de televisie.

Als kerstcadeautje gaf ik hem een boek met art-nouveau-illustraties voor posters. Ik vond de kleuren en gebogen vormen prachtig en dacht dat voor Ted hetzelfde zou gelden, maar de platen leken hem niet veel te zeggen. Mijn cadeau was een briefje van vijf pond in een envelop.

Ik keek behoorlijk veel televisie tijdens die kerstdagen.

Een maand later had Ted een andere baan bij een klein onafhankelijk parfumeriehuis. Over Restall & Jackson werd nooit meer met een woord gerept en nu pas, terwijl ik zat te bladeren in de aantekeningen uit 1965, waren de ijzeren barak en de vaten met weeïg geurende, gekleurde smurrie weer in mijn gedachten opgedoken.

Op de vrijdagochtend voorafgaand aan de afspraak met Audrey voor zondag, reed ik naar de bibliotheek in Hendon. Deze bevond zich niet zo ver bij Dorset Avenue vandaan, en ik reed op een gegeven moment door een straat die me zo vertrouwd was dat ik vrijwel niet meer hoefde na te denken over de verdere route. Ik kwam langs een videoverhuurbedrijf; vroeger zat daar de ijzerwarenzaak van de vader van een meisje met wie ik op school zat. De bioscoop was in de jaren tachtig omgebouwd tot bingohal, maar was inmiddels dichtgetimmerd. Op een driehoekig terrein, waar in mijn jeugd een aantal vervallen garages had gestaan plus een danszaal die berucht was vanwege vechtpartijen op zaterdagavond, waren een enorme supermarkt en een doe-het-zelfcomplex uit de grond gestampt.

Ik zat al in de hal te wachten toen de leeszaal van de bibliotheek geopend werd. Een in leer gebonden bundeling van de *Hendon & Finchley Times* werd voor mij neergelegd op een van de tafels. Een ogenblik zat ik te kijken naar het doffe rood van het omslag, de sleetse randen en de slordig vergulde letters van de datering. Afgeraffeld lopendebandwerk, vond ik. Maar voor de boekbinder die het had gedaan, moest het bundelen van kranten een aardige, constante inkomstenbron zijn geweest. Tegenwoordig werd alles op microfilm gezet.

Ik sloeg het omslag open en keek automatisch naar de gemarmerde schutbladen.

Toen bekeek ik de voorpagina van de eerste krant: HOPMAN UIT HENDON GERIDDERD. OPPERRABBIJN OP BEZOEK IN KINGSBURY.

Het leek wel of ik een blik wierp in een periode die al een eeuw geleden was, in plaats van net veertig jaar. De vergeelde pagina's voelden slap aan en het leek alsof de drukinkt volledig in de papiervezels was doorgedrongen, zodat de letters er mat en vaag uitzagen. Ik stuitte op een interview met meisjes van achttien die er als veertig uitzagen en de selectieprocedure voor de opleiding tot stewardess 'met vlag en wimpel' waren doorgekomen. Elke bruiloft in de wijk werd breed uitgemeten, zo leek het althans. In de vrouwenrubriek trof ik verhalen aan over de elegantste handschoenen en hoeden voor elke gelegenheid. Ik glimlachte toen ik een volgende bladzijde omsloeg en het zag staan, naast BRUID IN SATIJN.

MAN UIT HENDON SCHULDIG AAN OPLICHTING.

Ik wist ogenblikkelijk dat dit het was waarnaar ik op zoek was, maar ik las eerst het stukje over de satijnen bruidsjurk en de drie bruidsmeisjes, gevolgd door een alinea over de zuster van de bruidegom, die helemaal uit Amerika was overgekomen om de huwelijksvoltrekking mee te maken. Toen pas begon ik aan het artikel over mijn vader.

Er werd vrij uitgebreid over zijn zaak bericht, maar er stond geen foto bij.

De voorzitter van het hof van de districtsrechtbank van Middlesex, de edelachtbare W.H. Gascoigne, had Ted schuldig bevonden aan een 'bijzonder laaghartig misdrijf'. Hij stond terecht wegens het zich wederrechtelijk toe-eigenen van een bedrag van 344 pond sterling en 8 shilling door middel van een vervalst aankoopbewijs.

Ik las de rest gehaast door, terwijl een tintelend gevoel van onbehagen zich via de onderkant van mijn schedel over mijn hele hoofd uitbreidde, als een muts die te strak zat.

Ted had op zich genomen om de firma Bourne & Hollingsworth Ltd een exclusieve geurlijn te zullen leveren onder de handelsnaam Scentsation en had zijn geldschieter, ene mevrouw Caroline Ingoldby, een rekening getoond voor de aankoop van parfumgrondstoffen ten behoeve van de productie van genoemde geurlijn. Ze had hem het geld in goed vertrouwen ter beschikking gesteld, omdat zij een groot bewonderaarster was van de parfumerieproducten van de beklaagde en meende dat ze in de toekomst een goede gezamenlijke onderneming zouden opzetten. De afgesproken datum voor de leverantie van de bestelde parfum werd echter niet gehaald en toen de firma eiste dat de producten geleverd zouden worden, omdat het contract anders nietig zou worden verklaard, had Thompson bij mevrouw Ingoldby aangeklopt voor nog meer geld om 'onvoorziene problemen met de productie' op te lossen. Mevrouw Ingoldby had argwaan gekregen en de oorspronkelijke nota aan een onderzoek laten onderwerpen. Die bleek vervalst te zijn.

Thompson had verklaard dat hij bedrijfsschulden had en 'het ene gat met het andere had gevuld, om het zo maar uit te drukken'. Hij was vast van plan geweest om zijn verplichtingen aan het warenhuis na te komen en om het geld dat hij schuldig was te betalen uit zijn deel van de winst die hieruit zou voortvloeien. Rechter Gascoigne vond het echter uiterst laakbaar dat de beklaagde misbruik had gemaakt van het vertrouwen dat een vrouw hem in haar onschuld geschonken had. Hij veroordeelde hem derhalve tot zes maanden gevangenisstraf, rekening houdend met het feit dat Thompson al eerder schuldig was bevonden aan verduistering van geld van een voormalig werkgever en hiervoor een boete opgelegd had gekregen.

Ik las het artikel nog eens aandachtig over, maar in het robuuste proza van de *Hendon & Finchley Times* was geen spoortje te vinden dat een meervoudige interpretatie mogelijk maakte.

Iedereen die ik indertijd kende, moest hiervan op de hoogte zijn geweest. Mevrouw Maloney, Daphne, Daphnes ouders, de andere meisjes uit mijn klas, juffrouw Avery, de rectrice van mijn school, en de andere leraren... allemaal moesten ze gehoord of gelezen hebben dat mijn vader de gevangenis in moest. Ik zat op mijn stoel in de leeszaal te midden van het gehoest en geritsel afkomstig van andere lezers, en hield mezelf voor dat het me niet kon schelen, nu niet, en ook niet met terugwerkende kracht uit naam van het kind dat ik toen was. Maar wat me enorm trof was dat ik zo hardnekkig was geweest in mijn vastbeslotenheid om de waarheid in al zijn vormen uit de weg te gaan.

Ik was me bewust geweest van het gefluister van de meisjes uit mijn klas en van de meelevende, maar onderzoekende blikken van de leraren, maar toch was het me op een of andere manier gelukt er geen aandacht aan te schenken. Angela had toen of later ook nooit iets laten blijken. Mevrouw Maloney, met haar zuinige mondje en heen en weer schietende ogen, had ongetwijfeld insinuerende opmerkingen gemaakt, maar ik had ze blijkbaar uit mijn gedachten verdreven.

Ik wilde niet weten wat Ted gedaan had of waar hij uithing, en daardoor had ik volslagen onwetend kunnen blijven. Ik had zelfs geloof gehecht aan zijn belachelijke verhaal dat ik naar Frankrijk ging om de taal te leren en een andere cultuur op te snuiven, ook al was ik sinds de dood van mijn moeder nooit meer op vakantie geweest en interesseerde Ted zich nauwelijks voor mijn vorderingen op school.

Een dergelijke vasthoudendheid verried de breekbaarheid van mijn wereld, die ik toen heel goed had aangevoeld.

Als ik Ted niet vertrouwde, als hij me in de steek liet, zoals hij zo gemakkelijk zou kunnen doen, dan kon ik bij niemand terecht. Dus moest wat hij deed wel goed zijn en moest wat hij zei wel de waarheid zijn. Vanuit mijn volwassen perspectief leken de kolossale gedachtekronkels waartoe ik mijn toevlucht had moeten nemen uiterst uitputtend.

Een parfummaker en bedrieger, had ik tegen Mel gezegd, en die bekentenis was uit een diepverscholen bron in mijn bewustzijn rechtstreeks opgeborreld. Ik had het altijd al geweten.

Andere herinneringen dringen zich op, en die zijn me zo onaangenaam dat ik mijn ogen wijd opensper en ingespannen naar het raam kijk en het vierkant hemel erachter. Ik wil hier niet gaan huilen, tussen de andere lezers en de archiefmedewerkers die de dikke krantendelen op karretjes met wieltjes vervoeren.

Ik strijk de kreukelige krantenpagina's glad en sla de band voor-

zichtig dicht. Ik leg het kaartje dat aangeeft dat ik ermee klaar ben er-
bovenop en pak mijn spullen bij elkaar. Buiten is de atmosfeer droog
en stoffig en er staat geen zuchtje wind. Door een hek van gaas kan
ik op de rails van de ondergrondse kijken en terwijl ik blijf staan om
mijn gedachten een beetje te ordenen, komt een trein het station
onder me binnengedenderd en zie ik de vertekende gestalten van rei-
zigers het perron op stappen. De menigte loopt in een trage stroom
de trappen op terwijl de trein met een schok weer in beweging komt.
Mijn auto staat aan de andere kant van de straat geparkeerd. Ik ga
achter het stuur zitten en zie tot mijn verbazing op mijn parkeerticket
dat ik nog veel langer zou kunnen blijven staan. Ik heb het gevoel
alsof ik een eeuwigheid ben weggeweest.

Ik rij terug door de vertrouwde straten en merk in het voorbijgaan
allerlei veranderingen op, die de oude buurt desondanks geen echt
ander uiterlijk hebben gegeven. Ik probeer nergens aan te denken, ik
probeer nog niet uit te maken of het me oplucht dat ik een stukje van
Teds geschiedenis naar boven heb gehaald of dat insinuaties en illusies nog altijd de boventoon voeren, omdat Ted zo druk bezig is geweest om de schijn op te houden.

253

13

Het was de derde week van juli en door de grote hitte en het gebrek aan regen begonnen de bladeren van de bomen in onze straat aan de randen al bruinig te worden en om te krullen. Desondanks verscheen Audrey met haar vossenbontje om. Ik deed op zondagochtend de deur voor haar open en daar stond ze, met de stoffige pels pluizend rond haar kin. Ik wist dat ze bijna nooit haar huis uit kwam en ik realiseerde me dat ik eigenlijk had moeten aanbieden om haar met de auto te halen. Te laat. Ik zag in gedachten voor me hoe ze over straat was komen aanlopen met haar bontje als een wapenrusting om zich heen geslagen.

'Hallo, Audrey. Kom binnen.'

Ze keek langs me heen de gang in. Ik hoorde het gelach van Lola, die met Sam aan de telefoon hing.

'Wat een groot huis,' merkte Audrey op. Ze wierp een nieuwsgierige blik in de kamer die op de gang uitkwam en boog toen haar hoofd naar achteren om langs de trap omhoog te kijken.

'Het is best ruim, ja.'

'Het is zeker heel duur om te verwarmen?'

De glazen ogen van de vos keken me star aan. Op Audreys bovenlip braken zweetdruppeltjes door haar gezichtspoeder heen en ik vroeg me af waarom we het uitgerekend over de energierekening zouden hebben.

'Och, het valt wel mee. Zal ik je bontje aannemen?'

'Nee, dank je.'

'Kom maar mee naar beneden dan. Ik had gedacht om in de tuin nog even iets te drinken voordat we gaan eten.'

Jack hing in de keuken rond. Ik was wat hem betrof een beetje zenuwachtig geweest, want ik vroeg me af hoe het voor hem moest zijn om Audrey op een minder veilig terrein dan haar eigen huis in Turnmill Street te zien, maar ik zag nu dat ik me voor niets zorgen had gemaakt. Hij glimlachte eventjes opgelucht naar Audrey en ze gaf hem een geruststellend klopje op zijn schouder. Zij waren de beste maatjes en ik realiseerde me dat ik degene was met wie ze allebei nogal overhoop lagen. Ik liep naar de koelkast en haalde er een fles witte wijn uit.

Lola kwam de keuken in en Audreys blik gleed langs haar minirok met franje en haar gebruinde blote benen.

'We hebben elkaar bij de crematie gezien,' zei Lola met een glimlach.

'Da's waar, ja. Heb je het niet koud zo?'

Ik dirigeerde iedereen naar buiten en we gingen in de schaduw van de kersenboom van de buren aan tafel zitten.

Audrey nam kleine slokjes van haar wijn, waarbij ze haar lippen tuitte alsof de smaak haar tegenstond. 'Jullie zitten hier prima,' merkte ze op, terwijl ze haar omgeving in ogenschouw nam: de overwoekerde tuin, de achtermuur van de uitbouw waar nodig iets aan gedaan moest worden.

Haar commentaar irriteerde me. Maar het moest gezegd dat de nogal vervallen staat van mijn onderkomen nog heel gunstig afstak bij haar eigen huis. Ik dacht aan de eenzaamheid die als een sluier tegen haar ramen lag en hield me voor dat Jack en Lola en ik een gezin vormden, al liep het met dat gezin vaak minder gladjes dan ik wel zou willen. Ik voelde een steek van medelijden met Audrey en schaamde me over mijn bezitterigheid. Als Jack haar af en toe gezelschap hield, dan zou dat eigenlijk het laatste moeten zijn waar ik over inzat. 'Maar wij hebben geen menagerie in onze tuin,' zei ik opgewekt.

'Weet je nog van die welp?' vroeg Jack.

'Wat voor welp?'

'De eerste keer bij Audrey was er een vossenjong.' Hij kon er gewoon niet bij dat ik dát niet meer wist.

'O ja?' zei Lola geïnteresseerd. 'Een jong vosje? Wat snoezig.'

'O ja,' herinnerde ik me ineens, maar te laat. In een van de kooien had ik een roestkleurig beestje opgerold zien liggen.

'Nou, Audrey heeft hem melk gevoerd en nog een heleboel andere dingen en hij werd groter en groter en echt heel sterk. We sloten Jack en de andere katten altijd in huis op zodat we hem in de tuin konden laten. Dan rende hij rond en snuffelde overal aan, maar om te eten ging hij nog wel zijn kooi in. En na een tijdje lieten we de andere katten gewoon buiten, behalve Jack, want die is de baas en heel gemeen. Nou, en het welpje was helemaal niet bang voor de katten, hij kon ze gewoon aan. Ze zetten wel hun staart op en ze bliezen naar hem, want ze waren gewend dat hij in zijn kooi zat en nu liep hij ineens los in hun territorium, maar ze lieten hem verder gewoon met rust. En toen vonden we dat het tijd was om hem met Jack te confronteren.'

Lola keek afwisselend naar Audrey en haar broer en ik kon zien dat ze helemaal in het verhaal opging. 'Wat gebeurde er toen?'

'Nou, we deden dus de kooi open en toen kwam het vosje eruit en liep regelrecht naar Jack om aan hem te snuffelen. Audrey denkt dat dat is omdat zijn moeder hem nooit heeft kunnen leren waar hij bang voor moet zijn en waarvoor niet. En dus gaat hij overal gewoon op af. Jack blies en zette een geweldige rug op, want dat doen katten, en het vosje rende weg en toen ging Jack achter hem aan. Ze begonnen te rollebollen en toen beet het vosje in Jacks nek, vlak achter zijn oor. En die begon me toch te mauwen en te krijsen. Audrey heeft ze uit elkaar gehaald en toen rende het vosje zijn kooi in en Jack droop naar binnen af.'

'Één-één gelijk.' Lola lachte.

Ik genoot van Jacks verhaal, of liever gezegd, ik genoot ervan dat hij zomaar zat te vertellen. Maar ik zag ook dat Audrey er roerloos bij zat. Haar glas wijn stond voor haar op tafel en ze had haar beide handen ernaast gelegd. Ze had alleen maar oog en oor voor Jack.

'Ja, en sindsdien negeren ze elkaar volledig. De welp is nu trouwens groter dan Jack. We laten zijn kooi nu de hele tijd open en hij zit er bijna niet meer in. Binnenkort kan hij zichzelf wel redden.'

Nog zo'n stadsvos die 's nachts de vuilnisbakken afschuimt, dacht ik.

'Wat schattig,' zei Lola met een zucht. 'Dat moet ik Sam vertellen.'

'Audrey heeft haar vossenbontje ook gered, weet je,' zei Jack.

'Dat zat ik me al af te vragen.' Ik zag dat Lola, mijn onverschrokken dochter, nota bene zat te blozen terwijl ze naar Audrey keek.

'Hij was al dood toen ze hem kreeg, toch? Dus nu zorgt ze ervoor en laat hem af en toe uit.'

Lola zat te knikken, volkomen serieus ook nog. Ook zij voelde zich blijkbaar tot Audrey aangetrokken.

Ik bestudeerde het gezicht van de oude vrouw en zag opnieuw de resten van schoonheid in haar beenderen en mond. Ze voelde dat ik naar haar zat te kijken en toen haar ogen de mijne even ontmoetten, vernauwden ze zich tot spleetjes, als was ze een van haar dieren, waarna ze langs me heen keek naar de tuinmuur en het schaduwpatroon van de bladeren, en haar blik vervolgens weer via een boogje op Jack richtte.

'Zijn we allemaal klaar om aan tafel te gaan?' vroeg ik. Ik klonk als een gastvrouw uit de jaren vijftig en dat irriteerde me. Jack begon hinnikend te lachen van verlegenheid en Lola mompelde: 'Doe effe normaal, mam.'

We gingen naar binnen en aan tafel. Ik had me in mijn hoofd gehaald dat dierenliefhebster Audrey misschien wel vegetariër was en dus had ik een hartige taart met feta en tomaat en een gegratineerde groenteschotel gemaakt.

Ze snoof aan het romig rode en nogal vochtige binnenste van haar taartpunt. 'Wat is dit?'

Ik legde het uit en opnieuw rook ze eraan.

'Aha.'

'Vind je het soms niet lekker, Audrey?'

Ze grinnikte. 'Ik had rosbief en Yorkshire pudding verwacht. Of misschien een lekker stukje lamsbout. Dat vind ik echt zondagseten.'

'Ach, jeetje. Ik dacht dat je misschien geen dieren at.'

'Waarom niet? Dieren eten elkaar toch ook op?'

Jack corrigeerde haar doodernstig. 'Herbivoren niet. Schapen en koeien niet, bijvoorbeeld, want dat zijn herbivoren.'

Audrey schonk hem een welwillende blik. 'Nou, echte dieren dan.'

'Er is een natuurlijke voedselketen, weet je,' zei Jack nu tegen mij. 'Daar horen carnivoren in thuis.'

'Volgende keer eten we beef Wellington,' zei ik glimlachend.

Audrey hield haar hoofd scheef om aan te geven dat ze over een volgende keer eerst terdege zou moeten nadenken en nam een muizenhapje van haar fetataart.

De conversatie tijdens het eten was niet wat je noemt levendig. Ik probeerde steeds weer andere onderwerpen te bedenken, van het verkeersbeleid en Greenpeace tot Jacks interesses binnen en buiten de school, maar Audrey reageerde nauwelijks ergens op. Ze had af en toe wel onderonsjes met Jack, over dingen waar ze het kennelijk al eerder over hadden gehad en waar ze het blijkbaar met z'n tweeën over eens waren, maar die niet noodzakelijkerwijs voor de oren van anderen bestemd waren. Lola wierp me zo nu en dan een vragende blik toe, maar verder werd ze zelf geheel in beslag genomen door haar eigen gedachten en leek ze zich stiekemweg ook al voor Audrey te interesseren en haar zelfs te bewonderen.

Hoewel ze aanvankelijk zo te zien weinig van mijn eten moest hebben, had ze toch opmerkelijk snel haar bord leeg en ze liet me haar glas meer dan eens bijvullen.

Ik haalde de borden weg en kwam met het toetje, polenta-citroen-taart, waar vooral Lola dol op was. Ze schrokte haar portie naar binnen en stond toen van tafel op. 'Mam, is het goed als ik naar Jules ga? Laat de boel maar staan, dan ruim ik straks alles wel op.' Ik knikte. Lola vroeg toen ze Audrey gedag zei of ze niet een keer naar het vosje mocht komen kijken.

'Dan moet je wel eerst opbellen,' zei Audrey. 'Ik hou niet van on-aangekondigd bezoek.'

Jack zond zijn zus een boze blik achterna. Hij wilde niet alleen ach-terblijven, klem tussen mij en Audrey, maar ik vond dat het geen kwaad kon als hij gewoon bleef zitten waar hij zat. Ik vertelde Audrey dat we de volgende week op vakantie zouden gaan, ergens in de buurt van Grasse.

'Grasse?'

'Ja. Ted heeft me daarheen gestuurd om bij vrienden te gaan loge-ren, die zomer toen hij... eh, er niet was.'

Ik keek haar verwachtingsvol aan, maar ze gaf geen sjoege.

'Het leek me wel eens interessant voor Lola en Jack om iets van de industrie daar te zien. Om ze een beetje een idee te geven van waar hun grootvader mee bezig was.'

Opnieuw wachtte ik op een reactie, maar in de stilte die volgde was er maar één ding dat Audrey deed: ze bevochtigde het topje van haar pink om er het laatste kruimeltje citroentaart mee op te pakken. Ze bracht het sierlijk over naar haar tong, een verbluffend roze en glad exemplaar. Ze deed me denken aan een van de katten uit haar ver-zameling.

'Wil je misschien nog een stukje taart?'

'Nee, ik moet niet te veel van dat buitenlandse eten hebben, daar kan ik niet tegen.'

'Zal ik dan maar koffie gaan zetten?'

Jack begon de borden op elkaar te stapelen en ging zelfs zover een deel van de vaat lukraak in de afwasmachine te zetten. Aan de hoek die zijn schouders maakten en de manier waarop hij het hoofd liet hangen was te zien dat hij zich totaal niet op zijn gemak voelde. Ik had boven mijn eigen gevoelens moeten gaan staan en me niet met zijn vriendschap voor deze stekelige ouwe tante moeten bemoeien.

Maar er bleef me van alles dwarszitten.

Audreys vijandigheid zweefde als een rotte stank tussen ons in, een lucht die ik zelfs nog rook toen ik koffie aan het malen was en kopjes klaarzette, onderwijl kijkend naar Jack, die Audrey een nieuwe prentbriefkaart liet zien van een buizerd in vlucht die hij míj nog niet had laten zien. De vijandigheid ging verder dan rationeel te verklaren viel op grond van de paar keer dat we elkaar gezien hadden, zelfs al had ik me nog zo onhandig gedragen, had ze me een frik genoemd en hadden we gekibbeld. Het was waar dat mijn vader spaargeld van haar had losgekregen, dat hij daarna verkwanseld had, en misschien waren haar huidige problemen daar gedeeltelijk uit voortgekomen, ook al was het nog zo lang geleden... Maar als dat zo was, dan kon ze dat toch gewoon zeggen en mij zelfs om compensatie vragen?

Wat er echt aan de hand was, kon alleen maar op een andere manier verklaard worden, maar misschien ging het om iets waarvan ik de reikwijdte totaal niet overzag. Het feit dat zij en mijn zoon het zo goed met elkaar konden vinden, zat me ook niet lekker. Er zat een element van strijd in dat een van ons tweeën buitensloot: het had iets van zij of ik en dit was iets wat voor ons alle drie verkeerd zou kunnen uitpakken.

Ik zette het blad met de koffie op tafel.

Audrey nam haar kopje aan. Ze boog haar hoofd er eerst naartoe om te ruiken voordat ze een slokje nam. Ik zag haar slokdarm onder de gerimpelde huid van haar nek bewegen. 'Erg lekker,' zei ze en ik merkte dat haar goedkeuring me buitensporig deugd deed. Ik ging er wat gemakkelijker bij zitten.

Audrey reikte naar beneden om haar oude handtas van gebarsten bruin leer op te pakken. Ze deed de knip open en begon erin rond te tasten. 'Aangezien je zoveel interesse voor je vader schijnt te hebben, al is het wel erg laat, dacht ik dat je hier misschien wel even naar wilde kijken,' zei ze. Ze reikte me over de tafel heen een flesje aan, dat ik in de palm van mijn hand hield.

Het was een prachtige flacon, gemaakt van rookglas en in de vorm van een traan, met aan de onderkant elkaar overlappende blaadjes van zilver en paarlemoer. De stop was een kleinere geslepen traan van glas en stak in een kraag van zilver. Op het flesje zat geen etiket of wat dan ook. Toen ik het tegen het heldere licht vanuit de tuin hield zag ik op de bodem een bruin residu van opgedroogde parfum. Ik pakte de stop aan om te voelen hoe stevig hij zat. Ik voelde de minieme wrijvingsweerstand van geruwd glas tegen geruwd glas.

'Toe dan, maak open,' commandeerde Audrey.

Jack vond dit niet interessant. Hij stond op van tafel en liep in de keuken op en neer, bleef toen staan voor de koelkast en begon te spelen met de magneten waarmee boodschappenbriefjes en geheugensteuntjes tegen de deur zaten. Een van de briefjes raakte los en fladderde naar de grond.

Ik haalde de stop van het flesje en snoof. Het parfum, wat het ook geweest was, bestond niet meer. Het enige wat ik nog kon ruiken was een muf luchtje dat in de verte aan rozen deed denken. Roses de Mai. Wat is het?' vroeg ik.

'Een van de geuren van je vader.'

'Hoe heet het?'

'Innominata. Naamloos, zo je wilt.'

Door de poeder op haar wangen waren blosjes zichtbaar.

'Heeft hij het voor jou ontworpen?'

Ja, natuurlijk. De truc met de hand om het gezicht.

Audrey knikte. Toen verkrampte haar mond door een mengeling van verdriet en triomf die me een onbehaaglijk gevoel bezorgde. Hier was heel veel aan de hand, dingen die gecompliceerd waren en heel diep gingen, en ik wilde niet dat Jack er ook maar iets van mee zou krijgen. Ik had haar gewoon met rust moeten laten, dacht ik. Mijn behoefte om in het verleden te graven, had onderhand een forensisch aspect gekregen en misschien zou ik de waarheid als ik die te weten mocht komen onmiddellijk weer willen vergeten. Ik deed de stop weer op het flesje.

Ik probeerde mezelf voor te houden dat mijn fantasie met me aan de haal was gegaan. Audrey was verliefd geweest op Ted en die had misbruik van haar gebruikt, zoals van zoveel andere vrouwen. Maar het was Audrey zelf die me zo'n onbehaaglijk gevoel gaf, niet het verleden van mijn vader. 'Waarom "Naamloos", vroeg ik, zoekend naar iets wat neutraal klonk.

'Omdat dat bij mij paste,' snauwde Audrey. Jack draaide zich van bij de koelkast verbaasd half naar ons om. Even was er een stilte waarin ik water in de gootsteen hoorde druppen, en een vliegtuig dat overvloog.

Ik gaf haar het flesje terug. Teds banden met handgeschreven recepturen lagen boven op een plank. Als die waar hij een 'A' bij had gezet, echt van haar parfum was, dan zou het vrijwel zeker opnieuw gemaakt kunnen worden. Wat alleen als een bruin restje op de bodem van haar flesje was achtergebleven, zou weer tot leven kunnen worden gebracht en zijn adem van rozen, neroli en sandelhout kunnen uitwasemen.

Als ze dat zou willen.

'Wanneer heeft hij het voor u gemaakt?'

'In 1956.'

Het was een heel precies antwoord, als je in aanmerking nam dat ze beweerd had dat ze zo slecht was in data. En het klopte precies met de plek van de receptuur in Teds chronologie van parfums. Het moest geweest zijn in de periode dat hij zich bij Phebus Fragrances tot een expert aan het ontwikkelen was. Even voor of misschien wel tijdens de periode dat ze op zakenreis naar Parijs waren geweest en hij voor Audrey het geruite pakje had gekocht.

Er viel me nog iets in. 'Ik heb tussen zijn spullen een foto gevonden.'

'Die heb je aan mij gegeven.'

Ik keek verbaasd en bedacht toen dat ze de foto moest bedoelen waarop Ted als een filmster stond afgebeeld. 'Nee, die bedoel ik niet. Het was een foto van jou. Je zit er op een muurtje en de wind blaast je haar op.'

De datum van die foto moest ook ongeveer kloppen. Audreys haar en kleren zagen eruit alsof ze uit halverwege de jaren vijftig stamden.

Jack liet achter me iets op het aanrecht vallen en ik hoorde hoe hij in de weer was om iets op te deppen.

Ik voegde eraan toe: 'Ik ben alleen bang dat ik zo stom ben geweest om hem kwijt te maken. Ik zou hem je heel graag willen geven.'

'Ik heb hem al.'

Opnieuw trok ik mijn gezicht in rimpels.

Jack verscheen in mijn gezichtsveld. 'Eh, mam? Ik heb hem aan Audrey gegeven. Snap je? Ik dacht dat het niet uitmaakte. Het was maar een oude foto.'

Audrey glimlachte, waarbij ze haar mondhoeken naar binnen zoog. Dit blijk van Jacks stiekeme gedoe deed haar genoegen. Ze hadden samen een verbond, tegen mij. Hetzelfde gold voor de middagen die hij stiekem bij haar in Turnmill Street had doorgebracht.

Mijn stem behield een luchtige klank. 'Nou, dat is prima. Het is Audreys foto. Maar je had het wel tegen me moeten zeggen, Jack, want het zat me echt dwars dat ik er zo slordig mee was geweest.'

'Sorry, mam,' zei hij binnensmonds.

'Wil je nog een kopje koffie, Audrey? Ik heb de boeken met aantekeningen van mijn vader boven liggen, met alle recepturen uitgeschreven. We kunnen ze doorkijken om te zien of we jouw parfum kunnen vinden.'

Audrey bevochtigde met haar tong een van haar mondhoeken, waar nog poeder kleefde aan de haartjes van een vage snor. 'Het is gewoon een parfumflesje,' zei ze. 'En wat moet ik nou nog met parfum?' Ik geloofde haar niet zomaar op haar woord. Als het echt gewoon een parfumflesje voor haar was, waarom had ze dan de moeite genomen om het aan mij te laten zien? 'Jack? Je weet toch waar die boeken van opa liggen? Wil je ze even voor me halen?' Hij slofte weg. Gezien het tempo waarin Jack zich normaal gesproken bewoog, kon het minuten duren voordat hij weer terug was.

'Ik heb je advies opgevolgd,' zei ik op neutrale toon, 'en dingen over Ted nagezocht. Het handigste bleek om oude nummers van de *Hendon & Finchley Times* op te vragen.'

Haar gezicht verried nog steeds geen emotie. 'Dus nu weet je dat je vader een misdadiger was. Verandert dat iets?'

'Nee, niet echt.' Zoals ik tegen Mel gezegd had, tastte ik in het duister. Ik wist zeker dat Audrey licht zou kunnen werpen op bepaalde dingen, maar het was minstens even duidelijk dat ze dat niet wilde. De geur van haar vijandigheid, die opnieuw tussen ons in zweefde, was veel sterker dan het beetje rozengeur dat in haar kleine flacon was achtergebleven.

Jack kwam terug met de boeken. Ik opende de eerste band en bladerde in de handgeschreven pagina's, zoekend naar de lange receptuur met de 'A' erbij geschreven. 'Hier staat het.' Ik wees het aan. En Audrey boog zich naar voren om te kijken, zocht toen in haar handtas en haalde er een bril uit. Zie je wel, dacht ik, je wilt er best naar kijken.

Maar nadat ze even op de bladzijde had zitten turen, zette Audrey haar bril af en richtte zich weer op. Ze dronk haar laatste koffie op en zette het kopje gedecideerd terug op het schoteltje. 'Het zegt me helemaal niets.'

Ze drukte zich bewust dubbelzinnig uit, dat was duidelijk. Ofwel wist ze niet wat de lijst met essences te betekenen had, ofwel deed ze maar of het haar niet interesseerde.

Ik sloeg de band dicht en schoof het boekwerk ter zijde. Ted had dus voor haar een parfum gecreëerd, maar niet voor mijn moeder of voor mij. Dat wist ik en dat wist Audrey ook. En uit de plooien rond haar lippen sprak eerder triomf dan verdriet. Het was een vrouw van formaat, besefte ik opeens. Er was een soort ijzeren kracht in haar die ik eerder niet volledig had weten te ontdekken, en mijn medelijden of sympathie of wat het ook was wat ik voor haar gevoeld had, was misplaatst. Ze was ongetwijfeld tegen Ted opgewassen geweest. En waarschijnlijk was ze hem zelfs de baas.

'Ik vond het heel bijzonder,' zei Audrey. 'Maar nu moet ik maar weer eens op huis aan. De dieren vinden het niet fijn om lang alleen te zijn.'

'We moeten dit nog maar eens doen.' Ik glimlachte. Jack zat bij mijn elleboog te wiebelen, een teken dat hij hier niet blij mee was. 'Ik breng u wel even thuis met de auto.'

Audrey stond op en verschoof het haakje dat haar bontje bijeenhield. 'Dank je, ik ga wel lopen. Daar ben ik aan gewend. Loop jij soms met me mee, Jack?'

'Goed,' zei hij dadelijk.

Ik kon geen reden verzinnen om hem tegen te houden. Ik liep met hen naar de voordeur en Audreys stijve houding maakte duidelijk dat ik niet moest proberen zoiets idioots uit te halen als haar ten afscheid op haar wang kussen. En dus gaven we elkaar een knikje. Ik keek hen een poosje na. Geen van beiden keek nog om. Jack liep tegen Audrey te kletsen terwijl hij naast haar bestofte gestalte meehupste, en ze boog haar hoofd naar hem toe om hem te verstaan, waarna ze knikte en hard begon te lachen. Ik zag de staart van de vos op en neer zwaaien terwijl ze schokschouderde.

Ik probeerde niet te bedenken waarom ze zo moesten lachen. Ik ging weer naar binnen, ruimde de tafel verder af en zette alles in de afwasmachine. Daarna ging ik buiten in de schaduw van de boom zitten en probeerde de zondagskrant te lezen.

Audrey was gesteld op Jacks gezelschap, maar dan niet in zijn eigen huis met zijn familie erbij, of in elk geval niet met mij. Mijn plannetje om haar voor Jack minder interessant te maken door haar in onze eigen kring te betrekken, was blijkbaar mislukt, en nu ik er nog eens over nadacht was het ook wel een beetje een goedkope manoeuvre geweest. Ik nam een ander stuk van de krant en las iets over de crisis in het openbaar vervoer. Voor de komende weken stonden er nog meer metro- en busstakingen gepland. Ik was blij dat we naar de zon van Frankrijk zouden gaan, fijn met ons drietjes samen.

Lola was eerder thuis dan Jack. Ze sneed nog een stuk citroentaart af en propte het in haar mond, waarbij de kruimels in het rond vlogen. 'Ik vind haar een intrigerend type, mam,' zei ze. 'En ook wel een beetje eng. Ze liet helemaal niets los, hè?'

'Nee.'

'Was zij een van opa's vriendinnen?'

'Ze beweert van niet.'

'Nou ja,' zei Lola geeuwend, 'het is allemaal ook zo lang geleden. Ik zie trouwens niet in wat het voor kwaad kan als Jack naar haar toe gaat. Laat hem toch gewoon.'

Ik kon ook nauwelijks anders. Toen hij eindelijk thuiskwam, veel te laat voor zijn huiswerk, maakte hij zich uiteraard van mijn vraag af wat hij gedaan had. 'O, niks bijzonders. Ik heb het vosje te eten gegeten en met de katten gespeeld en zo.'

'Vond Audrey het wel leuk om hier te eten?'

'Ze vond het eten maar raar.'

'Ze zal zoiets wel niet vaak eten.'

'Nee, ze vond het echt ráár.'

Misschien hadden ze daarom wel zo'n pret gehad.

Toen ik Jack de laatste schooldag met zijn map met tekeningen en andere spullen kwam ophalen, kon ik Paul Rainbird in het gedrang van kinderen en leraren nergens ontdekken. Maar die avond belde ik hem op. 'We gaan voor twee weken naar Frankrijk,' legde ik uit.

'Ik hoop dat Jack een hoop indruk op je zal maken met zijn beheersing van het Frans.'

'O, vast. Ik vroeg me af of je nog steeds een keer met me uit wilt.'

'Sadie, ik dacht dat dat toch wel duidelijk was.'

'Wat dacht je dan van een dinsdagavond, ergens na die twee weken?' Ik zei de precieze datum.

'Dan zal ik eens even in mijn agenda kijken.' Onze paspoorten, vliegtickets en het reserveringsbewijs voor ons appartement lagen voor me op tafel en terwijl ik wachtte stopte ik ze in een mapje. 'Dat komt mij goed uit,' zei hij.

'Ik heb er echt zin in,' zei ik. En dat was waar.

We vlogen naar Nice. De luchthaven werd verbouwd en het felle licht dat van het ruwe beton reflecteerde, deed ons met de ogen knipperen. Het was zo benauwd, dat ik het gevoel had alsof we door water moesten waden, en toen ik de ozonachtige geur van de turkooizen zee probeerde op te snuiven, kreeg ik alleen maar stof binnen.

We moesten een tijd in de rij staan voor onze huurauto. Lola deed haar best om onze route naar Grasse uit te vogelen, terwijl ik worstelde met de versnellingen van de Renault. Op een rotonde bleven we zelfs een keer stilstaan, waarop de bestuurder van een Nederlandse verhuiswagen vanachter zijn hoge voorruit geluidloze scheldwoorden over me uitstortte, daar zag het althans naar uit. Alles leek veranderd te zijn. Langs de kust wemelde het van de snelwegen en de zee was maar af en toe zichtbaar tussen de torenhoge appartementengebouwen door.

'Mam, je zit op de verkeerde baan,' schreeuwde Lola. 'Kijk dan, daar staat Grasse, op dat bord.'

Jack zat ineengedoken op de achterbank, met zijn gezicht naar de heuvels in de verte gericht, beige en grijze bulten die boven de heiigheid uitrezen.

Dit was niet het soort kennismaking dat ik voor mijn kinderen in gedachten had gehad. De geur van bloemen en de koele, bedauwde ochtenden die ik me herinnerde, hadden niets uit te staan met al dit verkeer en het panorama van bouwkranen en torenflats. 'We moeten eerst van de snelweg af zien te komen,' mompelde ik, gespannen over het stuur gebogen terwijl vrachtwagens en touringcars langs me heen denderden.

We namen een afslag landinwaarts en weldra lag Cannes met zijn eilandjes in de glinsterende baai pal achter ons.

'Ik herken het hier,' zei ik ineens.

Toen we eenmaal in een brede vallei reden, begon ik de vormen in het landschap te herkennen. Ik zag Grasse op zijn heuvel liggen en de vertrouwde ruggen van de hogere heuvels erachter, die vaag afstaken tegen de zinderende lucht. Maar verder leek alles anders. Waar vroeger velden waren, stonden nu overal verspreid witte en okerkleurige villa's, met elkaar verbonden door een wirwar van wegen met enorme rotondes, en her en der waren er bouwplaatsen voorzien van borden ter aankondiging van nog meer Casino-supermarkten, benzinestations en een drive-in-McDonald's. De lichtglooiende hellingen waren zo volgebouwd, dat nergens meer een plekje leek te zijn waar geen weg, flat of omrasterd stuk tuin was. Jack en Lola waren duf en stil van de hitte.

'We zijn er zo,' zei ik opgewekt.

De camping lag aan een kronkelweg op een steiler gedeelte van een heuvel. Bij het hek stonden mimosastruiken met aan de overhangende takken nog pulverige dode bloemen, en langs de toegangsweg groeiden brandnetels in grote groepen. Toen de beheerder ons naar ons appartement in een omgebouwde boerenschuur bracht, begreep ik waarom het zo goedkoop was. Maar tot mijn grote opluchting had je er wel een groots uitzicht op het dal, waardoor de huizen veel weg kregen van over het landschap uitgestrooide suikerklontjes, en was aan de horizon zelfs een grijsblauwe veeg zee te zien. De onmiddellijke omgeving was beplant met wijngaarden en olijfbomen en iets verder weg stonden verspreide cipressen. Lola gooide haar koffer op haar bed, haalde haar bikini eruit en ging regelrecht naar het zwembad. Het water had een groenige tint, maar er stond een overdaad aan door de zon gebleekte ligstoelen omheen. Vier jongens die halfslachtig aan het watervolleyballen waren, hielden daarmee op om haar met hun ogen te volgen terwijl ze zich met een boek op een van de stoelen installeerde.

Jack nam bezit van zijn kamer, niet meer dan een hokje. Hij pakte vol zorg zijn verrekijker uit, en legde vervolgens zijn aantekeningenboekje klaar plus een gidsje met vogels uit de streek. Ik schopte mijn schoenen uit en ging op ons miniterras zitten. Ik luisterde naar de koerende houtduiven in de bomen en liet de zon tot in mijn gebeente doordringen. Toen ik mijn ogen dichtdeed was de geur van zondoorbakken aarde, tijm en een vleugje bloemen vertrouwder dan een landschap ooit kon zijn.

'Mam, moet dit nou echt?'

We hadden vier dagen niets anders gedaan dan in de zon liggen, eten en lezen – dat wil zeggen, Lola en ik, want Jack was voortdurend tussen de bomen in de weer met zijn verrekijker of zat ermee op een rotsblok – maar nu waren we met de auto naar Grasse gereden en hadden er een parkeerplaatsje gevonden ergens in de rijen in de zon glinsterende auto's op het plein. Ik vond dat we een bezoek moesten brengen aan het parfummuseum.

'Ja,' zei ik. Als schakel met het leven van hun grootvader stelde zo'n museumbezoek niet veel voor, en ik kwam er ook als mosterd na de maaltijd bij hen mee aanzetten, maar het was allicht beter dan niets. En dus voegden ze zich met enige tegenzin in de stroom toeristen voor een rondleiding langs de oude koperen distilleerketels met hun gladde zwanenhals en de manden met papieren rozenblaadjes, en keken ze mee naar de namaakjasmijnbloesems die in een witte pasta

werden gedrukt, die dierlijk vet moest voorstellen zoals dat ooit gebruikt werd om de intense bloemengeur van de jasmijn te absorberen.
'Jèch,' hoorde ik Lola zachtjes zeggen.

Op het einde van de rondleiding kwamen we bij een nepparfum-
orgel in een neplaboratorium. Er zat zelfs een wassen parfumeur in
een witte jas te midden van de rijen flesjes, die een waaier van papieren geurstrookjes bij zijn neus hield. Hij leek niet op Ted – hij droeg
een pince-nez en had een weelderige snor – maar toch zag ik mijn
vader weer helemaal voor me. Daar was hij, met zijn keurig achter-
overgeborstelde haar, glanzend van de brillantine, en zijn lavallière
met paisleymotief, en ik rook de bedrieglijke citrusnoot van zijn reukwater.

Toe, meisje van me. Waarom ga je niet even bij mevrouw Maloney langs?
Dat wil ik niet. Ik wil bij jou zijn. Ik ben bang dat je doodgaat als ik niet
naar je kan kijken, of dat je weggaat en me weer alleen laat.

'Mam?' Het was Lola die naast me stond.

De publieksvriendelijke manier waarop het museum een beeld gaf
van Teds vakgebied riep geen herinneringen op aan Restall & John-
son of Phebus Fragrances, maar Ted drong zich als in levenden lijve
aan me op. Sinds de avond voordat hij stierf had ik zijn nabijheid niet
meer zo sterk gevoeld en de herinnering en het gelijktijdige besef dat
hij er niet meer was, overspoelden me met zo'n plotselinge en pijnlijke golf van verdriet, dat ik even wankelde.

'Mam, wat is er? Voel je je niet goed?'

'Jawel. Maar ik moest aan opa denken.'

'Kom mee naar buiten, even zitten.'

Het felle licht op de binnenplaats van het museum verblindde me.
Jack en Lola namen me allebei bij een arm en leidden me naar een
bankje. Ik zou ze het liefst tegen me aan drukken; ik bedacht dat het
voor Ted en mij te laat was en dat ik het nooit zover mocht laten
komen met ons drieën.

Lola kwam aan met een plastic flesje met mineraalwater en ik nam
een slok. Jack zat naast mijn voeten op de stoep en staarde naar mijn
knieën, in plaats van het risico te nemen me aan te kijken. Ik streelde
over het stugge haar ter weerszijden van zijn scheiding en nu trok hij
zijn hoofd eens een keertje niet weg. Naast de deur waar we net doorheen waren gekomen stonden geraniums in kuipen en op het plavei-
sel lagen helrode bloemblaadjes verspreid als schilfers bloed.

'Niets aan de hand,' zei ik.

'Ik denk heel vaak aan hem,' zei Lola tegen me. 'Aan de dingen die hij zei. Hij is er nog steeds, toch, als we maar aan hem denken?'

'Dat is fijn,' bracht ik met moeite uit. 'Ik ben blij dat je aan hem denkt.'

'Dat doe ik ook,' mompelde Jack.

Na een paar minuten was de acute pijn afgezakt en had plaatsgemaakt voor een dof gevoel.

'We hadden hier niet heen moeten gaan, mam. Ik wist niet dat je er zo door van streek zou raken.' Lola wierp een woedende blik in de richting van de deur van het museum, alsof dat er schuld aan had.

'Het is juist goed om hier te zijn.' Hier, en in Grasse zelf. Het was allebei goed. Ik had het gevoel alsof een rivier die was ingedamd weer helder zou gaan stromen.

'Kunnen we niet ergens iets te eten halen?' mompelde Jack.

We liepen over de oude met grote stenen geplaveide bloemenmarkt die ik op mijn vijftiende zo fantastisch had gevonden. Op het terras van een restaurant, in de schaduw van de arcade, bestelden we crêpes en salade. Tegen de middeleeuwse muren stonden citrusboompjes in potten en langs een steile trap keken we uit op een straatje met overal uitstekende ijzeren balkonnetjes en waslijnen. Zelfs op het heetst van de dag was het hier uit de zon heerlijk koel.

'Het is prachtig hier,' zei Lola met een zucht. 'Je hebt gelijk, ik ben blij dat we hiernaartoe zijn gegaan. Gaat het weer, mam?'

Ik glimlachte naar haar.

Even later, toen ze ijs zaten te eten, liep ik het restaurant binnen. Op het terrein van de camping was maar één openbare telefooncel en geen telefoonboek. Maar hier achterin, vlak bij de *toilettes*, hing een telefoon met een beduimeld telefoonboek ernaast. Ik begon erin te bladeren, al wist ik bijna zeker dat ik niet zou vinden wat ik zocht. Toch kwam ik zijn naam tegen, met een nummer hier in Grasse.

Philippe Lesert.

Ik draaide het nummer en kreeg een vrouw aan de telefoon. Ja, hij was thuis, zei ze.

Natuurlijk was hij thuis, het was tijd voor het *déjeuner*.

Ik gaf mevrouw Lesert mijn naam op. Even later kwam Philippe aan de lijn.

'*Oui?*' Een zware, nogal vermoeide stem. Ik begon omstandig uit te leggen wie ik, was maar hij onderbrak me ongelovig.

'*Sadie? C'est toi?*'

'Oui, Philippe.'

We moesten lachen om onze wederzijdse verbazing. Ik probeerde hem uit te leggen waarom ik zo lang niets van me had laten horen en nu ineens zomaar belde, maar Philippe wilde niet van excuses horen.

'En je bent nu in Grasse?' herhaalde hij nog eens.

'Ja. Ja, ik ben hier op vakantie met mijn kinderen.'

'Dan moeten we met elkaar afspreken. Ik wil je man en kinderen heel graag zien.'

'Ik ben hier alleen met mijn zoon en dochter.'

Hij vertelde dat zijn vrouw, Stéphanie, schrijfster van kinderboeken was en dat ze het deze week zo razend druk had dat Philippe me niet bij hem thuis kon uitnodigen. Maar was het misschien een idee om ergens samen te lunchen?

We maakten een afspraak voor over drie dagen.

'Met wie stond je te bellen, mam?' vroeg Jack nieuwsgierig.

'Met een oude vriend. Iemand die ik kende toen ik hier was.'

Jack en Lola trokken het gezicht dat ze altijd trokken wanneer bleek dat hun moeder ook een leven had gehad voordat zij geboren waren.

'Zijn we klaar om te gaan?' vroeg ik. '*Tu n'as pas encore faim?*'

'Waarom zeg je dat toch steeds, mam?' kreunde Lola. 'Het is zó irritant.'

'De moeder van die vriend zei dat altijd tegen mij.'

Ik vroeg me af of Marie-Ange Lesert nog leefde. Ik had geen kans gezien Philippe er tijdens ons korte telefoongesprek naar te vragen.

Er gingen twee dagen voorbij. Het was een hete dag en er stond geen zuchtje wind. Ik zat op het terras met mijn boek en keek over de volgebouwde vallei uit naar de zee. Hagedissen schoten over de hete stenen en in de rode klaver die overvloedig langs het kampeerterrein bloeide gonsde het van de bijen. Ik meende de ligging van de oude boerderij in de verte te kunnen bepalen en toen ik Jacks verrekijker leende, zag ik een grijze veeg die volgens mij niets anders dan het pannendak kon zijn.

Lola had vriendschap gesloten met de volleyballende jongens en was met hen naar het strand in Cannes. Jack wilde niet naar het strand. Hij dwaalde rond door de gortdroge bossen en ging vaak naar een ravijn, waar hij met zijn verrekijker op de rotsrand zat om naar vogels te kijken. De andere gezinnen op het terrein deden lawaaierige spelletjes, hielden barbecues of laadden hun auto vol picknickspullen om hele dagen aan zee door te brengen, maar het was net alsof wij drieën ieder onze eigen bezigheden hadden, ook al was het een gezinsvakantie. Toch was het wel bevredigend, vond ik, want zelfs Jack leek zich redelijk te vermaken. Zijn doorschijnende blanke huid kreeg eerst een rozerode tint en werd toen zelfs een tikje bruin.

De volgende dag reed ik naar Grasse om met Philippe te gaan lunchen in een restaurant in het oude stadsgedeelte. Toen ik de schemerige ruimte binnenkwam stond een man op van een hoektafeltje om me te begroeten. 'Sadie, ik zou je overal herkend hebben.'

Hij kuste me op beide wangen en hield mijn handen even in de zijne. Ik was er minder zeker van of ik hem wel herkend zou hebben. Hij was nog altijd slank, maar zijn zwarte haar was grijs geworden en aan de zijkant van zijn mond zaten diepe groeven. Hij zag er kleiner en een stuk treuriger uit dan vroeger. En Philippe mocht dan nog zo galant zijn, als hij de waarheid zou spreken had hij van mij waarschijnlijk hetzelfde gezegd.

In een ijsemmer naast het tafeltje stond een fles champagne en Philippe schonk een glas voor me in. 'Op 1965,' zei hij. Ik zei het hem na en we namen een slok.

De lunch verliep zoals verwacht mocht worden wanneer twee mensen elkaar na bijna veertig jaar weer eens zien. Af en toe was de herkenning zo intens, dat het leek alsof er intussen nog geen dag voorbij was gegaan, maar daarnaast waren er hele lappen geschiedenis die voor de ander ingevuld moesten worden. Philippe vertelde dat hij de grond van de familie had verkocht en dat er huizen op waren gezet. De bloementeelt ten behoeve van de parfumerie-industrie was niet meer rendabel; uit koolteer en petroleum werden in het lab synthetische reukstoffen gemaakt en de bloemen die nog wel werden gebruikt, kwamen voor het grootste deel uit landen als India, Egypte en Thailand. Een miniem vleugje *jasmine de Grasse* werd nog wel eens toegevoegd als de boeken het toelieten.

Philippe was tegenwoordig marketingchef van een van de grootste parfumeriehuizen. Hij breidde zijn handen uit en zijn wenkbrauwen vormden de circumflexen die ik me levendig herinnerde. 'Ik heb alleen nog maar met verkoopcijfers en reclame te maken,' zei hij, 'niks meer met het land of met bloemen. *Maman* was de laatste die nog op de oude manier werkte.'

Marie-Ange Lesert was negen jaar geleden gestorven. Daarna had Philippe de laatste paar hectare cultuurgrond verkocht aan een van de laatste drie jasmijntelers die Grasse nog rijk was. 'Van alles wat jij en ik ons nog herinneren is niets meer over,' zei hij. Zijn donkere ogen glansden zo, dat ik bang was dat hij zou gaan huilen. 'En ik herinner het me nog zo ontzettend goed,' zei ik. Madame met haar roodbruine, gespierde armen en haar in klompen gestoken voeten, de geuren uit haar keuken vermengd met die van jasmijn en rozen, de rustige, gastvrije manier waarop ze een Engels tienermeisje in haar huis had verwelkomd. Nu zou ik nooit te weten komen wat de schakel was tussen haar en mijn vader. Ze moest op de een of andere manier en om de een of andere reden van hem gehouden hebben, en ze had zijn dochter uit liefde in huis genomen, want die liefde had ik in de oude boerderij voortdurend om me heen gevoeld. De champagne steeg me naar het hoofd. 'Jij was mijn eerste liefde,' zei ik tegen Philippe. 'Wist je dat?'

Hij hield glimlachend zijn hoofd scheef. 'Voor dat soort dingen hoor je altijd oog te hebben. Zonder er iets mee te doen, in jouw geval dan. Je was veel te jong en bovendien was je onze gast.'

Ik merkte dat ik bloosde.

Ik vertelde Philippe van mijn liefde voor papier, drukwerk en oude boeken, en terwijl hij luisterde zat hij me voortdurend op te nemen. 'Het kan bijna niet anders dan dat je erg op je vader lijkt,' zei hij. 'Je hebt blijkbaar hetzelfde elan en dezelfde liefde voor je materiaal en werkmethoden die een parfumeur moet bezitten.'

Het warme gevoel dat ik kreeg, kwam niet alleen maar van de champagne. Was ik echt als Ted? Ik schrok ervan, maar de vergelijking vleide me ook. 'Weet jij iets van hem af? Weet je wat voor band hij met jouw moeder had?'

Hij spreidde zijn armen. 'Nee, het spijt me. Ik heb er nooit aan gedacht om het aan maman te vragen. Maar dat is zeker de reden dat je in Grasse bent? Hij is dood en je probeert een beeld te krijgen van zijn levensgeschiedenis, omdat je hem op die manier kunt laten voortleven.'

'Ja.'

'Dat had ik ook toen maman stierf. Bij mij thuis staan nog steeds allemaal dozen met papieren en andere spulletjes van haar, en die bewaar ik om geen andere reden dan dat ze van haar waren. Stéphanie vindt dat nogal raar van me, maar ja, allebei haar ouders leven nog. Ze is niet zo oud als ik en ziet de toekomst niet zo somber in.'

Het witte tafelkleed lag bezaaid met kruimels en naast mijn lege koffiekopje lag een verfrommeld papieren servet. We hadden de fles

271

champagne helemaal soldaat gemaakt en waren nog de enige gasten in het restaurant. Ik dacht aan Jack en Lola en de kleur die ze aan mijn leven gaven. 'Zo somber is het toch niet allemaal?' Ik glimlachte. Philippe legde zijn handen over de mijne heen. 'Nee, natuurlijk niet.' Hij vroeg de rekening en nadat hij die betaald had, vroeg hij: 'Voel je er iets voor om naar de oude boerderij te gaan kijken?' 'Ja, dat zou ik erg fijn vinden.'

In Philippes BMW reden we van Grasse boven op haar heuvel in de richting van de weg die het dal doorsneed, en sloegen ergens rechts af. Overal langs de weg waren bungalows, pizzeria's en opticiens, maar Philippe reed heel behendig en sloeg links af bij een rotonde, waarna we opeens uitkwamen op een weg die heel landelijk was, met aan weerszijden stoppelige velden.

'Ach, kijk,' riep ik verbaasd uit.

'Herken je het?'

De stoffige weg maakte een scherpe bocht langs een kakikleurige rivier omzoomd met wilgen. Hier gingen Philippe en ik vaak vissen op heldere avonden in augustus. Daar was een vervallen hek met een gebroken houten naambord dat ik niet hoefde te lezen. Het huis was nog precies zoals het vroeger was, overdreven hoog en geblindeerd met groene luiken, midden op een lap omgewoelde aarde met een rand van brandnetels en warrig kleefkruid. Bij een lage stenen muur stonden nog altijd appelbomen, maar de gammele constructie van oude kratten en gaas waar madame Lesert haar kippen in had gehouden was vervangen door een modern kippenhok van golfijzer.

Het bloemenveld was ingekrompen tot een tiende van de oorspronkelijke omvang en lag nu ingeklemd tussen vakantiewoningen met schommels en zwembaden in de tuin. Maar er stonden nog jasmijnstruiken en Centifoliarozen te bloeien en de geur die ze afgaven was nog hetzelfde als vroeger.

Ik was hier gelukkig geweest en de warmte en geborgenheid van deze plek en van de mensen hier hadden me een gevoel van veiligheid gegeven in een tijd dat ik het hard nodig had. De Leserts hadden me de kracht gegeven om terug te gaan naar Londen en mijn leven met Ted weer voort te zetten.

Philippe en ik stonden zwijgend te kijken, ieder peinzend over hoe anders ons leven had kunnen zijn. We wilden ons net omdraaien om weer weg te gaan, toen over het hobbelige paadje twee jongens op Mobyletjes kwamen aangescheurd. Ze droegen leren jacks en fluorescerende gymschoenen. Philippe stak zijn hand op om hen te groeten. 'Dat zijn de zoons van Michel, de man aan wie ik het land heb verkocht. Maar ik denk niet dat deze twee hun vader achterna zullen gaan.' We praatten er verder niet over, maar het leek niet waarschijnlijk dat een volgende generatie nog bloemen zou kweken op deze velden. We reden terug in de richting van de heuvel zonder om te kijken. Philippe en ik namen afscheid op de trap naar zijn kantoor. Hij gaf me een kus en liet zijn hand geruime tijd op mijn arm rusten. 'Niet nog eens veertig jaar wachten met terugkomen, Sadie.'

'Nee,' beloofde ik hem.

Jack en Lola wachtten me samen op in het appartement.

'En, mam, hoe ging het met je Franse vriendje?'

Ze wisselden weer de bekende blik.

'Jullie zitten er helemaal naast,' protesteerde ik. Maar de waarheid, die luidde dat hij dat best had kunnen worden, hield ik voor me. Het was een verfrissend en bemoedigend nieuwtje om in de categorie 'gelukkige herinneringen' op te slaan.

Op de laatste dag van onze vakantie gingen Jack en ik samen een wandeling maken, de heuvel op, naar zijn uitkijkpunt op de rotsrichel. Het was vroeg in de ochtend en nog koel, en in de nevelige lucht hing de harsige geur van dennenbomen. Lola lag uit te slapen van haar laatste nachtje stappen met de volleybaljongens en hun vrienden.

Ik klauterde achter hem aan de steile helling op, een hoop herrie veroorzakend van brekende dode takken en ritselend struikgewas. Jack verstond de kunst om stil als een schaduw tussen de knoestige boomwortels door te bewegen. Toen we het bos uit waren, hijgde en zweette ik ondanks de koelte. Voor ons uit vormde een oplopende strook verdord gras een boog, bekroond met kale rots, en de lucht erachter had de blauwe kleur van grasklokjes. Jack speurde met zijn hoofd naar achteren gebogen de hemel af. Zijn verrekijker zwaaide aan zijn nek heen en weer.

'Wat zie je?' vroeg ik.

Hij trok heel even een schouder op. 'Ik zag net een roodborsttapuit. En een paar kuifleeuweriken.'

'Zijn die zeldzaam?'

Die vraag verdiende niet eens een schouderophalen.

Na nog meer geklauter kwamen we bij de rots. Jack bereikte sprin-

273

gend van rotsblok naar rotsblok met het grootste gemak de top, terwijl ik veel voorzichtiger achter hem aan kwam, steeds uittestend of rotspunten stevig genoeg waren om mijn gewicht te dragen. Ik heb een beetje hoogtevrees en durfde pas naar beneden te kijken toen ik naast Jack op de richel zat.

Het uitzicht was de klim wel waard. Beneden ons lag het met huizen bezaaide tapijt dat zich helemaal uitstrekte tot de zee, die als plaatstaal lag te glimmen, en links rezen de middeleeuwse torens van Grasse boven de olijfgaarden uit. Maar de andere kant op openbaarde zich een ander landschap dat sterk contrasteerde met de kleinstedelijke wirwar. Daar waren hoge pieken en ruige gekartelde hoge rotsen, grijs en inktblauw waar nog schaduw was, en oker-, perzik- en zilverkleurig waar de opwarmende zon erop scheen. Vogels cirkelden rond de kale toppen en vormden stipjes aan de hemel. Ik keerde het dal de rug toe en bleef maar kijken. Jack zat compleet roerloos, maar ik kon merken hoe geconcentreerd hij was, gespannen als een snaar. Zo zaten we een kwartiertje naast elkaar en mijn aandacht begon te verslappen.

Ik ging verzitten want de rots was erg hard onder mijn zitvlak, en op dat moment hoorde ik Jack opeens krachtig inademen. Het volgende moment zat hij stijf rechtop met zijn verrekijker voor zijn ogen. Ik volgde zijn kijkrichting. Twee kolossale vogels kwamen langs de rots gevlogen, heel dichtbij. Ik zag in een flits hun staart met zwarte banden, en hun gewelfde kop stak even scherp tegen de rotswand af toen ze een bocht maakten en weer omhoogvlogen. Hun vleugels waren enorm breed, met gevingerde uiteinden. Ze verhieven zich majesteitelijk loom boven de afgrond en verdwenen in de blauwe lucht. Ik keek tot ze niets meer dan stipjes waren en ten slotte geheel verdwenen. Mijn ogen deden pijn van het felle licht. Jack bleef ze nog seconden langer nakijken, zich naar voren buigend alsof hij ze zo zou kunnen pakken.

Toen hij zijn verrekijker weer liet zakken, zuchtte hij heel diep. En toen hij me zijn gezicht toekeerde, straalden zijn ogen van verrukking.

'Wat waren dat?'

'Steenarenden,' fluisterde hij. Hij stond er ongelovig, als betoverd bij, alsof hij het mooiste cadeau van zijn leven had gekregen. Ik wilde nog meer vragen stellen, maar slaagde erin het niet te doen en hem in alle rust van het moment te laten genieten. De zon scheen meedogenloos op onze kruin.

Na verloop van tijd borg Jack zijn verrekijker in zijn foedraal. Ik begreep dat het allermooiste moment had plaatsgehad en dat alles wat we verder nog zouden zien alleen maar een anticlimax zou zijn. We klauterden weer van de rots af en hij stak af en toe zijn hand uit om me te helpen. Ik volgde hem de grashelling af naar de welkome schaduw van het bos.

'Had je al eens een steenarend gezien?'

Zijn ogen schitterden nog steeds toen hij me aankeek. Hij hijgde, alsof hij gerend had. 'Daarvoor moet je naar het noorden van Schotland.'

'Wist je dat ze hier zaten?'

'Nee, ik had het niet echt verwacht. Maar je krijgt soms... ik weet niet. Zo'n gevoel alsof er iets gaat gebeuren. Dat weet je, niet met je hersens, maar dan kriebelt er iets onder je huid en voel je het in je ruggengraat...'

'Een voorgevoel.'

'Ja,' zei Jack blij. 'Een voorgevoel, precies.'

We vervolgden onze weg door de verdroogde kanalen die de winterregen in de aarde had achtergelaten. Het weggetje naar het kampeerterrein was al in zicht toen hij zich omdraaide en me aankeek. 'Bedankt, mam,' zei hij.

Lola zat buiten koffie te drinken en flink te geeuwen. Haar armen en benen waren glad en bruin en boven de hals van haar t-shirt zag ik de witte strepen die haar bikinibandjes hadden achtergelaten. 'Waar zijn jullie geweest?'

'Laat Jack dat maar vertellen.'

'Je raadt het nooit.'

Lola zat vertederd naar hem te kijken toen hij zijn verhaal eruit gooide en ik luisterde ook en keek naar hen allebei.

Het was een fijne vakantie geweest, verbazend fijn, zelfs. Ook al hadden we ons niet ingelaten met de dingen die een kerngezin doet: picknicken, met de bal spelen, barbecuen.

14

'Waar ben je precies bang voor?'
Paul Rainbird en ik zaten in het Italiaanse restaurant, aan hetzelfde tafeltje als de vorige keer. Toen we er plaatsnamen, voelde het als óns tafeltje, ook al was het pas de tweede keer dat we hier samen kwamen. We hadden het over onze achtergrond gehad, niet heel serieus, maar wel zo dat we op zoek leken naar vergelijkbare en herkenbare dingen, naar iets gemeenschappelijks, een fundament waarop iets nieuws kon worden opgebouwd dat stevig was.
'Je doet zo afwerend. Alsof je je in een fort hebt teruggetrokken en de ophaalbrug nooit meer zult neerlaten.'
Terwijl ik hierover nadacht, voelde ik een grote vermoeidheid, en ik besefte dat het kwam door mijn ingespannen pogingen om mijn onafhankelijkheid en veiligheid te behoeden. En dat betekende natuurlijk dat ik voortdurend bang was voor het tegendeel van die twee dingen, zoals Paul terecht vermoedde.
Ted was nooit iemand geweest op wie je kon rekenen en hij had ons gezamenlijke bestaan ook geen veilige basis gegeven.
'Voor geen enkele aanvaller?' Ik probeerde luchtig te doen, want zijn scherpe inzicht bracht me van mijn stuk.
Hij wist dat ik onder het onderwerp probeerde uit te komen. 'Daar lijkt het wel op, ja.'
'Zou jij graag een inval doen?'
'Als je me maar even de kans gaf, dan zeker.'
Ik nam een slok wijn om mijn lichte gêne te maskeren. Maar dit was een van de dingen die me zo aan Paul bevielen: dat hij gewoon toegaf dat hij geïnteresseerd in me was, blijkbaar zonder dat het bij hem opkwam dat het iets zou kunnen zijn om je over te verbazen of verlegen over te doen. Ik stelde me er defensief tegenover op, om alle gebruikelijke redenen, zoals de angst dat hij zoiets bij alle vrouwen tussen de zestien en de zeventig deed, de angst dat ik, als ik eraan toegaf, misschien zou ontdekken dat ik de signalen compleet verkeerd had geïnterpreteerd, en ten slotte de angst dat als hij werkelijk in mij en niemand anders geïnteresseerd was, er met hem waarschijnlijk iets

heel erg mis was. Maar nu, terwijl ik tegenover hem zat en toekeek hoe hij zich aan *fegato alla Veneziana* te goed deed, besefte ik dat er helemaal niks mis met hem was. De kraag van zijn overhemd was sleets en hij zag er in zijn totaliteit een beetje slonzig uit, alsof hij om een aantal dingen verlegen zat: een strijkbout, een gezonde maaltijd op zijn tijd en meer mensen om hem heen. Maar hij was een goeie kerel. Ik glimlachte zonder terughoudendheid en hij zag het en glimlachte meteen terug. Daarna keken we allebei op ons bord alsof ons eten ineens het allerinteressantste in de hele ruimte was.

Hoe het ook uitpakte, bedacht ik, flirten met Paul was het allerleukste wat me overkomen was sinds we uit Frankrijk terug waren. Verder was alles een stuk minder leuk.

De relatie van Penny en Evelyn was in de tijd dat ik weg was blijkbaar behoorlijk verslechterd. De eerste dag dat ik weer op The Works was stond de huisdeur wagenwijd open, maar was er geen spoor van Cassie. Ik was gewend dat ze op me af kwam rennen als ik weg was geweest. *Sa-a-a-die? Sa-a-a-die!* Op het erf slingerde nergens speelgoed en ook waren er geen uitgetrapte espadrilles, sjaaltjes of pulpblaadjes van Evelyn te bekennen.

'Waar is Cassie?' vroeg ik. Andy en Leo stonden allebei aan hun werkbank.

Penny, die bezig was met het lijmen van een band, keek niet op. 'Bij haar moeder.'

Er klonk een luid knappend geluid als van een schaar toen Leo het blad van de snijmachine op een stapel kaarten neer liet komen.

Ik ging aan het werk en wachtte tot de mannen om elf uur hun koffie meenamen in het rokerige zonlicht voor hun tienminutenpauze. 'Wat is er gebeurd?'

Nu keek Penny wel op. Bij haar oog- en mondhoeken waren diepe rimpels verschenen. 'Ze woont weer bij Jerry.'

Dus de kamer boven in het oude huis was leeg; de sterrengordijnen zouden 's avonds open blijven voor de ramen met uitzicht op het kanaal en de gashouders.

'Waarom?'

'Gedeeltelijk omdat ze zwanger wil worden. En gedeeltelijk omdat ze niet zeker weet of ze wel lesbisch is. Of dat ze misschien wel lesbisch is, maar mij niet wil. Of wat dan ook.'

'Is het definitief?'

'Ik weet het niet. Ze zegt van niet, maar je kunt nooit afgaan op wat Evelyn zegt. Ik zou ze allebei meteen weer terugnemen, Sadie. Ik weet zelfs niet hoe ik, nou ja, je weet wel, hoe ik zonder hen verder moet.' Haar gezicht stond zo intens droevig, dat ik het nauwelijks kon aanzien. Ik liep om mijn werkbank heen en legde mijn armen om haar schouders.

Penny liet zich heel even gaan. Ze legde haar voorhoofd tegen mijn schouder, maar het volgende moment stond ze weer kaarsrecht. Ze zag er ineens weer uit zoals ze was toen ze haar eerste baan had en al die kerels haar pestten: stom en met een starre uitdrukking op haar gezicht, met al haar beschermingsmechanismen op scherp. Penny trok haar eigen ophaalbrug weer op. 'Dat doe ik natuurlijk toch wel. Verdergaan, bedoel ik. Wat kan ik anders?' Ze keerde zich van me af en legde een volgend genaaid rechtbankverslag op de stapel die gelijmd moest worden.

'Misschien komt het toch wel goed,' zei ik, en probeerde mijn stem zo overtuigend mogelijk te laten klinken. 'Evelyn houdt op haar manier van je en Cassie is helemaal dol op jou.'

Als ík de toekomst er zonder de warmte en vrolijkheid van het kleine meisje al zo somber vond uitzien, dan was het voor Penny nog duizend keer erger.

'We zien wel,' zei mijn vriendin.

Andy en Leo kwamen weer binnen en bewogen zich ongemakkelijk naar hun plek toe, in de wetenschap dat alles goed mis was, en bevreesd, zoals alle jonge mannen, voor wat er van ze verwacht zou kunnen worden als er een beroep op hen werd gedaan.

Thuis liep alles ook niet van een leien dakje.

Lola had besloten om nog een keer op vakantie te gaan, nu met Sam, helemaal aan het eind van de zomervakantie, en dus moest ze geld zien te verdienen om dat te kunnen betalen. Ze werkte fulltime als receptioniste en werkte 's avonds ook nog eens achter de bar, zodat we niet veel meer van haar te zien kregen.

Jack zag ik daarentegen volop en die was niet te genieten. Het was net alsof de vakantie in Grasse, en vooral het zien van de steenarenden, een vergezicht voor hem had geopend, waarvan hij het vreselijk vond dat hij het weer achter zich had moeten laten. Hij liep doelloos door het benauwde huis, schopte deuren open en weer dicht of zat uit het raam naar de van hitte zinderende lucht te turen. 'Londen is een echte klotestad,' grauwde hij toen ik met hem probeerde te praten. 'Het stinkt hier. Waarom moeten we hier wonen?' De lange zomervakantie was voor Jack altijd moeilijk door te komen, omdat hij geen vrienden had. Het viel niet mee om dingen te bedenken om een eenzaam kind bezig te houden dat midden in de grote stad woonde en wiens enige echte hobby het kijken naar vogels was.

'Dat is nu eenmaal zo. Ik heb hier mijn werk,' zei ik zo rustig mogelijk.

'Nou, ik heb er de pest aan.'

'Weet je, als je volwassen bent, kun je zelf kiezen waar je wilt wonen.'

Uiteindelijk wordt ieder kind volwassen, maar toen ik zelf zo oud was als Jack, vond ik dat net zo moeilijk te geloven als hij. En Londen stonk in die augustusmaand inderdaad behoorlijk.

Het was erg warm, zo'n vochtige hitte zonder een zuchtje wind, waardoor de straten er als uitgeput bij lagen, heiig van het stof en vergeven van afval. De bladeren aan de bomen verloren hun frisheid en hingen zielig aan de roerloze takken. De kleverigheid die ervanaf kwam, bedekte de auto's en trok nog meer viezigheid aan, zodat het walmende verkeer leek te zijn samengesteld uit eindeloze met vuil dons bedekte metalen segmenten, als een soort reusachtige uit de grond opgegraven worm die in de volle zon ligt te stoven. De chaos van auto's in de stad was erger dan ik ooit had meegemaakt. De stakingen van het openbaar vervoer waren zo frequent dat ze elkaar in de weg zaten en uiteindelijk wist geen mens meer of het de moeite loonde zich in de stikbenauwde ondergrondse te wagen of buiten in de hitte de vastgelopen stromen auto's af te turen in de hoop dat zich in de smog in de verte een bus zou aftekenen. Autoritjes van niks werden boetepelgrimages, en als je je lopend trachtte te verplaatsen kleefden je schoenzolen aan het besmeurde trottoir en werd je kruin door de zon gebraden.

Maar de hitte creëerde geen sfeer van gezapige loomheid. Nee, de hele stad leek te kolken van woede en agressie. Als ik in de auto zat en van mijn werk naar huis of vice versa probeerde te komen, hoorde ik op de radio berichten over gewelddadigheden in Brixton, Homerton en aan Goldhawk Road. En als ik me te voet verplaatste, al was het niet verder dan de hoofdstraat, dan belandde ik in een stoet mensen die elkaar het liefst om het minste of geringste van het trottoir zouden rammen. Gezichten, rood en glimmend van de hitte, trokken in drommen langs en overal hing een geur van zweet vermengd met wanhoop. Woede leek zich in wolken in portieken op te hopen en uit scheuren in muren te sijpelen, totdat de gehele atmosfeer van dreiging vergiftigd leek.

Op het paadje langs het kanaal crossten groepjes kinderen op fietsen, voortdurend met elkaar bakkeleiend, en aan de waterkant, tussen het riekende onkruid, lagen her en der zwervers te slapen, als lijken uitgestrekt. Zelfs op het kanaal waren er opstoppingen, van boten die moesten wachten voor de sluis, beladen met roodverbrande mensen die de rust van het water hadden opgezocht en tot hun woede op nog meer chaos stuitten. Gettoblasters deden een wedstrijdje wie de hardste en meest vervormde flarden muziek de hemel in kon sturen.

Ik haastte me langs het met olie bevlekte water, met mijn hoofd gebogen om niemand te hoeven aankijken en niet te struikelen over weggesmeten lege blikjes en dozen van fastfoodketens. Onder de bruggen, in de korte stukken schaduw waar het druppende water echode, was er even de illusie van koelte, waarna de zon me weer vol in het gezicht sloeg.

Voor het eerst in mijn leven benauwde Londen me, mijn eigen stad.

Jack bracht steeds meer tijd bij Audrey door.

Ondanks mijn negatieve gevoelens hierover was ik toch blij dat hij ergens samen was met iemand en iets uitvoerde.

Op de avond dat ik met Paul in het restaurant had afgesproken, was Lola er nog niet toen het tijd was om te gaan, maar zou wel elk moment kunnen thuiskomen. Jack lag in de verstikkend hete keuken onderuitgezakt naar de televisie te kijken; ik stond erop dat hij elke avond om zes uur thuis was als hij naar Audrey was geweest.

'Ik moet weg,' zei ik, 'want anders kom ik te laat. Lola komt zo. Jij redt je wel, toch?'

Hij keek niet naar me. 'Uhuh. Waar ga je heen?'

Ik had het hem op dat moment kunnen vertellen, maar was er te laf voor. Ik had geen tijd om er echt op in te gaan; ik zou hem later wel vertellen dat ik een spannend afspraakje met de mentor van de brugklas had.

Eigenlijk was Paul zijn mentor al niet meer, want Jack ging over naar een volgende klas. Ik zou nog wel een grappige manier vinden om het hem te vertellen, en dan zou Jack ongetwijfeld kreunen. En misschien zou hij er zelfs om kunnen lachen.

'Uit eten.'

'Met wie?'

'O, gewoon, met een kennis. Zeg, Jack, heb jij mijn sleutels ergens gezien?'

Hij wilde weten met wie ik ging eten, dat zag ik aan de manier waarop hij zich een klein eindje naar me toe draaide, maar hij wilde tegelijk niet laten merken dat het hem interesseerde.

'Neu-eu.'

'O, gelukkig, ik heb ze. Vraag je Lo of ze me meteen op mijn mobiel belt als ze thuis is?'

'Ja-a.'

Ik voelde me zoals gewoonlijk weer een beetje schuldig toen ik de deur achter me dichttrok. Ik kon mijn kind toch eigenlijk niet zomaar alleen laten om iets leuks te gaan doen? Als iemand dat wist, dan ik wel.

Lola belde toen ik in de straat van het restaurant liep. Vlakbij hing een groepje opgeschoten jongens voor de etalage van een bookmaker en ik draaide me af om ze mijn telefoon niet te laten zien.

'Blijf je alsjeblieft thuis vanavond?'

'Ja, goed.' Lola klonk niet al te enthousiast. Het was een van de weinige avonden dat ze vrij was. 'Veel plezier, mam. Doe geen dingen die ik niet zou doen.'

'Nou, dan blijft er niet veel over.'

Na deze rituele uitwisseling stopte ik mijn mobieltje weer in mijn tas, deed de rits dicht en klemde de tas stevig onder mijn arm. Ik voelde dat zes paar ogen me volgden toen ik voorbijliep, maar ik keek niet om en hield mezelf voor dat ik me van alles in mijn hoofd haalde. Zodra ik het restaurant binnenkwam zag ik Paul, die me aan het tafeltje in de hoek opwachtte.

Toen we klaar waren met eten en ieder twee kopjes espresso hadden gedronken – we deden er heel lang over, maar achteraf leek het alsof het allemaal in een flits voorbij was gegaan – bracht hij me in zijn auto naar huis. De duisternis had geen verkoeling gebracht; het leek zelfs nog drukkender dan het de hele dag al was geweest. Neonreclame en verlichte etalages verspreidden diffuse kleuren in het blauwzwart van de avond en het lawaai van de dag werd eronder gehouden door de zwaarte van de lucht.

'Wat een heksenketel,' mompelde Paul terwijl hij de motorkap van zijn Morris in een niet-aflatende stroom voertuigen van links probeerde te wringen. Ik voelde me voldaan en rozig van de rode wijn en zat heerlijk op mijn gemak te kijken naar de winkels, huizen en auto's die langsgleden.

Ik had Paul verteld dat Jack nog niet wist met wie ik uit was, waarop een zucht verried dat hij dat niet prettig vond en zelfs afkeurde, maar toen we in mijn straat waren, bracht hij de auto wel op een tactische afstand van mijn voordeur tot stilstand. Hij deed de lichten uit, waarna we omhuld door de geur van gebarsten oud leer bleven zitten terwijl het getik en gezoem van de tot rust gebrachte motor langzaam ophield. Ik moest denken aan Teds Ford Consul, maar sloot mijn ogen en verdreef die herinnering. Paul nam me in zijn armen en kuste me.

Het was een heerlijke kus. Ik weifelde even en kuste hem ook. Onze tongen raakten elkaar en leken voor elkaar gemaakt. Ik ontspande me, maar wat ik begon te voelen was het tegendeel van ontspanning. Ik legde mijn hand op zijn arm en bewoog hem toen over zijn schouder naar de achterkant van zijn nek, tot aan zijn verrassend zachte haar.

Het was Paul die zich terugtrok. Toen ik mijn ogen opendeed, zag ik hem vaag glimlachen. 'Tot hier en niet verder, mevrouw Thompson.'

Ik werd bekropen door angst en bijna-schaamte en zat meteen rechtop. Had ik de signalen dan toch verkeerd geïnterpreteerd?

Toen zag ik dat hij me plaagde, maar vol genegenheid en ook met duidelijke spijt. Hij had een beter gevoel voor de juiste plaats en de juiste tijd dan ik, dat was alles. 'Wij zijn zeker te oud voor een potje vrijen in de auto?' zei ik lachend.

'Nee, maar...' Hij gaf een knikje in de richting van mijn huis.

'Ja, je hebt gelijk. Bedankt. En ook bedankt voor deze heerlijke avond.' Ik meende het.

'Ik bel je morgen,' zei hij.

Hij bleef wachten tot ik bij mijn voordeur was. Ik zwaaide naar hem en stak mijn sleutel in het slot.

Het licht binnen was uit, maar ik wist onmiddellijk dat er iemand vanuit het duister naar me keek. 'Jack?'

Het was net als die avond toen ik terugkwam van mijn etentje met Mel en het nieuws over Ted hoorde. Ik tastte langs de muur naar het lichtknopje. Ik schrok me wild toen ik Jack roerloos boven aan de trap zag staan. Hij keek op me neer, met wijdopen ogen en een donkere blik.

'Wat doe je daar?' Mijn stem klonk scherp van de schrik.

'Waar ben je geweest?' vroeg hij, op zijn beurt even scherp.

'Dat heb ik je gezegd. Ik ben uit eten geweest. Waar is Lola?'

'Op haar kamer.'

'Oké. Jack, het is tijd om naar bed te gaan.'

Hij verroerde geen vin.

'Jack.'

'En, heb je een leuke avond gehad?'

Zijn toon waarschuwde me en ik zag nu dat zijn gezicht strak en bleek was, en een en al beschuldiging uitdrukte. Ik zuchtte. 'Ja.'

'Ik heb Lola gevraagd met wie je uit was.'

Lola wist ervan. Ik had haar niet gevraagd om mijn afspraakje geheim te houden, niet expliciet, althans, want ik kon moeilijk van een van mijn kinderen verwachten iets voor het andere verborgen te houden. Ik was er alleen van uitgegaan en had ook gehoopt dat het Jack maar matig zou interesseren, maar op het moment dat ik dit alles razendsnel overdacht, wist ik dat ik een grote fout had gemaakt. Toen ik zo oud was als Jack was er niets wat me zo interesseerde als wat mijn vader deed en waar hij uithing; voor mij was het een kwestie van zelfbehoud. Ik had alleen Ted, en verder niemand. Het zou geen verrassing voor me moeten zijn dat Jack zich net zo voor mij interesseerde.

Maar Jack was toch lang niet zo geïsoleerd en eenzaam als ik vroeger was geweest? En hij had toch zeker niet het gevoel dat zijn plekje op de wereld voortdurend in gevaar was?

Maar ook dat waren dingen waarvan ik zomaar uitging, besefte ik. Hoe kon ik nu weten wat Jack precies voelde? Ik wist alleen hoe ik zou willen dat hij zich voelde. En dat was een groot verschil.

'Je had me wel eens mogen vertellen dat je uitgaat met een léraar van míjn school.' Het klonk alsof ik me aan een perverse daad had overgegeven.

'Ja, dat had ik moeten doen.'

'Ik haat het om als een kind behandeld te worden. Ik haat geheimen,' flapte Jack eruit.

Natuurlijk vond hij het allemaal vreselijk. Dat was voor mij precies zo geweest. Ik wist hoeveel onveiligheid er door onoprechtheid werd opgeroepen, dus hoe kwam ik er dan bij om niet eerlijk te zijn tegenover mijn eigen zoon?

Ik legde mijn tas en mijn sleutels op het tafeltje in de hal en liep de trap op. Hij deinsde terug tegen de muur. Zijn ogen schoten vuur en zijn mond was vertrokken. Ik was de vijand.

'Jack, ik zal je alles vertellen. Alsjeblieft, laat me je alles vertellen.'

Hij liep van me weg, in de richting van zijn kamer. Ik liep achter hem aan met mijn hand naar hem uitgestrekt als probeerde ik een bang dier te sussen, een van de dieren uit Audreys menagerie. Jack bereikte zijn slaapkamer. Hij viel half op zijn bed terwijl hij me met zijn arm afweerde. 'Ga weg.' Hij was bijna in tranen.

'Jack, luister, er is niets aan de hand.'

Ook hier boven rook het, net als op straat, naar smeltend asfalt, en het leek zelfs alsof je de teer op je tong proefde. Op de vloer en de planken lag een laagje grijs stof, alsof de stad zich onder de vlekkerige trottoirs aan het roeren was, rokend en wolken as uitstotend, even dreigend als de krater van een actieve vulkaan.

'Luister nou eens,' zei ik zo zacht als ik kon. 'Er is niets geheims aan. Ik vind jouw leraar aardig en hij mij ook, geloof ik. Het spijt me als je je buitengesloten voelde. Ik was bang dat je het vervelend zou vinden en ik probeerde alleen maar een goed moment te vinden om er met je over te beginnen.'

'Vervelend,' herhaalde Jack vlak. Toen draaide hij zich met een ruk om en keek naar de donkere, met oranje doorschoten hemel achter zijn raam. 'Suzy is weer zwanger. Ze heeft testen laten doen. Het is een jongen.'

Mijn adem stokte. Ik had erg met hem te doen. Dit was voor Jack heel moeilijk te verteren. Het andere gezin van Tony en daarmee diens liefde voor mensen met wie Jack niet zo heel veel had, stond opeens weer volop in de schijnwerpers. Mijn zoon had de geboorte van de tweeling ook al heel moeilijk gevonden: die twee schattige baby's met hun rode gezichtjes, opeengeklemde vuistjes en zwarte wimpers, maar toen had hij zich nog een beetje kunnen troosten met de gedachte dat het maar meisjes waren. Híj was Tony's zoon.

Nu was opnieuw het onwelkome bewijs geleverd dat Tony en Suzy seks met elkaar hadden gehad, met als direct gevolg dat hij niet meer de lievelingsjongen zou zijn. Er was een jonger zoontje op komst, dat waarschijnlijk meer aanspraak zou maken op die betiteling.

En om het allemaal nog een graadje erger te maken bestond nu ook de mogelijkheid dat zijn moeder en zijn leraar erover dachten om seks met elkaar te hebben. En wie weet – want hoe moest Jack dit weten? – hadden ze zelfs al seks, hadden ze op een ontzettend onbetamelijke manier waar en wanneer ze maar wilden seks met elkaar, en dat terwijl hij er ook nog was.

En dan was er nog zijn zus, die alleen nog maar over haar vriendje praatte en hoe goed die wel niet was.

Vervelend, dat was wel erg zwak uitgedrukt. Iedereen met wie Jack het meest omging, had ongeveer gelijktijdig nog minder tijd om aan hem te besteden. Op school was hij een eenzaam buitenbeentje en thuis had hij daarom behoefte aan geruststelling en veiligheid, en wat gebeurde er: het omgekeerde.

'Hoe kom je daarbij? Weet je het wel zeker?' Ik probeerde me aan een strohalm vast te grijpen, maar wie weet was er echt sprake van een misverstand.

'Papa heeft gebeld. Hij wilde het Lola en mij het eerst vertellen. Je wéét wel.' Jack trok een boos gezicht. Ja, ik wist het maar al te goed. Tony probeerde in dit soort situaties altijd het juiste te doen, altijd met ieders gevoelens rekening te houden. Dat deed hij zowel naar mij als naar zijn oudste kinderen toe. Soms waardeerden die zijn consideratie, maar er waren ook momenten dat het hun te veel was. Ze hadden soms een gemakkelijke reden nodig om kwaad op hem te kunnen zijn, zoals ze op mij ook zo vaak kwaad waren, maar Tony maakte hun dat behoorlijk lastig.

'Ja. Waar is Lo nu dan?'

Jack haalde maar weer eens zijn schouders op. 'Dat zei ik toch. Op haar kamer.'

Ik luisterde naar de geluiden in huis. Er viel geen door de vloer gedempte basdreun waar te nemen. Lola was blijkbaar in bed gekropen en had het dekbed waarschijnlijk tot boven haar hoofd opgetrokken. Zij was natuurlijk ook van slag door het nieuws van Tony. Dat verklaarde waarom ze niet tevoorschijn was gekomen om mij te zien. Lola's verdriet en jaloezie zouden niet van lange duur zijn, omdat ze genoeg andere dingen in haar leven had die haar bezighielden, maar vanavond speelden ze ongetwijfeld op.

Ik ging bij Jack op bed zitten. Ik omhelsde hem, heel even maar, want hij hield zijn rug zo stijf als een plank en hij weigerde zijn hoofd naar me toe te draaien. Maar gelukkig duwde hij me ook niet weg.

'Het spijt me van papa en de nieuwe baby. Maar misschien hadden we het wel kunnen verwachten.'

'Waarom? Is vier kinderen niet genoeg soms?'

'Ik vermoed dat het Suzy was die nog een kind wilde.'

'Huh. Moet je horen. Weet je hoe ze hem gaan noemen? Hugo. Húgo,' zei hij nog eens, als kon hij het niet geloven.

'O ja? Nou, dat is dan in elk geval één ding waar jij niet mee hoeft te zitten. Gelukkig heet jij geen Hugo.'

Misschien vergiste ik me, maar ik meende het begin van een glimlach te zien. Jack herinnerde zich echter bijtijds dat hij niet aan glimlachen deed.

Ik keek op het klokje naast zijn bed. 'Het is middernacht. Tijd om te gaan slapen. Laten we er morgen verder over praten.'

Hij draaide zijn hoofd om. 'Waar heb je het met meneer Rainbird over gehad?'

'Over een heleboel dingen. Over toen we nog jong waren, zo jong als jij nu. Hij heeft me over zijn vader en moeder verteld. Vooral over zijn moeder. Ze is vorig jaar gestorven en hij mist haar erg.'

'Heb je hem over opa verteld?'

Dat was een lastige vraag voor me.

'Een klein beetje maar.'

'Ga je nog een keer met hem uit?'

'Ik denk het wel. Zou je dat vervelend vinden?'

Weer haalde hij zijn schouders op. 'Het is raar om te bedenken dat leraren ook een vader en moeder hebben, net als gewone mensen.'

'Paul Rainbird is een heel gewoon mens.'

'Ik geloof je op je woord,' zei Jack, en ik moest lachen.

'Ik hou van jou het allermeest op de hele wereld,' zei ik naar waarheid. Daar reageerde hij niet op.

Voor Lola's deur bleef ik een hele tijd staan luisteren. Ik zag in gedachten haar lange gebogen rug onder het dekbed en haar op het kussen uitgespreide haar. Ik klopte zachtjes met één vingertop tegen haar deur. 'Lo?' Toen er geen antwoord kwam, wist ik dat ze sliep. Als Lola me gehoord had, zou ze antwoorden.

Zachtjes liep ik over de overloop naar mijn eigen kamer. Het was er benauwd, al stonden de ramen open. Buiten reed een auto langs, een bundel licht uit de koplampen gleed even over het plafond. Toen ik in bed lag, probeerde ik de gebeurtenissen van die dag uit mijn gedachten te bannen. Het waren er te veel en ze waren te ingewikkeld om er voor ik slapen ging wijs uit te worden.

's Ochtends zei Jack met krakerige stem vanonder de dekens dat hij naar Audrey zou gaan. Alles wat ik van hem te zien kreeg, was wat stug haar en een bleek halvemaanvormig stuk voorhoofd.

'Weet je het zeker?'

286

Als er helemaal niks anders te doen was, kon Jack naar een vakantiebestedingsproject; hij had er met tegenzin in toegestemd daar af en toe naartoe te zullen gaan, met als enige reden dat een van de leiders ook in ornithologie geïnteresseerd was. Als hij vandaag zou gaan, zou ik hem op weg naar mijn werk kunnen afzetten.

'Ja-a-a.'

'Dus je gaat niet naar de vakantiebesteding.'

'Nee-ee.'

'Tot vanavond dan.'

Lola was al beneden, aan de late kant voor haar werk. Ze stond in haar slipje en nam afwisselend een hap toast met boter en een slok koffie met één hand, terwijl ze met de andere hand haar rokje aan het strijken was.

'Laat mij dat maar doen.'

'Dank je wel.'

Ze kauwde, starend in de ruimte. Haar gezicht zag er nog erg slaperig uit.

'Je had nieuws van papa en Suzy,' begon ik.

'Ja, nou, ze moeten het zelf weten, hè?'

'Was je er erg door van streek?'

'Gut, mam, wat heeft dat nou voor nut?' Het was dus wel zo, alleen had ze nu geen zin erover te praten.

'Nee, daar heb je gelijk in. Maar Jack vind het geloof ik wel erg, hè?'

'Jack moet eens niet zo kinderachtig doen.'

Ik was meteen klaar om hem te verdedigen, maar Lola was geïrriteerd en had haast. Bovendien was nu al duidelijk dat het opnieuw een warme, zware dag ging worden. Dus zei ik alleen maar: 'Hij groeit er wel overheen.' Lola aanvaardde het feit dat ik haar eigen mantra gebruikte door haar beboterde lippen scheef te trekken. 'Hier,' zei ik. Ik keerde haar rok, die binnenstebuiten gestreken was, en reikte hem haar aan.

Ze trok hem snel over haar heupen op en rukte de rits dicht. 'Ik moet rennen.'

'Tot vanavond dan.'

Ik reed naar mijn werk en probeerde me niet op te winden over mijn medeweggebruikers.

Penny en Andy stonden al achter hun werkbank. Het was Leo's cursusdag.

Halverwege de ochtend verscheen Colin aan de toonbank. We deden allemaal erg ons best om hem niet te zien, maar hij begon met een munt op de toonbank te slaan. 'Volk!' riep hij kortaf.

Ik gaf het op. 'Hallo, Colin,' zei ik.

'Werkt hier niemand vandaag?'

'Als je goed kijkt, zie je dat we alle drie hard bezig zijn.'

Hij trok een uitpuilende plastic tas omhoog en dumpte die op de toonbank. 'Mijn nieuwe boek. Ik wil het er met jullie over hebben. Het vorige was mooi, maar er zijn dingen die naar mijn idee beter zouden kunnen.'

Ik liet mijn werk in de steek en liep naar het winkelgedeelte van de werkplaats. Colin had zijn regenjas zowaar thuisgelaten, ongetwijfeld als concessie aan de hittegolf, maar hij droeg nog wel een grijze handgebreide trui, met een rits aan de voorkant die tot zijn kin dicht zat. Op zijn bovenlip en op zijn voorhoofd parelde zweet. Er sloeg een zeer onaangename geur van hem af en ik moest mezelf geweld aandoen om niet achteruit te deinzen.

'Ik vrees dat we op dit moment geen nieuw werk kunnen aannemen, Colin.' Ik keek hem recht aan, met het vaste voornemen me niet meer door hem in een hoek te laten drukken.

'Wat een onzin.'

'Helemaal niet. En trouwens, aan dat boek dat we laatst voor jou gedaan hebben, zijn we flink tekortgekomen, weet je. Voor het binden van je recepten hadden we je minstens honderd pond in rekening moeten brengen.'

'Ik heb jullie betaald. Wat is er mis met mijn geld?'

Ik zuchtte. Weer zo'n typische Colin-opmerking. Hij hoorde blijkbaar nooit wat je zei. 'Met jouw geld is niks mis. Behalve dan dat het te weinig was.'

Hij tuitte zijn lippen en zijn gezicht kreeg een sluwe uitdrukking. 'Ik leef van de bijstand, weet je. Ik ben niet zo'n poehatype met een dure auto, een kast van een huis en bakken geld om aan allerlei onzin uit te geven. Nee, ík niet. Ik loop in de ziektewet. Ik ben onder doktersbehandeling, in Homerton. Ik moet op de kleintjes letten.'

'Ik begrijp het.'

'Mooi. Dus...' Hij begon beduimelde tijdschriften uit de plastic tas te halen en terwijl hij daarmee bezig was, probeerde ik ze weer terug te duwen.

'Colin, luister. We kunnen geen werk meer van jou aannemen.'

Ik dacht even dat hij me niet gehoord had of niet wilde luisteren, want ons papiergevecht ging nog secondenlang door. Toen liet hij plotseling zijn armen langs zijn zijden vallen, zodat een stapel tijdschriften op de grond gleed. Zijn dikke lippen gingen vaneen terwijl hij me aanstaarde. 'Het spijt me,' zei ik. Mijn stem klonk dun. Er volgde een lange stilte. Ik hoorde een kletterend geluid toen Andy een stuk gereedschap op zijn werkbank neerlegde.

'Ik wil geen rottigheid,' zei Colin.

Uit zijn nasale toon viel niet op te maken of hij het verzoenend dan wel dreigend bedoelde. 'Natuurlijk niet,' zei ik sussend. 'Wie heeft het nu over rottigheid?'

Ik werd me er ineens en acuut van bewust hoeveel gevaarlijke instrumenten en gereedschappen ons omringden. Er lagen messen voor het snijden van leer en lange naalden voor het naaien, en het grote mes van de papiersnijmachine glansde op nog geen meter afstand van mij. De werkbanken lagen bezaaid met hamers, beitels en priemen.

Het zweet brak me uit. Ik wilde Colin zo snel mogelijk de deur uit hebben. Ik glimlachte en legde een hand op zijn elleboog. 'We hebben het op het moment ontzettend druk en we kunnen gewoon niet meer aan, zelfs onze beste klanten moeten we nee verkopen. Pfff. Vind je het ook niet geweldig benauwd hierbinnen? Zullen we je spullen maar even bij elkaar pakken en mee naar buiten nemen? Buiten kunnen we verder praten, toch?'

Hij pakte de plastic zak aan toen ik hem die aanreikte en stouwde hem onder zijn arm, een beweging die een wolk stinkende, oude zweetlucht losmaakte. Met het hoofd gebogen liet Colin mak als een lammetje toe dat ik hem aan zijn arm naar het erf dirigeerde. De hitte van de zon trof me als een mokerslag. Omdat Colin zo gedwee volgde, nam ik hem mee naar de straat aan de zijkant van Penny's huis. Toen ik achteromkeek, zag ik dat Penny en Andy samen in de deuropening van de binderij waren komen staan om mij niet uit het oog te verliezen.

'Je hebt toch al een mooi boek,' bracht ik hem in herinnering. 'Je moeder zal het wel geweldig hebben gevonden.'

Bij het hek wees Colin de straat in. 'Daar komt zo mijn bus.'

'Mis hem maar niet. Je weet de laatste tijd maar nooit wanneer er weer een volgende komt.'

Hij weifelde, en keek toen om naar de achterdeur van het huis.
'Waar is dat kindje van je?'
'Dat was mijn kindje niet. Ze is met haar moeder verhuisd.'
Colin keek op me neer. Zijn natte onderlip stak naar voren en hij leek oprecht ontdaan en verdrietig. 'Ach, hemeltje. Wat zul je haar missen.'
'Ja. Snel, daar komt je bus aan. Tot ziens, Colin.'
Hij waggelde eerst naar het midden van de straat, zodat de chauffeur van de bus op de rem moest gaan staan, en nam toen de gelegenheid te baat om de chauffeur door middel van wuiven naar de halte aan de overkant te dirigeren. Ik wachtte tot hij in de bus geklommen was en de deuren zich sissend achter hem gesloten hadden.
Penny en Andy zagen me over het erf terugkomen.
'Lag het aan mij of had Colin vandaag echt een sinistere uitstraling?' vroeg ik.
'Het komt door de hitte. Iedereen wordt er een beetje maf van,' luidde Andy's oordeel.
We gingen weer door met ons werk. De karweitjes die ik moest afwerken waren niet bijster interessant en de sfeer in de werkplaats was bedrukt. Penny zei bijna geen woord, en Andy had steeds commentaar als ik een cd wilde opzetten. De broeihete dag sleepte zich voort en ik was blij toen ik eindelijk naar huis kon. Ik zag ernaar uit om de avond samen met Jack door te brengen. We zouden over zijn vader en de nieuwe baby praten en ik zou hem vertellen over Paul Rainbird en mij, zodat hij niet langer het gevoel hoefde te hebben dat ik dingen voor hem verborgen hield.
Ik kwam om tien over zes thuis, maar trof het huis leeg en bedompt aan. Ik begon met eerst de ramen en tuindeuren open te gooien. De lucht buiten was niet frisser dan de lucht die binnen opgesloten had gezeten, maar toch leek het me geen slecht idee om te proberen een uitwisseling op gang te brengen. Om halfzeven ging ik buiten op een tuinstoel op Jack zitten wachten. Ik had een beetje hoofdpijn en dus leunde ik met mijn hoofd achterover en sloot mijn ogen.

Ik bevind me in een smalle doodlopende straat en ben naar iets op zoek. Ik weet niet wat het is, maar mijn lichaam is strak van angstige spanning terwijl ik achter stapels rotzooi en kartonnen dozen speur. Grijze en zwarte katten sluipen langs de van vocht druipende muren en hoewel ik ze niet kan zien, voel ik dat hier ook nog andere dieren zijn, wilde beesten die van de dozen hun nest hebben gemaakt. Opeens staan er mannen bij de ingang van de doodlopende straat en als ik hen zie, weet ik opeens dat ik op zoek ben naar mijn mobiele telefoon, omdat ik Lola en Jack moet bellen. Maar nu moet ik zien dat ik bij deze mannen uit de buurt blijf, want die willen me beroven en dan kan ik mijn kinderen niet bellen. Ik verzamel alle kracht die ik heb en stort me naar voren, recht op de mannen af. Terwijl ik begin te rennen, merk ik dat de wilde dieren me op de hielen zitten, hun lijf sleept over de grond en hun rode tong hangt uit hun bek. Voor me uit zie ik de gezichten van de mannen, die allemaal grijzen omdat ik regelrecht in hun val loop. Ze hebben messen uit de binderij in hun hand. Dan begint mijn telefoon te rinkelen.

Ik deed mijn ogen open. Mijn mond was kurkdroog en ik was helemaal stijf omdat ik op zo'n rare manier in de tuinstoel had gezeten. Mijn hoofdpijn was nog erger geworden. Terwijl de droom zich oploste, kwam ik tot de ontdekking dat het gerinkel afkomstig was van de telefoon in de keuken. Ik strompelde gehaast naar binnen om op te nemen en terwijl ik mompelend 'Hallo?' in de hoorn zei, zag ik op het digitale klokje van de oven dat het vijf over zeven was. Ik had blijkbaar een halfuurtje geslapen.

'Sadie?'

Het was Mel. We hadden elkaar sinds Grasse nog maar één keer gezien.

'Ja. Ik was in de tuin in slaap gevallen.'

Mel begon te praten, maar ik moest haar onderbreken. 'Hoor eens, Jack had al een uur geleden thuis moeten zijn. Is het goed als ik je bel als ik weet waar hij uithangt?'

'Tuurlijk,' zei Mel hartelijk. 'Laat me in elk geval weten of alles in orde is.'

Ik belde Audrey op. De telefoon bleef maar overgaan en ik bleef maar wachten. Ik zou desnoods de hele nacht aan de telefoon blijven hangen, zo nam ik me voor.

'Ja?'

'Met Sadie. Is Jack nog bij je?'

'Ja.'

'Kan ik hem even spreken, alsjeblieft? Hij hoort 's avonds om zes uur thuis te zijn, Audrey.'

Het enige antwoord was stilte. Ik hoorde Audrey de hoorn neerleggen en weglopen. Ik stond op mijn onderlip te bijten tijdens het wachten.

'Mam,' hoorde ik Jack eindelijk zeggen. Zijn stem klonk heel somber.

'Weet je hoe laat het al is?'

'Wat?'

Ik tilde het haar uit mijn nek en voelde het zweet op de kale huid. Jack klonk alsof hij geen enkel besef van tijd had, en zelfs nauwelijks wist wie ik was. 'Jack,' zei ik gedecideerd, 'ik stap nu in de auto om je op te halen. Over tien minuten ben ik bij je.'

'Mam...'

Ik legde de hoorn neer. Even later was ik onderweg naar Turnmill Street.

Bij Audreys bladderende voordeur moest ik een poosje wachten voordat ik werd binnengelaten. Ik bonkte met mijn vuist op de verfblaasjes en toen niemand kwam opendoen, hurkte ik neer en gluurde door de brievenbus naar binnen. Ik zag de smerige gang en de stapels troep die er lagen en ik zag de deur die naar Audreys heiligdom aan de achterkant voerde.

'Jack!' schreeuwde ik door de brievenbus heen, maar er gebeurde niets.

De schaduwen onder de bomen in Turnmill Street zagen poederig van het stof. Twee meisjes die langs Audreys hek liepen, namen me nieuwsgierig op. Hun hakken tikten op het trottoir terwijl ze verder liepen en door de ligusterheg van de buren aan het zicht werden onttrokken. Ik bonkte nogmaals op de deur en schreeuwde nog een keer door de brievenbus. Toen zag ik Audrey de deur aan het eind van de gang uit komen en heel langzaam naar me toe lopen. Ik ging meteen weer overeind staan, maar het gerammel van de brievenbus verried me. De deur ging met een ruk open.

'Hoorde je me niet bonken?' vroeg ik. 'Ik kom Jack ophalen.'

Audrey zag bleek. Haar haar hing in grijze slierten langs haar wangen. Ze aarzelde en draaide zich toen half van me af. 'Jack?' riep ze het schemerige huis in. 'Jack?'

Ik zag hem afgetekend tegen de gloed van de achterkamer, maar hij kwam niet aanlopen. Er bleef me niets anders over dan langs Audrey de gang in te glippen. Ik stapte om de rotzooi heen die mijn pad naar Jack blokkeerde en toen ik bij hem was, zag ik dat zijn gezicht gezwollen en nat was, en dat zijn ogen waren opgezet van het huilen.

'Wat is er met je? Wat is er gebeurd?'

Jacks mond verwrong en hij beet zich op de lippen om niet opnieuw te gaan huilen. Ik merkte dat Audrey vlak achter me stond en bespeurde de donkere sfeer van het huis om me heen. 'De welp is dood,' fluisterde hij.

'De welp?' herhaalde ik stompzinnig.

Hij kon zich niet meer inhouden en barstte opnieuw in huilen uit, maar hij keek naar Audrey om troost te zoeken, niet naar mij.

Ze duwde me ferm opzij. 'Kom,' zei ze tegen Jack, en pakte zijn arm. 'Stil nu maar.'

'Hij is overreden. We lieten hem in de tuin, zoals altijd,' zei Jack snikkend. 'Maar toen zagen we hem niet meer en hij kwam niet terug, en toen we hem gingen zoeken vonden we hem op straat, dood. Hij is helemaal platgereden.'

Het vossenjong. Natuurlijk. De bal bont die ik in een van Audreys hokken had zien liggen, meer was er niet aan de hand. Een warme golf van opluchting trok door mijn aderen. 'Ach hemel, wat zielig.'

Jack ging zo ver mogelijk bij me vandaan staan in de beperkte ruimte. 'Zielig? Is dat alles wat je erover te zeggen hebt?' Hij verborg zijn gezicht tegen Audreys schouder en huilde, terwijl zij me met koude ogen aankeek en over zijn haar streelde, als was hij een van haar katten. Ik voelde me niet op mijn plek en geheel buitengesloten van hun symbiotische verdriet.

Ik zei zo vriendelijk als ik maar kon: 'Kom, nu moeten we naar huis.' Hij keek zelfs niet om. 'Ik ga niet mee. Ik wil hier blijven slapen.'

Audreys blik glinsterde als ijssplinters. Ik probeerde de weerzin die dit idee bij me opriep zo goed mogelijk te verbergen. Jack was nog nooit bij vrienden blijven logeren, had nooit slaapfeestjes gehad. Behalve toen hij op schoolreis naar Cherbourg was, had hij nooit ergens anders dan bij mij of bij Tony geslapen.

'Je hebt hier geen pyjama en geen tandenborstel of wat dan ook. Je kunt hier beter een andere keer blijven slapen.' Ik zei het allemaal verkeerd, dat besefte ik best, maar ik had geen enkel idee hoe het anders zou moeten. Ik voelde me compleet verward en machteloos en dat was ontzettend akelig.

Hij schudde heftig zijn hoofd.

'Ik kan hem wel wat spullen geven,' zei Audrey tegen me.

Ik keek naar de trap vol spinnenwebben. Geen denken aan dat daarboven een goed geluchte kamer was met een bed met schone lakens en een gloednieuwe tandenborstel, nog in de verpakking. 'Ik heb liever dat je mee naar huis gaat, Jack.'

'Nee,' snauwde hij.

Dit ging natuurlijk niet alleen over het vossenjong. Het had ook te maken met Tony's nieuwe baby, en met Lola en Sam, en met mij en Paul Rainbird. Audreys huis was een toevluchtsoord geworden waar hij zich aan dit alles kon onttrekken, en door het drama van het overreden vossenjong voelde hij zich hier alleen maar nog meer op zijn plaats.

'Kom mee,' zei ik. 'Nu.' Ik pakte zijn hand vast en probeerde hem bij Audrey weg te trekken, maar met een kracht die me verbaasde rukte hij zich los.

'Ik. Blijf. Hier.'

Ik liet mijn handen machteloos langs mijn zijden vallen. Audrey was al die tijd naar me blijven kijken. Ik kon hier moeilijk met haar gaan vechten om mijn kind. Ik zou me tijdelijk moeten terugtrekken en dit zo elegant moeten doen als maar mogelijk was.

Voor een nachtje maar.

Ik haalde diep adem en glimlachte. 'Goed dan. Je kunt tot morgenochtend bij Audrey blijven. Ik zal wel schone kleren komen brengen en je vroeg genoeg ophalen om naar de vakantiebesteding te gaan.'

Jack wreef met zijn vuisten in zijn ogen. Audreys volle lippen ontspanden zich en krulden triomfantelijk bij de mondhoeken.

Voor haar zat hier veel meer aan vast dan alleen maar een logeerpartijtje. De diepere oorzaak van Audreys rivaliteit met mij ging ver terug in de geschiedenis, de wortels ervan lagen kronkelig en diep verscholen in het verleden en in Teds bedriegerijen, en ik zou ze op de een of andere manier moeten zien op te graven om ze in stukken te kunnen hakken.

'Hij is twaalf, hij kan best een aantal dingen zelf uitmaken,' zei Audrey op haar superieure wijze.

Nee, dat kan hij niet, dacht ik. Toen ik zo oud was als hij kon ik dat ook niet. Ik was in Teds macht en onder zijn bekoring en het lijkt wel of ik me er nog steeds niet van heb losgemaakt. Zijn hand is uitgestoken en hij heeft me vast, en jou ook, Audrey. Maar ik zei niets. Ik legde de riem van mijn handtas terug over mijn schouder en tastte in mijn zak naar mijn autosleutels. 'Welterusten dan, Jack,' zei ik zachtjes.

'Zeg welterusten,' zei Audrey tegen hem terwijl ik stond te wachten.

'Truste, mam.'

'Het spijt me van het vosje.'

'Oké.'

Ik liep de gang door en keek toen om. Jack had zich al verder terug-getrokken in de achterkamer en Audrey stond op wacht voor de deur. 'Ik kom hem morgenochtend om negen uur halen,' zei ik. Ik stapte de snikhete avond in voordat ze iets kon zeggen dat hiertegenin ging. Ik reed naar huis en bleef lange tijd aan de keukentafel zitten. Ik zag de groene cijfertjes van de ovenklok verspringen terwijl de minuten en uren zich aaneenregen. Ik belde Mel niet, noch Caz of wie dan ook. Ik zat daar maar, met mijn handen losjes voor me op tafel, wach-tend en peinzend. Ik zou Jack het liefst willen vastgrijpen en in mijn armen wegdragen uit Audreys invloedssfeer, maar het feit dat dat niet ging, wilde nog niet zeggen dat ik hem niet naar huis zou weten te krijgen. Hier thuis, bij Lola en mij, daar hoorde hij.

15

De volgende ochtend stond ik bij Audrey op de stoep met een tas waarin Jacks schone kleren voor die dag zaten. Ik klopte aan, ik riep door de brievenbus, ik klopte nog een keer, maar het enige antwoord wat ik uiteindelijk kreeg was afkomstig van Audrey, die vanachter de gesloten deur zei: 'Jack blijft hier bij mij en de dieren.'

'Dat kan niet.'

'Waarom niet, als hij dat nou wil?'

'Ik weet niet of hij dat wel echt wil.'

In mijn gedachten worstelde ik met lugubere voorstellingen van toegediende drugs of hypnose, terwijl achter me het ochtendleven in Turnmill Street zijn normale gang ging. Een luidruchtig groepje kinderen werd uit een van de huizen aan de overkant in een fourwheel drive gedreven door een vrouw op witte gympen en met een tennisrokje aan, waarna het hele spul wegreed. De postbode werkte de straat af, maar kwam Audreys hek niet binnen. Een jonge man kwam het huis naast dat van Audrey uit en staarde me van over het vervallen muurtje aan. Hij was bruin en had flinke biceps en hij droeg een mouwloos vest om dat goed te laten zien.

'Hallo. Kent u uw buurvrouw?' vroeg ik, in de hoop dat hij me kon helpen of me in elk geval enige nuttige informatie kon verschaffen.

'Nee, niet echt. Ze is excentriek. Bent u een maatschappelijk werkster? Of bent u van de milieu-inspectie? We hebben geklaagd over de rotzooi en al die dieren.'

'Nee.'

Nu kwam nog een andere jonge man de deur uit. Deze had een mountainbike bij zich. 'Is er iets mis?' vroeg hij.

'Nee.' Ik glimlachte met mijn kaken opeengeklemd. 'Ik ben een vriendin van de familie.'

'Van de familie? Mooi. Misschien kunt u zorgen dat er wat aan gedaan wordt.'

Ze omhelsden elkaar en de ene man peddelde weg.

Ik riep nog een keer door de brievenbus. 'Audrey? Ik wil alleen even met hem praten. Als hij niet mee wil komen, dan hoeft het niet.'

Er gingen minuten voorbij en toen kwam Jack in zicht. Door het licht dat hem vanuit de achterkant van het huis bescheen, kon ik zijn gezicht niet duidelijk zien, maar hij zag er in elk geval niet uit alsof hij drugs had gekregen of gehypnotiseerd was. Hij wekte ook al geen bijster ongelukkige indruk. Hij leek heel kalm en Jack-de-kat liep om zijn benen heen te flemen en te draaien, een pluizig kussen op pootjes.

'Mam, wat wil je?'

'Met je praten. Maar alsjeblieft niet via de brievenbus.'

'Ik wil hier blijven, want Audrey en ik zijn allebei heel verdrietig om het vosje. Jou kan het niet schelen, of wel soms? En trouwens, wat zou ik anders vandaag moeten doen?'

'Thuis zijn. Met mij en Lo, want daar hoor jij gewoon. En ik vind het ook heel akelig dat het vosje is overreden. Ik ben alleen niet zo verdrietig als ik zou zijn als... nou ja, als er iets ergs met jou of met Lola of met papa gebeurd zou zijn.'

Lola was heel laat thuisgekomen en vroeg weer weggegaan. Ik had haar verteld dat Jack per se bij Audrey wilde blijven slapen. 'Laat hem dan toch,' zei ze.

Jack stond op één been, zodat de kat meer ruimte had om langs zijn andere been te strijken. 'Jij moet toch werken?'

'Ja,' moest ik erkennen. Die druk was er altijd.

'Ik blijf hier,' herhaalde hij.

Ik dacht na over de situatie. Op het moment was er niets wat ik doen kon, behalve de deur intrappen dan. Met de verf was het niet best gesteld, maar het was een zware deur en het slot en de hengsels waren ook solide. Met Jack was alles in orde en hij had het kennelijk naar zijn zin. Bovendien genoot hij waarschijnlijk van het gevoel van macht dat het hem gaf om niet te doen wat ik zei.

'Nou goed. Ik zie je vanavond wel.'

Ik liep het pad af en het hek uit, en terug naar de plek waar ik mijn auto had geparkeerd. Het kostte me bijna een uur om bij The Works te komen. Op de Highbury-rotonde had een vrachtwagen een deel van zijn lading verloren en de chaos die er het gevolg van was, had de dagelijkse opstoppingen nog eens verergerd; tot kilometers in de omtrek stond het verkeer vast. Toen ik eindelijk met boze stappen het erf op kwam lopen, zag ik vanuit mijn ooghoek de zoom van een lange rok met kanten ruches en een gekrulde neus van een oosters muiltje. Toen ik opzij keek, zag ik Evelyn in de zon zitten; haar lange vingers omklemden een glas sinaasappelsap. Haar haar hing in schattige krullen om haar gezicht.

'Haiii, Sadie,' teemde ze zoetgevooisd. 'Hoe gaat het? Alles kits?'

Op de bank naast haar lagen een overbekende teddybeer met één poot en kleurpotloden met papier.

'Je bent terug,' stelde ik vast, geheel overbodig. Ik was al op weg naar het huis, zo graag wilde ik Cassie weer zien.

'Gisteravond.'

'Met Cassie?'

'Ja.'

Daar zat ze, in haar kinderzitje aan de keukentafel. Ze zat rozijnen te pletten met haar mollige vingertjes alsof ze nooit was weggeweest. Ze draaide haar hoofdje naar me toe, als een bloem op het veld. 'Sa-a-a-adie!!!'

Ik tilde haar op en zwaaide haar rond. Ze gooide haar hoofdje achterover en kraaide van plezier. Door haar gewicht in mijn armen en de plakkerige geur van haar nek toen ik haar daar kuste besefte ik pas hoe erg ik haar had gemist. Evelyn stond vanuit de deuropening toe te kijken.

'Spelen. We gaan spelen,' eiste Cassie als een koningin. Haar handje doorsneed de lucht in de richting van haar speelgoed.

'Ik moet aan het werk, Cass, want anders krijg ik van Penny op mijn kop. Maar vanmiddag kom ik je een verhaaltje voorlezen, dat beloof ik.' Hoe simpel, dacht ik, als je het vergeleek met mijn gemarchandeer met Jack. Ik wilde haar weer in haar stoeltje zetten, maar Evelyn zei dat ze haar wel zou overnemen.

Toen ik haar het kind gaf, kwam Evelyns haar even vast te zitten tussen ons in, zodat het een ogenblik uit haar gezicht was. Ik zag een glanzende roodpaarse zwelling op haar jukbeen, vlak onder haar oog. Ik keek onmiddellijk weer weg, maar ze wist dat ik het had gezien. Ze schudde met haar hoofd zodat de krullen die de blauwe plek moesten maskeren weer loskwamen en haar mond plooide zich in een vrolijke glimlach. 'Ik ben ook zo'n sukkel, hè? Ik ben zó, pats-boem, tegen een lantaarnpaal aan gelopen toen ik een paar glaasjes teveel op had,' zei ze.

Ik knikte meelevend, de leugen accepterend, maar de schrik sloeg me om het hart bij de gedachte dat Cassie misschien ook in gevaar was geweest.

Penny was druk in de weer aan haar werkbank, maar toen ik binnenkwam keek ze me vol in het gezicht. Van de droeve rimpels om haar ogen en mond was niets meer te zien.

'Zo,' zei ik binnensmonds.

Andy en Leo begroetten me met een vaag gebaar en bogen zich toen meteen weer over hun werk om aan te geven dat ze volledig opgingen in waar ze mee bezig waren. 'Ik zal ze beschermen. Ik zal zorgen dat hij ze nooit meer met een vinger aanraakt,' bezwoer Penny op zachte maar vurige toon. 'Dan zal hij me eerst moeten vermoorden.'

'Dat hoop ik toch niet,' zei ik.

Tijdens de pauze tussen de middag vertelde ik haar over Audrey en Jack. We zaten in de schaduw van de muur van de binderij, want in de zon was het veel te heet. Mijn dunne rok plakte tegen mijn blote benen en mijn haar door het zweet van achteren tegen mijn nek. Toen ik mijn ogen sloot zag ik dikke goud-paarse vlekken achter mijn oogleden schemeren. 'Wat moet ik doen?'

'Als ik jou was, zou ik de zaak niet op de spits drijven. Maar ik ben niet echt de aangewezen persoon om je van advies te dienen, wel? Als je al het gedonder in mijn eigen leven bekijkt, tenminste.'

'Blijven ze?'

'Dat hoop ik.' Ik wist dat dat een geweldig understatement was.

'Want ze kunnen niet terug naar Jerry.' Maar toen stak Penny haar hand op om aan te geven dat we het over mijn problemen hadden en niet over de hare. 'Heb je het er al met Graham en Caz over gehad? Of met Mel? Wat er ook gebeurt, je staat niet alleen. Wij zijn er allemaal om je te helpen. Dat weet je toch?'

Ik was blij met de manier waarop Penny me probeerde gerust te stellen. Ze wist hoe de kilte van het isolement aanvoelde, want ze had het zelf allemaal meegemaakt. Caz en Graham niet, want die waren zó aan elkaar verknocht, en ook Mel had zoiets nooit ervaren, want die had zich altijd kunnen warmen aan de genegenheid die binnen haar familie heerste. De eenzaamheid zoals ik me die voorstelde, had niet zoveel te maken met je eenzaam voelen, maar eerder met je in je eentje zien te redden, bedacht ik, terwijl ik keek naar de iriserende glans op de vleugeltjes en het lijf van vliegen die over de stenen van het erf liepen. Ik kon me geen zomer herinneren die zo heet was geweest; zelfs de zomer die ik zo lang geleden in Grasse had meegemaakt, leek hierbij vergeleken graden koeler.

'Ik zal eraan denken,' zei ik dankbaar tegen Penny.

Zodra ik weer thuis was, belde ik Tony op. Hij was nog op zijn werk, bezig met het binnenhalen van een nieuwe klant, en het vergde enige overtuigingskracht om zijn secretaresse zover te krijgen dat ze hem stoorde. Ik stelde me hem voor zoals hij waarschijnlijk in zijn hemdsmouwen achter zijn bureau zat, met stapels storyboards, grafieken en ontwerpteksten voor zich, zoals ik hem vaak gezien had toen we nog getrouwd waren. Arme Tony, dacht ik. Hij had zoveel dingen aan zijn hoofd.

'Sadie? Hallo?'

'Gefeliciteerd,' zei ik.

'Dank je.' Zijn stem verried niet veel van zijn gevoelens. 'Bel je me zomaar voor de lol? Ik kom namelijk om in het werk, Sade.'

'Nee, nee, ik bel je niet zomaar.'

Ik vertelde hem wat er aan de hand was. Toen zei hij: 'Wie is die Audrey precies?'

'Een oude vriendin van Ted. Ze beweert dat ze geen geliefde van hem was.'

Tony grinnikte, zijn genegenheid voor Ted was met niet meer dan een klein vleugje ergernis vermengd. 'Hij geeft het ook nooit op, hè, die ouwe. Zelfs na zijn dood steekt hij nog vol verrassingen.'

'Ja,' zei ik. Ted had vaak verrassingen in petto.

'Ik ben hier over een uurtje klaar. Wil je dat ik naar dat huis van haar toe ga om met Jack te praten, als dat lukt?'

'Ik denk dat wat er nu aan de hand is, deels te maken heeft met jou en je nieuwe kind. Omdat het een jongen is, begrijp je. Maar dat is het niet alleen, natuurlijk. Er gebeurt zoveel in zijn leven waardoor hij van slag raakt. Met Jack is het allemaal nooit zo simpel, weet je.'

'Maar wat kan ik dan doen?'

Ik zuchtte. 'Op het moment niet zoveel, denk ik. Ik wilde alleen dat je wist waar hij is. Jij bent tenslotte zijn vader.'

Die band was er altijd en zou altijd blijven bestaan, ook al had ik de andere banden doorgesneden. Het bleef een tijdje stil tussen ons, een stilte beladen met de zwaarte van spanning en ongerustheid en in elk geval wat mij betrof van spijt over een mogelijkheid die verloren was gegaan, niet zozeer over een realiteit die verleden tijd was. Maar Tony en ik konden het niet over spijt hebben, of er zelfs maar zijdelings naar verwijzen, want daarvoor was het allang te laat. We konden geen van beiden onze toevlucht nemen tot de intimiteit die door het praten over dit soort dingen onherroepelijk tevoorschijn zou worden geroepen. Die intimiteit was er wel, was een product van alle jaren dat we samen waren geweest, maar we hielden haar op afstand. De gedachte stemde me erg treurig. De ontkenning had veel weg van de gang van zaken tussen Ted en mij, en leek een voorbode van de situatie zoals die zich tussen mij en Jack in de toekomst zou ontwikkelen. Ik had de telefoonhoorn zo stevig beet dat mijn handpalm ervan zweette.

'Bedankt, Sadie,' zei Tony hartelijk. 'Je kunt altijd op me rekenen. En Jack ook. Probeer je niet al te ongerust te maken. Hij komt wel thuis als hij eraan toe is.'

Zou dat zo zijn? Ik was bang dat hij nooit meer naar huis zou willen komen, dat ik hem kwijt was zonder dat ik wist wat er precies gaande was en dat het te laat was om nog iets ten goede te veranderen. Ik moest heel erg mijn best doen om de gedachte te onderdrukken dat er wel eens iets sinisters zou kunnen plaatsvinden in dat donkere, griezelige huis aan Turnmill Street. 'Ik hou je op de hoogte,' zei ik uiteindelijk. 'Zeg tegen Suzy dat ik het heel leuk vind van de baby.'

'Doe ik.'

Later stond ik opnieuw in Turnmill Street op de stoep. Op mijn geklop werd niet gereageerd. Blijkbaar was Jacks besluit om bij Audrey te blijven er alleen maar hardnekkiger op geworden. Ik wilde hem ontzettend graag weer thuis hebben, dat was alles waaraan ik kon denken, maar toch had ik nog meer kleren voor hem in een tas gepakt met nog andere spullen waarvan ik dacht dat hij ze misschien nodig had. Ik moest er niet aan denken dat hij nog een nacht in dit huis zou doorbrengen, laat staan nog meer nachten, maar ik wilde tegelijk dat hij, als hij dan toch bleef, over de dingen zou kunnen beschikken die hij thuis ook had.

In mijn hoofd was het zo'n warboel van tegenstrijdige gedachten, dat het niet zo vreemd zou zijn als bij Jack hetzelfde het geval was.

Ik kon er alleen maar naar raden, maar misschien was er een deel van Jack dat het liefst uit dat huis tevoorschijn zou komen om met mij mee naar huis te gaan. Maar mogelijk vond hij dat hij het daarvoor inmiddels te ver had laten komen en dat hij zich zou moeten houden aan de keuze die hij gemaakt had, om tegenover Audrey of tegenover mij geen gezichtsverlies te lijden. Of misschien vond hij het gewoon prettig om in Turnmill Street te zijn in plaats van thuis. Misschien wilde hij alleen maar aandacht, van mij, van zijn vader, of van een wereld die op geen enkele manier rekening leek te houden met zijn verlangens. Of misschien betekende deze rebellie wel dat hij zo in de war was en zo teleurgesteld in het leven dat hij eindelijk een duidelijke, agressieve vorm had gevonden om dit te uiten.

Ik roffelde zo hard ik kon op de deur en leunde toen naar voren zodat mijn voorhoofd ertegenaan rustte. De bladderende verf maakte een heel zacht kraakgeluidje. Ik hoorde ook het schorre gekoer van duiven die dichtbij in de bomen zaten te roesten, en ik hoorde het gedruis van verkeer. In gedachten zag ik Jack en Audrey in de achterkamer tegenover elkaar zitten, te midden van de katten en stapels oud papier, met wijdopen ogen en hun adem ingehouden, wachtend tot het gebonk op de deur zou ophouden. Ineens werd ik door een vlaag van wilde razernij overvallen.

Ik bonkte op de deur tot mijn vuisten er pijn van deden, en schreeuwde: 'Audrey! Ik wil met mijn zoon praten! Doe onmiddellijk die deur open of ik roep de politie erbij.'

De deur ging een heel klein eindje open en ik tuurde het duister in. Daar stond Audrey.

'Zeg tegen hem dat hij onmiddellijk naar buiten komt.'

Het was binnen te donker om haar gezicht goed te kunnen zien.

'Hij wil niet.'

'Ik heb hier genoeg van.' Ik zette mijn schouder tegen de deur en duwde er uit alle macht tegenaan. Audrey hield hem met verbazingwekkende kracht tegen en de deur sloeg bijna tegen mijn gezicht dicht voordat ik hem verder open kon krijgen. Ik hoorde het geratel van de ketting waarmee ze de deur snel vastzette, zodat hij niet verder openging. Nu was ik pas goed buitengesloten.

'Dit huis is van mij,' zei Audrey bedaard door de gleuf heen. 'En Jack is bij mij te gast. Waarom laat je hem niet gewoon met rust? We zitten naar *Dierenkliniek* te kijken. Ik zal tegen hem zeggen dat hij je straks moet bellen.'

Ik haalde diep adem. Dit gesprek was letterlijk te gek voor woorden, rationeel en irrationeel tegelijk, het was ronduit surrealistisch.

'Hij is je bezit niet, moet je weten,' voegde Audrey eraan toe. Een rookgrijze kat verscheen in de smalle streep gang die ik kon zien en keek me met zijn gele ogen aan.

'Hoor eens, niemand is het bezit van een ander, en dat hoor je mij ook niet zeggen. Maar ik ben wel Jacks moeder en ik ben verantwoordelijk voor zijn veiligheid en zijn welzijn. En ook nog voor een heleboel andere dingen, maar laten we het vooral simpel houden. Ik ben

er niet van overtuigd dat hij veilig is bij jou, vooral gezien het feit dat
je het blijkbaar nodig vindt om hem op te sluiten.'
'De ketting zit er niet op om hém binnen maar om jóú buiten te
houden.'
'Ik wil niet dat mijn zoon in het huis van een vreemde zit opgesloten.'
Audrey snoof. 'Ik ben geen vreemde. Ik heb zijn grootvader bijna
vijftig jaar gekend. En als hij behoefte heeft om eens even niet bij jou
te zijn, dan moet je je misschien eens afvragen hoe dat komt, in plaats
van hier tegen me te gaan staan schreeuwen. Je hoeft niet over hem
in te zitten. Ik zal heus goed voor hem zorgen.'
'Ik wil met hem praten.'
'We zitten naar *Dierenkliniek* te kijken.'
'De pot op met je *Dierenkliniek*.'
Ik kon bijna horen hoe Audrey haar lippen opeenperste. Ik had me
aan verschrikkelijke blasfemie bezondigd. 'Ik zal proberen hem straks
te laten bellen,' herhaalde ze. De deur ging weer dicht en ik kon niet
anders dan accepteren dat de stand inmiddels 2-0 was in het voordeel van Audrey en Jack en dat het thuisfront op zwaar verlies stond.
Ik riep door de brievenbus: 'Jack? Hoor je me, Jack? Ik heb kleren
meegebracht en je Gameboy en cd-speler. Is er nog iets wat je wilt
hebben voordat je morgen weer naar huis komt?'
Geen sjoege.
'Doe de deur open, Audrey, dan kan ik je de tas geven.'
'Laat hem maar voor de deur staan, dan pak ik hem wel als je weg
bent.'
Toen ik bij het hek was, ging de deur open, werd de tas gepakt en
sloeg de deur vliegensvlug weer dicht.
Door de donkere blauwige augustusschemering reed ik terug naar
huis. Ik was woest en ik beefde nog na van mijn confrontatie met
Audrey. Ze had me een gevoel van totale machteloosheid tegenover
mijn eigen kind bezorgd en ik zwoer dat daar een eind aan zou komen. Als ik een gevecht zou moeten leveren om Jack weer thuis te
krijgen, dan zou ik dat gevecht aangaan.
Toen ik bij mijn huis parkeerde, zag ik dat zo'n beetje alle lichten
binnen aan waren, wat vreemd was omdat Lola had gezegd dat ze tot
laat in de bar moest werken. Ik liet mezelf binnen en meteen sloeg me
de geur van gember en sojasaus tegemoet, vergezeld van de klank van
stemmen. In de keuken trof ik Caz aan die aan tafel zat met een glas

wijn. Graham en Jasper leunden tegen het aanrecht, ook met een glas wijn in hun hand, terwijl Mel in een wok stond te roeren.

Ik knipperde met mijn ogen. 'Ik ben toch niet jarig of zo? Ik heb geen moment op een surpriseparty gerekend.'

'Als je erop gerekend had, was het geen surpriseparty, wel?' merkte Graham heel terecht op. Caz beduidde hem dat hij zijn mond moest houden en kwam naar me toe met een glas voor mij. Ik nam een slok.

Mel wierp me een kushand toe.

'Penny belde me op. Ze zei dat je je zorgen maakte om Jack en uit wat ik zo hoorde, kon ik je geen ongelijk geven. Ik heb Caz gebeld en toen dachten we dat het misschien een goed idee was om hierheen te komen en eten voor je te maken. Dan kunnen we het er met zijn allen over hebben. Lola heeft ons binnengelaten voor ze naar haar werk ging. Penny wilde ook komen, maar die heeft vanavond zelf van alles aan haar hoofd.'

'Dat kun je wel zeggen.' Ik ging zitten. Mijn benen trilden en de wijn die de binnenwand van mijn maag in brand zette, herinnerde me eraan dat ik al ongeveer een dag lang niets gegeten had. 'Dank jullie wel,' zei ik. Caz gaf me een klopje op mijn schouder.

Ik keek de kring van door kaarslicht beschenen gezichten rond. De deur naar de tuin stond open en motten fladderden rond tegen de achtergrond van de vallende nacht. Ik was blij hen allemaal te zien en ik was geroerd door dit blijk van vriendschap, maar ik voelde tegelijk dat wat er aan de hand was iets tussen mij en mijn zoon was en dat ik er zelf uit zou moeten zien te komen.

Tegelijkertijd besefte ik dat degene met wie ik werkelijk over alles zou willen praten, Paul Rainbird was. Ik schrok ervan en duwde de gedachte weg om er later uitgebreider op terug te komen.

Jasper was tegenover me komen zitten. Hij en Mel keken voortdurend naar elkaar alsof ze niets wilden missen van elkaars reactie op wat de rest van ons zei. Plotseling zei hij: 'Toen haar moeder en ik uit elkaar gingen, heeft Clare twee maanden geen woord tegen me gezegd. Geen woord. Ik dacht dat ik haar voorgoed kwijt was.'

'Wat gebeurde er toen?' vroeg Caz.

'Uiteindelijk hebben we het weer goedgemaakt, maar het heeft wel heel lang geduurd. Daarna gedroeg ze zich nog een tijdlang heel bezitterig als ik bij haar was en deed ze heel vijandig tegen mijn vriendin. En ze heeft zelf twee moeilijke relaties gehad die erg slecht afliepen.'

'En hoe is het nu?'

'We vinden elkaar weer aardig.' Jasper zag er minder zelfverzekerd en gespannener uit dan ik hem ooit eerder had gezien. 'Dat wil zeggen: ík vind haar aardig. Ik hou ontzettend veel van haar.' Het bijna griezelig positieve beeld dat hij van zijn gezinsachtergrond had geschetst, dateerde uit de begintijd van zijn relatie met Mel, begreep ik nu. Niets was in werkelijkheid zo simpel. Wie had er onderhand niet een vastgelopen, dubbele of verbroken relatie achter de rug? Mel greep een vuist vol haar en hield die een eindje van haar hoofd. 'Kinderen, hè?' lachte ze, niet erg overtuigend.

Ik bedacht dat we elkaars problemen toch niet konden oplossen. Maar we konden wel ons leed vergelijken om elkaar te troosten en we konden met z'n allen bij elkaar kruipen en bij kaarslicht het glas heffen. Deze mensen zouden nog altijd mijn familie zijn als Lola en Jack allebei het huis uit waren en volledig opgingen in de vreugden en beslommeringen van een eigen gezin.

Op dat moment ging de telefoon en ik stond op om op te nemen. 'Hallo, mam.' Jacks stem klonk iel, maar duidelijk. Audrey had dus woord gehouden.

'Hallo. Wacht even, ik pak hem boven.'

Ik legde de hoorn neer en liep de trap op naar de huiskamer boven. Toen ik de telefoon weer opnam, viel me opnieuw op hoeveel netter het er hier uitzag dan normaal, alsof geen van mijn twee kinderen nog thuis woonde. 'Hallo, Jack? Wat voer je daar toch allemaal uit?'

'Niet zoveel. We hebben tv gekeken. Ik heb de katten en de konijnen te eten gegeven. Het is zo heet.'

'Wil je naar huis komen? Zal ik je komen ophalen?'

'Nee, mam.'

Het was even stil. Ik zou graag met hem doorpraten, maar ik wist niet goed wat ik verder moest zeggen. Uiteindelijk koos ik voor het voor de hand liggende: 'Ik mis je. Heb je nog iets nodig?'

'Ik wil graag mijn verrekijker. En mijn vogelboek. Dat ligt in mijn kamer op tafel.'

'Jack, je kunt daar niet nóg langer blijven.'

'Jawel.'

Ik beet op mijn tong om mijn scherpe reactie in te slikken. Als ik een gevecht moest leveren, had ik behoefte aan subtiele wapens, niet aan een scheldpartij via de telefoon. 'Ik breng ze morgen wel.'

305

'Bedankt,' zei hij, nog steeds met die iele, heldere stem. Hij klonk ouder, alsof hij onverwachte krachtbronnen in zichzelf had ontdekt.

'Verder nog iets?'

'Nee. Wie is er bij je?'

'Gewoon Caz en Graham en Mel en Jasper.'

'O. Leuk.' Na weer een korte stilte zei hij. 'Nou, welterusten dan.'

'Welterusten. Ik hou van je, weet je. Je kunt me bellen zodra je naar huis wilt, al is het midden in de nacht.'

Ik vroeg me af of Audrey kon horen wat hij zei. Met tegenzin zei ik nogmaals welterusten en toen hing hij op.

Mel kwam de trap op op het moment dat ik weer naar beneden ging. 'Was het Jack?' vroeg ze.

'Ja. Wat doen ze beneden?'

'O, beneden gaat alles goed.' Mel voerde me mee terug naar de huiskamer en samen gingen we op de bank zitten. Haar gezicht had een zorgelijke uitdrukking. 'Weet je, ik heb Clare ontmoet.'

Ik herademde. 'Sorry. Ik had je ernaar moeten vragen. Maar door al dit...'

'Zo bedoel ik het niet. Ik wilde alleen maar zeggen dat ik anders tegen alles aan ben gaan kijken nu ik haar heb gezien. Ik wilde zo graag dat ze me aardig vond dat ik me geweldig onthand voelde. Al mijn gewone tactieken bleken niet bruikbaar omdat ik wist dat ze alleen maar dat waren, tactieken, en dus schaamde ik me om ze te gebruiken. Je weet wel... Ik kon het gewoon niet maken om haar suggestieve vragen over zichzelf te stellen, om zo'n spelletje te spelen van meisjes onder elkaar om haar het idee te geven dat ik een vriendin van haar was. Ik wilde alleen maar eerlijk tegen haar zijn en wat een geweldige moeite me dat heeft gekost... Ik kreeg echt het gevoel dat ik de rest van mijn leven als een plat stuk bordkarton zal moeten slijten.'

Ik lachte. 'Mel, als er iemand driedimensionaal is dan ben jij het wel.'

'Ho nou eens even. Ik ben niet naar complimentjes aan het vissen. Het liep trouwens helemaal verkeerd af. Toen ik met haar kennismaakte, deed ze heel koel. Niet echt onvriendelijk, maar wel erg afstandelijk. En ik spande me zo in om gewoon te doen, om niet overdreven te doen, dat ik me helemaal niet meer op een natuurlijke manier wist te gedragen. We leken wel twee ijsbergen die langs elkaar heen dreven. Jasper zei later dat hij me zo gespannen vond.'

'O ja?'

'Het was zo verschrikkelijk belangrijk, voor hem en voor mij, dat ik te hard mijn best deed om juist niet te hard mijn best te doen.'

Ik moest lachen, hoewel ik het allemaal juist heel serieus wilde nemen.

'Nee, hoor nou eens. Ik vertel je dit alleen maar in verband met Jack en jou. Toen ik zo mijn best moest doen om het een beetje met Clare te kunnen vinden, besefte ik pas hoe moeilijk echte ouders het kunnen hebben, en dat is echt iets wat ik me nooit eerder gerealiseerd heb. Ik heb altijd gedacht dat elkaar aardig vinden allemaal vanzelf ging, dat kinderen het met de borstvoeding kregen ingegoten. Zo ging het in elk geval bij ons, maar dat was gewoon boffen, hè?'

'Ik zou eerder zeggen dat het een kwestie van goed management was.'

'Wat een doolhof. Als je kinderen hebt, wil je dat alles goed gaat, en dus doe je ontzettend je best, maar hoe meer je je best doet, hoe lastiger en uitzichtlozer de verhouding wordt. Zeg ik het zo goed?'

'Ja. Het is net als met taarten bakken. Je kunt van alles verzinnen om ze nóg lekkerder te maken, maar het resultaat is vaak dat ze juist mislukken.'

Mel trok haar vingers door haar haar, zodat het knetterde. Als ik de lamp zou uitdoen, dacht ik, zag ik er vast een heleboel blauwe vonken vanaf schieten.

'Mijn god, wat een ellende. Ik was doodsbenauwd voor Jaspers Clare en dat is nota bene een meid van negentien. Met Jack moet het nog ingewikkelder zijn, als je zoveel van hem houdt. En voor Jasper, met Clare, moet het ook ontzettend lastig zijn. Ik kan het me nu voorstellen, ook al heb ik zelf geen kinderen.'

Ik merkte dat Mel er nu heel anders over praatte. Ze betreurde het nog steeds dat ze geen kinderen had, maar de ergste pijn leek verdwenen te zijn. Dat kwam doordat ze op Jasper verliefd was geworden.

Maar tegelijk dacht ik: ja, het klopt allemaal. Ik moet een manier vinden om Jack vaker met rust te laten, zoals Tony en Paul me allebei al gezegd hebben, en zoals Mel me nu ook weer, via een omweg, vertelt. Maar hem aan zijn lot overlaten bij Audrey in Turnmill Street is niet de goede manier.

De goede manier is hem juist niét aan zijn lot over te laten, ook al vraagt hij daar nog zo hard om. Hij daagt me uit, hij wil weten wat ik ga doen. Hij weet het misschien zelf niet, maar hij stelt mijn trouw aan hem op de proef en dat is goed. Toen ik zo oud was als Jack, bezat ik nog geen fractie van het zelfvertrouwen dat nodig was geweest om Ted uit te dagen.

Ik pakte Mels hand en hield hem stevig vast. Samen zaten we door de ramen naar de huizen aan de overkant te kijken en naar het gele schijnsel van de dichtstbijzijnde lantaarnpaal. Ik vroeg me af of de vos die ik eens gezien had ergens buiten deze lichtkring rondscharrelde. 'Clare is net zo goed bang,' zei ik. 'Ze is bang dat je niet goed genoeg zult zijn voor haar vader. Ze is bang dat je hem op een slinkse manier hebt verleid of hem gehypnotiseerd hebt. Of dat hij te veel van je houdt en daarom minder van haar kan houden.'

Mel trok haar knieën op en legde haar wang ertegenaan, terwijl ze me vorsend opnam. 'Dat heb jij allemaal meegemaakt.'

'Op een bepaalde manier, ja.'

We knepen in elkaars hand.

'Het houdt ook nooit op, hè?' mompelde Mel. 'Je leert steeds weer dingen bij over de liefde.'

'Ja,' zei ik, 'ook al zijn we nog zo oud. Vijftig vanbuiten en zevenentwintig vanbinnen. Het houdt nooit op.'

'Mooi zo,' zei ze.

Beneden ontdekten we dat het geïmproviseerde feestje een andere draai had gekregen. De tafel was afgeruimd, de afwasmachine stond te zoemen. Ze zaten gedrieën aan tafel met een nieuwe fles wijn en Graham zat kaarten te schudden.

Hij keek ons over zijn bril heen aan. 'Kom, we gaan doorzakken. Wat voor spelletje zullen we eens spelen? Gin rummy? Eenentwintigen? Of een potje poker?'

'Hoe laat is het?' Ik keek naar de groene cijfertjes van de ovenklok.

'Ach, kom op, nou,' zei Mel. 'Je bent toch geen ouwe taart?'

'Kom op dan,' zei ik, en ging zitten.

We eenentwintigden om vijftig pence per keer en toen Lola thuiskwam had ik al drie pond verloren. Ze droeg het zwarte T-shirt en de zwarte broek die ze achter de bar moest dragen en haar haar zat in een knotje op haar hoofd. Ze zag er moe maar klaarwakker uit, in plaats van moe en voor driekwart slapend zoals 's ochtends vroeg.

'Hé, hier heb ik zin in,' zei ze. Ze schonk een glas wijn in voor zichzelf en kwam erbij zitten. 'Mam, heb je nog wat van Jack gehoord?'

'Die is nog steeds bij Audrey.'

'O. Wat spelen jullie? Ik doe ook mee.'

'Ben je niet moe dan?'
'Ik heb nog geen zin om naar bed te gaan.'
'Laat haar toch meedoen.'
Een heel uur lang vergat ik Jack. Ik verloor nog eens vijf pond,
dronk nog meer wijn en lachte wat af. Mel was een kei in kaarten,
want ze wilde altijd winnen, maar Jasper bleek er nog minder van te
bakken dan ik.
Uiteindelijk was het Lola die het meest won, want zoals altijd had
ze het geluk aan haar zijde. Ze schoffelde haar munten bij elkaar,
stopte ze in haar zak en keek stralend de tafel rond. 'Veel makkelijker
dan achter de bar staan,' zei ze.
Toen de anderen de deur uit gingen, waren we het er met z'n allen
over eens dat we dit vaker moesten doen. Het was een fijne avond
geworden, ook al zag het er in het begin totaal niet naar uit. Toen ik
de voordeur op het nachtslot deed en alle lichten uitknipte voelde ik
de warmte ervan nog om me heen.
Lola kwam mijn kamer in toen ik me aan het uitkleden was. 'Maak
je je erg ongerust?' vroeg ze. Ze wilde de mate van haar eigen ongerustheid vaststellen aan de hand van de mijne, dus ik glimlachte en
schudde mijn hoofd. Toen ik neerkeek op onze blote voeten, zag ik
dat ze precies hetzelfde gevormd waren. Ik herinnerde me nog hoe
verwonderd ik was geweest over de rozerode perfectie van haar voetjes op de dag dat ze geboren was.

De volgende ochtend had ik een kater van de rode wijn. Ik liet de
wijnglazen en de rest van de rommel van de vorige avond gewoon op
de keukentafel achter en ging op jacht naar Jacks vogelboek en verrekijker. Lola was al naar haar werk. Buiten zag de hemel wit en de zonneschijn deed pijn aan mijn ogen. De rit naar Turnmill Street duurde langer dan de vorige keer en ik zat te bedenken dat ik mijn auto in
het vervolg beter kon laten staan en alles maar te voet moest doen.
Ik bonkte weer op Audreys voordeur en schreeuwde door de brievenbus, waarna ik opnieuw op de deur begon te bonken. Het was
rustig op straat; vanwaar ik stond, op het bloedhete stoepje, zag de
schaduw onder de bomen er aanlokkelijk uit. Ik bukte me net om opnieuw door de brievenbus te kijken, toen ik een auto hoorde stoppen.
Een portier werd geopend en gesloten en ik hoorde stemmen op een
radio met ruisgeluid erdoor. Toen ik me omdraaide zag ik een jonge
politieagente Audreys hek binnenstappen. Ze had de mouwen van

haar blouse opgestroopt en aan het zakje op haar boezem zat een radio-ontvangertje vastgeklemd. Ik zag de geruite rand van haar hoedje en de zon die glinsterde in haar badge. Ik ging rechtop staan, terwijl de angst me om het hart sloeg. Wat deed de politie hier?

'Goedemorgen,' zei de agente opgewekt.

'Is hier iets aan de hand?' vroeg ik.

'Is dit uw huis?'

'Nee. Nee... eh, maar mijn zoon... eh, logeert hier.'

'Aha.' Ze keek naar de vuile ramen en de rommel in de tuin. Over haar radio kwam weer het geluid van stemmen. 'We hebben een telefoontje van een van de buren gehad. Ze hebben hier een paar keer iemand gezien die stond te schreeuwen en op de deur te bonken. En er schijnt daarbinnen een kind te zijn dat hier niet woont. Klopt dat?'

De opluchting die ik een ogenblik gevoeld had, veranderde in woede. Ik draaide mijn hoofd naar links en naar rechts en keek naar de glimmende ruiten, zware gordijnen en keurig bijgehouden heggen van Turnmill Street. Stomme burgerlijke kakbuurt, dacht ik, want heel even ging mijn sympathie weer naar Audrey uit. De een of andere bemoeial had het op Audrey voorzien omdat haar bladderende verf en haar ideeën over tuinonderhoud niet strookten met de plaatselijke normen. 'Dat zal mijn zoon dan wel zijn,' zei ik op aangename toon.

'Zullen we dan even een babbeltje met hem maken?'

Dat bracht me in een lastig parket. Ik kon natuurlijk opnieuw op de deur gaan bonken, maar dat kon betekenen dat de politieagente en ik hier moesten wachten tot de zon ons allebei krokant had gebakken. Ik besloot dat het misschien maar het beste was om eerlijk te zijn. 'Ik weet niet of dat wel zo'n goed idee is. Hij is een beetje opstandig de laatste tijd. Hij is een tiener, ziet u. Of bijna, in elk geval. Hij heeft het in zijn hoofd gezet om hier te blijven logeren bij... bij...' Mijn stem stierf weg. Ik besefte ineens dat ik Audreys achternaam niet eens wist. 'Bij een vriendin van de familie. Hij is van slag omdat zijn vosje dood is. En hij wil niet naar buiten komen, dus daarom heb ik op de deur staan bonken.' Ik wist dat ik niet erg overtuigend klonk.

De bestuurder van de politieauto kwam zich bij zijn partner voegen. Als om te voldoen aan een cliché leek deze zelfs nog jonger, nauwelijks ouder dan Jack. Ik zag de puistjes op zijn wang. Ik stond tussen hen in op het stoepje voor de voordeur en zag dat een paar voorbijgangers stil waren blijven staan om naar ons te kijken.

'Zijn vosje,' herhaalde de agente. 'Uw zoon is twaalf jaar oud?'

'Dat klopt.'

'Nou, we zullen maar eens kijken.'

Ze sloeg een nette roffel op de deur en de andere agent kwam naar voren om haar bij te staan. Ik zag me genoodzaakt om van het stoepje af te stappen. Ik zweette van schaamte en van de misselijkmakende ochtendhitte.

De deur ging meteen open en daar stond Audrey. Ze zag er kleiner en fragieler uit dan anders. Haar ogen gingen van de agenten rechtstreeks naar mij en ik wist dat ze dacht dat het mijn schuld was dat de politie aan de deur kwam. Ik had daarmee gedreigd, maar was het geen moment van plan geweest.

'Goedemorgen,' zei de agente. 'Is alles met u in orde?'

Ik realiseerde me met een schok dat het voor de agenten een nog open vraag was of ze met een door een gemene twaalfjarige gegijzelde vrouw of met een hulpeloos kind als slachtoffer te maken zouden krijgen.

'Ja, zeker, dank u. Is er een probleem?'

'We hebben begrepen dat er een jongeman bij u logeert? De zoon van deze dame?'

Audrey liet haar koude blik op mij rusten. Ze zou er nu niet meer aan twijfelen dat ik verantwoordelijk was voor deze invasie.

'Audrey, ik...' begon ik.

'Dat klopt,' onderbrak Audrey me.

De politieradio kraakte er lustig op los en het aantal omstanders groeide. De buurman van de mountainbike stond vanaf zijn drempel toe te kijken.

'Waar is hij nu?'

Ze stak haar kin de lucht in. 'Nou, hier dus. Jack!' riep ze de schemerige gang in.

De politie, de toeschouwers en ik vormden een haag bij de voordeur. Twee katten slopen naar buiten, streken langs onze benen en begonnen toen sierlijk tussen de gefossiliseerde kartonnen dozen in de tuin rond te stappen.

Jacks voeten en benen verschenen sloffend boven aan de trap in beeld. We staken allemaal onze nek naar voren om te kijken. Jack kwam naar beneden, langzaam, onwillig, stap voor stap. Zijn gezicht, toen ik het zien kon, zag er gekweld uit.

'Ik heb de politie niet gebeld, Jack. Een van de buren heeft dat gedaan,' zei ik tegen hem.

311

'Wat is hier gaande?' vroeg de vrouwelijke agent.

Hij haalde zijn schouders op. 'Niks.' Hij verdomde het om naar me te kijken.

De agenten verloren hun interesse. Niemand was gewond en er werd ook niemand gevangengehouden in Turnmill Street. Dat had je met burengerucht, meestal was het louter verspilling van kostbare politietijd, en dat terwijl uit het rumoer op de radio duidelijk bleek dat er elders ergere dingen gaande waren. Ik zag dat ze al op het punt stonden weg te gaan, toen Audrey de tactische blunder beging haar mond voorbij te praten. 'Het is toch zomervakantie? Dus wat maakt het dan uit of hij hier bij mij wil blijven?'

De mannelijke agent deed nu voor het eerst zijn mond open. 'Rechtens hoort hij bij zijn moeder thuis.'

'Ik heb het hier naar mijn zin,' mompelde Jack. Mijn hart vloeide over van medeleven met hem, want hij wilde geen gezichtsverlies lijden door met me mee te gaan, maar tegelijk wilde hij mij niet voor de ogen van de toeschouwers en de politie voor schut zetten. Ik zou er alles voor over hebben gehad als deze scène hem bespaard had kunnen blijven.

'U bent geen familie, begrijp ik?' vroeg de agente aan Audrey.

Audrey trok een woedend gezicht. Ze was boos omdat ze haar voordeel uit handen had gegeven. Haar dunne groezelige vingers omknelden de rand van de deur, als was die een schild. 'Ik ben zijn oma.'

Ik hapte naar lucht. Audrey sloot de deur, langzaam maar vastberaden.

De agenten richtten zich nu tot mij. 'Zijn oma? Van de kant van uw man soms?'

Na een ogenblik hervond ik mijn stem. 'Ik ben gescheiden. Ze verzint het. Mijn ex heeft haar zelfs nog nooit gezien.'

Ze keken elkaar aan ten teken dat ze gingen. Ze stapten het stoepje af en liepen langs de katten en de verweerde geologische lagen karton. Ze hadden er genoeg van.

'Uw zoon komt vast wel naar huis als hij alle aandacht zat wordt,' zei de agente vriendelijk tegen me. Ze begaven zich naar hun auto, stapten in en reden de straat uit. De toeschouwers verspreidden zich, want van een drama bleek geen sprake. Er was tenminste niets van te merken. Maar het koude zweet brak me uit toen een nieuwe, vreselijke gedachte bij me opkwam. Ik beefde terwijl ik naar mijn auto terugliep.

Audrey beweerde dat ze Jacks grootmoeder was en als dat waar was, was er maar één mogelijke connectie tussen haar, Ted en mij. Nee. Nee, dat kon niet, dat was onvoorstelbaar.

Toen ik Paul opbelde zei hij: 'Verdorie. Ik moet vanavond spelen met de band. Maar hoor eens, waarom kom je niet kijken, dan kunnen we daarna samen iets gaan drinken of een hapje eten of zo. Ik weet dat het geen al te aanlokkelijk voorstel is, maar als je toch niets anders te doen hebt...' Zijn oprechtheid was weer ontwapenend. Het was vrijdag en Lola was naar het noorden vertrokken om het weekend met Sam door te brengen. 'Goed.'

Hij gaf me het adres en ik beloofde dat ik er zou zijn voor ze met de tweede set begonnen.

In de pub waar hij moest spelen was het nog heter dan in een sauna. De hoofden die tussen de band en de toog heen en weer deinden, waren nat van het zweet en ook de kleren van de dansers vertoonden T-vormige vochtplekken. De lucht van zweet en bier drong mijn neusgaten binnen.

Jerry zong 'Destination Anywhere'. Hij stond op het lage podium en de blauwe en rode spotlights van de pub wierpen paarse lichtbundels over zijn fraaie gezicht. De kleuren deden me denken aan de blauwe plekken van Evelyn en ik keek weg voordat hij me in de gaten kreeg. Het feit alleen al dat ik hier was en naar hem keek voelde als verraad aan Penny, Evelyn en Cassie.

Paul zag me en lachte naar me toen hij zijn trompet liet zakken.

Ik zocht een plaatsje aan de bar en bestelde iets te drinken. Het ijs verkoelde mijn keel en ik hield het beparelde glas even tegen mijn voorhoofd. Het was voor het eerst die dag dat ik even niets te doen had en zelfs in dit inferno genoot ik van het moment van rust. Ik dacht even helemaal nergens aan en liet de wodka als een koude golf door mijn aderen trekken.

De muziek was goed, zeker als je er niet doorheen hoefde te praten. Ik hield tijdens 'Try a Little Tenderness' mijn ogen gesloten en opende ze daarna net lang genoeg om mijn glas te laten bijvullen.

Tegen de tijd dat ik mijn tweede glas leeg heb, na nog een paar songs, voelen mijn armen en benen alsof het verband eruit is gehaald. Mijn ruggengraat ontspant zich. Ik leun naar achteren en laat mijn armen op de bar rusten, en ik kijk naar de muzikanten. Ik probeer Jerry uit het beeld weg te krijgen en dat blijkt verbazend goed te lukken door één oog dicht te doen en mijn hoofd te bewegen, om dan hetzelfde te doen met mijn andere oog. Zo blijft er een Jerry-vormige cartoonruimte op het podium over. De kopersectie – Paul Rainbird en de trombonist – blaast er flink op los en vanavond zijn er zelfs twee jonge zangeressen die met hun rode lippen bijna tegen de microfoon aan gedrukt staan te zingen. De hitte en de muziek spoelen in grote, kwistige golven over me heen. Ik sta lachend mee te klappen, net als iedereen. Als de set ten einde is, heb ik al mijn derde drankje met ijs achterovergeslagen. De band speelt 'Wait 'til the Midnight Hour' als toegift en ik vind het jammer als we klappend en stampend bij de laatste maten zijn aangeland. Het personeel van de bar houdt op met schenken, de deuren van de pub gaan wijd open en uitsmijters proberen het publiek enigszins ordelijk de straat op te krijgen. Een heel licht briesje van koelere lucht strijkt even langs mijn gezicht.

Dan staat Paul Rainbird ineens voor me. 'Zullen we gaan?' vraagt hij.

We lopen samen op straat. Hij legt een arm om mijn schouder. Zijn trompetkoffer heeft hij in zijn andere hand.

Na de hitte in de bar is het buiten lekker koel. Het zweet onder mijn armen en op mijn onderrug droogt op. Ik voel me zweverig en licht in het hoofd terwijl we naast elkaar lopen. Het trottoir voelt plakkerig onder onze voeten. Ik kan het vage zuigen horen en voelen, net als het getik van mijn hakken en de zachte tred van zijn rubberzolen.

Het is fijn om zo te lopen, bij elkaar in de pas en met de muziek nog in ons hoofd. We neuriën hetzelfde deuntje en lopen gewoon maar door, zonder speciaal doel en zonder haast. Zelfs het gedruis van het verkeer lijkt gedempt. De bomen die hier staan zijn linden waaruit sap druipt, breed uitwaaierende paardekastanjes, en Londense platanen met hun vlekkerige schors, die me altijd aan landkaarten van exotische streken doet denken. Onder een van deze laatste blijft Paul staan en zet zijn trompetkoffer naast zich neer. Hij gaat voor me staan en een straatlantaarn werpt zijn schaduw over mijn gezicht.

Hij legt zijn handen op mijn schouders en kijkt op me neer. Dan kust hij me, en na een tijdje sla ik mijn armen om zijn nek en druk me tegen hem aan, met mijn hoofd naar achteren gebogen, mijn mond openend voor de zijne.

Als we elkaar weer loslaten, is het met fikse tegenzin.

'Sadie,' zegt hij, 'heb je soms zin om met mij mee naar huis te gaan?' Ik denk erover na en bij de gedachte lijkt het of er honing door mijn aderen vloeit in plaats van wodka met ijs.

Ik begin een zin. 'Meneer Rainbird,' zeg ik per ongeluk. Op de een of andere manier is hij voor mij nog steeds verbonden met de school en met Jack, met zijn publieke rol, vandaar dat ik me in mijn zenuwen vergis.

Hij legt een vinger op mijn lippen om me tot zwijgen te brengen. 'Sadie, ik heb je zo-even gevraagd of je met me naar bed wilt. Dus je mag best mijn voornaam gebruiken, hoor.'

Ergens diep in me borrelt een lach op die zich een weg naar buiten baant. Ergens wordt een knop omgedraaid en de leraarsgedaante verwijdert zich uit mijn bewustzijn.

'Ik heet Paul, weet je,' voegt hij eraan toe.

'Ja, dat weet ik toch.' Het komt er hikkend uit en plotseling beginnen we allebei zo hard te schateren dat we elkaar vast moeten houden. Ik lach met mijn wang tegen zijn borst en hij legt zijn hand om mijn hoofd heen. Ik schok mee met zijn gebulder.

16

De liefde bedrijven kun je niet verleren, ontdek ik, net zomin als lachen. Alleen heb ik beide dingen de afgelopen tijd veel te weinig gedaan. Maar vannacht ben ik bezig met een behoorlijke inhaalslag.

Ik lig in de armen van Paul Rainbird, tot rust gebracht door glibberige huid tegen huid, na een intermezzo van gretig aanraken en proeven waarvan ik moest lachen en huilen, met mijn ogen dicht en mijn mond geopend tegen de zijne. Mijn hartslag wordt langzamer en regelmatiger en ik stel me voor dat het ritme samenvalt met dat van zijn hart, slag na slag. Ik hoor aan zijn ademhaling dat hij nog wakker is en net als ik ligt te luisteren naar de geluiden van de nacht die door de open ramen tot ons komen. We horen sirenes, scheurende auto's, slaande portieren, geschreeuw in de verte en voetstappen dichterbij. De stad is een stoofpot die dreigt over te koken, maar zijn kamer is een kalme wereld in het klein. Het voelt alsof ik lig uitgestrekt op een gladde, door de zon verwarmde rots. Pauls met mijn haar verstrengelde vingers zijn als strengen zeewier die me dicht bij de murmelende zee tot anker dienen. Alles is rein en zout. Hier binnen klinken de nachtelijke geluiden net zo veraf en onschuldig als de kreten van zeevogels. Meeuwen, sterns en zeekoeten, zou Jack zeggen.

Zelfs bij de gedachte aan Jack hoef ik me niet op mijn zij te rollen of mijn knieën op te trekken om een knagende pijn tot bedaren te brengen.

Pauls slaapkamer is wit geverfd en keurig op orde, net als de rest van zijn flat. Er staan en liggen dingen van hem, rijen boeken en foto's in lijstjes, maar het is net alsof ze hier maar half horen, alsof ze zijn aandacht nooit volledig kunnen vangen. Zijn flat geeft de indruk dat hij maar half bewoond is en ik voel dat het een soort metafoor is voor zijn manier van leven.

'Ik wacht altijd of er iets zal gebeuren, daar kijk ik naar uit,' zei hij eerder tegen me. En hij voegde eraan toe: 'En misschien is dat nu wel gebeurd.'

'Vind je het vervelend als mensen je vragen wat je denkt?' vraagt hij nu. Ik hoor zijn stem buiten ons beiden, in de ons omringende lucht, maar ik voel ook de bijbehorende vibratie in zijn ribbenkast. Het is alsof ik deel heb aan iets privé's van hem dat intiemer is dan seks. 'Nee.' Ik glimlach. Mijn mond komt bij elke ademhaling met de huid van zijn borst in aanraking.

'Nou, wat denk je dan?'

'Ik lag te denken hoe heerlijk dit is. En hoe natuurlijk en belangrijk het is als je huid die van een ander raakt. Het lijkt wel alsof we een vitaal element dat van wezenlijk belang is voor ons geluk alleen maar direct via onze poriën kunnen opnemen.'

'Door osmose.'

'Ja.' In mijn hoofd dringt zich een herinnering op. 'Ik dacht ook aan mijn vader en moeder.'

De oude man praat nog steeds tegen me. Maar opeens is mijn moeder bij hem, alsof de liefdesdaad met Paul een volgende deur geopend heeft, zodat nu ook stellen in plaats van alleen individuen met wie de relatie verbroken is, door het oog van de naald van het geheugen kunnen kruipen.

'Vertel,' zegt hij. Hij klemt me nog steviger in zijn armen.

'We gingen een dagje naar de kust. Ik denk dat het Brighton was. Ik weet nog dat we op de pier liepen en de zee diep onder ons door de kieren in het hout konden zien.'

Het was een heldere, winderige dag. De wind blies lokken haar in mijn moeders gezicht – haar met de lichtbruine kleur en de zachtheid van een muizenvelletje. (Dacht ik dat toen, of vul ik de kleur en de textuur nu anders in?) Ze lachte, haar hoofd achteroverwerpend, en trok de haren bij haar mond weg. Ze had haar lippen gestift, wat ze anders niet vaak deed, ze had een brede riem om die haar brede heupen accentueerde, en ze droeg sandalen met open neuzen, die poederig zagen van het witsel dat ze had gebruikt. Zij zag er leuk uit, mijn vader ronduit magnifiek.

Hij was heel lang en zijn lach even luid als de golven die tegen de pijlers van de pier stuksloegen. Andere stellen en gezinnen die passeerden draaiden zich om om hem na te kijken, maar hij lette niet op hen. Hij had alleen oog voor ons. 'Mijn twee prinsessen,' noemde hij mijn moeder en mij.

Ik liep tussen hen in, we liepen hand in hand. Ik moet een jaar of zes, zeven zijn geweest. Ik wilde dat ze me heen en weer zwaaiden, maar mijn moeder zei dat ik daar te groot en te zwaar voor was geworden. 'Wat dacht je hiervan dan?' vroeg Ted. Hij pakte me bij mijn polsen en tilde me in één soepele beweging boven zijn hoofd en op zijn schouders. De plotselinge actie en mijn hoge positie benamen me de adem. Sprakeloos klemde ik me met mijn vingers vast aan het met brillantine bewerkte haar op zijn kruin, terwijl hij mijn enkels vastpakte. Mijn witte sokjes kwamen onder de boorden om zijn grote vuisten uit en ik wist dat ik veilig was.

'Klaar?' riep hij naar boven.

'Ja, ja.' Ik was klaar voor wat dan ook, op mijn hoge plekje met het uitzicht van een reus op de gladde deklaag van de pier, die naar de horizon wegliep, en op de zongevlekte zee die zich aan weerszijden van ons uitstrekte.

'Daar gaan we.'

Hij begon te rennen. 'Ted! Ted! Voorzichtig!' De stem van mijn moeder achter ons, ijl en angstig, werd door de langsstromende wind afgesneden. Ik voelde de warmte van mijn vaders schouders direct onder mijn dijen en kuiten, en de textuur van zijn huid en zijn harde schedel onder mijn vingers. Zijn citroenachtig-zilte geur was lekker, op dat moment; pas later zou die helemaal verkeerd worden.

'Hop, paard!' gilde ik, en drukte mijn knieën in zijn nek. Mensen keken naar ons en ik was erg verwonderd dat ik zo'n eind boven volwassen mannen uittorende. We vlogen over de pier, galopperend als een paard met ruiter, helemaal tot aan het hek, waar vissers via gekromde lijnen met het water verbonden waren. Ted hijgde en zijn zwarte haar lag plat tegen zijn hoofd van het zweten. Op het einde van de pier hinnikte hij als een paard, krabde met zijn voeten en schudde zijn hoofd, waarna hij me de lucht in gooide. Zijn mond was rood en zijn tanden staken er ontzettend wit bij af, en zijn snor prikte tegen mijn wang toen hij me een kus gaf. Toen zette hij me met een zwaai weer neer op het pierdek. Faye, nog een eind bij ons vandaan, liep naar ons toe met haar rok wapperend om haar kuiten.

Ted gaf me een knipoog. 'Wij tweeën zouden zo kampioen worden op de renbaan, hè?'

'Nog een keer,' bedelde ik, al wist ik dat het bij dit ene plezierritje zou blijven. En ik wist ook dat ik beter niet kon bedelen, niet bij Ted, want dat zou de pret wel eens geheel kunnen bederven.

Toen Faye bij ons was, gingen we zitten op een met glazen schotten tegen de wind afgeschermd terras. Ted kocht bakjes kokkels bij een stalletje en ik trok een vies gezicht toen ik een van die met azijn beprenkelde zanderige rubberdingen in mijn mond had gestoken. Ze moesten er allebei hartelijk om lachen en toen kreeg ik een ijsje, een helderroze-bruin-wit gestreept blok dat tussen twee wafeltjes werd geklemd. Mijn vader en moeder staken een sigaret op; mijn moeder maakte een kommetje van haar hand om de hare heen, terwijl Ted zijn glimmende aansteker liet klikken en haar vuur gaf: net een flakkerende kus. Ik zat apetrots naar hem te kijken en wilde de langslopende mensen het liefst vertellen dat hij een artiest was die dromen schiep voor dames, uit rozenblaadjes en mysterieuze wolken muskus, amber en vetiver.

Ik weet nog dat we in de schemering naar huis reden. Het moet in een van die perioden zijn geweest waarin het Ted voor de wind ging. Andere vaders hadden beige of vaalzwarte auto's, maar de onze was knalgeel. En de stoelen waren met leer bekleed, heel donkerrood leer. 'Ossenbloed,' noemde mijn moeder die kleur. Ted reed met één hand aan het stuur, zijn andere arm lag over de rugleuning van mijn moeders stoel.

Natuurlijk was zij mijn moeder. Dat weet ik net zo zeker als ik weet dat Lola en Jack mijn kinderen zijn. Wie Audrey ook mag zijn, tussen ons bestaat geen bloedverwantschap, geen sprake van.

'Ik weet niet waarom ik hier opeens aan moest denken,' zeg ik tegen Paul. De plotselinge, verrassende seksuele intimiteit, die ik al zo lang niet meer heb ervaren, heeft me doezelig gemaakt. Ik word belaagd door grote golven van slaperigheid. Hij streelt mijn haar en ik val in slaap.

Toen ik de volgende ochtend wakker werd, lag ik nog steeds in zijn armen. Het duurde even voordat ik wist waar ik was en van wie de vreemde kamer was waarin ik me bevond. In Pauls gezicht zaten vouwen van de slaap en zijn haar stak in plukken alle kanten uit.

'Hallo,' zei ik.

Hij ging overeind zitten en wreef over zijn gezicht en ik zag hoe hij weer bij volledig bewustzijn kwam. Ik lette op of ik niet iets van ergernis waarnam, maar ik kon niets anders dan blijheid ontdekken, met misschien een vleugje onzekerheid. 'Je hebt hier toch geen spijt van?'

vroeg hij, doelend op de kamer en het bed en wat hier had plaatsge-
grepen.
'Nee,' zei ik. 'Tenminste niet als jij er geen spijt van hebt.'
Hij kuste me. 'Integendeel,' zei hij stralend.
We gingen weer liggen en hij liet zijn hand over mijn ribben glijden,
langs de instulping van mijn taille, over de welving van mijn heupen.
Ik legde mijn vingers tegen zijn wangen en de rand van zijn jukbeen-
deren, streelde zijn gezicht.
We keken elkaar in de ogen. Ik bleef tegen mezelf zeggen dat Jack
bij Audrey en Lola bij Sam was. Het ontbreken van verantwoordelijkheid gaf me een vederlicht gevoel, alsof ik van de lakens en kussens omhoog zou stijgen als Paul Rainbirds armen en benen me niet
zouden omknellen.
Een hele tijd later stonden we op en gingen naar zijn keuken. Het
was drukkend warm buiten, dat zag ik aan het trage geschuifel van
een vrouw met een boodschappentas die de straat overstak en aan de
lusteloos neerhangende takken van de plataan aan de overkant. Paul
had me een schoon T-shirt van hem gegeven om aan te trekken en ik
zat op een kruk toe te kijken hoe hij koffiezette en brood roosterde.
De inrichting van de keuken van een ander vond ik altijd interessant
– de indeling van de kastjes, de vorm en opdruk van kopjes en bekers,
de plek van de koffiebus; de nieuwigheid gaf me het gevoel van een
eerste vakantiedag. Hij vroeg of ik honing of marmite op mijn ge-
roosterde brood wilde en zette toen de koffiepot tussen ons in op
tafel. 'Hoe is het met Jack? Is hij dit weekend bij zijn vader?'
'Eh, nee.' En ik vertelde hem wat er gaande was.
Ik herinnerde me de eerste keer dat ik echt met hem gepraat had,
in zijn kantoortje op school, nadat ik achter Jacks gespijbel was gekomen. Hij luisterde toen aandachtig, maar niet opdringerig naar
me, en dat had ik prettig gevonden. Nu was het net zo. Hij kwam niet
meteen met oplossingen aanzetten en zei ook niet dat het allemaal
wel los zou lopen, of dat ik me te veel of juist te weinig zorgen maakte. Hij luisterde gewoon vol aandacht.
'Ik wilde er met jou over praten. Laatst kwam een aantal goede
vrienden bij me langs en toen hebben we het erover gehad. Ze hebben me echt gesteund en daar was ik dankbaar voor, maar ik dacht
toen dat ik eigenlijk het liefst met jou wilde praten.'
'Omdat ik mentor van zijn jaar was?'
'Nee, omdat jij jij bent.'

'Echt waar?'

Hij had iets aarzelends, hij zou niet gauw iets zomaar aannemen. Er was blijkbaar een moment geweest dat hij zijn voelhorens had ingetrokken en zich in zichzelf had opgesloten, misschien wel nadat er een einde aan zijn lange relatie was gekomen. Hij had een afwachtende houding en misschien keek hij ergens naar uit, maar dan zonder al te veel te verwachten. Ik herkende de sporen van gekwetstheid die bij hem waren achtergebleven en dat ontroerde me. En opeens viel me ook in dat ik de sporen van gekwetstheid die bij mezelf aanwezig waren niet langer met me mee wilde dragen, en er ook niets voor voelde om Paul te helpen de zijne te dragen of uit te wissen. Het verleden was het verleden en we konden het achter ons laten. Het was een luxe dat we een keuze konden maken en dat die keuze genezend zou werken. Ik reikte over de tafel naar zijn hand. Het was een heel gewone ochtend, de ochtend van een snikhete zaterdag in deze metropool, maar er stond iets ongewoons te gebeuren. 'Ja. Paul, zou je me één ding willen vertellen?' Het leek alsof ik zijn naam voor de eerste maal uitsprak. 'Wilde jij geen kinderen van jezelf? Wil je ze nu misschien nog steeds?'

'Ik wilde graag kinderen, ja, met Jane. En zij wilde het ook, met mij. Maar op de een of andere manier was het steeds net niet het juiste moment voor of de een of de ander, en dus is het er niet van gekomen. Ik heb er nu geen spijt van, want ik denk dat we ook in dat geval uiteindelijk toch uit elkaar zouden zijn gegaan.' Hij was zo tactisch om eerst na te denken over het volgende dat hij wilde zeggen, en zei het toen toch. 'En zoals het nu is, is het ook goed. Ik geef zo veel kinderen les die uit een gebroken gezin komen. Of van wie de ouders volkomen ongeïnteresseerd zijn. Ik zie voortdurend hoe het is.'

'Aan Jack, bijvoorbeeld.'

Hij lachte. 'Nauwelijks, nee. Ik heb het over iets heel anders. Kinderen die van een totaal andere planeet komen dan Jack. Sommige kinderen uit probleemgezinnen – niet allemaal, natuurlijk – lijken een compleet andere soort.'

'Ik kan me er niet veel bij voorstellen.' Ik bewonderde hem toch al vanwege zijn moeilijke werk, maar nu ik de wendingen van zijn stem wat beter kende en ook zijn droge understatements beter doorzag, kreeg ik pas een beetje een idee van hoe moeilijk het feitelijk was. Ik dacht aan de stromen kinderen die ik de school uit had zien komen. Daar ging al behoorlijk wat dreiging van uit.

'Ik probeer ze iets over Shakespeare bij te brengen, ze opstellen te laten schrijven, ze het verschil tussen bijwoorden en bijvoeglijke naamwoorden uit te leggen, maar dat is allemaal niet stoer. Vaak heeft het geen enkel nut. Sommigen van die kinderen hebben een grote woede in zich en zijn daardoor agressief, maar dat komt doordat ze veel tekortkomen en verwaarloosd worden, soms ook geslagen en misbruikt worden, allemaal dingen waar jij en Jack je gelukkig inderdaad niks bij kunnen voorstellen. Dus nee, ik zit niet echt te springen om vader te worden. Het is een verantwoordelijkheid waar ik tegenop zou zien.' Hij vertelde het heel gewoon, bijna emotieloos. Ergens niet zo ver weg loeide weer een sirene. Toen zei Paul: 'Heel af en toe slaag je erin om tot zo'n kind door te dringen. Dan zegt er een: "O, ja, dat snap ik." Of: "Ja, meester, dat was echt gaaf." En dan weet je dat díe zich tenminste zal blijven herinneren wat je de hele meute met zoveel moeite probeert bij te brengen, zelfs als hij al lang en breed van school is en een baan heeft. En misschien zelfs tot de dag van zijn dood. Dat maakt een hoop goed, want verder is het tegenwoordig met het lesgeven behoorlijk afzien en is de respons bijna nihil. Dus als je het nu over kinderen van jezelf hebt, dan komt dit aardig dicht in de buurt. Ik heb trouwens met Jack ook zo'n moment van doorbraak gehad.'

'O ja?' Ik schrok op.

'Ik gaf hem een gedicht te lezen. Over een vogel.'

'Hoe heet het?'

'"De torenvalk".'

Ik had er nog nooit van gehoord. Ik schaamde me een beetje tegenover Paul dat boeken voor mij gewoonlijk niet meer betekenden dan fraaie leren banden, gemarmerde schutbladen en een eindeloze variatie in weelderige of strakke bandversieringen, geen vensters op een onafzienbaar domein van kennis.

'Jack vertelde me dat hij het meeste ervan niet snapte, en dat hem dat niet kon schelen. Maar het gedicht beschreef hoe de vogel er in zijn vlucht uitzag en omdat Jack daar alles van af wist vond hij de dichter wel te vertrouwen, omdat hij wat dat betreft goed zat. En hij zei ook dat de woorden en het ritme hem een beetje lieten voelen hoe het was om een vogel te zijn. Zijn conclusie was dat een gedicht je iets moet vertellen wat je al weet en daarvan gebruikmaakt om je iets te vertellen wat je nog niet weet, maar wel leuk vindt om te weten. Dat vond ik erg goed gezegd van hem.'

Dat vond ik ook. Ik kreeg een warm gevoel in mijn binnenste, en wist het als trots te benoemen. Ik was trots op Jack, net als toen hij bij de crematie van Ted naar voren was gekomen om iets te zeggen. 'Dank je,' zei ik tegen Paul.

Hij keek ongemakkelijk, alsof mijn dankbaarheid hem in verlegenheid bracht. 'Het is mijn werk.'

'Maar dat doe je heel goed,' hield ik aan. Ik merkte dat ik er behoefte aan had zijn waardering voor zichzelf op te krikken. Ik vermoedde dat hij een ontzettend goeie leraar was, ik wist dat hij heel aardig trompet speelde en ik was er pas achter gekomen dat hij verbluffend goed was in bed. Die laatste gedachte, die zomaar ineens in me opkwam, joeg een blos naar mijn wangen.

Paul pakte mijn hand vast en liet hem niet meer los. 'Wat wil je verder doen, Sadie? Wil je de rest van dit verloren weekend ook met me doorbrengen?'

Ik dacht even aan de dingen die ik beslist moest doen. Ik moest contact houden met Jack en ik moest Lola laten weten waar ik was. Dat was alles. 'Ja, graag,' zei ik.

Terwijl Paul aan het douchen was, pakte ik mijn mobieltje en belde Lola op.

'Wáár ben je?' vroeg ze. Haar stem klonk ongelovig.

Ik zei het nog een keer en schiep er een pikant genoegen in haar zo volledig te overdonderen. Haar keurige, betrouwbare, voorspelbare moeder was op een geweldige manier van de gebaande paden afgeweken. Lola had er klaarblijkelijk zelfs nog nooit bij stilgestaan dat ik zoiets ooit zou kunnen doen, zelfs al werd ik ertoe uitgenodigd. Mijn rol was in dat geval me gevleid te voelen, maar er op een elegante doch besliste wijze nee tegen te zeggen. Om een nette moeder te zijn, geen wellustelinge. Ach, dacht ik, aan jongeren viel zoiets niet uit te leggen.

'Tjemig, mam. Jij en meneer Rainbird! Ik geloof mijn oren niet. Dus je kreeg het ineens in je bolle hoofd om met meneer Rainbird naar bed te gaan.'

'Hij heet Paul,' zei ik. Ik keek uit het keukenraam naar een mij vreemd uitzicht.

'Ja, dat weet ik ook wel. Hoe was het trouwens?' Haar stem had een andere klank gekregen, er klonk respect in door en ook iets samenzweerderigs. En beslist ook iets wreveligs. In Lola's beleving moest Stanley al van ontzettend lang geleden zijn.

'Fijn,' zei ik.

'Fijn?' Mijn ma gaat naar bed met een van de leraren van mijn oude school en dan is "fijn" alles wat ze erover te melden heeft, alsof ze het heeft over een etentje met Mel of boodschappen doen in de supermarkt!'

We waren nu allebei aan het giechelen. 'Hoe is het met Sam?' vroeg ik.

'O, ook fijn. Als je het dan weten wilt: ik voel me een beetje braaf, vergeleken bij jou.'

'Lo, ik moet ophangen.' Ik voelde me een beetje schuldig dat ik midden in Pauls keuken over hem stond te praten. 'Je hoeft je over mij geen zorgen te maken. Ik bel je morgen.'

'Je gebruikt toch wel een condoom, hoop ik?' grapte Lola voordat ze ophing, mijn veel geuite waarschuwing aan haar adres na-apend.

Paul kwam in een spijkerbroek en een wit T-shirt de keuken in; zijn haar was nog nat van de douche en plakte in donkere plukken tegen de achterkant van zijn nek. 'Alles oké?'

'Dat was Lola.'

'O. Moet ik me zorgen maken?'

'Helemaal niet,' stelde ik hem gerust. Er was er maar één over wie we ons allebei zorgen konden maken, en dat was Jack.

We maakten een wandeling door het park en picknickten met sandwiches die we ergens gekocht hadden, in de schaduw van een kolossale paardekastanje. Paul strooide korstjes voor de duiven. Ze liepen driftig rond op hun misvormde pootjes en verdedigden hun kruimels al klapwiekend tegen soortgenoten. Overal om ons heen zagen we paartjes die openlijk zij het niet geheel bloot verstrengeld in het gras lagen, kleine kinderen in wandelwagens, tegen de zon beschermd door parasols met ruches, groepjes die luidruchtig met een bal speelden, en vieze mannetjes die met te veel kleren aan naar vrijwel naakte zonnebadende meisjes gluurden. Deze aangename kant van het leven in de stad was me het meest vertrouwd. Het was het Londen waarin Penny en Evelyn op de fiets naar de markt met biologische producten fietsten, met Cassie in haar zitje bij Penny achterop, waarin winterregen tegen de ramen sloeg en de lange rijen wachtenden bij bushalten en kassa's hun leed geduldig droegen. De bedreigender versie van kortgeleden was voor even weggebikt uit de eigenaardige, nog steeds aanhoudende hittegolfperiode. Die duurde nu al zo lang dat ik me niet kon voorstellen dat er ooit nog een fikse regenbui zou losbarsten, in plaats van dat er af en toe wat spatjes loskwamen uit donderwolken die zich maar niet tot hoosbuien wilden ontwikkelen.

Vroeg in de avond, toen de metalige zonneschijf lager stond maar de lucht je longen nog altijd leek te schroeien als je te krachtig inademde, reden Paul en ik naar Turnmill Street. De gezichten van de voetgangers bij de zebra's zagen er bijna zonder uitzondering knorrig uit en her en der schopten schreeuwende jongeren tegen blikjes uit overgestroomde afvalbakken. Waar je ook keek, overal waren het wegdek, de trottoirs en de muren bedekt met ondefinieerbare olieachtige vlekken en andere viezigheid.

We zetten de auto neer en liepen langzaam naar Audreys huis.

Jack had zich uit beide verschijningsvormen van de stad teruggetrokken. Hij weigerde zich nog met een ervan in te laten en had zich nu al vijf dagen in het donkere huis verschanst, met Audrey, katten, egels en konijnen als gezelschap. Een deel van mij kon hem geen ongelijk geven. Hij wist wat het was om een vogel in volle vlucht te zijn en het moest voor hem een ramp zijn dat hij verankerd was aan een zo bedompte, smerige, akelige aarde.

Paul bleef kalm bij het afbladderende hek staan terwijl ik het inmiddels bekende ritueel van het bonken op de deur en het roepen door de brievenbus uitvoerde. In huis was geen beweging te bespeuren en er kwam totaal geen reactie, maar ik was er zeker van dat ze allebei binnen waren.

Ik zette de doos met fruit, groente en schone kleren voor Jack, afkomstig uit een snel slinkende stapel, op de stoep neer. Ik riep welterusten naar Jack door de brievenbus en riep ook dat hij me moest bellen als hij nog iets nodig had. Daarna keerde ik op mijn schreden terug. Paul en ik liepen in stilte terug naar de auto.

'Laten we naar mijn huis gaan,' zei ik toen we wegreden. Hij legde zijn arm om mijn schouders en ik moest weer denken aan mijn vader en moeder in de kanariegele auto met de ossenbloedkleurige bekleding.

Thuis zette ik de keukenramen naar de tuin open. We zaten onder de boom en zagen hoe de schemering dichter werd. Ik had geen zin om te praten en Paul begreep dat zonder dat ik het hoefde uit te leggen. Toen het helemaal donker was, gingen we samen naar boven.

's Nachts werd ik twee keer wakker, badend in het zweet en tot mijn verwarring constaterend dat er een man naast me lag. Toen ik voor de derde maal met moeite was ingeslapen, kreeg ik een nachtmerrie.

Ik bevind me in een afgesloten ruimte, zonder me te kunnen bewegen. De muren drukken tegen me aan en ik weet volkomen zeker dat ik niet om hulp hoef te roepen want dat er niemand is die me zal horen. Ik ben alleen en voel me zo van god en iedereen verlaten dat de tranen uit mijn ogen stromen en een verschrikkelijke jammerklacht aan mijn keel ontsnapt.

Ik werd wakker terwijl ik die kreet nog hoorde. Ik zat verstrikt in het beddengoed en worstelde om vrij te komen.

Paul zat meteen rechtop naast me. 'Je bent veilig,' zei hij. 'Je bent weer veilig.'

Hij hield me vast tot ik me uit de greep van de nachtmerrie had bevrijd. Toen liep hij naar de badkamer en kwam terug met een natte spons. Hij veegde er mijn gezicht en mijn hals mee af. De zachtheid waarmee hij dat deed, kalmeerde me.

'Het spijt me,' mompelde ik.

'Je had een nachtmerrie, iedereen heeft wel eens nachtmerries.'

We gingen weer liggen. Het was nog donker, maar ik hoorde de allereerste aanzetten voor het ochtendconcert van de vogels. Weldra zouden de grote vliegtuigen uit Singapore en Hong Kong boven het huis dreunen.

'Wil je praten?' vroeg Paul.

'Waarover?'

'Vertel me bijvoorbeeld eens waarom jij nachtmerries hebt. Vertel eens wat het ergste is wat je ooit is overkomen.'

'Nu moet ik denken aan een gezelschapsspel op een feestje dat helemaal uit de hand loopt.'

Ik wist dat ik de ophaalbrug aan het optrekken was terwijl Paul naast me lag te wachten. Maar het gevoel van wanhoop dat de nachtmerrie had opgeroepen, wilde me niet verlaten en ik merkte dat ik het wilde wegduwen en niet meer alleen wilde zijn. Ik dwong mezelf tot praten en de woorden kwamen eruit alsof mijn stem te weinig gebruikt was en daardoor roestig was geworden. 'Mijn moeder ging dood,' zei ik langzaam.

Zo was het precies. De ene dag was ze er nog en de volgende niet meer. Er was geen periode van ziekte geweest om aan het idee te wennen.

'Hoe kwam dat?'

'Een hersenbloeding, volgens mij.'

Ik kwam op een middag uit school en in plaats van mijn moeder die me altijd opwachtte met een glas limonade of een kopje thee, trof ik mevrouw Maloney aan. Ze zei dat mijn vader gauw thuis zou komen. Waarom ging ik niet even fijn tv-kijken?

Ik vroeg waar mijn moeder was en toen zei ze dat ik braaf moest zijn, dat mijn vader me alles zou vertellen.

Ik vroeg niets meer, want ik was toen al bang voor wat ik te horen zou krijgen.

Na een uur dat heel lang duurde kwam hij thuis en vertelde me dat ze dood was.

Ik probeerde dapper te zijn en niet te veel vragen te stellen, want dat was blijkbaar wat er van me verwacht werd.

De tijd vlak nadat ze uit mijn leven verdwenen was, is een verwarde brij in mijn herinnering. Ze was compleet weg, maar het leek achteraf gezien alsof ze al voor die tijd aan het vervagen was en langzaam maar zeker kleiner en kleiner was geworden, tot er niets meer van haar over was.

En na haar dood was Ted geen troostende aanwezigheid, maar werd hij steeds onbereikbaarder voor mij. Als ik het bezag vanuit het gezichtspunt van een volwassene kon ik die afwezigheid wel verontschuldigen, omdat die wel met zijn eigen verdriet verband zou houden, maar omdat ik een kind was vatte ik het als iets persoonlijks op.

Terwijl hij zich verder terugtrok, probeerde ik steeds meer beslag op hem te leggen. Ik was bang dat hij net zo abrupt zou verdwijnen als Faye en dus klampte ik me aan hem vast, speurde ik naar tekenen van een ziekte die levensbedreigend was, hield hem in de gaten om vast te stellen of hij niet bezig was mij in de steek te laten. Hij werd niet ziek, al had zijn gezondheid wel te lijden onder alle drank die hij tot zich nam, maar hij ging heel vaak de deur uit.

Het begon hem weldra te irriteren dat ik hem zo in de gaten hield en dus probeerde ik net te doen alsof ik me nergens zorgen om maakte, alsof ik niet eens merkte of hij er was of niet. Ik had geen idee waar hij heen ging en kon ook niet begrijpen wat er belangrijker kon zijn dan wij tweetjes, maar ik concludeerde dat alles wat er mis was mijn schuld moest zijn, want hij was immers Ted, de geweldige Ted met zijn grootse talenten, en ik was Sadie maar.

Dit speelde zich uiteraard af in de periode voordat de eerste 'tante' haar intrede deed. Mevrouw Maloney werd geacht voor mij te zorgen, maar ik haatte haar; ik haatte de vieze lucht die van haar afsloeg, ik haatte haar akelige manier van doen, ik haatte de manier waarop ze in ons huis rondsnuffelde als Ted weg was en wij met ons tweeën waren. Het was de bedoeling dat ik uit school naar haar huis ging voor het vieruurtje en daar op hem wachtte tot hij thuiskwam, maar hij liet me daar heel vaak zitten tot negen, tien uur 's avonds, en soms moest ik er zelfs de nacht doorbrengen.

Ik had mijn eigen huissleutel en na een tijdje ging ik niet meer naar mevrouw Maloney maar naar mijn eigen huis, waar ik vertroosting zocht in limonade en thee met biscuitjes, zoals Faye die altijd voor me had klaargezet. Ik zat dan aan de keukentafel mijn huiswerk te maken, met de radio aan, precies zoals toen ze er nog was. Ik was eenzaam, maar het was nog altijd beter dan bij mevrouw Maloney in huis zitten.

Mevrouw Maloney kwam op een middag bij me langs om me op mijn kop te geven, maar ik liet me niet klein krijgen. Ik zei dat ik liever in mijn eigen huis wilde zijn, en dat ze dat wat mij betrof aan mijn vader mocht verklappen, maar dat we het ook onder ons konden houden. Ik wist dat hij haar betaalde om op mij te passen en dat geld wilde ze niet mislopen. Ted had al zoveel aan zijn hoofd, zei ik rechtschapen, waarom zou ze het hem nog moeilijker maken, terwijl ik het thuis in mijn eentje toch prima voor elkaar had?

En dus lieten we het zo. Als hij vroeg thuiskwam, trof Ted me gewoonlijk voor de televisie aan, of anders lag ik al in bed, waar ik gewacht had tot ik zijn sleutel in het slot hoorde, en deed ik net of ik sliep. Hij leek niet eens te merken dat ik niet bij mevrouw Maloney was, waar ik eigenlijk hoorde te zijn. 'Hoe is het met mijn prinses?' luidde zijn onveranderlijke vraag ter begroeting, en het was een vraag waarop hij geen antwoord verwachtte.

Ik leerde maaltijden of wat daarop leek in elkaar te flansen, mijn schoolkleren te wassen en te strijken en ze zelfs zo'n beetje te herstellen als dat nodig was. Mevrouw Maloney streek intussen haar ponden op en de dagen kropen voorbij.

Op een avond zei Ted dat hij een paar dagen weg moest voor zaken.

'Hoe lang?' vroeg ik meteen in mijn achterdocht, al deed ik het volgens gewoonte klinken alsof het me niets deed.

'Dat zei ik toch. Een paar dagen.'

'Wanneer?'

'Volgende week. Maak er nou geen drama van, Sadie, je hebt het toch goed bij mevrouw Maloney?'

328

's Nachts kon ik niet slapen en lag ik te bidden dat hij niet weg zou gaan, maar dat deed hij wel.

De eerste dag dat hij weg was, liet ik mezelf na school binnen met mijn sleutel en snoof de koele, ongebruikte lucht op. Er was weinig te eten in huis, maar ik deed mijn maaltje met vlees uit blik en brood. Toen ging ik op een stoel zitten, met dekens om me heen geslagen, om televisie te kijken. Mevrouw Maloney klopte aan.

'Ga weg,' zei ik tegen haar. Ze had een sleutel, maar ik schoof de grendel voor de deur.

Haar boze stem drong door de deur heen. 'Luister jij eens even, dametje. Je pa is er met zijn chique troela tussenuit en komt pas terug als het hem zint. En dus doe jij zolang wat ik zeg. Kom mee naar mijn huis! Heb je me gehoord?'

Ik wist niet wat ze met dat 'chique troela' bedoelde, maar had wel zo'n vermoeden. Ik werd misselijk bij de gedachte. Ik wilde mevrouw Maloneys insinuerende praatjes niet horen en ik wilde nooit meer een nacht doorbrengen tussen haar plakkerige lakens, of haar laffe eten eten, of luisteren naar de geluiden die ze op de wc maakte. Ik wilde ook niet in ons eigen spookhuis blijven, waar slechts leegte heerste, door mijn moeders dood en mijn vaders afwezigheid, waar ik me belaagd voelde vanuit elk duister hoekje en elke plooi in de gordijnen, maar toch was dat altijd nog beter.

'Ga weg,' zei ik nog eens.

Toen ze eindelijk wegging, sloop ik naar boven en kroop tussen de lakens. Ik bibberde zo erg dat ik dacht dat mijn kaken zouden breken.

Dat was de eerste van de negen dagen dat hij wegbleef.

De verschrikkelijkste tijd van mijn leven.

Ik ging naar school en kwam weer thuis. En thuis sloot ik me tot de volgende ochtend in en wachtte.

Ik keek televisie, ik las boeken en ik sliep zoveel ik kon, maar veel was dat niet. Het stille huis zat vol geluiden. Ik hoorde mijn moeders stem die me riep. Ik hoorde Teds sleutel in het slot en dan sprong ik op en rende op trillende benen naar de voordeur, om te ontdekken dat er niemand was. Als het donker was, hoorde ik soms voetstappen naderen en dan kroop ik helemaal weg onder de dekens, doodsbang voor inbrekers. Ik was bang voor de geest boven aan de trap, de zwarte gezichtjes in de plooien van de gordijnen, de handen van een skelet die op de dichte deuren van de kast klopten. Mijn hele lijf was strak gespannen van het ingespannen luisteren en het niet willen horen.

Mevrouw Maloney kreeg door dat ik haar niet zou gehoorzamen en omdat ze lui van aard was, gaf ze haar pogingen mij mee te krijgen al snel op. Ze suste haar geweten door steeds als ze langs het huis moest voor de vorm op de deur te kloppen en ook door bij te houden wanneer de lichten aan- en uitgingen, althans dat vermoedde ik. 'Sadie Thompson,' hoorde ik haar zanikstem in mijn hoofd, 'je bent een vervelende, eigenwijze, ongehoorzame meid. Geen wonder dat je moeder gestorven is, het arme mens. Je verdient het gewoon. Zoals jij je gedraagt... Wacht maar, je zult er nog van lusten.'

Ik deed mijn ogen dicht en wiegde mezelf onder de dekens.

Eerst raakten het brood en de melk op en toen de rest van wat er vers in huis was geweest. Ik vond wat munten in een schaal op Teds slaapkamer, tussen de manchetknopen en boordverstevigers, en ging ermee naar de buurtwinkel. Ik had niet het gevoel dat ik stal en het maakte me ook niet uit.

Terwijl de dagen voorbijkropen voelde ik me steeds eigenaardiger worden. Een heel weekend sprak ik met niemand. Elk uur leek tien keer zo lang te duren. Ik praatte hardop tegen mezelf en schrok van het geluid van mijn eigen stem. Met de geiser in de badkamer ging iets mis. Als ik de heetwaterkraan opendraaide floepte het gas niet meer aan en bleef het water koud.

Toen ik op maandagochtend weer naar school ging wist ik dat ik er vreemd uitzag. De andere meisjes begonnen met elkaar te fluisteren, maar er was er geen een die iets tegen me zei. Ik had honger en had het voortdurend koud, maar als ik het eten op school zag werd ik misselijk. Geen van de onderwijzers had ook maar iets in de gaten, en daar was ik dankbaar voor.

Ik begon te wensen dat ik toch maar bij mevrouw Maloney was gaan logeren, omdat alles beter zou zijn dan het stille griezelhuis dat het mijne inmiddels was, maar daar was het te laat voor. Ik peinsde er niet over om bij haar aan te kloppen en te vragen of ik bij haar mocht blijven.

Ik was bang dat Ted nooit meer terug zou komen. Ik wist zeker dat hij dood was. Hij was voorgoed voor mij verloren, net als Faye.

Maar toen ineens, op de avond van de tweede vrijdag en zonder enige vooraankondiging, hoorde ik zijn sleutel in het slot. Mijn hart maakte een sprongetje, ik wist meteen dat hij het echt was, niet mevrouw Maloney die probeerde binnen te komen, dat ik het me niet verbeeldde. Ik rende naar de voordeur en schoof de grendels ervoor weg.

Daar stond Ted, met zijn leren koffer in zijn hand. De geur van zijn reukwater sloeg me tegemoet en bleef in mijn keel steken zodat ik bijna moest kokhalzen. Hij keek me met een verbaasd gezicht aan. 'Hallo daar. Wat krijgen we nou, Sadie? Ik dacht dat je verderop was.' 'Ik eh... ik wilde gewoon even thuis zijn.' 'Nou, laat me eens door.' Ik stond in de deuropening en versperde hem de weg. Ik sprong opzij en drukte mezelf tegen de muur aan.

Hij liep met zijn koffer naar boven en zelfs zijn achterkant zag er vermoeider en ouder uit dan te verklaren viel uit de negen dagen verschil. Ik hoorde hem bezig op de badkamer. Hij draaide de kranen open. 'Is de waakvlam verdorie uitgegaan,' zei hij toen hij de overloop weer op kwam. Een paar minuten later hadden we weer warm water. Toen hij weer beneden was, ging ik pal voor hem staan. 'Waar ben je geweest?'

Zijn ogen vernauwden zich tot boze spleetjes, maar aan zijn mond te zien had hij verdriet.

'Ik dacht dat je niet meer terug zou komen,' hield ik aan. Mijn stem klonk hoog en beschuldigend.

'Wat krijgen we nou? Ik zéí toch dat ik terug zou komen? Mevrouw Maloney was er toch om op je te passen?' Hij schreeuwde onderhand. We wisten allebei dat hij er verkeerd aan had gedaan om weg te gaan. Ted zou dat nooit toegeven en ik wist niet hoe ik hem zover zou moeten krijgen. Hij was degene met macht en ik was bang dat hij me echt in de steek zou laten als ik moeilijk deed. Ik wilde van alles zeggen, maar ik kreeg geen woord over mijn lippen.

Ted klopte me op mijn schouder. 'Heb je honger? Zullen we *fish and chips* gaan halen?'

Ik had een geweldige honger, maar was argwanend. 'Mag ik met je mee?'

'Je móét mee.'

We gingen met de auto naar de snackbar. Op de stoel naast hem lag een zwarte kam die blijkbaar uit iemands handtas was gevallen. Ik pakte hem en hield hem in mijn hand verstopt, en toen Ted aan het bestellen was, gooide ik hem in een afvalbak.

We aten aan de keukentafel, rechtstreeks van de krant, met uitzicht op de tuin van mijn moeder, die inmiddels al een wildernis was geworden.

Ted veegde zijn snor af met de rug van zijn hand en glimlachte. Ik

331

kreeg het idee dat hij blij was om weer thuis te zijn. 'Zo, hoe heb je het gehad zonder je ouwe pa?'

'Ik was heel alleen.'

'Mevrouw Maloney heeft toch op je gepast?'

Ik kon dat moeilijk tegenspreken. En nu hij terug was, leken die negen dagen naar de achtergrond te verdwijnen, om nog zo'n periode te worden waaraan ik niet meer wilde terugdenken. 'Ging het goed met je zaken?'

'Zo-zo, meid. Wat je met het een verdient, ben je aan het andere weer kwijt, je kent dat wel.'

We aten de patat helemaal op en keken toen samen naar de televisie. Ik bleef hem steeds vanuit mijn ooghoek in de gaten houden om zijn stemming te peilen, tot ik merkte dat hij met wijdopen mond in slaap was gevallen.

Na die avond leek mijn vader zich een poosje anders op te stellen, alsof hij iets goed wilde maken. Hij was 's avonds vaker thuis en ik begon me wat minder gespannen te voelen, al bleef ik op mijn hoede. Mevrouw Maloney en ik namen een soort wapenstilstand in acht, want geen van tweeën zei iets over wat er gebeurd was, noch tegen Ted noch tegen elkaar. Ik wist nu dat ze op geen enkele manier macht over me had en die ook nooit meer zou krijgen. Ik had op een bittere manier geleerd onafhankelijk te zijn.

Toen, nog maar een paar weken later, stelde Ted me aan mijn eerste 'tante' voor.

Vaak wenste ik dat ik mijn onplezierige onafhankelijkheid zou kunnen afschudden om me te laten bemoederen, vooral door Viv, maar dat was onmogelijk. In de dagen van Scentsation en tot ik naar Grasse ging kwam mijn onafhankelijke instelling me ook goed van pas. Diep in mijn binnenste vertrouwde ik Ted niet meer, ook al zou ik het nog zo graag willen en probeerde ik het ook, en al hield ik van hem op mijn manier. Zodra ik meende volwassen te zijn, schonk ik mijn vertrouwen wel aan anderen. Om te beginnen aan Tony. Maar toen beging ik de fout om verschrikkelijk verliefd te worden op een ander. En daardoor moest mijn gezin, Jack en Lola, lijden onder fouten die ik gezworen had nooit te zullen maken.

'Dat is het zo'n beetje,' zei ik tot besluit. 'Meer is er niet gebeurd.' Maar ik draaide mijn gezicht naar Pauls schouder en hij hield me stevig vast.

'Nu begrijp ik het,' zei hij.

'Wat?' vroeg ik. Ik begreep even niet waar hij op doelde. Of wilde het niet toegeven.

'Nu begrijp ik waarom je zo over Jack inzit.'

'Dat heeft er niets mee te maken,' protesteerde ik.

'Nee, natuurlijk niet,' gaf Paul me beminnelijk gelijk.

Het akelige gevoel dat de nachtmerrie me bezorgd had was weggeëbd en mijn ledematen voelden zwaar. Ik deed als proef mijn ogen dicht en merkte dat het moeilijk was ze weer te openen.

'Maar het raakt toch een hoop snaren bij jou, of niet? Dat Jack van huis wegloopt en zich bij iemand opsluit zodat je niet bij hem kunt komen?'

'Ik weet niet hoe ik ermee om moet gaan. Ik hou zó ontzettend veel van hem, dat moet hij toch weten? Maar toch weet ik niet hoe ik hem moet bereiken.'

'We vinden wel een manier,' zei Paul.

Dat 'we' gaf me een heerlijk gevoel. Sinds Stanley had ik dat 'we' niet meer op die manier horen uitspreken in de kwetsbaarheid van de nachtelijke uren, door een man die ik vertrouwde.

Op zondagochtend was het mijn beurt om koffie te zetten en brood te roosteren. Paul volgde me met zijn ogen terwijl ik de overbekende bewegingen tussen broodrooster, fluitketel en koelkast uitvoerde, en maar één keer stak hij zijn hand uit om mijn heup te strelen toen ik langs hem liep. Die ene aanraking deed me beven van herinnering en anticipatie. Ik botste tegen het aanrecht en liet bijna de melk uit mijn handen vallen.

'Lola zei dat ze zich ineens braaf voelde vergeleken bij mij.'

'Seks is aan de jeugd niet besteed,' zei hij bedaard.

'Wat je zegt.'

Hij droeg het dienblad met ons ontbijt naar de tafel in de tuin. Het was een heel stille dag. Ik pelde een sinaasappel. De dikke schil liet ik op mijn bord vallen, ik verdeelde de vrucht in partjes en pulkte met mijn mes de laatste witte stukjes eraf voordat ik hem er een gaf. Hij nam de halvemaan aan en at hem op, terwijl ik de overige partjes verstrooid neerlegde als de blaadjes van een bloem.

'Wat zal ik doen?' vroeg ik, meer aan mezelf dan aan hem.

'Ik kreeg ineens een idee nadat je weer in slaap was gevallen.'

Hij had wakker gelegen en aan mij gedacht.

Het geluksgevoel dat deze gedachte me gaf, stond in geen verhouding tot zijn simpele verklaring. Ben ik dan echt zo eenzaam geweest al die tijd, dacht ik. Ik glimlachte naar hem. 'Zeg op.' 'Als Jack niet naar buiten wil komen en jij niet naar binnen kunt, dan moet je misschien de doelpalen ergens anders neerzetten. Je kunt maar beter iets doen, want dat geeft altijd een beter gevoel dan niets doen. Misschien moet je hem duidelijk maken dat je dicht bij hem bent en dat je hem nooit zult opgeven of met rust zult laten, hoe hard hij ook zijn best doet om dat voor elkaar te krijgen.' Ik wist dat hij zijn vinger op de zere plek legde. Jack stelde me op de proef om te kijken hoeveel moeite ik zou doen en hoe lang ik dat vol zou houden. De juiste reactie was niet om mijn schouders op te halen en me terug te trekken, zodat hij in Turnmill Street bij Audrey in zijn sop kon gaarkoken tot hij weer bij zinnen kwam, of volwassen werd, of met hangende pootjes terugkwam. Alle goedbedoelde adviezen waren niets waard. Mijn zoon daagde me uit. De wereld leek zich niets aan hem gelegen te laten liggen, de nieuwe zoon die zijn vader zou krijgen leek een afwijzing van hem, Lola werd door andere dingen in beslag genomen. Het was alsof hij tegen me zei: 'Laat me niet zakken. Hoe hard ik ook bezig ben je van me af te stoten, laat me niet dat zien waarvoor ik bang ben, namelijk je afwijzing of onverschilligheid.' Ik was zijn enige veilige anker en hij gebruikte Audrey om aan mijn kabel te rukken. Al had hij daar zelf waarschijnlijk niet eens een idee van.

'Ik denk dat je gelijk hebt,' zei ik.

'Als we Jack nu eens laten zien dat we bij hem in de buurt zijn. We kunnen het huis in Turnmill Street niet in, maar zijn familie kan wel naar Turnmill Street komen. Als we nu eens een picknick houden in de tuin en daar lekker in de zon blijven zitten. We nemen ligstoelen mee, kranten, broodjes, dat soort dingen. En we gaan babbelen met de buren, halen de katten aan enzovoort.'

'Lijkt dat niet een beetje te veel op een belegering?'

'Welnee. We willen gewoon meedoen met de pret.'

'Maar als Audrey de politie dan belt?' Dat zou ze niet doen. Ze wist sinds onze ontmoeting met de arm der wet dat ze zich op glad ijs bevond. 'En, Paul, als jij erbij bent, zal Jack zich dan niet nog vijandiger opstellen?' Ook al had Paul hem 'De torenvalk' laten lezen.

'Als jij daar in je eentje gaat zitten, Sadie, wek je algauw de indruk dat je bitter en eenzaam bent, of misschien zelfs wanhopig. Maar als we daar met z'n tweeën zitten, lijkt het eerder een feestje. Dan geef je Jack de boodschap dat je een eigen leven hebt, maar dat er in dat leven meer dan genoeg ruimte is voor hem. En dat is toch ook zo?'

Ik knikte. Het was zo. Ik wilde graag dat Paul erbij was en zijn voorstel had een anarchistisch kantje dat me erg aansprak.

'We doen het.'

Bij het muurtje dat Audreys rommelige tuin scheidde van de keurige rechthoek van de twee buurmannen was een strook schaduw. We zaten hier op de vouwstoelen die ik uit de kelder had gehaald. Paul was verdiept in de *Observer*, terwijl ik de zondagssupplementen doorbladerde. Ik wist dat we de aandacht trokken, zowel vanuit Audreys huis als van de mensen uit de straat. Als buren hun auto parkeerden of langsliepen met boodschappentassen, wierpen ze eerst een blik op ons, om vervolgens nog eens goed te kijken. Als ik toevallig iemands blik opving, gaf ik die persoon glimlachend een knikje. Achter de vuile ramen van Audrey was geen beweging merkbaar, maar ik wist dat Jack en zij naar ons keken.

Toen het lunchtijd was geworden, liep Paul naar de bakkerij annex coffeeshop om de hoek en kwam terug met een grote papieren zak. We zaten te picknicken toen de buren van de andere kant hun huis uit kwamen en naar ons bleven staan kijken.

'Hallo?' zei de vrouw nadrukkelijk. Ze had parels in haar oren en droeg een blauwe zomerjurk, terwijl haar man in een zalmroze Lacoste-shirt was gestoken.

Paul en ik zeiden wie we waren en ik legde zo luchtigjes mogelijk uit wat er met Audrey en Jack gaande was.

'We hoorden dat de politie aan de deur is geweest,' zei de vrouw. Ik vroeg me af of zij degene was die gebeld had.

'Ja, dat was natuurlijk nergens goed voor. Jack maakt gewoon een puberale fase door en Audrey is een soort vriendin van de familie.'

'O ja?' De man keek naar ons en toen naar de tuin, alsof hij wilde zeggen: 'Nou, wat een fijne vriendin hebt u dan.'

De vrouw vond blijkbaar dat hij te ver ging, want ze zei snel: 'Ach ja, over puberproblemen kunnen wij ook meepraten. Ik heet trouwens Gilly, en dit is Andrew.'

Ik zei onze namen en Paul voegde er op plezierige toon aan toe dat hij een van Jacks leraren was, om hun niet de indruk te geven dat hij

335

zijn vader was. Gilly vroeg van welke school, en toen Paul haar dat vertelde, zei ze dat ze gehoord had dat die heel goed was. 'Onze bloedjes gaan naar een particuliere school,' voegde ze eraan toe. Alsof we op een cocktailparty waren. Gilly en Andrew gingen er blijkbaar automatisch van uit dat wij van hetzelfde soort waren als zij, alleen maar omdat we sandwiches met tomaat en mozzarella uit een chique delicatessenzaak zaten te eten en over scholen praatten. Terwijl Audrey, in haar schrijnende eenzaamheid en met haar katten en haar tuin vol rotzooi, er nooit bij zou horen. Op dat moment ging mijn sympathie opnieuw naar haar uit.

'Nou,' zei Gilly, 'we moeten gauw gaan, want we hebben een lunchafspraak. Maar laat het ons weten als we jullie ergens mee kunnen helpen, oké?'

Op weg naar hun auto bleven ze nog even staan praten met een man die zijn heg stond te knippen en ik zag Andrew een knikje in onze richting geven. De mare van onze sit-in zou zich razendsnel door Turnmill Street verspreiden.

De middag zette zich voort, loom van de hitte.

Het was verbazend prettig om in de halfschaduw te niksen, in gezelschap van Paul. Twee van de katten kwamen over het muurtje aan en liepen omzichtig tussen onze voeten door. Paul aaide de kat die er het minst roofdierachtig uitzag over zijn kop, terwijl de andere op de vensterbank sprong en door het vuile raam in het duister binnen begon te staren. Ik hoorde het geluid van een opstootje in de verte, nog eens versterkt door de loeiende sirenes van politieauto's, ambulances, of allebei, maar in Turnmill Street zelf was er niets wat de slaperige rust verstoorde. Ik dutte een poosje en schrok weer wakker, en moest toen terugdenken aan de eerste avond dat Jack niet was thuisgekomen. Het was een troost om maar een paar meter bij hem vandaan te zitten, ook al kon ik niet zien wat hij aan het doen was. Ik vroeg me af of hij, heel misschien, mijn aanwezigheid ook prettig vond. Ik bedacht dat hij of Audrey – of wie weet beiden – zich hoe dan ook een keer zou moeten vertonen.

Ik liep de straat uit en de hoek om om te kijken of er ergens een pub open was, en toen ik weer terugkwam, zag ik even iets bewegen achter de gescheurde gordijnen voor een raam boven. Jack hield blijkbaar in de gaten waar ik was.

Paul was aan het praten met de twee jongemannen die ik laatst had ontmoet. Ze hadden allebei een fietsbroek en een strak fietsshirt aan, en hun fietsen stonden tegen het muurtje waar we ons feestje hielden. Paul stelde hen voor als Tim en Gavin.

'Ik zei net tegen uw vriend dat we ons nogal zorgen maken om de oude vrouw,' vertrouwde de net iets minder gespierde van de twee me toe. 'We hebben aangeboden haar tuin een beetje op te ruimen, hè, Gav? Maar ze vond het niet goed. Ze is heel erg op haar privacy gesteld. Het verbaast me eigenlijk dat ze jullie hier zomaar laat zitten.'

'We zien wel wat er gebeurt,' zei ik op neutrale toon.

'Maar je wilt je zoon toch het liefst zo snel mogelijk thuis hebben, lijkt me? Zeg eens, zullen we jullie eens wat te drinken brengen nu jullie hier zo zitten?' vroeg Gavin.

'Nou, graag, een kopje thee zou wel lekker zijn,' zei Paul.

Ze kwamen terug met een dienblad waarop een grote witte theepot stond met rond de deksel sierletters die samen 'Earl Grey' vormden. En er zat ook Earl Grey in de pot. Met citroen. Tim en Gavin gingen op het muurtje zitten en terwijl we met z'n vieren aan de thee zaten, kwamen Gilly en Andrew weer terug.

'Ach, een straatfeest!' riep Gilly. 'Ik heb altijd al gezegd dat we een keer een straatfeest moesten houden, maar daar wil Andrew niets van weten, hè, schat?' Ze had blijkbaar een paar glaasjes op en het gezicht van haar echtgenoot was donkerrood, een kleur die nogal vloekte bij zijn poloshirt.

'Ik kom er ook bij zitten,' zei ze ineens, en ze kwam met voorzichtige pasjes op haar sandalen over de geologische kartonlagen aangetrippeld. 'Haal even een lekkere fles witte vino, Andrew, en wat glazen.'

Vijf minuten later werden onze gelederen verder versterkt met de man die zijn heg had staan knippen. Hij kende Tim en Gavin nog niet, en dus stelde Gilly zowel hen als Paul en mij aan hem voor. Hij heette Mike, had een luide stem en liep over van eigendunk.

'Hoe staat het met het beleg?' bulderde hij. Hij nam een glas sauvignon van Andrew aan en leunde met zijn in een Gap-short gestoken achterste tegen Audreys hekje.

'Uh, een beleg zou ik het niet willen noemen,' stamelde ik. 'We houden hem zo'n beetje gezelschap. Hij komt wel naar buiten als hij zin heeft.'

Mike was zo'n type dat niet luistert naar de antwoorden op zijn eigen vragen. 'Hebben jullie het nieuws al gehoord?' vroeg hij.

'Nee, wat is er dan?' vroeg Andrew.

'Ik hoorde het op het regionale nieuws. In Ullswater Road is er een vechtpartij geweest. Skinheads die op moslimjongens los zijn gegaan, of andersom. Met stenen en messen, er zijn verscheidene gewonden gevallen en de oproerpolitie moest eraan te pas komen. Het is nog steeds een rotzooitje daar.'

In dit dichtbevolkte stadsdeel, hartje Londen, lagen de ergste probleemgebieden vaak dicht bij de duurste straten. Ullswater was maar iets van een kilometer bij Turnmill Street vandaan. Paul en ik wisselden een blik. Het was zover, het zat er al zo lang in dat in de oververhitte Londense heksenketel een uitbarsting van geweld zou plaatsvinden. We luisterden allemaal, maar het was griezelig stil in deze straat, waar de bestofte bomen roodachtige schaduwen wierpen.

'Ze moeten ze allemaal terugsturen naar waar ze vandaan komen,' luidde Andrews commentaar, waar niemand van opkeek.

Uit het hek voor Mikes huis kwamen twee blonde kinderen. Een van hen reed op een peperdure fiets. Ze kwamen onze kant op.

'Hái Ollie, hái Jamie,' kwinkeleerde Gilly. 'Hebben jullie een fijne vakantie? Freddie en Mills zijn op survivalkamp in de Franse Alpen. Ze vinden het gewéldig.'

'Wij gaan volgende week naar Griekenland,' zei een van de jongens.

'Zijn dat jullie fietsen?' vroeg hij aan Tim en Gavin.

Met zijn vieren op een kluitje begonnen ze technische informatie uit te wisselen. Het werd aardig druk in de tuin. In mijn tas ging mijn mobiele telefoon.

'Mam!' siste Jack. 'Wie zijn die twee idioten met die fiets? Wat moeten al die mensen in Audreys tuin?'

Het was het eerste contact van vandaag en Jack had het uit zichzelf tot stand gebracht. Al was het alleen maar om te protesteren. Wat knap van Paul, dacht ik.

Ik zei luchtigjes: 'We zitten gewoon gezellig bij elkaar. Waarom kom je ook niet even?'

'Doe niet zo stom. Audrey is woest.'

'Morgen dan misschien?'

'Mam, alsjeblieft! En wat doet meneer Rainbird hier?'

'Die houdt mij gezelschap. Is dat goed?'

'Shit,' zei Jack, tot wanhoop gedreven. Maar hij zei niet dat het niet goed was.

Na nog een fles van Andrews uitstekende wijn en nadat de twee

jongens allebei een keer de fietsen van Tim en Gavin hadden uitgeprobeerd, zeiden die laatsten dat ze zich moesten opfrissen omdat ze
die avond uitgingen. Gilly was van het ene moment op het andere erg
stil geworden en Andrew en Mike zaten te discussiëren over manieren om illegale immigranten te beletten via Het Kanaal het land
binnen te komen. Een kwartier later zaten Paul en ik weer alleen in
de tuin. Het licht vervaagde tot de kleur van aarde.
'Misschien moesten we het voor vandaag maar voor gezien houden,' zei hij.
Ik liep naar de voordeur en riep door de brievenbus in de luiste-
rende stilte van het huis. 'Audrey, ik hoop dat je het niet al te erg vond
dat we vandaag hier zaten. Je hebt heel aardige buren. Welterusten,
Jack. Ik hou van je. Bel me wanneer je maar wilt. Tot morgen.'
Paul en ik reden naar huis. De straten in de omgeving van Ullswater Road lagen er onaangenaam verlaten bij, alleen stonden er op
bijna elke hoek witte politiebusjes met inzittenden in fluorescerende
jasjes. Twee politiepaarden met ruiters die oproerhelmen droegen en
met hun zware knuppels zwaaiden, kwamen in bedaarde gang voorbij. Er heerste een ongemakkelijke vrede en overal hing een brand-
lucht.

'Waar ben je?' vroeg Mel toen ik mijn mobiel opnam.
Het was de volgende avond en Paul en ik hadden onze comfortabele post in Turnmill Street weer betrokken. Af en toe bleven voorbijgangers staan om een praatje te maken.
Ik vertelde haar waar ik was en ze begon te lachen. 'We zijn er over
een halfuur.'
'Mel.'
Maar ze had al neergelegd.
Ze hield woord. Jasper zette zijn auto stil onder de bomen aan de
overkant en Mel sprong eruit. Jasper volgde haar met een koelbox in
zijn ene hand en nog twee vouwstoelen in de andere. Mels aanwezigheid had zoals altijd een opvrolijkend effect. Ze riep Jack gedag door
de brievenbus, vergezeld van kwinkslagen, en stelde zich voor aan
Gavin toen die thuiskwam van zijn werk. Mikes vrouw Andrea kwam
naar ons toe, want Mike, zo zei ze, had haar alles verteld over wat hier
gaande was en ze wilde er niets van missen. Binnen een paar minuten hadden zij en Mel uitgevogeld dat ze allebei een poosje voor hetzelfde bedrijf hadden gewerkt, zij het niet tegelijk.

'Wiens idee was dit?' vroeg Jasper aan mij. Door zijn onberispelijke overhemd van wit linnen en zijn lange en brede postuur leek Paul kleiner dan gewoonlijk en nog frommeliger. Maar toch zou ik de een niet voor de ander willen ruilen, bedacht ik.

'Van Paul,' zei ik trots.

'Daar is Jack,' zei Jasper. Ik draaide me met een ruk om en zag het gezicht van mijn zoon voor het raam beneden, met de andere Jack, Audreys kat nummer 1, als een zak bont naast zich. Mijn Jack keek vol verwondering naar ons allemaal en ook met iets van voldoening, althans dat meende ik te zien. Dit was immers allemaal om hem te doen.

'Hallo, Jack,' riep ik.

Mel kreeg hem in de gaten en onderbrak haar gesprek met Andrea en Gavin om hem een kushand toe te werpen. Jack reageerde hierop met een gegeneerd glimlachje.

Een groot deel van zijn bestaan had zich hier op de stoep in Turnmill Street verzameld om hem te ontmoeten. Het enige wat hij hoefde te doen was zijn plaats in het geheel weer innemen. Toen hij wegging bij het raam was ik ervan overtuigd dat hij dat ook ging doen.

Maar toen de voordeur openging, was het Audrey die daar stond. 'Wat doen jullie in mijn tuin?' Ze had iets imponerends waar we stil van werden, zelfs Mel.

Ik deed een stap naar voren: 'Audrey, ik zal proberen het uit te leggen. We willen je niet tot last zijn. Ik wil alleen dat Jack weet dat hij ook een leven bij ons heeft. Dat wil niet zeggen dat hij geen tijd bij jou kan doorbrengen, natuurlijk. Het hoeft geen kwestie te zijn van het een of het ander. Maar ik wil wel graag dat hij weer naar huis komt. Dat is alles.'

Audrey draaide zich half om en achter haar zagen we Jack staan, in het schemerduister onder aan de trap. Hij zag er klein, maar vastbesloten en ernstig uit.

'Jack?' zei Audrey.

Voordat die kon antwoorden, klonken er snelle voetstappen op het trottoir en kwam er iemand het hekje door. 'Mam? Jack?' Het was Lola. 'Wat is er toch aan de hand?'

Mel en de anderen gingen opzij om haar door te laten. 'Hallo, broertje,' zei ze. 'Ik heb wat snoep en tijdschriften voor je meegebracht en zo. En ik heb je een brief geschreven. Ik wilde hem door de brievenbus gooien.' Ze stak het pakje naar hem uit en even was het stil.

Toen kwam Jack het stoepje op en pakte het aan. 'Bedankt, Lo.'

340

Hij bleef even staan, tussen ons in, zijn familie, vrienden en de normale wereld aan de ene kant, en Audreys bastion achter hem. Ik zag hoe hij stond te aarzelen; zijn loyaliteit trok hem twee kanten op. Het zou voor hem nu heel gemakkelijk zijn om naar buiten te komen, en veel en veel moeilijker om Audrey trouw te blijven en haar eenzame huis weer binnen te gaan.

Toe dan, Jack, fluisterde een stem in mijn hoofd. Maar die stem wilde hem niet mijn kant op sturen.

Met Jack zou het allemaal wel goed komen, zoveel wist ik nu wel. Hij was niet hulpeloos en was niet aan angsten ten prooi, zoals ik was geweest. Hij was loyaal aan Audrey en hij wilde niet publiekelijk bakzeil halen. Voor het moment had hij de juiste keuze gemaakt. En het speet me ook niet dat ik hem ertoe gepusht had.

Het was Audrey met wie ik medelijden had.

Hij stond kaarsrecht. 'Bedankt, Lo,' zei hij nog eens. 'En jij ook, mam. Maar ik blijf toch hier, begrijp je?'

Ik zag Audreys ogen oplichten, en het volgende moment lag haar hand op de deurknop. 'Jullie bevinden je op privé-terrein,' waarschuwde ze ons. De deur ging met een ferme klik dicht en sloot ons allemaal buiten.

De buren mompelden goedenavond en verwijderden zich tactvol. Wat ze net gezien hadden, paste niet echt bij de fuifachtige sfeer. Mel, Jasper, Paul, Lola en ik bleven in de tuin achter.

Ik pakte Lola's hand. 'Het komt wel goed met Jack.'

'Dat weet ik.'

Wat we zo-even gezien hadden van Audreys eenzaamheid en de manier waarop ze zich vastklampte aan Jack, die solidair met haar bleef, drukte onze stemming.

'Ik denk dat we vanavond verder niet veel kunnen doen,' zei Mel zachtjes.

Jasper stelde voor om met z'n allen te gaan eten, maar ik schudde mijn hoofd. Ik vond het op de een of andere manier niet gepast om nu in een restaurant te gaan zitten. Na een tijdje gingen ook Mel en Jasper weg. Ze omhelsden me allebei.

'Het valt niet mee, hè?' zei Jasper. Ik vermoedde dat hij het niet alleen over Jack maar ook over Clare had.

Toen ze weg waren, zei Lola: 'Hoi, meneer Rainbird.'

Hij glimlachte naar haar. 'Hoi, Lola. Je mag me nu wel Paul noemen. Je hoort nu immers ook bij de echte wereld.'

341

De glimlach die ze hem op haar beurt schonk had iets treurigs. 'Ik weet niet of ik daar wel zo blij mee ben.'

'Als iemand zich erdoorheen kan slaan, dan ben jij het wel, Lola.' Ze kikkerde meteen weer op. 'Ja, echt? Nou, bedankt. Hé, mam, ik moet weg. Ik heb met Kate afgesproken.' Zoals altijd had Lola haar eigen prioriteiten. 'Oké. Goed dat je vanavond hier langskwam. Wat heb je in je brief gezet?'

'O, gewoon. Dat hij mijn lievelingsbroertje is en dat ik hem mis. Van die dingen, weet je wel?'

'Ja,' zei ik.

Lola gooide haar tas over haar schouder, klaar om te gaan. Ze keek Paul recht in het gezicht. 'Ik ben blij dat je je om mijn moeder bekommert.'

'Ik doe mijn best,' zei hij bloedserieus.

Toen we weer met z'n tweeën waren, zei Paul: 'Wil je ook gaan?' Ik schudde mijn hoofd. 'Nee, ik blijf hier nog een poosje zitten.'

Hij begreep onmiddellijk dat ik het liefst in mijn eentje wilde blijven. Hij gaf me een kus op mijn voorhoofd en zei dat hij me de volgende dag wel weer zou zien.

Ik ging weer op een van de vouwstoelen zitten en dacht aan Jack.

Het was bijna eind augustus en de dagen werden alweer korter. Om halfnegen was het zonlicht uit de hemel verdwenen, maar met de benauwende hitte was het nog niet gedaan. Er kwam een politieauto door Turnmill Street gescheurd, zonder sirene maar met een blauw zwaailicht dat een boodschap van dreiging de schemering in flitste. Even later kwam er nog een achteraan.

Vanuit Audreys huis kwam geen enkel geluid en er was ook geen streepje licht waarneembaar. Ik stelde me voor hoe ze zich met z'n tweeën in de achterkamer hadden verschanst, waar ze televisiekeken en eten voor de dieren en zichzelf opschepten uit een pan. Ineens kwamen er twee figuren door het duister aangerend. In een flits kwamen ze langs het hek, met capuchons over hun hoofd getrokken, en ik moest weer denken aan de avond dat ik met Paul samen in het verborgen steegje had gelopen. Ik zat recht overeind op mijn stoel, me ineens sterk bewust van de diepe schaduwen onder heggen en bomen. Een helikopter dreunde boven mijn hoofd en maakte een scherpe draai; van zijn neus scheen een felle bundel licht. Het lawaai dat hij maakte voegde zich bij een toenemende kakofonie van sirenes. Ik was gewend geraakt aan dit soort signalen, ze vormden het refrein van de zomer, maar het rumoer was nu extra opdringerig.

Ik bleef nog een aantal minuten zitten luisteren, me van alles afvragend.

Ik schrok me wild van het klepperen van de brievenbus.

'Mam? Je moet naar huis,' snerpte Jacks lichaamloze stem door het duister.

'Wat is er aan de hand?'

'Je kunt daar niet blijven zitten. We hoorden het op het nieuws. Er zijn rellen, benden zijn met elkaar aan het vechten en gooien ruiten in. En op Ullswater Road zijn ze auto's in brand aan het steken.'

Ik rook het nu, een scherpe geur in de zware atmosfeer. Heel vaag kon ik vanuit de verte het gerinkel van brekend glas en gerammel van metaal horen.

'Het is geváárlijk, mam. Ga nou naar huis,' smeekte Jack.

Ik stond op en klapte netjes mijn stoel dicht. 'Goed.' Ik wist wel dat ik niet hoefde te vragen of hij met me meeging. Ik liep naar de voordeur en hurkte op de stoep. Ik kon zijn ogen net door de brievenbus heen zien.

'Ik ben trots op je,' zei ik. Toen stond ik weer op en duwde mijn vingers even door de gleuf. Jack raakte ze meteen aan. We wensten elkaar welterusten.

'Morgen na mijn werk kom ik weer,' zei ik.

Ik reed naar huis te midden van een massa omgeleide auto's, langs wegafzettingen en busladingen politieagenten. Helikopters bleven eindeloos rondjes draaien in de lucht terwijl ik op Lola zat te wachten. Toen ze binnen was, zaten we een tijdlang samen naar de door lichtbundels doorsneden lucht te kijken.

'Het lijkt wel oorlog,' zei ze ademloos.

17

Bij The Works kroop nog een snikhete dag voorbij. We hadden niet veel werk, maar dat was niet ongebruikelijk in augustus. Leo en Andy waren allebei op vakantie en dus hoefden Penny en ik ons in elk geval niet het hoofd te breken over wat we hen moesten laten doen.

Ik verstuurde een stapel rekeningen, hield opruiming in een paar kasten, en inventariseerde onze voorraad papier en kalfsleer, terwijl Penny werkte aan een set lederen displaydozen voor een juwelier uit de buurt. We luisterden naar het nieuws op de radio en hoorden dat de relschoppers van de vorige avond door een grote politiemacht waren ingesloten en overmeesterd. Er waren verscheidene arrestaties verricht. Tijdens de ongeregeldheden hadden winkels, huizen en auto's aan Ullswater Road en de directe omgeving veel schade opgelopen. Er was daar nog steeds veel politie op de been, maar op het moment was het overal weer rustig op straat. Er werd onweer voorspeld, maar toen Penny en ik tijdens onze lunchpauze buiten zaten, was in de vale blauwgrijze hemel geen wolkje te bekennen.

Gedurende de hittegolfperiode had Evelyn Cassie steeds op het heetst van de dag in bed gelegd en haar 's avonds langer op gehouden. Vandaag bleef ze maar doorslapen en Penny en ik hoorden haar jammeren en tekeergaan toen Evelyn haar om vier uur ten slotte toch maar naar beneden haalde. Toen het eindelijk tijd was om naar huis te gaan, liep ik over het erf om even bij Cassie te gaan kijken en trof haar aan in haar rode badpakje met zeesterren; ze stond op een stoel voor de gootsteen, die met water was gevuld, en speelde met speelgoedbootjes. 'Kijk, boten,' schreeuwde ze naar me. Water klotste over het aanrecht en over de grond, waar al meerdere plassen lagen.

Evelyn zat aan de keukentafel; haar haar zat in een paardenstaart en haar bleke gezicht glansde van het zweet. Ze zag er moe en knorrig uit. 'Is Penny nog niet klaar?' vroeg ze.

Ik wist dat Penny bezig was met het plakken van leer op de laatste doos, zodat de lijm een hele nacht kon drogen. 'Die zal zo wel komen.'

'Sadie, vind je het erg om heel eventjes op Cassie te passen? Ik moet iemand bellen en wil even ongestoord een sigaretje roken. Ze is de hele middag zo lastig geweest.'

Ik had met Paul meteen na mijn werk in Turnmill Street afgesproken, maar het zou niet zo erg zijn als ik een paar minuten te laat kwam. 'Tuurlijk,' zei ik. Ik ging naast Cassie bij het aanrecht staan. Haar lange krullen waren vochtig en haar mollige armpjes en handen zaten onder de glanzende waterdruppels. Ze liet met een plons een plastic beker in het water verdwijnen, zodat een nieuwe golf over ons heen spoelde. Mijn sandalen maakten een zuigend geluid door het water op de vloer. 'Dit is jouw boot,' zei ze, en gaf me een houten bootje met een kletsnat driehoekig zeil.

'Dank je wel. Wat een mooie.'

We lieten de bootjes over het kleine meer glijden. Ze boog zich zo ver naar voren dat ik mijn vingers achter de glibberige banden van haar badpak haakte voor het geval ze in het water zou duikelen. De huid tussen haar kleine schouderbladen voelde warm aan, en was bedekt met bijna onzichtbare donzige haartjes.

Na ongeveer een kwartier kwam Evelyn weer binnenzetten. Ze had de telefoon nog in haar ene hand en een pakje sigaretten in de andere.

'Eve, ik moet nu echt weg,' zei ik.

'Wat? O, ja. Is Penny er nu nog niet?'

'Die zal zo wel komen,' herhaalde ik. Ik gaf Cassie een kus op haar kruin. 'Dag Cass, tot morgen.'

Ik droogde mijn handen af aan een theedoek. Evelyn was weer aan tafel gaan zitten. Ze keek niet om toen ik gedag zei, zuchtte slechts ten antwoord.

Ik zag Paul al staan toen ik onder de bomen in Turnmill Street naar Audreys huis liep. Hij praatte bij het hek met drie jongens. Twee van hen waren van die enorme knapen met wijde broeken met afgeknipte pijpen en superwijde T-shirts. Hun bijna kaalgeschoren hoofden leken veel te klein in verhouding tot hun lijf. De derde was klein en mager en leek wat dat betreft wel een beetje op Jack, alleen droeg hij een rood-wit gestreept voetbalshirt. Ik hield mijn pas in om ze de gelegenheid te geven verder te lopen, toen tot me doordrong dat ze niet van plan waren weg te gaan. De grootste van het stel liep de tuin in en keek door een van de ramen naar binnen. Ik hoorde hem op een

niet-onvriendelijke manier roepen: 'Oi, Jack? Wat jij doen daar, man?'
'Kom daarvandaan, Jason,' beval Paul. Toen zag hij mij en begon te stralen. 'Dit zijn drie jongens uit Jacks klas. Kom hier weer staan, jullie. Jij ook, Wes.'
Van dichtbij zagen ze er helemaal niet zo kolossaal meer uit. Ze waren pas een jaar of twaalf.
'Dit is de moeder van Jack,' zei Paul.
Ze stonden even verlegen te schuifelen, zonder me aan te kijken.
'O, 'ullo.'
'Blijft Jack daar nou altijd zitten?' vroeg de jongen met het voetbalshirt aan mij.
'Natuurlijk niet. Maar hoe weten jullie hier eigenlijk van?'
De gedachte dat Paul het hun misschien verteld had, kwam als een schok bij me op, maar de middelste van de jongens bewoog zijn hoofd met een snelle beweging in de richting van de overkant. 'Die kakneeffies van Jase, daaro, zie je wel? Die hoorden iets over dat maffe ouwe wijf met d'r katten...'
'Zo kan-ie wel,' kwam Paul er scherp tussendoor.
'... en een jongen die daar bij haar was en niet meer naar buiten wilde komen. En dat de politie er was, weet je. Een stelletje megakakkers die ze kennen in de straat, die zeien dat.' Jamie en Ollie, dacht ik. Het nieuwtje verspreidde zich als een lopend vuurtje. 'Wij wilden naar het park, weet je, maar alle straten daar zijn zo'n beetje afgesloten en toen zagen we meneer en toen vroegen we hem of het waar was dat het een jongen van onze school was.'
'Dat heb ik je al verteld, ja. Het is Jack, en verder valt er hier niets meer te vertellen of te zien. Dus gaan jullie nu maar verder naar het park. Jullie hebben nog maar een paar dagen vakantie, weet je, dus ik zou zeggen: doe er wat mee.'
'Goh, meester, fijn dat u het zegt.'
'Mogen we niet effe wat naar hem roepen?'
Paul keek even naar mij. 'Snel dan, en hou het netjes.'
Ze renden naar de voordeur en gingen er op een kluitje voor staan.
'Oi, maatje? Wes is hier, oké? Kom ook naar het park, man, als je eruit komt.'
'Als je nog vrijkomt,' grinnikte de kleinste van de drie.
Ze hoorden een geluid van binnen en gingen zo snel achteruit dat ze bijna over elkaar heen vielen. In een vloek en een zucht stonden ze weer aan de veilige kant van het hek.

'Het is hartstikke eng wel daarbinnen,' zei Wes.

Ik begreep dat Jack iets deed wat volgens hun niet te volgen waarderingssysteem vet cool was.

'Dag meester, dag, uh, mevrouw.'

Ze gingen ervandoor, duwend en trekkend aan elkaar, ze probeerden elkaar pootje te lichten.

'Zo,' zei ik, 'dus dat zijn de aanvoerders van het wolvenpak?'

'Het zijn geen kwaaie jongens. Ze zijn lang niet zo stoer als ze zich voordoen. Eigenlijk zijn ze heel aardig, zelfs. Vooral Wes Gordon, dat is een erg intelligente jongen.' Paul keek op me neer. 'Maar wat staan we hier te praten over kinderen van school? Ik dacht dat je niet meer kwam.'

Hij wilde me niet kussen in het zicht van de ogen in Audreys huis en waarschijnlijk die van de hele buurt, maar ik wist dat hij het anders graag gedaan zou hebben.

'Maar nu ben ik er,' zei ik lachend.

We gingen de tuin in en ik riep een groet naar Jack door de brievenbus.

Terwijl ik door de gleuf naar binnen tuurde, kwam hij uit de deur achter, liep door de gang en bleef achter de voordeur staan. 'Is alles goed met je, mam?'

'Natuurlijk. En met jou?'

Hij knikte en wreef met de neus van zijn schoen over een stuk papier dat op de grond lag. Ik wachtte terwijl hij met zichzelf stond te worstelen. Ik vermoedde dat hij nu het liefst naar buiten zou komen, maar nog niet wist hoe hij dat het beste kon doen. 'Wes, Jason en Darren waren hier net,' zei hij uit zichzelf.

'Ja, ik weet het. Paul en ik hebben met ze gepraat. Ze zeiden dat jij ook naar het park moest komen, als je kon.'

'Dat meenden ze vast niet.'

'De enige manier om dat uit te vinden is erheen te gaan.'

Hij dacht hier even over na en haalde toen met iets van spijt zijn schouders op. 'Hé, mam,' zei hij toen, 'Kijk je wel uit daar buiten, het is gevaarlijk, we hebben het op het nieuws gezien.' Hij hield dus aandachtig een van de werelden in de gaten waaruit hij zich had teruggetrokken, terwijl hij treurde over het verlies van zijn betrokkenheid bij een andere.

Ik zou hem ontzettend graag in mijn armen sluiten, maar ik zei alleen: 'Ja, ik let wel op. Maak je over mij maar geen zorgen.'

'We maken ons alleen maar zorgen om elkaar, hè, mam?' Zuchtend liep hij weer door de gang naar achteren, naar Audrey en haar katten.

Paul en ik gingen op de tuinstoelen zitten. Nadat we elkaar verteld hadden over de niet bijster interessante dag die we achter de rug hadden, namen we ieder een deel van de *Evening Post* en lazen de verslagen over de ongeregeldheden. Er was een mislukte roofoverval gepleegd op een Pakistaans curryrestaurant. In de straat voor het restaurant was een gevecht tussen twee benden uitgebroken, waarna het geweld zich door de hele wijk had verspreid. Een paar auto's waren omgeduwd en in brand gestoken, en een aantal winkels was geplunderd. De hitte had de smeulende agressie aangewakkerd en uiteindelijk was de vlam in de pan geslagen, daar kwam het op neer.

Ikzelf had het gevoel alsof een geweldige frustratie en een ondefinieerbare angst in mijn borstkas zaten ingesloten. Vanavond was het wel heel erg benauwd en drukkend. Het was alsof de lucht zo vaak was in- en weer uitgeademd, dat ik voortdurend mijn best moest doen om het beetje overgebleven zuurstof in mijn longen te krijgen.

Lusteloos vouwde ik mijn gedeelte van de krant op, en op dat moment ging mijn mobieltje.

Penny's stem klonk zo paniekerig dat ik hetzelfde moment recht overeind schoot, waardoor de inhoud van mijn tasje op de grond viel.

'Cassie is weg.'

'Wat?! Sinds wanneer?' Mijn hart sloeg een slag over en begon toen vreselijk te bonken. Paul, die bezig was mijn spullen bij elkaar te verzamelen, bleef steken in zijn bewegingen en keek naar me op.

'Ergens sinds jij naar huis ging. Evelyn dacht dat ze naar de binderij was gelopen en bij mij was, maar ik heb haar sinds ze vanmiddag ging slapen niet meer gezien. Ze is weg.'

Ze was in de keuken geweest toen ik naar huis ging. In haar natgespetterde rode badpakje. En Evelyn zat op dat moment volslagen lusteloos aan de keukentafel met haar telefoon en een pakje sigaretten.

'Hoe lang dan al?'

'Een uur. We zijn overal aan het zoeken. De politie komt eraan. Heb jij iemand gezien toen je wegging? Of is je iets opgevallen?'

Ik probeerde de film terug te spoelen, me de onschuldige beelden zo goed mogelijk voor de geest te halen: de bootjes in de gootsteen, het lege erf, de deur van de binderij die openstond, het vale licht,

Evelyn die aan tafel zat. Niets ongewoons. 'Nee,' zei ik volledig gestrest. 'Ik kom eraan.' Ik pakte mijn tas uit Pauls handen en struikelde in mijn haast bijna over mijn stoel.

'Ik rij je er wel heen,' zei hij meteen, al wist hij nog niet eens wáárheen of waarom.

Ik riep nog haastig een groet naar Jack en het volgende moment zaten we al in de auto. Paul schakelde en we schoten ervandoor. 'Cassie,' zei ik. Ik zag dat zijn knokkels wit werden, zo stevig omklemde hij het stuur.

Bij Penny's huis stond een politiewagen. Toen ik de keuken binnenrende, zag ik daar een agent met een aantekeningenboekje die met Evelyn probeerde te praten. Ze zat hysterisch te huilen met haar vuisten tegen haar mond gedrukt. 'Een rood badpak,' zei ze verstikt. 'Met zeesterren erop. Blauwe canvas schoentjes.'

De bootjes dreven nog steeds in de gootsteen, maar de plassen op de vloer waren al bijna verdampt. Op het erf had zich een aantal buurtgenoten verzameld en Penny gaf hun de instructie ieder een andere straat te nemen en overal aan te bellen. Haar ogen hadden een starende uitdrukking en ze zag afgrijselijk bleek.

'Jerry?' riep ik. 'Kan Jerry haar niet hebben meegenomen?' Afgelopen vrijdag had ik hem nog in een pub zien zingen. Het leek al jaren geleden.

'Nee. Jerry komt eraan. Ze is niet bij hem.'

Er kwamen nog twee politieagenten via de zijkant van het huis aanlopen, één en al kalmte. De mensen op het erf liepen langs hen heen en waaierden over de buurt uit. Ik rende, met Paul achter me aan, door de steeg naar het paadje langs het kanaal.

Hier was niemand te zien. Het water was een rimpelloze kakikleurige vlakte, overdekt met een laag stuifmeel. Het gras langs de kant was kortgeleden gemaaid en lag er verzengd bij, met de kleur van licht geroosterd brood, bezaaid met lege blikjes, bakjes van polystyreen en hondendrollen. Ik keek verwilderd het pad naar beide kanten af, knielde toen neer bij de waterkant. Ik probeerde in de diepte te turen, maar zag intussen niets anders voor me dan Cassies uitgewaaierde ledematen en haar mond, geopend om te schreeuwen, die zich vulde met water terwijl ze in het niets verzonk.

'O, God, alstublieft, alstublieft,' fluisterde ik.

Paul legde zijn hand op mijn schouder. 'Ga jij die kant op, dan neem ik de andere kant.'

Ik krabbelde overeind en begon in de richting van de sluis te lopen. De gashouders staken kolossaal af tegen de melkachtige avondlucht. De schaduw onder de brug viel over mijn gezicht en ik legde mijn hand tegen de afbrokkelende stenen pijler. Op het stukje niemandsland onder de overkapping verderop was niets te zien, behalve glasscherven en gebroken tegels afkomstig van het speelplaatsje naast de brug. Ik rende verder en bereikte de bocht voor de sluis. Daar zat een visser. Zijn vlezige blote armen en borst waren knalrood van de zon. 'Hebt u...' begon ik, maar hij liet me niet uitpraten. 'Is dat kindje nog niet gevonden?' Ik schudde mijn hoofd. Penny was hier natuurlijk al geweest. De man haalde zijn lijn in en legde zijn hengel neer. 'Ik zoek wel verder voor u deze kant op,' zei hij. 'Dank u,' hijgde ik. Zijn aanblik deed me vaag aan iets denken. Het was een herinnering die als een visje in diep water rondzwom, en ik drukte mijn vuisten tegen mijn slapen in een ijdele poging het aan de haak te slaan en op te halen.

Ik rende terug. Ik zag Paul, die stond te schreeuwen naar een boot vol mensen die opgeschrikt naar hem keken; de schipper zette de motor af om hem te kunnen verstaan. In de stilte die volgde draaide de neus van de boot langzaam in de richting van de oever. 'Heeft iemand haar gezien?' riep de schipper naar zijn passagiers. Ze schudden hun hoofd, hun gezichten stonden ernstig.

'Niets,' zei Paul tegen mij. De motor werd weer gestart en de boot tjoektjoekte verder, een vore van groen water achter zich aan trekkend. De schouders, armen en benen van de mensen op de boot waren allemaal bloot en roodverbrand, net als bij de visser. Waarop de ondergedompelde herinnering opnieuw opflakkerde. In mijn poging erbij te komen, maakte mijn hoofd een onwillekeurige beweging.

Ditmaal kreeg ik het visje te pakken.

Het was nog maar twee uur geleden. Ik reed bij Penny's huis vandaan. Ik dacht er alleen maar aan om zo gauw mogelijk in Turnmill Street te komen, maar vanuit mijn ooghoek zag ik aan de overkant van de straat in een flits een man in een beige gebreide trui. Het was veel te heet om zelfs maar aan wol te denken, laat staan om je erin te hullen. Ieder ander in de stad liep er halfbloot bij. De korte impressie en de associaties die erdoor werden opgeroepen hadden niet de kans gekregen zich volledig in mijn bewustzijn te nestelen. Maar het moest Colin geweest zijn, bij zijn gebruikelijke bushalte, dat wist ik nu zeker.

Ik greep Paul bij zijn pols. Tegelijk zette ik het op een lopen, en hij holde met me mee. 'Ik heb net iets bedacht.'

In het huis zat Evelyn nog steeds hysterisch te huilen, haar mond helemaal nat en uitgerekt, haar ogen stijf gesloten. Een vrouwelijke politieagent probeerde haar te bewegen een slokje thee te nemen. Penny zat op de stoel bij de computer vragen te beantwoorden. Ze was twintig jaar ouder geworden in evenzovele minuten en zag er als een breekbaar oud vrouwtje uit.

De namen en adressen van onze klanten zaten allemaal in de computer, maar in mijn la in de binderij lag een ouderwets aantekeningenboekje voor eigen gebruik. Ik stormde over het erf naar de binderij om het te pakken. Gejaagd bladerde ik het door en vond het adres van Colin. Een telefoonnummer stond er niet bij.

Het ging om een wilde gok. 'Snel, we kunnen hier zelf achteraan,' riep ik naar Paul.

Terwijl ik reed, zocht hij de straat op in de Stratenwijzer. 'Gevonden. Je moet aan het eind linksaf, dan rechtdoor en onder het spoor langs. Hier moet je links, nee, wacht, neem de volgende, deze is eenrichting.'

Er was eindelijk eens niet zoveel verkeer. De hitte, en misschien ook de sfeer van agressie, hield de mensen blijkbaar thuis, zoals Audreys dieren vastzaten in hun hokken. We hadden maar een minuut of vijf, zes nodig om het adres uit mijn boekje te bereiken.

Het was een triest flatgebouw zoals er duizenden bestonden, met een betonnen gevel en lelijke blauwgeverfde stenen platen onder de metalen ramen. De tuinen van de benedenwoningen waren met onkruid overwoekerd en lagen bezaaid met afval, waardoor ik aan Audrey moest denken. Maar Audreys domein was een rommelige enclave in een keurig nette straat, terwijl alle flats er hier uitzagen alsof er geen hoop meer voor bestond en ze altijd en eeuwig smerig en verwaarloosd zouden blijven.

We liepen gehaast langs een groepje tienermeisjes met vale gezichten en namen de stenen trap naar de eerste verdieping. Colins deur was er een van twee naast elkaar, maar de zijne was extra beveiligd met een traliehek. Ik drukte op de bel en sloeg toen tegen de tralies.

Vanaf de andere kant van de dunne deur vroeg zijn luide, maar afgedempte stem: 'Wie is daar?'

'Sadie, Colin, van de boekbinderij.'

Het bleef even stil. Toen riep een andere stem, die van een vrouw, iets van verder weg in de flat wat ik niet kon verstaan, waarop Colin antwoordde: 'Ja, mama, het is in orde. Ik doe wel open.'

Opnieuw was het stil. Ik drukte met mijn duim heel hard op de bel. 'Ja, ja, rustig maar,' hoorde ik Colin mompelen. Toen klonk het geluid van grendels die werden weggeschoven, waarna de deur een eindje openging. De ketting zat er nog op. Zijn bril en dikke neus verschenen in de spleet.

'Ik ben het, Colin. Laat je me binnen?'

'Ik zie heus wel dat jij het bent. Maar je kunt niet voorzichtig genoeg zijn, weet je.'

Hij maakte de ketting los en opende het slot van het traliehek. Ik schoof zijwaarts het halletje in met Paul pal achter me aan. Binnen was het stervensbenauwd, van de hitte en van Colins penetrante lichaamsgeur. Aan de muur hing een ingelijste foto van de koningin toen ze nog jong was, met tiara en sjerp.

'Wie bent u?' vroeg Colin op scherpe toon.

'Ik ben Paul, de vriend van Sadie.'

Ik bewoog me met zijdelingse stappen heel langzaam en behoedzaam in de richting van een openstaande deur. Ik hoorde het geplinkeplonk van een muziekdoosje voor kinderen. Het koude angstzweet stond op mijn rug.

De piepkleine kamer werd vrijwel geheel in beslag genomen door een bank en een televisie.

Op de bank zat Cassie, met wijdopen ogen. Ze had het muziekdoosje vast. Naast haar zat een oud vrouwtje, haar mond geplooid in een glimlach die haar tanden bloot liet en daardoor eerder op een grijns leek. Haar tandvlees was glimmend helderroze, waaraan je kon zien dat ze een ouderwets gebit in had.

'S-a-adie!' riep Cassie. Ze liet het muziekdoosje vallen en gleed van de bank af. Haar dikke beentjes maakten een ploppend geluid toen ze loskwamen van de overtrek van plastic. De oude vrouw ving het speelgoed op en zette het voorzichtig op de armleuning van de bank. Ik zag dat overal, aan de muren, op de vensterbank en op de televisie foto's van een klein meisje hingen en stonden.

Ik stak mijn hand uit naar Cassie en lachte naar haar, zo kalm als ik maar kon. Met mijn andere hand pakte ik mijn mobiele telefoon uit mijn zak en gaf hem aan Paul. Hij trok zich omzichtig in het halletje terug. Ik hield Cassies warme, kleverige handje even vast en ging toen op mijn hurken voor haar zitten. 'Hallo,' fluisterde ik. Ik zag niets van angst of verdriet weerspiegeld in haar opengesperde bruine ogen. Alleen maar verbazing en iets nieuwsgierigs.

Van het rode badpakje was nergens iets te bekennen. Ze was aangekleed als een levende pop: ze droeg een citroengeel jurkje met smok aan de voorkant, een handgebreid vestje in dezelfde kleur, witte sokjes tot iets boven haar enkels en witleren schoentjes met bandjes. Haar haar was glad geborsteld met een scheiding in het midden en was vastgezet met schuifjes en strikjes van citroengele linten.

Colins moeder glimlachte. 'Ze was niet zo mooi aangekleed, weet u. Maar nu is ze net een plaatje, vindt u ook niet? Het zijn spulletjes van mijn kleine Susan. Wat een geluk dat ik ze al die tijd bewaard heb, hè?'

Ik tilde Cassie op en hield haar stevig vast. Ze maakte het zichzelf gemakkelijk op mijn heup, zoals ze al zo vaak had gedaan. Ik kon net horen wat Paul, die op de galerij was gaan staan, zei. Hij had Penny's nummer in het menu opgezocht en sprak heel snel. 'Ja, ja, ze maakt het goed, ze is veilig. Nee. Helemaal niet.'

Ik had het weer heel warm gekregen, en ik beefde van opluchting. Ik wilde niet dat Cassie merkte hoe ik beefde, want ik wilde haar niet bang maken. Vanuit de hele kamer keken de enorme ogen van het andere kleine meisje me aan. Ze leek helemaal niet op Cassie. Ze had een smal gezichtje en lichtblond steil haar. Alleen haar kleren en linten leken op wat Cassie aanhad. Op een verder lege plank lag de rode cassette die we voor Colins receptenverzameling hadden gemaakt, met zijn naam in sierletters op de rug.

Ik draaide me langzaam naar hem om en keek hem aan. 'Waarom heb je haar meegenomen? Wist je niet dat iedereen ontzettend ongerust zou worden?'

Zijn wangen kleurden egaal rood en hij stak zijn onderlip naar voren. Zijn moeder wond het muziekdoosje op en het geplinkeplonk ving weer aan.

'Ik kwam bij jou en Penny langs voor mijn nieuwe boek en het kindje was op het erf. Ze zei dat ze wilde spelen. Het is een lief klein ding, ook al is het een halfbloedje. Het was heet en dus heb ik haar meegenomen naar het kanaal. Ik kom daar anders nooit, want er hangt daar van alles rond, weet je. Drugsverslaafden, zwartjes, noem maar op. Maar het was leuk om naar de boten te kijken. En het is vandaar maar een klein eindje lopen hiernaartoe. Anders neem ik altijd de bus, want dat is veiliger. Vooral nu er overal gevochten wordt en zo.'

Zijn stem klonk precies als anders, preuts, maar alsof zijn tong te groot was voor zijn mond, en hij praatte zonder te hakkelen. In gedachten ging ik zijn route na. Het paadje langs het kanaal was een rechtstreekse route, terwijl de afstand per auto ongeveer twee keer zo lang was.

'Ik had een klein zusje, begrijp je,' vertrouwde Colin me toe. De hele flat getuigde ervan. 'Maar ze is gestorven.'

Zijn moeder hees zich overeind. Ze was heel klein en als een vogeltje zo tenger. Colin was een reus vergeleken bij haar. Ze zei: 'Praat daar nu maar niet over, lieverd, want dan raken we allemaal maar overstuur. Ik zal eens even water opzetten, dan drinken we een lekker kopje thee met misschien een plakje cake erbij.'

'Best,' mompelde Colin, en ze gaf hem een klopje op zijn hand. 'Ik heb haar mee naar huis genomen om mijn moeder gedag te zeggen, snap je.'

De woorden klonken toonloos op in de verstikkende zurige atmosfeer in het kamertje, maar de treurigheid ervan drukte me terneer. Ik probeerde me voor te stellen hoe het leven van deze twee eruit moest zien, tussen de muren van dit onooglijke flatje. Ik dacht ook aan Jack en Audrey in Turnmill Street en vervolgens, om het kringetje helemaal rond te maken, aan Jack en mezelf. Ik begreep nu dat ik, wat er verder ook mocht gebeuren, een flinke stap achteruit moest zetten om hem de ruimte te geven om op te bloeien. Kinderen die niet genoeg licht en ruimte om zich heen hebben, ontwikkelen zich scheef en onevenwichtig, net als planten die geen zonlicht krijgen.

Paul kwam weer binnen en ging naast me staan. 'Opluchting alom,' mompelde hij bij mijn oor. 'We moeten haar maar gauw terug naar huis brengen. Straks komt iemand hierheen om met Colin te praten.'

Ik hield Cassie, die onderhand begon te kronkelen van ongeduld, stevig vast. 'We moeten weer eens gaan,' zei ik monter.

'Willen jullie geen kopje thee?' vroeg Colins moeder beleefd, maar aarzelend. Blijkbaar had ze nauwelijks greep op de werkelijkheid. Ze had geen idee wie we waren en ze wilde ons hier ook niet, we waren vreemden die haar benauwde heiligdom waren komen binnenvallen.

'Een andere keer, misschien.'

'Wacht nog heel even.'

Ze schuifelde langs Colin heen en ging de kamer uit. Hij stond voor het raam met een blanco gezicht naar buiten te staren, alsof het hem allemaal te ingewikkeld was geworden. Zijn moeder kwam even later terug en reikte me een plastic tas aan. Toen ik erin keek, zag ik Cassies rode badpak en canvas schoentjes. 'De kleertjes die ze aanheeft mag ze houden. Een cadeautje van Colin en mij. Ziet ze er zo niet uit als een plaatje?' Toen liet ze haar stem dalen. 'Ik vrees dat ze het muziekdoosje niet mag houden. Het was een van Susans lievelingsspeeltjes.'

'Dank u wel,' zei ik. Vanaf mijn heup zwaaide Cassie op de bekende manier vanuit haar pols gedag.

Ik gespte Cassie in haar autostoeltje en toen we eenmaal alle drie in de auto zaten, controleerde ik of de ramen goed dichtzaten en drukte de knop van de centrale vergrendeling in, al was het nog zo loeiheet binnen. Ik haalde een paar keer diep adem en Paul legde zijn hand even op de mijne.

'Kom, we brengen haar naar huis.'

Penny en Evelyn stonden ons op het trottoir bij hun huis op te wachten. De auto stond nog niet stil, of ze rukten het achterportier open om bij Cassie te komen.

Paul en ik bleven nog een poosje zitten. We keken naar de bussen die af en aan reden bij Colins halte en naar de rijen auto's bij het tankstation aan de overkant. Bij de krantenstandaard stonden een paar in cellofaan verpakte bossen roze en gele anjers te zieltogen in een emmer. De kop van de *Evening Standard* was dezelfde die ik met Paul bij Audrey in de tuin had gelezen, iets langer dan een uur geleden. De tijd leek zich uit te rekken en eigenaardige dimensies aan te nemen, vervormd door de hitte en de nasleep van de angst. Ik had een migraineachtige pijn achter mijn oogleden en ik zei tegen mezelf dat het alleen maar van de schok kwam; er was niets meer om me zorgen over te maken; Cassie was veilig bij de mensen die van haar hielden.

Evelyn huilde nog steeds. Haar snikkende uithalen werden af en toe onderbroken doordat ze hijgerig naar adem hapte. Zij en Penny hadden Cassie samen vast en gedrieën vormden ze een wirwar van armen, polsen en haar. Jerry stond direct achter hen, met een stuurs gezicht en zijn armen afhangend langs zijn zijden. Zo te zien was hij van plan om bij de eerste gelegenheid die zich voordeed met verwijten en beschuldigingen te komen.

De kleine groep die had meegeholpen met zoeken, viel langzaam uiteen. Penny legde haar hand op de schouders van degenen die wegliepen, of drukte hun even zwijgend de hand om hen te bedanken; ze was niet in staat iets te zeggen of Cassie ook maar even los te laten. Alle mensen zagen eruit alsof er een grote last van hun schouders was gevallen, maar ze keken ernstig; er werd niet gelachen en niemand maakte grapjes. Dit was goed afgelopen, maar de atmosfeer leek nog vervuld van een onbestemde dreiging, loerend in de coulissen van de drukkende avond. Het zou wel komen door het naderende onweer. De loodgrijze stormwolken leken de daken in te sluiten.

'Laten we naar binnen gaan,' prevelde Penny. Een politieauto stond nog bij het huis en een politieagent kwam nu naar ons toe.

Evelyn zei tegen Cassie: 'Zullen we die mooie gele jurk boven gaan uittrekken? Want die mag niet vies worden, hè?'

De politieman wilde dat ik een verklaring aflegde. Hij zette zijn pet af en ik ging tegenover hem aan de keukentafel zitten. Op de achtergrond zette Penny mechanisch theewater op en deed ijsblokjes in glazen; ze moest iets om handen hebben.

Ik vertelde wat er bij Colin thuis gebeurd was en hij schreef het allemaal op. Ik zei niets over de foto's of over het dochtertje en zusje dat gestorven was.

'Juist. U zag die man bij de bushalte staan en hij is een klant van u. Hij kent het kind.'

'Een beetje. Eigenlijk nauwelijks.'

'Is er nog meer te vertellen?'

Ik schudde mijn hoofd en de politieman klapte zijn aantekeningenboekje dicht. Hij zei dat Cassie zo snel mogelijk door een dokter onderzocht moest worden, al was het zeer onwaarschijnlijk dat er sprake was geweest van aanranding. Een maatschappelijk werker zou bij Evelyn langskomen, en een buurtwerker en een maatschappelijk werker zouden Colin en zijn moeder bezoeken. Tenzij er onverwachte dingen geconstateerd werden of zich andere problemen zouden aandienen, was de zaak daarmee waarschijnlijk bekeken.

Uit de radio-ontvanger die aan het borstzakje van zijn overhemd zat geklemd klonk een constante stroom stemmen en commando's. Er waren nog zat andere urgente zaken die om aandacht vroegen, niet alleen vanavond, maar elke avond. De politieman pakte zijn pet weer op en plaatste hem keurig recht op zijn hoofd. 'Past u in het vervolg alstublieft een beetje beter op haar.'

'Dat zou ik ook zeggen,' snauwde Jerry.

Toen de politieman de deur uit was en voordat Evelyn met Cassie weer naar beneden kwam, posteerde Penny zich voor Jerry. Ze stond kaarsrecht, maar haar kruin reikte maar tot aan zijn schouder. Met een lage, afgemeten stem sprak ze hem toe. 'Luister eens even naar me, Jerry. Luister je?'

Met tegenzin knikte de knappe Jerry van ja.

'Evelyn en ik zorgen voor Cassie. We zijn allemaal verschrikkelijk geschrokken van wat er vandaag is gebeurd, maar godzijdank is Cassie niets ergs overkomen. Evelyn weet soms niet precies wat ze wil, maar toch slaagt ze er steeds beter in om op haar instincten te vertrouwen. Ze houdt van Cassie, en ik ook. Ik hou ook van Evelyn, maar als het om Cassie gaat, is er niemand op de hele wereld om wie ik meer geef of gegeven heb. Ik zal zorgen dat geen haar op haar hoofd gekrenkt wordt, en dat ook Evelyn geen haar gekrenkt wordt. Door niemand. Nu niet en nooit niet.' Ze liet haar stem nog verder dalen, maar de intensiteit ervan deed me de rillingen over de rug lopen. 'Ook niet door jou.'

Jerry stond ongemakkelijk heen en weer te schuifelen. Ik zag dat zijn ogen mijn richting uit gingen en toen op Paul bleven rusten. Hij verkeerde even in tweestrijd, maar besloot toen blijkbaar dat hij niet verder op het onderwerp wilde doorgaan, niet waar de trompettist van zijn soulband bij was. Hij stak zijn handen in de lucht en deinsde op een overdreven manier achteruit. Penny bleef hem doodstil en nog steeds kaarsrecht staan aankijken.

'Oké, oké. Je zegt het maar, hoor, dame.'

'Reken maar.'

'Pas jij van nu af aan maar een beetje beter op die twee vrouwtjes van me, oké?'

Voor Jerry waren het zíjn 'vrouwtjes'. En dat zou ook altijd zo blijven. Penny verwaardigde zich niet eens om met haar ogen te knipperen. Jerry aarzelde even, keerde zich toen van haar af en gaf Paul een klap op zijn schouder. Hij stak hem zijn hand toe. Paul schudde die met een onbewogen gezicht.

Jerry grinnikte. 'Dank je, man, voor wat je vanavond voor me gedaan hebt. Ik zie je vrijdag, bij het optreden, ja toch, man?'

Paul zei ja, hij zou er zijn, waarna ik zei dat we moesten gaan. We lieten Jerry staan en Penny volgde me naar buiten.

'Sadie? Wacht even, Sadie.' Haar mond beefde nu. Ze nam allebei mijn handen in de hare. 'Dank je, ontzettend bedankt dat je haar gevonden hebt,' fluisterde ze, waarna ze mijn handen naar haar lippen bracht en op de knokkels van elk ervan een kus drukte.

Het was een gebaar dat me diep ontroerde. 'Wat heb ik dan gedaan? Niets toch? Wens Cassie maar welterusten van me.'

'Dat doe ik,' zei Penny. 'Dank jullie wel, jullie allebei.'

Paul reed me naar huis, maar bij de deur zei hij: 'Ik denk dat ik je vanavond verder maar aan je lot overlaat.'

Hij bezat een uitstekende opmerkingsgave. Ik wilde het liefst alleen zijn. Ik knikte, boog me naar hem toe en kuste hem vol op de mond. Hoe gemakkelijk en natuurlijk was het om zo te kussen, dacht ik nog. Pure logica. 'Welterusten en tot morgen.'

Ik dwaalde door het stille huis. Af en toe verlichtten bliksemstralen de hemel en het lage gerommel van de donder voegde zich bij het geraas van een cirkelende helikopter. Ik zette het televisienieuws aan en zette het meteen weer uit. Er wachtte een stapeltje post op de keukentafel – die had Lola er natuurlijk neergelegd. Ik maakte de eerste envelop open en las dat de makelaars bij wie Teds huis in de verkoop was een bod hadden gekregen dat overeenkwam met de vraagprijs. De kopers hadden haast en wilden alles liefst zo snel mogelijk regelen. Dat betekende dat ik op mijn beurt haast zou moeten maken met de verkoop van Teds laatste meubels, en ook de rest van zijn spullen moest zien kwijt te raken.

Teds banden met aantekeningen stonden op hun plek op de boekenplank en ik pakte er een af en begon erin te bladeren. Lavendel, verbena, bergamot, sandelhout. De parfumrecepturen onthielden me hun geheimen, opgesloten in Teds kriebelig neergeschreven zinnetjes, even ingewikkeld en ongrijpbaar als de verleidingskunsten van lang geleden, ten behoeve waarvan hij ze ontwikkeld had. Het maakte me niet meer uit. Ik had mijn eigen herinneringen aan hem en aan het verleden. Goede tijden en slechte, soms zo door elkaar lopend dat ik ze nooit meer uit elkaar zou kunnen houden. De smaak van het brood van madame Lesert, de geur van jasmijn. Kokkels met azijn, zilte zeelucht, Vivs parfum: Vivienne. Teds reukwater. Voorwerpen, dingen, en zelfs huizen of bepaalde plekken deden er niet toe. Ze veranderden zo dat ze niet meer te herkennen waren, ze gingen kapot, of anders werden ze ontmanteld en verkocht. Voor mij waren het geuren en smaken die bleven bestaan, druppeltjes levensessentie die het hele labyrint van de herinnering in zich droegen en bij elkaar hielden.

In dat opzicht was ik echt de dochter van mijn vader.

Ik sloot het boek en zette het voorzichtig weer terug naast de andere twee. 'Welterusten,' zei ik hardop. Het was Ted tegen wie ik dit zei en ik voelde de hechtheid van onze band. Voor de allereerste keer wenste ik niet dat alles anders of beter was gelopen.

Ik schrik van het plotselinge gerinkel van de telefoon. Ik kan de geluidsgolven die de vochtige lucht in beweging brengen bijna voelen. 'Hallo?'
'Sadie? Ben jij dat?'
'Wie zou het anders moeten zijn?'
'Ik weet niet,' zei Mel, 'je stem klonk zo raar.'
'Met mij is alles anders prima in orde, hoor.'
En dat is ook waar, besef ik.
'Ik heb een nieuwtje. Ik wil dat jij het als eerste hoort.' Mels stem loopt over van geluk en ingehouden spanning. Die spanning doet me denken aan een overrijpe perzik die dadelijk zal openbarsten, zodat het sap eruit loopt.
'Wat dan?' vraag ik, ook al weet ik het al.
'Jasper heeft me ten huwelijk gevraagd.'
'Mel, wat geweldig.' Ik glimlach van oor tot oor; de rimpels bij mijn oog- en mondhoeken zijn plakkerig van het zweet dat mijn huid bedekt. Ik ga zitten, achteroverleunend tegen de kussens van de bank, met de telefoon tussen mijn hoofd en schouder geklemd. Dit nieuws verandert de hele sfeer van de avond. Die is ineens vriendelijk en de hitte omvat me nu als een geweldige omhelzing. 'En, heb je ja gezegd?' vraag ik.
'Nog niet.'
'Wat?'
'O, Sade. Ik wilde erover denken, ik wilde het idee vasthouden, ervan proeven voordat ik het doorslikte. Ik was te gelukkig om een goed antwoord te kunnen geven. Dat klinkt zeker idioot?'
'Nee.' Het klinkt als Mel.
'Morgenavond zeg ik het hem. Dan zeg ik dat ik zó graag met hem wil trouwen dat ik zal sterven als het niet doorgaat.'
Iets van de beminnelijke avondsfeer verdwijnt weer. Dreiging raakt me aan, en laat een kleine koude afdruk achter. Ik herinner me dat ik het al eerder bespeurde, als de belofte van onweer gevangen in de zware atmosfeer. 'Dat moet je niet zeggen.'
'Maar het is waar, Sadie. Wens me geluk.'
'Ik wens je alle geluk van de wereld, jullie allebei, geluk, geluk en nog eens geluk, voor altijd. Want dat verdien je.'

In mijn geestesoog zie ik de brede welving van Mels rode mond, en opnieuw moet ik aan weelderig rijp fruit denken.

'Dank je, lieve vriendin van me,' murmelt ze. En dan volgt er meteen achteraan: 'Ik wil dat jij ook gelukkig bent.'

Want zo is dat, als je eigen wereld van vreugde flonkert, dan zou je willen dat die vreugde afstraalt op ieder ander en ieders hart vervult, oneindig weerspiegelend als in een zaal vol spiegels, tot in alle eeuwigheid.

'Dat ben ik ook,' zeg ik zacht.

18

Aanvankelijk, nog bedekt door de deken van de slaap, dacht ik dat ik van het onweer wakker was geworden. Maar toen was ik echt wakker en wist ik met een verkillende zekerheid dat er iets verschrikkelijks stond te gebeuren. Cassie was veilig, maar er dreigde nog meer gevaar, er was een dreiging die zich nog schuilhield in de broeierige atmosfeer. Ik rook het, ik proefde het. Ziek van beklemmende angst lag ik een ogenblik in het duister te turen en toen ging de telefoon.

Jaspers stem was nauwelijks herkenbaar. Hij klonk hees en de woorden die hij sprak, waren onsamenhangend. Toen ik er wijs uit begon te worden, bleek wat hij zei nog erger dan wat ik gevreesd had.

'Mel, Sadie. O, Mel... Wat moet ik... Als ze doodgaat. Het spijt me, ik weet dat... Ik kan niet... Ze ziet er zo...'

'Vertel het me!' In mijn stem klonk nu ook een en al paniek door.

'Ze was op weg naar mij. O, god, ik had haar niet moeten... Ik had naar háár toe moeten gaan. In plaats van...'

'Jasper, wat is er gebeurd?'

'Ze hebben haar met een mes gestoken.'

Met een mes gestoken. Messen. Bloed.

Ik probeerde te bedenken wat deze woorden met Mel te maken konden hebben, met Mel, nota bene, en hoe mijn volgende onvoorstelbare vraag moest luiden.

'Wáár?'

'In haar borst. Haar ene long is doorboord. Ze heeft zoveel bloed verloren. Ze... Ze denken dat... ze het misschien niet haalt. Sadie, ik...' Hij huilde. Zijn stem klonk zo hees omdat hij krampachtig probeerde zijn snikken te bedwingen.

Ik had met mijn 'Waar?' bedoeld te vragen waar Mel was, hoe het kwam dat ze een flitsend mes op haar weg was tegengekomen.

'Hoe?'

'Ze was op weg naar een slijterij... om champagne te halen, omdat...'

Ik wist waarom. Ze was naar Jasper op weg om hem te vertellen dat ze met hem zou trouwen. 'Wanneer?'

'Tien uur. Vanavond. Gisteravond nu. Het spijt me, ik ben niet...'

'Jasper, ik kom eraan.'

'Het was een beroving, het had helemaal niets met Mel te maken, ze... ze stond daar alleen toevallig. Ze... ze kwamen naar binnen gerend... probeerden geld uit de kas te pakken... pakten flessen van de planken... Maar het ging mis... Een van hen had een mes, een heel scherp mes met een lang dun lemmet... Ze denken dat het een slager is.'

Een echte slager. Een slachter.

Ik zag Mel voor me op de grond in de slijterij, met haar haar uitgespreid, terwijl er helderrood bloed uit haar wegvloeide. Ik zag een wirwar van rennende voeten om haar lichaam, en ik zag haar lippenstift, een bloedrode veeg in haar doodsbleke gezicht.

'Ik kom eraan.'

Terwijl ik naar het ziekenhuis reed, pletsten er dikke regendruppels tegen de voorruit. Ik herinnerde me hoe ik over de snelweg naar Teds doodsbed was gereden, en had gebeden en gesoebat dat hij alsjeblieft niet zou sterven voor ik er was. Dit keer bad ik niet. Ik reed alleen maar door het duister van de nachtelijke straten, waar het bizar genoeg nog altijd onmeelevend druk was. Oranje en rode lichten weerspiegelden zich grillig in het asfalt, dat nu glibberig was van de regen.

Jasper zat in een kleine wachtkamer met grijze muren die de geur van angst en verdriet uitwasemden. Hij stond op zodra hij me zag en we omhelsden elkaar stevig. Het leek wel alsof hij geen botten meer had, hij hing als een inerte massa in mijn armen, beroofd van al zijn zonnige optimisme.

'Kom,' fluisterde ik uiteindelijk. 'Ga zitten en vertel me alles wat je weet.'

Ik moest hem naar de rij stoelen leiden. Ze waren aan elkaar gelast in een rechte rij langs de muur.

Ze waren Mel aan het opereren. Het lange dunne lemmet had haar hart niet geraakt, maar haar linkerlong was doorboord en daardoor ingeklapt. Ze had enorm veel bloed verloren. Jasper had haar moeder gebeld, kort nadat hij met mij had gesproken. Lois Archer was onderweg.

'Heeft de politie ze gepakt?' vroeg ik.

'Wie gepakt?' Jasper was helemaal daas. Zijn ogen hielden de grote wijzer van de klok aan de muur in het oog en ik begreep dat hij zich op niets anders kon concentreren dan op Mel die op de operatietafel lag en op de vraag hoe lang het zou duren tot we iets over haar toestand te horen kregen.

'De kerels die het gedaan hebben.'

'Nee, nog niet.'

Dieven waren de winkel binnengevallen en een van hen had de man achter de toonbank met het mes bedreigd terwijl de anderen de kassa en de kasten plunderden. Ze veegden flessen en dozen sigaretten van de planken en schreeuwden boven het lawaai van brekend glas uit.

Mel en een andere klant probeerden weg te lopen op het moment dat nog twee mensen de zaak binnenkwamen. De dieven raakten in paniek en wilde ontsnappen, maar Mel blokkeerde de weg naar de deur. Het mes was recht tussen haar ribben gestoken. Dit was wat Jasper van de politie had gehoord.

Ik probeerde te slikken, maar mijn keel was helemaal droog. 'Het staat allemaal op de bewakingscamera's, dat moet. Ze pakken ze wel.'

'Dat zal wel,' zei Jasper. Het maakte ons geen van beiden op dat moment wat uit, alleen Mel deed ertoe, maar het was iets om over te praten.

Een lange stilte zette in terwijl we wachtten.

Buiten bliksemde het af en toe, steeds vrijwel onmiddellijk gevolgd door langdurig gerommel. De regen sloeg tegen de ramen; het was net alsof er handenvol zand tegenaan werden gegooid.

Ik dacht na over het willekeurige karakter van deze gewelddaad, die nu een rotsvast feit was, niet meer terug te draaien. Het was geen droom en geen illusie, hoe graag ik dat ook zou willen. De wachtkamer met zijn stoelen, kale plekken tussen de verf en verschaalde lucht, was helemaal echt, zoals ook het ziekenhuis echt was waarin deze kamer zich bevond. Ergens in een ruimte dichtbij lag Mel onder felle lampen, zwevend tussen leven en dood.

Ik herinnerde me hoe ik bij dat andere ziekenhuis op de parkeerplaats had gezeten op de dag dat mijn vader stierf, in het besef dat de sterfgevallen, de geboorten en het verdriet en de vreugde daarbinnen onderdeel waren van de natuurlijke gang der dingen en dat wij allemaal binnen deze natuurlijke orde onze plaats hadden. Deze nacht voelde ik het tegenovergestelde. Mel was er zonder enige reden uitgepikt en van de orde klopte helemaal niets meer. Niemand uit mijn directe omgeving en niemand die ik verder nog kende, was ooit door zoiets getroffen. Het was iets wat thuishoorde in half opgevangen nieuwsberichten op de radio of vluchtig gelezen koppen in de krant, niet in de alledaagse gang van zaken in ons alledaagse bestaan.

Toen ik daar zat, met hangend hoofd, kijkend naar de neus van mijn schoenen op de dofrode vloer, dacht ik aan het mes dat had toegeslagen als aan een van de bliksems buiten, de ontlading van de statische dreiging die zich deze hele hete zomer al had opgebouwd onder de bruggen over het kanaal, tussen het gewriemel van auto's en de donkere uiteinden van stinkende steegjes. Cassies verdwijning was als een voorspelling geweest en de opluchting toen ze was teruggevonden, werd weer omgezet in angst, nog intenser door het tijdelijke soelaas. En dit was Mel overkomen, de levendigste persoon die wij allemaal kenden. Het maakte me opnieuw bang voor het oord waarin wij leefden; ik verzette me tegen deze gedachte, ik wilde me niet overgeven aan angst voor de stad waarin ik mijn hele leven had gewoond. Onderwijl zat ik zenuwachtig te schuiven op de harde stoelzitting. Wij horen hier thuis. Mel, Jack, Lola, Audrey, Paul en ik, Jasper, Caz en Graham. Ik ging alle namen af, in een poging een web van liefde en genegenheid te weven dat kon dienen als een bezweringsformule.

'Ik weet niet wat ik moet als ze doodgaat,' zei Jasper plotseling. Het was een simpele samenvatting van de waarheid. Hij wist het niet en ik ook niet.

Ik pakte zijn hand weer en wreef hem tussen de mijne. 'Ze gaat niet dood.' Ik zei het vol overtuiging, ik weigerde ruimte te geven aan iets anders, al was de mogelijkheid van het tegengestelde voortdurend in alle uithoeken van mijn geest opdringerig aanwezig.

Jasper stond op en liep de gang in. Ik kon hem iets horen vragen aan iemand die ik niet kon zien en ik hoorde vaag een paar woorden die hij ten antwoord kreeg. Toen hij terugkwam schudde hij zijn hoofd en mijn hart stond bijna stil. 'Nog geen nieuws.'

Ik herademde.

Een jong stel van Indiase afkomst kwam binnen. Ze knikten ons ernstig toe en gingen op de twee stoelen zitten die het verst bij ons vandaan stonden. De jonge vrouw was mooi, haar trekken waren heel delicaat, maar er stroomden tranen uit haar ogen. Haar man legde zijn arm om haar schouders terwijl ze bleef huilen, zonder geluid te maken, om geen aandacht te trekken. Net als wij wachtten ze op nieuws. Ik vroeg me af of het om een ouder of om een kind ging.

Toen ik na enkele minuten opnieuw opkeek, zag ik Lois Archer aankomen. Ze droeg een zijdeachtig pakje met een grote kasjmieren sjaal erover en aan haar arm hing een tasje bezet met kralen. Haar grote verschrikte ogen tussen met mascara aangezette wimpers namen ons vieren en de mistroostige ruimte op. 'Sadie? Wat moet ik... Ik zat te bridgen. Ik was aan het bridgen met de meisjes en... Ik kon geen taxi krijgen...'

Ik had Lois een aantal malen ontmoet, maar Jasper nog maar één keer. We stonden allebei op en het was Jasper die haar naar een stoel begeleidde. 'U bent er, dat is het belangrijkste. Er is nog geen ander nieuws. We kunnen alleen afwachten,' zei ik tegen haar.

Jasper vertelde haar zachtjes alles wat hij wist. Lois beefde, maar ze hield zich flink. De rug van haar handen was bezaaid met lever-vlekken en het netwerk van aderen was duidelijk zichtbaar. Door het neonlicht boven onze hoofden flonkerde de grote diamant van haar trouwring in alle kleuren van de regenboog. Ik merkte als vanzelf een aantal kleine bijzonderheden op: de donkere veeg op de hiel van een van haar pastelkleurige suède schoenen en een beginnende ladder in de enkel van haar dunne kous. Ze had zich op een voor haar onge-bruikelijke manier moeten haasten.

De concentratie op dit soort kleine dingen hielp me om andere ge-dachten op afstand te houden.

'Hoe kon zoiets toch gebeuren?' fluisterde ze. Ik wist dat ze zich op weg hierheen voortdurend dezelfde vraag had gesteld.

Jasper zei: 'Dat weten we niet. De politie zoekt het uit. Ik zal koffie voor u halen. Het is automaatkoffie, maar het zal u goeddoen.'

Jasper was iets meer zichzelf nu hij zich om Lois moest bekomme-ren, nu er iemand was die zijn steun hard nodig had. Hij leek zijn normale afmetingen ineens weer terug te hebben. Het was logisch dat Lois bij hem bescherming zocht, want ze was haar hele leven al ge-wend dat anderen naar haar omkeken, eerst Steven en later haar kin-deren. Maar voor Jasper was het evenzeer een steun om iets voor haar te kunnen doen. Ik bedacht dat we allemaal grotendeels worden tot wat we zijn door onze behoeften, niet alleen door onze vermogens.

'Hij lijkt me een goede man,' prevelde Lois toen hij weg was.

'Dat is hij ook.'

'Was Steven er maar.'

Steven was de legendarisch charismatische vader van Mel, de enige man van wie ze ooit gehouden had, zoals ze me verteld had. Tot voor kort dan.

Ik beet op de binnenkant van mijn wang om mijn gebeef enigszins in bedwang te houden.

'Stewart is in Melbourne, weet je, en David zit in Griekenland.'

Het waren twee van Mels perfect gematchte jongere en oudere broederparen. De familie Archer had zoveel voorspoed gekend. Steven en zijn briljante carrière, de kinderen met hun knappe uiterlijk, talent en ambitie: ze hadden zich allemaal kunnen koesteren in de zorg en aandacht van de op het oog zo fragiele matriarch die nu naast me zat, haar oude handen om haar kralentasje gekneld. De opstuwing van dit gezin in de vaart der volkeren kon je je heel gemakkelijk voorstellen als een voortdenderende exprestrein die aldoor meer vaart en impact verzamelt, om zich onaangekondigd in de zwarte tunnel van vanavond te storten, de afgrond in.

Stop. Zo moet je niet denken.

'Denk daar nu maar niet aan. Eigenlijk zijn ze niet meer dan een paar uurtjes hiervandaan,' zei ik sussend tegen Lois.

Een jonge arts die me aan dr. Raj Srinivasar deed denken, kwam binnenlopen. Hij zei iets tegen het jonge stel en onmiddellijk stonden ze op, zich aan elkaar vastklampend. Deemoedig volgden ze hem de kamer uit. Lois zei niets en ik ook niet. Hun kind en het kind van Lois, beiden vochten ze hun strijd ergens buiten ons zicht. Ik dacht aan mijn eigen kinderen, aan Jack die zich in Audreys huis had verschanst, aan Audrey die zelf kind noch kraai had. En opeens was Ted er weer.

Ik voelde zijn aanwezigheid net zo sterk als die van Lois die naast me zat, ik rook zijn reukwater en hoorde zijn o zo vertrouwde stem die ik nooit meer zou horen, behalve in mijn herinneringen. 'Nou, meisje van me,' zei hij, 'een verdomd lastige situatie, niet?'

Ik hou mijn hoofd schuin, ik luister en kijk naar de beelden die mijn geestesoog me voortovert.

We zijn in de keuken van ons oude huis, het huis waarin Tony en ik woonden, en waarin Stanley ineens zijn intrede heeft gedaan om keukenkastjes voor ons te maken. Die twee mannen zijn er nu overigens niet. Tony is al ergens anders gaan wonen en Stanley is weg vanwege een familiebijeenkomst; een duidelijker aankondiging van hoe het allemaal zal aflopen, is niet denkbaar. Stanley is iemand die altijd de gemakkelijkste weg kiest, hij onttrekt zich aan elke verantwoordelijkheid. Hij zit ongetwijfeld in de kroeg. Het is Ted naar wie ik kijk, en ik kijk naar Jack die op mijn vaders schoot staat. Hij is een jaar of drie, net zo oud als Cassie nu, zijn mollige kleuterbeentjes piepen onder een groene korte broek uit.

Ted moest nooit veel hebben van fysiek contact met mijn kinderen, zoals vroeger ook al niet met mij. Hij houdt niet van kreukels in zijn kleren en gruwt ervan om zijn handen vuil te maken. Maar vandaag heeft Jack hem zover gekregen dat Ted hem heeft opgepakt. Jack staat met zijn beentjes op Teds knieën geplant heftig op en neer te schommelen, alsof hij op een paard zit. Ted kijkt er ongemakkelijk bij; hij lacht, maar aan zijn ogen is te zien dat hij het eigenlijk maar niks vindt; het is een mij welbekende uitdrukking. Nou ja, hij is er tenminste, denk ik. Mijn huwelijk met Tony loopt ten einde en Ted is bij me om erover te praten. Hij is komen opdraven om een crisissituatie het hoofd te bieden, zo zou hij het zelf uitdrukken.

Lola is ook in de kamer, ergens in de periferie. Een aldoor kwaaie, en op dat moment ook stomme puberale aanwezigheid, overlopend van wrok. Haar kleren, haar haren, haar taalgebruik... het past allemaal niet bij haar leeftijd, en is speciaal bedoeld om uit te dagen.

Ik zet een drankje bij mijn vaders elleboog neer. 'Ja,' zeg ik. Ik probeer mijn woorden met zorg te kiezen. 'Ik weet dat het een ingrijpende beslissing is. Hij valt me ook niet gemakkelijk, heus, je moet me geloven, maar...'

In werkelijkheid ben ik volledig uit het lood als gevolg van mijn desertie, de opzettelijke vernieling van ons kerngezinnetje, terwijl ik me zo heilig had voorgenomen om het voor Lola en Jack in stand te houden, als een baken van veiligheid. En toch... Ik weet zeker dat ik er goed aan doe, want ik ben verliefd zoals ik nog nooit verliefd ben geweest, ik ben een willoze prooi van mijn passie.

Ik richt me tot mijn vader, als tot een lotgenoot. Als iemand me zal begrijpen, dan zou het toch Ted moeten zijn, Ted met zijn achtergrond. Ik heb behoefte aan zijn begrip, zijn wijsheid, zijn medeleven, maar ik heb er vooral behoefte aan te weten dat hij me niet veroordeelt om wat ik heb gedaan. Hij neemt een slokje van de gin-tonic die ik voor hem heb ingeschonken, zet het glas weer op tafel. Vanachter de driftig op en neer hopsende Jack hoor ik hem zeggen: 'Denk aan je kinderen, Sadie. Is dit wat zij willen?'

Ik hoor gekletter achter me: Lola die een mes of de keukenschaar op de vloer laat vallen. Ik ben als de dood voor haar vernietigende reactie. Ik haal diep adem, tel vijf eindeloze seconden af en zeg dan de waarheid: 'Het is wat ík wil.'

Het is als het uitspreken van een godslastering. Ik geloof niet dat ik ooit eerder een dergelijke welbewuste keuze heb gemaakt, laat staan in woorden uitgedrukt. Op dat moment voel ik me vrij en tot alles in staat – ondanks al het verdriet dat ik teweegbreng en zelf voel. Ik ben gelukkig. Mijn vader schudt zijn hoofd. 'Maar daar gaat het niet om. Je bent moeder. Je hebt in de eerste plaats je verplichtingen tegenover hen en in de tweede plaats tegenover je man.'

Zijn schijnheiligheid doet me naar adem snakken. Ik sta hem met mijn armen slap langs mijn zijden aan te staren.

Hij keurt het af en doet geen poging dit te verhelen, ook al heeft hij Tony aldoor minachtend aangeduid als 'die boekhouder van je', terwijl hij Stanley juist als een echte kerel, een vent ziet. Hij veroordeelt me omdat ik waag te doen wat ik zelf wil, terwijl hij, zoals ik het op dat moment zie, zijn hele leven niets anders heeft gedaan, altijd zijn eigen pleziertjes heeft nagejaagd.

Maar jíj doet altijd wel wat je wilt, dat heb je je hele leven al gedaan, wil ik hem toeschreeuwen. Mag een ander dat dan niet? Maar ik schreeuw niet, ik zeg zelfs geen woord.

In de stilte die volgt, veranderen de laatste druppels van mijn verlangen naar zijn instemming in scherpje brokjes ijs.

Uiteindelijk is het Ted die deze stilte verbreekt. Treurig zegt hij tegen Jack: 'Ho, kleine man. Genoeg. Kom mee, dan gaan we in de tuin naar de vogeltjes kijken.'

Waarschijnlijk zei hij het niet precies zo. Maar ik weet wel dat hij Jack mee naar buiten nam en dat Lola me een blik toezond van pure ontreddering, gemaskeerd als oorlogszuchtigheid, waarna ook zij de kamer uit ging en de deur met een klap achter zich dicht liet vallen.

Ik weet zeker dat geen van mijn kinderen zich deze dag nog herinnert en hoogstwaarschijnlijk gold dat ook voor Ted. Maar na die dag was ik alleen nog maar kwaad op hem. We deden hartelijk tegen elkaar, er veranderde aan de oppervlakte vrijwel niets, maar ik sloot hem buiten. Ik was onverzoenlijk.

Eindelijk wist ik dat ik er alleen voor stond, hield op met te hopen en te verlangen dat het anders was, om me steeds weer te pletter te lopen tegen een muur van teleurstelling. Dit besef hielp me om over het verlies van Stanley heen te komen. En uiteindelijk, toen er heel veel tijd verstreken was, was ik op een bepaalde manier zelfs dank-

baar voor mijn onafhankelijkheid. Ik was sterk omdat ik mezelf on-
kwetsbaar waande – zolang ik Lola en Jack maar had, en het gezelschap van vrienden.

Ik wilde dit tegen Ted zeggen toen ik naar hem toe reed om bij zijn
bed te komen zitten, maar ik wist de woorden niet te vinden. Ik had
hem moeten uitleggen dat het verkeerd van me was om kwaad te zijn,
omdat we allemaal verkeerde dingen doen en allemaal onze gebreken
hebben. Zelfs mijn glorieuze vader, de parfumeur en oplichter, die ik
zo graag als volmaakt wilde zien. Ik wilde hem zeggen dat ik spijt had
van mijn egoïsme. Maar het was te laat.

Het heeft tot nu geduurd om dit alles ten volle te beseffen, terwijl
ik in een kamer in een ziekenhuis zit te wachten op nieuws over het
kind van Lois Archer, Mel, mijn beste vriendin. Het spijt me, zeg ik tegen hem. Het spijt me echt heel erg. Ik hield
en hou van je.

Jasper kwam terug, drie bekers van polystyreen als een zachtjes klot-
send boeket voor zich uit dragend. Voorzichtig liet hij mij en Lois er
een pakken en ging toen weer zitten. Ik dronk van het slappe goedje
en wierp een blik op de klok. Het was drie minuten voor halfdrie in
de ochtend. De tijd leek trucjes uit te halen. Het was pas vijf minuten geleden dat ik voor het laatst had gekeken, maar het hadden ook
twee uren kunnen zijn. Ik bevochtigde mijn droge lippen met mijn
tong en hervatte de bestudering van de vloer en de neus van mijn
schoenen. De minuten kropen voorbij en regen zich pijnlijk aaneen
tot een uur. Het onweer buiten was voorbij. Het regende nog wel, ik
zag de druppels als kleine rijpe vruchten tegen de ruiten slaan, maar
de lucht was opgefrist en er stond een aangenaam briesje.

Eindelijk stak een verpleegster haar hoofd om de hoek van de deur.
Ze vroeg of we nog zaten te wachten op nieuws over Melissa Archer
en toen Jasper ja zei, vroeg ze ons met haar mee te komen. We liepen
zwijgend achter elkaar, geen van drieën waren we in staat iets te zeggen of zelfs maar naar elkaar te kijken. Onuitgesproken, woordeloze
smeekbeden hamerden in mijn hoofd.

Als ze maar blijft leven. Als ze de oude Mel maar weer wordt.

De arts stond bij een drukke verpleegpost een stapel aantekeningen
door te nemen. Het was het holst van de nacht, maar overal brandden hier felle lampen en liepen mensen gehaast heen en weer. Toen
we zeiden wie we waren, beduidde hij ons mee te komen naar een

klein kamertje. Hij sprak nuchter, emotieloos, maar de woorden jubelden in mijn hoofd.

Goed verlopen. Bloedtransfusie. Optimistisch. Herstel.

Mel zou blijven leven. De wallen onder 's mans ogen, de poriën in zijn gezicht en de vouwen in zijn nek, die door het felle licht extra opvielen, de lucht van medicijnen, alles werd opeens reëler dan reëel, alsof onze gezamenlijke opluchting een schepje boven op de normale toestand deed. Lois tastte naar mijn hand en ik greep haar arm om haar te ondersteunen. Hoe klein was ze en hoe tenger, ze bibberde als een vogeltje.

Jasper wreef over zijn gezicht. Ik kon de verademing die als een golf door hem heen sloeg bijna voelen, een aanwassende stroom, nog niet vermengd met blijdschap. Die zou nog volgen. 'Mogen we naar haar toe?' vroeg hij.

'Ben u allemaal familie?'

Lois stak haar kin in de lucht. 'Ik ben haar moeder.'

'Ik ben haar verloofde,' zei Jasper zachtjes. Ik voelde eerder dat Lois haar adem inhield dan dat ik het kon horen. Het was voor het eerst dat ze over het voorgenomen huwelijk hoorde.

Ik besefte dat ik glimlachte, een stijve glimlach die bijna pijn deed aan mijn lippen en wangen. Alles zou in orde komen. 'Ik ben een vriendin,' mompelde ik.

'Niet meer dan twee van u mogen bij haar, en niet langer dan een paar minuten,' zei de arts verontschuldigend. 'Ze is heel erg moe.'

'Ga maar,' zei ik tegen Lois en Jasper. 'Geef haar maar een kus van mij.'

Ik reed naar huis terug door de motregen. Thuiskomen was nooit plezieriger geweest, zo leek het, door het aangename gevoel van bescherming dat het huis me gaf. Ik liep langzaam de trap op en ging in bed liggen, met de bedoeling om even later weer op te staan en me echt uit te kleden. De slaapkamer was heerlijk fris na alle benauwend hete weken waaraan zo-even een einde was gekomen. Ik trok de dekens tot boven mijn schouders op en liet toe dat mijn ogen dichtvielen. Mijn laatste gedachte voor ik in slaap viel betrof Cassie. Cassie die nu ook lag te slapen, veilig in haar eigen kamer, met de gordijnen gesloten om het duister op afstand te houden.

Toen ik weer wakker werd, drong eerst tot me door dat het klaarlichte dag was, en vervolgens dat er iemand heerlijk tegen me aan genesteld lag. In mijn slaperige verwarring dacht ik eerst dat het Paul was, maar toen ik me bewoog, bewoog de ander ook en wist ik dat het Jack was.

'Mam.'

Ik draaide me om en keek in de wijdopen ogen van mijn zoon. 'Je bent thuis.'

En als door zijn oren hoorde ik het getrippel en gekoer van de duiven op het dak.

'We hoorden het vanochtend op het vroege nieuws. Audrey luistert daar altijd naar. Ik ben meteen hierheen gekomen, omdat ik dacht dat je me misschien thuis wilde hebben.'

'Nou en of.'

'Weet je hoe het met Mel is?'

'Ik ben in het ziekenhuis geweest. Jasper had me gebeld. Het komt goed met haar.' Ik streelde over zijn haar. Zijn kleren roken naar Audreys huis.

'Het zou ook tegen de wetten van de natuur in gaan als iemand als Mel doodging, hè?'

Dit was wat ik vannacht tegen Jasper had proberen te zeggen. 'Ik weet niet zeker of er dat soort wetten zijn, Jack. Het is beangstigend.' Ik sprak tegen hem als tegen een volwassene. We waren een mijlpaal gepasseerd.

'In de natuur wel,' zei hij bedaard.

We bleven een paar minuten roerloos liggen, omhuld door de stilte. Het verkeer op straat en zelfs het gekoer van de duiven leken een heel eind weg. Het was nog maar luttele uren geleden dat ik Cassie met haar bootjes in de gootsteen had zien spelen. Een middag, een avond, een nacht en een half leven leken sindsdien verstreken te zijn.

'Het is buiten heel koel,' zei Jack. 'Het ruikt naar herfst.' Na weer een stilte vervolgde hij: 'Het is fijn om weer thuis te zijn. Ik had het helemaal gehad bij Audrey. Ik wil graag nog een keer naar het park, voordat de school weer begint. Misschien kom ik Wes en de anderen wel tegen.'

'Goed,' zei ik neutraal. 'Mooi. Heb je zin in ontbijt?'

'Moet je niet naar je werk dan?'

'Ik denk dat Penny wel zal begrijpen dat ik vanochtend langer wegblijf.'

'Nou, oké dan. Ik wil wel bacon met witbrood en tomatensaus.'

Zijn favoriete combinatie. Ik kwam overeind. 'Daar heb ik ook wel zin in.'

Jack keek naar me terwijl ik op zoek was naar schoon ondergoed. Ik was al bijna de deur uit om naar de badkamer te gaan, toen hij zei: 'Denk je dat ze die lui pakken die Mel hebben aangevallen?'

Hij was jong genoeg om behoefte te hebben aan geruststellende woorden van mij. Hij wilde horen dat het kwaad bestraft zou worden. Zo volwassen was hij dus ook weer niet. 'Vast wel.'

Hij knikte en leunde weer achterover in mijn kussens. De draden van het leven waren stevig. Ze mochten hier en daar gerafeld zijn, maar vanochtend waren ze allemaal intact en knoopten ze ons allemaal samen in een band van liefde en vriendschap.

Ik liep de badkamer in en voelde me zo intens dankbaar en gelukkig, dat ik me zelfs geen ogenblik stoorde aan de make-upvegen en verfrommelde tissues die Lola er altijd achterliet.

19

Er stonden zoveel stoelen om mijn tafel heen geperst dat ze niet netjes naast elkaar pasten, maar schots en scheef stonden, als scheve tanden in een te kleine kaak. Mensen zaten leunend met hun ellebogen tussen de schalen en met hun knieën tegen elkaar aan geperst en moesten bijna schreeuwen om boven alle herrie uit te komen. Caz en ik gaven over hun hoofden heen nog meer borden aan en op de een of andere manier werd er toch nog ruimte gevonden om ze neer te zetten.

Mel zat aan het hoofd van de tafel en Jasper tegenover haar aan het andere uiteinde. We vierden hun verloving. Het was vijf weken na de aanval in de slijterij en ze was bijna drie weken uit het ziekenhuis. 'Als ik er nog langer had moeten blijven, had ik het loodje gelegd,' zei ze.

Ze was magerder geworden en er zaten grijze strepen in haar dichte zwarte krulhaar, maar het meest opvallend was wel dat ze geen lippenstift meer droeg. Haar mond had nu haar eigen kleur, zodat nu eerder de welving van haar boven- en de volheid van haar onderlip opvielen dan alleen het knalrood. Toen ik er iets over zei, dacht ze even na en haalde toen haar schouders op, met een soort aarzeling die ook al nieuw voor haar was. Mel was vroeger altijd zo zeker van alles geweest. 'Het is niet belangrijk, toch?'

'Nee.' Na wat Mel had doorgemaakt, nadat ze de dood in de ogen had gekeken, was het niet zo vreemd dat haar prioriteitenlijstje volkomen door elkaar was geschud.

Ik vond haar mooier dan ooit, vooral nu ze zo rustig zat te luisteren en zat te kijken naar de gezichten om haar heen. Vroeger zou ze het hoogste woord hebben gehad, en niet het geduld om naar anderen te luisteren.

Toen haar ogen die van Jasper ontmoetten, was het alsof het luikjes waren die rechtstreeks toegang gaven tot het binnenste van haar schedel. Het was zo'n nietsverhullende blik, dat ik mijn ogen afwendde, alsof ik op gluren was betrapt.

Jasper zat met Lois rechts van hem, en aan de andere kant van Lois zat Paul Rainbird. Lois legde haar hand, droog als perkament, op

Pauls arm en keerde zich toen naar Jasper toe om hem iets in te fluisteren. Ze leek nog smaller en breekbaarder dan die nacht in het ziekenhuis, alsof ze door de kracht van een van Grahams lachbuien zo zou kunnen worden weggeblazen. Ze was echter nog steeds heel goed in staat om haar niet-geringe voorraad charme aan te spreken, vooral als er leuke mannen in de buurt waren.

Caz wenkte me naar de keuken en dus ging ik naar haar toe. We waren klaar om ons dessert op te dienen. Toen we het feestelijke etentje aan het plannen waren, wisten we dat mijn Chocolade Nemesis niet op het menu mocht ontbreken. Mel was haar hele leven al dol op chocoladetaart, maar deze was voor haar het lekkerste van het lekkerste. De 'wrekende gerechtigheid' die ik nu had gebakken, vertegenwoordigde het toppunt van mijn kunnen. De diepdonkere vierkante cake was maar nét stevig aan de buitenkant. Het had Caz en mij al onze behendigheid gekost om hem in zijn geheel ongeschonden uit het bakblik te krijgen. Bovenop had ik twee grote verstrengelde harten van roze glazuur gespoten, met een pijl erdoor. Je had taarten en taarten, maar er was maar één Nemesis.

Graham maakte nog meer flessen champagne open en schonk de glazen bij. Caz en ik tilden de taart op, waarna ik hem op schouderhoogte op mijn handpalm liet balanceren. Caz klapte in haar handen om ieders aandacht te trekken. Aller ogen richtten zich op ons.

Ik draaide mijn pols en zette de taart voor Mel neer. Ze sprong half uit haar stoel om hem te bewonderen, maar vergat de grote sikkelvormige wond die van haar ruggengraat naar haar borstbeen liep. Bij de spoedoperatie was haar hele borstholte opengelegd. Haar gezicht vertrok van pijn voordat ze kon glimlachen.

'Wees toch voorzichtig, liefje,' riep Lois.

'Ik ben alleen maar gulzig,' mompelde ze. Toen keek ze naar me op. 'Dank je, Sadie,' zei ze. 'Hij is geweldig.'

Ik stond naast haar, met mijn gezicht naar de tafel toe. Mijn vingers rustten lichtjes op haar schouder. Ik voelde het bot aan de bovenkant van haar arm.

Lola en Sam zaten aan een hoek van de tafel met de hoofden bij elkaar gestoken; de ruimte voor hun twee stoelen was eigenlijk veel te krap. Ze hadden de feestelijkheden ter gelegenheid van de opening van het universitaire jaar laten schieten om dit feestje te kunnen meemaken. Paul Rainbird zat achterover op zijn stoel, met een elleboog over de rug geslagen. Hij glimlachte toen zijn ogen de mijne ont-moetten. Ik besefte dat ik me ervan had willen vergewissen dat hij daar echt zat.

Jack had gevraagd of hij naast Jasper mocht zitten. 'Hij lijkt me wel cool,' had hij gezegd; een groter compliment had Jack niet in voor-raad. Jack had tijdens het eten niet veel gezegd, maar hij zat er rustig bij, ondanks de gênante situatie dat Paul Rainbird pal tegenover hem zat.

'Moet die er nu echt bij zijn?' had hij gevraagd toen ik het vertelde. Maar het was niet meer dan een routinematige tegenwerping.

'Ja, dat vind ik wel. Ik vind het fijn als hij erbij is, of jij moet er ge-weldig tegen zijn,' zei ik. Jack zuchtte alleen maar.

Graham zorgde dat ieders glas gevuld was. Er viel een afwachten-de stilte en ik vroeg me ineens af of ik wel tot spreken in staat was, want mijn keel werd dichtgeknepen. Mel had haar hoofd gebogen. Ik zag de zilverige haren op haar kruin, en haar linkerhand die op haar schoot rustte, met de verlovingsring die Jasper haar pas gegeven had.

Caz knikte me bemoedigend toe, haar gezicht straalde een en al warmte uit, en dus begon ik toch maar. 'Het was heel goed mogelijk geweest dat we hier vanavond niet met zijn allen bij elkaar hadden ge-zeten. Maar we zitten hier wel en dat komt vooral doordat Mel zo dapper heeft volgehouden. Op de dag nadat het gebeurd was, zei Jack dat mensen als Mel niet zomaar doodgaan. Dat dat tegen de wetten van de natuur indruist.'

Jasper zat naar haar te kijken alsof er verder helemaal niemand in de kamer was, of op de hele wereld. Alsof er maar twee mensen op de hele aarde bestonden. Heel even wierp ik een blik opzij. Naast Lola zat Clare, Jaspers dochter. Ze had donker haar, een smal gezicht en smalle schouders, en lange bleke handen. Ze keek recht voor zich uit, met haar lippen gesloten, maar niet krampachtig samengeperst.

'En toen zei ik tegen hem dat ik er niet zo zeker van was dat er nog wetten bestonden, niet na een zomer als deze.' De lange hete weken hadden nu iets onwerkelijks, als griezelscènes uit een film. 'Maar Mel bepaalt haar eigen wetten, zoals we allemaal weten, en ze is bij ons teruggekomen. En ze kwam in de allereerste plaats terug voor Jasper.'

Mel hief haar hoofd op en lachte hardop. Even leek ze weer op de uitbundige Mel van vroeger. 'Je dacht toch zeker niet dat ik hem me zomaar zou laten ontglippen toen ik hem eindelijk gevonden had? Daar is veel meer voor nodig dan een mes, reken maar.'

Iedereen lachte. Lois ook. 'En ik had alle hoop nog wel opgegeven. Wat zou het jammer zijn geweest als ik geen moeder van de bruid had kunnen worden.'

'Het verbaast me niets dat je hem niet wilde loslaten,' riep Caz. Clare draaide haar hoofd in de richting van haar vader. Haar bleke wangen kleurden, ze was trots op hem en tegelijk boos en bezitterig. Ja, dacht ik, zo is dat nu eenmaal.

'Laten we het glas op hen heffen,' besloot ik. 'Op Jasper en Mel. Dat jullie maar altijd zo gelukkig mogen zijn als jullie er vanavond uitzien.'

Alle stoelen schoven naar achteren toen iedereen opstond om te toasten. De tranen in mijn ogen waren niet afkomstig van de prikkeling van de champagne op mijn tong en tegen mijn verhemelte.

'Op Jasper en Mel.' Clare glimlachte dapper terwijl ze hun namen riep.

Mel pakte het mes op dat ik naast de taart had gelegd en sneed tot diep in het hart van de Chocolade Nemesis.

Tijdens het juichen en applaudisseren bedacht ik dat dit soort avonden het leven meer dan de moeite waard maakten. Ze compenseerden al het werk dat in het dagelijkse bestaan gedaan moest worden en de sleur die soms bijna niet te verdragen was.

Dan kwam er een avond als deze, waarin alles van geluk straalde en alles goed was.

De gezichten om me heen vervaagden en ik knipperde met mijn ogen.

Daar was Ted weer, hij stond vlak naast me, niet zoals hij in zijn glorietijd was, met zijn jeugdige Spencer Tracy-uitstraling, maar ingezakt en gebogen zoals hij op zijn oude dag was geweest, en met gevlekte en blauwgeaderde handen als die van Lois Archer. Hij zou van dit feest genoten hebben. 'Nou, prinses,' zei hij grijnzend. 'Dat ziet er niet slecht uit, hè?'

Ik moest denken aan de middag van Teds crematie, toen zijn buren en de neven uit Manchester spontaan geklapt en gejuicht hadden, hem liefdevol herdenkend. De cirkel was bijna rond. Rafelige eindjes kwamen bij elkaar en vlochten zich weer aaneen.

Ik voelde een arm om mijn schouders. Ik schrok ervan en zag toen pas dat Paul van het lawaai na het toasten gebruik had gemaakt om zijn stoel in de steek te laten en naar me toe te komen. Zijn adem voelde warm in mijn nek.

Nu stond Jasper op. Hij schraapte zijn keel en trok een plechtig gezicht, maar dat hield hij niet lang vol. Hij was veel te gelukkig om ernstig te kijken.

'Schiet een beetje op,' riep Graham. 'Ik wil taart.'

Jasper bedankte Caz en mij voor het diner. Toen richtte hij zich tot
Mel. Ze keken elkaar aan en even bekroop me een angstig gevoel. 'Ik
wil nog een toast uitbrengen. Op de vrouw op wie ik trotser ben dan
op wat dan ook.'

O, kijk toch uit, dacht ik. Mijn vrees werd nijpender. Iedereen leek
de adem in te houden.

'Op mijn dochter, Clare.'

Ik moest bijna naar lucht happen, zo opgelucht was ik. We begonnen opnieuw te klappen en zeiden haar naam na. Clare kleurde nog
dieper rood. Ze kwam onhandig van haar stoel af, aarzelde even, alsof
ze niet wist welke kant ze op zou gaan, liep toen naar Mel en legde
haar wang heel even tegen Mels haar. Ze deed wat ze moest doen,
want dit was wat er van haar verwacht werd, maar het ging niet van
ganser harte, zoals te zien was aan de stijve manier waarop ze haar
hoofd en ledematen boog. Mel probeerde haar dichter naar zich toe
te trekken, ook al was die beweging pijnlijk voor haar, maar Clare
onttrok zich eraan en liep snel naar haar vader. Hij sloeg zijn arm om
haar heen en ze nestelde zich triomfantelijk tegen hem aan, alsof ze
zo oud was als Cassie.

Het was niet alles rozengeur en maneschijn. Zelfs voor Jasper en
Mel lagen er genoeg moeilijkheden in het verschiet.

Mel gaf een klap op de tafel. 'Nu is het mijn beurt,' riep ze. Ze zag
er moe uit, ze had zwarte kringen onder haar ogen en ze deed geen
poging om op te staan. De drukte van de avond begon zijn tol te
eisen. 'Ik wil nog een toast uitbrengen. Op alle familie en vrienden.'

We dronken op alle familie en vrienden.

Toen we aan de choladetaart zaten, was het een tijdje stil. Mel kon
niet meer op dan een paar happen en liet toen haar lepel zakken. Caz
haalde haar bordje weg, voordat iemand het in de gaten had. Lola
keek langs Sams schouder onze kant op en riep me toe: 'Moet je
horen, mam, hoe toevallig: Clare kent Chloe en Seb.'

'Ja, heel toevallig,' stemde ik in. Zo toevallig vond ik het eigenlijk
niet, want steeds als Lola ergens heen ging kwam ze wel mensen
tegen die iemand kenden die zij ook kende. Ze bewoog zich monter
en zonder terughoudendheid in een enorm, los netwerk van vrienden

en van vrienden van vrienden van school, van jongens met wie ze naar de disco was geweest toen ze pas dertien was, van de broers van die jongens en hun netwerk van vrienden en vriendinnen, die op hun beurt weer allerlei mensen uit andere sociale groepen kenden, zodat allerlei verbanden door elkaar liepen en een uiterst ingewikkeld web van verbintenissen was ontstaan. Ik dacht vaak dat Londen voor Lola en haar vrienden een enorme ongeorganiseerde club was die steeds weer nieuwe kennissen opleverde, waardoor hun lidmaatschap steeds opnieuw werd bekrachtigd.

Het was een prettig idee. Het bood een tegenwicht voor de agressieve dreiging die zich in de lange hete zomer had opgehoopt en zich in geweldsuitbarstingen en een willekeurige messteek had ontladen.

De vier jongeren die de slijterij hadden overvallen, waren al de volgende dag gearresteerd. Door hun capuchons waren hun gezichten op de bewakingsfilms niet te zien, maar iemand had hen toch herkend. Een van de overvallers bleek inderdaad leerling-slager te zijn.

Een paar dagen was er over de overval ruim in de kranten bericht, vlak na de arrestatie en toen Mels leven nog in gevaar was, maar daarna overheersten de gebeurtenissen in het Midden-Oosten weer op de voorpagina's en was het verhaal naar de achtergrond verdwenen. Het was weer alsof er niets was gebeurd, in elk geval zolang er nog niets te melden viel over de rechtszaak; tot die tijd waren alleen degenen die van Mel hielden er nog mee bezig.

Koel winderig weer beroofde de bomen van hun door de droogte verdorde takken en maakte er herfstige hopen van in goten en portieken. Onder de vroegtijdig kale takken heerste een veradmende normaliteit.

Sam, Lola en Dan, de zoon van Caz, namen Clare mee naar Lola's kamer.

Caz en ik waren borden aan het stapelen en koffie aan het zetten toen Jack van tafel kwam en achter me opdook. Hij bleef in mijn buurt rondhangen met een peinzend gezicht en zei toen ineens: 'Mam, je had Audrey eigenlijk ook moeten uitnodigen.'

Ik was de afwasmachine aan het volzetten, maar richtte me nu op. 'O ja? Maar ze kent Mel toch helemaal niet?'

Jack haalde zijn schouders op. 'Nee, maar, je weet wel...'

Ik wist dat Jack nog geregeld in Turnmill Street kwam. Soms ging hij er na schooltijd heen en bleef dan tot het avondeten, en ook ging hij in het weekend wel eens 's middags langs. Dan verzorgde hij de dieren voor Audrey en keek samen met haar televisie met Jack-de-kat op zijn schoot. Op zijn broeken en truien trof ik niet voor niets hele plukken haar van het beest aan. Als ik hem vroeg waar hij geweest was, vertelde hij dat gewoon, maar uit zichzelf vertelde hij niets. En ik drong niet aan en eiste ook niet dat hij op tijd naar huis kwam als hij huiswerk moest maken. Hij ging elke dag braaf naar school, en zelfs zonder al te veel morren. De kortstondige interesse die Wes en Jason en een aantal andere stoere kinderen hadden getoond, had hem geen vrienden opgeleverd, zoals wel te verwachten was, maar mijn zoon was blijkbaar ook geen echte Einzelgänger meer. Hij vertelde dat er in zijn nieuwe klas een jongen zat die bioloog wilde worden.

Paul en ik hadden niet meer met elkaar geslapen sinds Jack uit Turnmill Street terug was. Ik zou heel graag willen dat hij vanavond langer bleef, zodat we omringd door de laatste vuile glazen en koffiekopjes nog een slaapmutsje konden nemen en konden napraten over het feest voordat we naar boven gingen.

Jack spreidde de vingers van een hand op de broodplank en pakte met de andere het mes dat Mel gebruikt had om de taart aan te snijden. Nog steeds peinzend begon hij met de punt van het mes in het hout te hakken dat tussen zijn vingers zichtbaar was, aanvankelijk langzaam, maar toen sneller.

'Jack, hou daarmee op, straks hak je je vinger eraf.'

De gekartelde bovenkant van het mes bleef in de plank steken en hij liet het los. Hij haalde net op tijd zijn hand weg, voordat het omviel, met de zaagkant naar beneden. Ik pakte het mes en borg het weg.

'Ze wordt niet vaak ergens uitgenodigd. Nooit, eigenlijk.'

Ik zuchtte, denkend aan het plezier dat ik aan deze avond had beleefd. 'Ik weet het. Je hebt gelijk. Ik zal binnenkort naar haar toe gaan en haar te eten vragen.'

Jack leunde nu tegen het aanrecht aan. Hij blokkeerde de gootsteen en de afvalemmer. Hij zocht altijd de lastigste momenten uit om me ingewikkelde vragen te stellen. Ik duwde hem een eindje weg zodat Caz bij de gootsteen kon, maar bleef hem intussen wel aankijken. 'Mam?'

'Ja?'

'Je hebt opa's huis toch verkocht?'

De koop was de vorige week afgerond en het geld stond op mijn bankrekening. 'Mmm.'

'En een deel van dat geld is toch voor mij bestemd?'

'Ja, dat klopt. Een kwart.' Ik was van plan het op een speciale rekening te zetten voor als hij naar de universiteit ging of naar een of andere uithoek wilde reizen om naar vogels te kijken die zijn speciale interesse hadden.

'Nou, ik wou zeggen dat ik dat geld eigenlijk niet wil. Ik heb het immers niet nodig, toch? Dus wil ik mijn deel aan Audrey geven.'

Caz goot rammelend koffiebonen in de koffiemolen en riep haar gebruikelijke waarschuwing, 'Sorry, jongens!', voordat de herrie begon. Ik wachtte tot ik mezelf weer kon horen praten en zei toen: 'Dat is erg gul van je. Maar Audrey heeft een eigen huis, en ik weet zeker dat dat heel veel waard is, omdat het in die straat staat. Heeft ze jouw geld wel nodig?'

Jacks frons verdiepte zich, zodat zijn borstelige wenkbrauwen dicht bij elkaar kwamen. 'Het heeft een reden. Een heel goede reden zelfs.'

Ik wachtte af. 'Ga je me die reden nog vertellen?'

'Nee, ik denk dat ze dat zelf maar moet doen.'

Jaspers rijzige gestalte dook naast me op. Hij zei dat Mel liever kamillethee had dan koffie en dat Lois zich afvroeg of we misschien Earl Grey in huis hadden. Dat laatste bracht me Audreys buren Tim en Gavin en hun grote witte theepot weer in herinnering, plus het beleg in Turnmill Street. Het leek zo lang geleden. 'Komt allemaal in orde,' zei ik tegen Jasper. Toen zei ik in alle ernst tegen Jack: 'Goed dan. Ik zal Audrey dit weekend opzoeken en dan kan ze me vertellen waar het voor is.'

'Oké,' zei Jack, en trok zijn schouders op. Hij liep naar de andere kant van de keuken om de televisie aan te zetten, en zette het plotselinge harde geluid zachter met de afstandsbediening. Hij gaapte en liet zich in een leunstoel zakken.

Het feest liep ten einde. Caz had bijna alle afwas gedaan en nu maakten zij en Graham aanstalten om naar huis te gaan. Lois was in een diep gesprek met Paul verwikkeld. Mels gezicht zag lijkbleek van uitputting en Jasper knikte toen ik hem aankeek en vragend mijn wenkbrauwen optrok.

'Moeten we al gaan? Hè, laat me even mijn thee opdrinken,' zei Mel dwars. Vroeger was ze altijd de laatste die wegging als er een feestje was en waarschijnlijk had ze het gevoel dat ze zeker zou moeten blijven op een feestje dat ter ere van haar gegeven werd.

'Mel,' zei Jasper waarschuwend, en ze keek hem even aan.

'Dus zo gaat dat in het vervolg? Altijd?'

'Ja, om halfelf 's avonds thuis, want anders zwaait er wat.'

'Misschien bega ik wel een vreselijke vergissing.'

'Zeg dat nou niet, liefje.' Lois was geschokt. Mel zei altijd dat haar moeder geen enkel gevoel had voor ironie.

Het duurde even voordat Lois' kasjmieren sjaal gevonden was en daarna viel haar steeds weer iets in wat ze Paul nog over haar beginperiode met Steven moest vertellen. Tegen de tijd dat ze eindelijk klaar was om te gaan, zag Mel eruit alsof ze zo met haar hoofd op tafel in slaap zou kunnen vallen.

'Waar is Clare gebleven?' vroeg Jasper. Alsof ze op dit moment gewacht hadden, kwamen Lola en de anderen loom de trap af.

'Mam, we willen nog gaan stappen. Dat is toch wel goed?' zei Lola.

Sam had zich zoals gewoonlijk aan haar vastgeklonken en de twee anderen kwamen achter hen aan. Clare leek een opeenstapeling van gerekte ovale vormen – gezicht, benen en vingernagels – en Dan leek naast haar een enorme bonk van een kerel. Ze vermeden met opzet om naar elkaar te kijken, maar uit elke beweging die ze maakten bleek hun interesse voor elkaar. Dan grijnsde schaapachtig en enthousiast terwijl Clare soepel als een kat de trap af kwam, waarbij ze haar hoofd weliswaar van hem afgewend hield, maar haar heupen juist in zijn richting bewogen.

'Hoe moet je dan thuiskomen?' vroeg Jasper. 'Waar gaan jullie heen?'

'Ik breng haar wel thuis,' bood Dan tot niemands verrassing aan.

'Lo, jij blijft nooit thuis, jij gaat altijd naar van die stomme disco's.' Jack lag duf in zijn leunstoel te kijken, geïrriteerd van jaloezie.

'Hé, chill effe, broertje.'

Waarna ze gevieren met verbluffende snelheid verdwenen.

Mel en ik lachten er samen om toen ik haar in de deuropening ten afscheid omhelsde. Ze droeg een sterk parfum, zoals altijd. Lelietjes-van-dalen, muguet.

'Zag je Clare en Dan?' zei ik. 'Dat belooft wat.'

'Voel jij je ook zo oud als je dat ziet? Ik wel.'

Ik was niet zo aangeschoten dat ik serieus op de vraag inging. 'Hé, misschien zijn we wel oud, maar hebben we het nog niet gemerkt. Denk je dat we straks door aanraking tot stof vervallen?'

Ze lachte niet meer. Ze zag er frêle uit, staande op de trap voor mijn huis, met het nachtelijk duister als decor. Haar ogen waren gericht op Jasper, die door de gang aankwam met Lois, die omhangen was met haar tasje en sjaal en voorzichtige stapjes zette. Door de wijn was ze wat onvast op haar benen en ze hield Jaspers arm stevig vast.

Mel fluisterde: 'Niet zo'n beste ruil, hè? Zijn mooie dochter is met een reus in de nacht opgelost en hij blijft zitten met mijn oude moeder en mij.'

Zoiets zei een zieke, dit was niet de echte Mel. Ze was zwakker en droeviger dan ik me had gerealiseerd, maar ik wist tegelijk zeker dat ze mettertijd weer helemaal de oude zou worden. Jack had gelijk. Ze was veel te levendig om zich zomaar te laten wegvagen.

'Ga lekker slapen.'

'O ja, slapen, reken maar.' Uit haar stem sprak een groot verlangen naar slaap, zoals vroeger naar wijn, pret maken of chocola.

Ik kuste haar op allebei haar wangen. 'Welterusten. Ik hou van je.'

'En ik van jou. Dank je, Sade, ook voor deze avond. Doe Penny de groeten van me.'

Penny en Evelyn kwamen de laatste tijd niet vaak meer de deur uit. Ze wilden Cassie niet bij een oppas achterlaten en Evelyn leek er geen behoefte meer aan te hebben om haar mee te slepen naar feestjes. Meestal zaten ze samen bij Penny thuis en pasten op de kleine en op elkaar, en kennelijk werden ze er niet ongelukkiger van.

'Dat zal ik doen,' zei ik.

Ik bleef in de deuropening staan tot ze goed en wel in Jaspers auto zaten en ik keek de rode achterlichten na tot ze om de hoek verdwenen.

In het hele huis hing een lucht van eten, rook en lelietjes-van-dalen, maar het was te fris buiten om de tuindeuren open te zetten. Jack zat in een afwerende houding naar de televisie te staren, met zijn knieen opgetrokken en zijn armen eromheen. Paul was de laatst overgebleven gast. Hij was thee aan het inschenken, en deed dat heel beschaafd. Hij reikte mij een beker aan. De stilte in de keuken leek zich in alle hoeken en gaten genesteld te hebben; ik begreep dat ze geen woord met elkaar gewisseld hadden toen ik boven was. Of misschien, waarschijnlijker nog, had Paul geprobeerd te praten, maar had Jack hem nul op het rekest gegeven.

'Het is erg laat,' zei ik. 'Jack?'

Hij reageerde niet, maar bleef naar het scherm zitten turen. Het was eigenlijk nog helemaal niet zo laat, het was net halftwaalf geweest. Straks zou Paul weggaan en zouden Jack en ik naar onze slaapkamer gaan. Ik verwachtte niet anders dan dat Paul zou aankondigen dat hij naar huis moest, maar dat deed hij niet; hij stond tegen het aanrecht geleund met zijn vingers om zijn beker thee geklemd. De sfeer deed me denken aan de dag, die vreselijke dag, toen er onweer dreigde, een onweer dat maar niet wilde losbarsten.

Paul hield vragend zijn hoofd scheef.

Hij droeg hetzelfde blauwe overhemd dat hij had aangehad toen ik naar school kwam om over Jacks gespijbel te praten. Zijn gezicht was me inmiddels zo vertrouwd dat de afzonderlijke kenmerken niet meer zo opvielen, maar nu, in deze ongemakkelijke situatie, was het alsof ik hem weer voor het eerst zag. Zijn trekken waren regelmatig en hadden niets uitzonderlijks, dat was een ding wat zeker was. Zijn oogleden bogen bij de hoeken naar beneden. Hij had vriendelijke ogen, dat viel wel op. De lijnen bij zijn mondhoeken getuigden van berusting, maar ook van goedlachsheid. Een fijne, beweeglijke mond; ik herinnerde me zijn mond op mijn huid.

Mijn eigen mond stond strak gespannen.

Hij keek naar me en wachtte af. Mijn ogen gingen Jacks kant uit. Ik wist niet wat ik moest zeggen. Om de een of andere reden moest ik aan tante Viv denken, en daarna aan de gehate tante Maxine. En dus zei ik helemaal niets.

Ik stelde Paul teleur. Dat wist ik, want hij zette zijn beker neer en wendde zich van me af. De televisie stond tussen ons drieën in te blaten, een waanzinnig commentaar op de situatie.

'Jack, zet die tv eens uit, alsjeblieft?' Pauls stem klonk zeer beslist. Jack schrok op en gebruikte de afstandsbediening, waarna de stilte ons omhulde. Paul ging op de stoel zitten die het dichtst bij Jack stond. 'Ik wil vannacht graag bij Sadie blijven,' zei hij. 'Hoe denk jij daarover?'

Jack verstijfde. Maar hij trok heel even zijn schouders op, alsof het hem koud liet.

'Dat vind je niet erg?'

Jack zei op kille toon: 'U bent mijn vader niet, of wel soms?'

'Nee.'

Jack knikte alsof hij een punt had gescoord, maar Paul vervolgde: 'Er kan maar één iemand je vader zijn, en dat is je vader. Maar vind je dat niemand anders dan hij ooit met je moeder samen kan zijn?'

'Ja.'

'Ik bedoel niet alleen nu. Maar, zeg, over zes jaar, als jij net als Lola aan het studeren bent?'

Het bekende optrekken van de schouders. "k Weet niet. Maar dan ben ik er toch niet meer?'

Uit het oog, uit het hart.

'Hm. Maar vind je ook niet dat ze dan wel heel erg lang moet wachten?'

'Doet ze dat dan?'

Ik mengde me ertussen. 'Ho, ho, wacht eens even. Ik ben geen... geen koe op de markt of zo, waar jullie met zijn tweetjes over kunnen onderhandelen.'

Ik zag Pauls mond vertrekken.

Jack keek hem woest aan en richtte zijn ogen toen op mij. 'Wat wil jij?' vroeg hij op bevelende toon. Ja, dat was precies de vraag.

Langzaam antwoordde ik: 'Ik zou graag willen dat hij blijft, Jack. Als jij het niet al te erg vindt, tenminste. Ik begin erachter te komen dat ik af en toe wel een beetje eenzaam ben, ook al heb ik jou en Lo.'

'Mám,' zei Jack dramatisch. 'Iederéén is eenzaam, jij niet alleen.'

Ik zou elk uur van mijn leven in eenzaamheid willen slijten als ik daarmee zou kunnen voorkomen dat Jack zoiets moest meemaken.

Paul reageerde een stuk nuchterder. 'Iedereen voelt zich wel eens eenzaam, ja. Maar de meesten van ons maken ook vaak genoeg het tegenovergestelde mee. Ik heb gezien hoe het jou de laatste tijd op school vergaat. Je kunt heel goed met Max McLaren opschieten, is het niet?'

'Jawel.'

'En wat dacht je van vanavond? Je hebt een fantastische familie en ook nog een hele hoop vrienden, die vanavond gezellig met elkaar aan tafel chocoladetaart hebben zitten eten. Niemand van ons was vanavond eenzaam, toch?'

Ik zou dit als een retorische vraag hebben opgevat, maar Paul, leraar in hart en nieren, verwachtte een antwoord.

'Nee,' gaf Jack toe. Om, een en al logica, te vervolgen: 'En dus is mijn moeder dat ook niet. Ze heeft u niet nodig.'

'Ze heeft me niet nodig, dat klopt. En dat is een van de dingen die ik juist zo in haar waardeer. Maar iemand nodig hebben is nog wel iets anders dan graag bij iemand zijn. Er zijn van die momenten dat het heel fijn voor haar zou zijn als ze een partner had. Dat ben je toch wel met me eens?'

Met tegenzin zei hij: 'Misschien.'

'Ik mag je moeder ontzettend graag. En geen haar op mijn hoofd die eraan denkt om haar op wat voor manier dan ook te kwetsen. Voor het geval je daarover inzit.'

'Als u haar vriendje zou worden, bedoelt u?'

'Of ik haar vriend word of niet maakt niet uit. Ik wil haar op geen enkele manier kwetsen. En jou ook niet.'

Jack dacht hier even over na. 'Denkt u dat ze er minder droevig van zou worden?'

'Dat hoop ik. Ja, ik denk het wel.'

Het verbaasde me dat mijn zoon blijkbaar vond dat ik droevig was.

Jack draaide zich naar mij toe. 'Wat zou opa ervan vinden dat hij hier blijft?'

Dus Jack was in gedachten ook met Ted bezig. Voor mijn zoon was hij een grootvader, en voor mij was hij behalve mijn vader een par-fummaker en bedrieger, met zijn verlopen filmsteruiterlijk en zijn re-giment tantes. Was hij er nog maar geweest, dan had hij ons zelf kun-nen vertellen hoe hij ertegenover stond.

Ik probeerde zelf het antwoord te bedenken. 'Volgens mij zou hij zeggen: "Veel geluk."' En hij zou er waarschijnlijk iets aan toevoegen als: 'Want laten we wel wezen, Sade, je wordt er niet echt jonger op.'

Jack had er ineens helemaal genoeg van. Hij hees zich uit de leun-stoel. 'Zie maar,' zei hij, de ergste puberdooddoener die er maar be-staat, om wild van te worden. Het was een hoogst effectieve manier om aan te geven dat hij het er niet mee eens was en om verdere dis-cussie een halt toe te roepen.

Ik hield verschrikkelijk veel van hem, zoals hij daar stond in zijn vale T-shirt en op zijn gymschoenen met de veters los; zijn broek was duidelijk te kort voor hem geworden. Hij groeide ontzettend hard. Op hetzelfde moment wíst ik, zo zeker alsof ik het op een foto had vastgelegd, dat hij Paul nu aankeek met de steelse, geringschattende blik van mannen onder elkaar, een blik waaruit sprak: 'Ach, vróú-wen!' of 'Ach, móéders!' Jack stond op het punt de drempel naar de mannenwereld over te stappen.

'Truste dan,' mompelde hij. Hij sleepte zich de trap op, met een schouder langs de muur schurend. Binnenkort zou het hem de groot-ste moeite kosten om zelfs maar in beweging te komen – zoals ik van Lola op die leeftijd gewend was – behalve als het ging om iets waar hij zelf belang bij had. Dan zou hij namelijk ineens als een speer in actie komen.

Paul en ik bleven samen in de keuken achter.

'Het spijt me,' zei ik. Ik was ook teleurgesteld in mezelf. Ik wilde hen geen van tweeën kwetsen, met als gevolg dat ik naar geen van beiden toe loyaal was geweest.

'Het geeft niet.'

'Wat goed wat je gedaan hebt.'

'Hij kan veel meer hebben dan je denkt, en daar mag je jezelf mee feliciteren.'

'Misschien.' Ik wilde niet meer over Jack praten. 'Ik ben blij dat je er nog bent.'

Paul Rainbirds gezicht werd één grote glimlach. Hij kwam naar me toe, legde zijn handen tegen mijn gezicht en streek met zijn duimen over mijn wangen. Ik knipperde even met mijn ogen, me pijnlijk bewust van het felle licht, en kortstondig wensend dat er kaarslicht en muziek waren, en dat het niet zo'n bende was om ons heen.

'Ik ben ook blij om hier te zijn, en Jack raakt er heus wel aan gewend. Wil je nog verder afwassen of zullen we naar bed gaan?'

'Naar bed.'

De onflatteuze belichting maakte me niet meer uit. Ik moest denken aan Mel, die geen behoefte meer had aan rode lippenstift. Bij Paul ben ik wie ik ben. Ik voel me niet oud, of jong. Ik zwijmel niet van passie en er is geen sprake van een ordinair, triomfantelijk gevoel dat ik eindelijk weer een man heb gevonden. Wat ik voel is alleen maar goed.

De volgende dag was een zaterdag.

Jack kwam beneden om te ontbijten en gedroeg zich net zo weinig communicatief met Paul erbij, die aan de tafel geroosterd brood zat te eten, als wanneer hij alleen met mij zou zijn geweest. Toen ik hem vroeg of hij die dag van plan was om naar Audrey te gaan, reageerde hij scherp met de tegenvraag of Paul en ik dan weer in de voortuin gingen posten.

Paul stak zijn handen op. 'Nee, dank je, dit keer niet. Ik heb vandaag nog een hoop na te kijken.'

Jack keek of hij niet goed wist of hij moest lachen of kwaad kijken. Pauls droge manier van doen maakte dat ook lastig. 'Ik dacht trouwens dat jij vandaag bij haar langs zou gaan.'

'O ja? Ik geloof niet dat ik heb gezegd dat ik dat per se vandaag zou doen.'

'Má-a-am, je hebt het gisteravond zelf gezegd.'

Paul pakte zijn jasje en zijn afgetrapte zwartleren tas. 'Ik moet weg. Tot ziens, Jack. Sadie, ik bel je vandaag nog. Ik vond het feest gisteren trouwens erg geslaagd. Blijf maar zitten, hoor.'

We bleven getweeën achter. Er zat blijkbaar iets plakkerigs op de vloer of onder Jacks schoen, want ik hoorde een heel zacht knisperend geluid in de plotselinge stilte. Jack zat me doordringend aan te kijken, als verwachtte of vreesde hij dat ik op de een of andere manier veranderd was. Ik liet hem rustig kijken.

'Vond je het vervelend dat Paul is blijven slapen?' vroeg ik uiteindelijk.

'Het is wel een beetje raar.'

'Dat begrijp ik.'

'Je gaat toch niet...?' Hij maakte zijn zin niet af.

Wat hij hoopte, was dat ik hem niet op een onverdraaglijke manier voor schut zou zetten, dat ik hem niet aan zijn lot zou overlaten en dat Paul Rainbird geen grotere plek in mijn hart zou krijgen dan Lola en hij. En dat ik mezelf geen verdriet op de hals haalde. Met andere woorden: dat zijn leven gewoon op dezelfde manier zou doorgaan. Of dat het er misschien zelfs een beetje leuker op zou worden.

'Nee,' beloofde ik.

'Oké dan,' zei Jack op een toon alsof we nu wel genoeg over het onderwerp hadden gepraat.

'Ik ga trouwens vanmiddag wel even bij Audrey langs,' zei ik.

In Turnmill Street was geen parkeerplek vrij; er stonden zelfs een paar auto's dubbel geparkeerd. Uiteindelijk vond ik een plekje in een straat in de buurt, dichter bij Ullswater. Ik liep terug naar Audreys huis langs ligusterhagen die nog nadrupten van een buitje dat kort tevoren was gevallen, en langs kamperfoeliestruiken en blauweregens waaraan nog verspreide gele bladeren hingen, als vlaggetjes.

Ik klopte op de bekende deur en wachtte.

'Jij weer,' zei Audrey toen ze eindelijk kwam opendoen.

'Mag ik binnenkomen?'

'Ach ja, dat is weer eens wat anders dan dat je in mijn tuin zit op je verdomde vouwstoel.'

Ze liep nijdig terug door de gang; ze liet het aan mij over of ik achter haar aan kwam of niet. De rotzooi had de omvang van een vloedgolf aangenomen. Gescheurde kartonnen dozen, volgestouwd met oude kleren en tijdschriften, stonden twee-, driehoog opgestapeld.

'Ik ben de boel een beetje aan het sorteren,' zei ze. 'Je moet de rommel maar voor lief nemen.'

'O, die valt heel erg mee,' zei ik slap, om een roestige oliekachel en een stapel uit elkaar gescheurde telefoonboeken heen stappend. Een jong katje zat tussen de overblijfselen van een veren kussen met een satijnen hoes. Door de veertjes die om het beestje dwarrelden leek het net een figuurtje in een halve plastic bol met sneeuw.

In de achterkamer liep ik om het meubilair heen en wierp een blik in de tuin. De hokken en kooien langs de zijkanten stonden er nog en het niemandsland ertussen was nog altijd bezaaid met groenteafval en vuile emaillen etensbakken. Tim en Gavin hadden de plannen voor hun opruimcampagne laten varen, of waren er anders al meteen in blijven steken. Ik draaide me ineens om en keek naar Audrey, die dit niet meteen in de gaten had. Ze stond in een stoffige bundel oktoberzon. Ze was zichtbaar ouder geworden. Op haar trui zaten etensvlekken en haar grijze plooirok zat onder de kattenharen. Haar roze schedel scheen door haar kleurloze haar heen. Haar mond leek smaller geworden en de groeven erboven en aan de zijkant nog dieper.

'Wat sta je me aan te gapen?'

Ik voelde me heel erg betrapt en mompelde: 'Sorry, het was niet mijn bedoeling.'

Ze stapte uit de strook zonlicht en schuifelde verder in haar hol. 'Wat doe je hier eigenlijk?'

Ze was nog even vijandig als eerst. Ik voelde opnieuw de sterke antipathie opkomen die ze al meteen vanaf het begin bij me had gewekt. Al voor ons getouwtrek om Jack was er een natuurlijke afstand tussen ons ontstaan, maar die kwestie was nu niet meer aan de orde. Jack was veranderd in de korte periode sinds het vorige schooljaar. Het zou niet al te lang meer duren voordat hij volwassen was en net als Lola het huis uit zou gaan.

'Jack vroeg me om bij je langs te gaan. Hij zei dat je me iets te vertellen had.'

'O ja? Is dat zo?'

'Audrey, is het goed als ik ga zitten?'

Op elke stoel lag wel een uitpuilende plastic zak of een kat.

'Nou, vooruit, als je toch niet weggaat.'

Ik haalde de troep van de dichtstbijzijnde stoel en ging zitten. Audreys gestalte kwam nu boven me uit.

'Volgens mij weet je al dat Jack een som geld van Ted zal erven. Een kwart van de opbrengst van de verkoop van Teds huis. Een ander kwart gaat naar Lola en de helft is voor mij.'

Ik voelde me geroepen dit uit de doeken te doen, omdat ze me een keer naar Teds testament had gevraagd. 'Nu zei Jack tegen me dat hij zijn deel aan jou wilde geven. Ik vroeg hem waarom, maar hij zei dat ik dat maar aan jou moest vragen.'

Audrey glimlachte en haar trekken verzachtten zich een ogenblik. 'Die zoon van jou is echt een interessant joch.'

Het was duidelijk dat ze heel erg op hem gesteld was. De droefenis die ermee gepaard ging, bevestigde wat ik al die tijd al wist: dat ze niemand had om wie ze zich kon bekommeren, of die zich om haar bekommerde, dat ze eenzaam was.

Terwijl ik wachtte, rekte een kat zich op het vloerkleed uit. Zijn nagels kwamen even tevoorschijn, scherpe klauwen in de kleur van bros verkleurd celluloid, en werden weer ingetrokken.

Audrey leek een besluit te hebben genomen. Ze liep naar de klaptafel, trok de lade onder het blad open en haalde er een stapeltje gekreukte en vlekkerige documenten uit. Ze bladerde erin, trok toen een van de papieren eruit, streek het glad op tafel en bekeek het een tijdje. Toen reikte ze het mij aan.

'Wat is het?' vroeg ik.

Ik boog me naar voren, terwijl een angstig gevoel zich van me meester maakte. Ik wist dat ik er niets van wilde weten, wat het ook was, maar het document beefde op nog geen tien centimeter van mijn hand af en ik moest het wel aannemen. Ik keek er lange tijd naar. Vervaagde roze vierkantjes, namen geschreven in een regelmatig, officieel uitziend handschrift: 'Edward Lawrence Thompson, ongehuwd. Audrey Ann Nesbit, ongehuwd.'

Het was een trouwakte.

Ik keek naar de datum: 1956.

'Nee,' zei ik hardop. Maar ontkennen had geen zin.

Mijn ouders trouwden eind 1949 en ik werd in 1950 geboren. Mijn moeder stierf tien jaar later heel plotseling. Maar in de tussentijd, volgens dit document, trouwde mijn vader met Audrey Nesbit. Mijn vader was behalve parfummaker en bedrieger ook nog eens bigamist. Een meester in misleiding. Het was een schok, maar ik kan niet zeggen dat ik heel erg verbaasd was.

Ik liet het papier vallen. Mijn vingers leken wel worstjes, dik en stomp. 'Wist je het?'

'Toen ik met hem trouwde? Natuurlijk niet.'

Ik had wel eens van dit soort verhalen gelezen. Er waren mannen die er complete gezinnen op na hielden, soms slechts luttele kilometers bij elkaar vandaan, en een bedrieglijk dubbelleven leidden, als een heel gewone huisvader samenlevend met afwisselend de ene vrouw met haar gezin en de andere...

Ik keek met een ruk naar Audrey op. Ik herinnerde me ineens zo duidelijk alsof het pas gebeurd was, wat Audrey had beweerd tegen de twee politieagenten die kwamen kijken toen ik bij Audrey in die rottige bloedhitte op de deur had staan bonken.

Ik ben zijn oma.

Als dat nou eens waar was? De gedachte had me al een keer de stuipen op het lijf gejaagd, maar ik had hem meteen de kop ingedrukt. Nu ontmoetten mijn ogen de hare, op zoek naar bewijs. Ik zag niets, maar mensen zijn nooit erg goed in het herkennen van familietrekken bij bloedverwanten. Ze keek me onbewogen aan.

'Hebt u samen met hem kinderen gekregen?'

'Nee, ik heb een abortus gehad. Dat moest van hem.'

De woorden ontvielen haar, als stenen. Er klonk zoveel misère in door dat mijn argwaan en verwarring als sneeuw voor de zon verdwenen en ik alleen nog maar medelijden met haar had. 'Audrey, alsjeblieft, vertel me er alles over. Vertel me alles wat er is gebeurd. Het is nog niet te laat.'

'O nee?' Haar ogen waren droog, maar het leek alsof ze haar pijn deden, alsof ze moeite had ze in de kassen te bewegen. Na heel lange tijd duwde ze twee katten van een van haar stoelen. Ze zat met haar rug naar het licht dat door het raam naar binnen viel. 'Nou,' zei ze. 'Ik werd dus verliefd op een man die muziek maakte, maar dan muziek die subtieler en vluchtiger was dan die je op instrumenten speelt. Hij zei dat hij een parfum voor mij zou componeren.'

'Mijn vader.'

Mijn vaders gebruikelijke aanpak.

'Ik werkte bij een bedrijf dat Phebus Fragrances heette. Het was een tijdelijk baantje als telefoniste en receptioniste. Ik was achttien jaar.'

'Ik herinner me Phebus nog.'

'Ted had daar een heel belangrijke functie. Hij was ontzettend enthousiast en erg goed in wat hij deed, maar hij had overal lak aan. Hij was heel vrolijk en hij maakte mij ook steeds aan het lachen. Ik vond hem een echte gentleman.'

Ik wist wat dat inhield. Handschoenen van varkensleer en lavalliè-res. Een auto, meestal dan. Een zelfverzekerde manier van omgaan met serveersters en obers en een rotsvast geloof in de illusie die hij van zichzelf creëerde.

'Toen ik daar nog werkte, liet hij me met rust, maar toen ik een andere baan had, zocht hij contact met me. Hij nam me mee naar een pub aan de Theems om iets te drinken.'

Op een van die avonden dat Faye me naar bed bracht en me met een half oog voorlas, terwijl ze met een half oor luisterde of ze buiten niets hoorde, waarna ze de rest van de avond in haar eentje beneden zat. Zo'n avond dat Ted moest overwerken. Hoeveel van die avonden waren er niet geweest? Al die keren dat hij weg was voor zaken, met klanten moest praten. Hij had gelegenheid te over gehad om er nog een andere vrouw en een ander huiselijk leven op na te houden.

'Hij vertelde dat hij op kamers zat bij een gezin in Hendon, want dat hij financiële problemen had. Hij woonde er niet zo fraai, zei hij, maar hij was zijn schulden aan het afbetalen en zou binnenkort weer zelf een huis hebben. Ik had een kamer in een huis dat van een getrouwde niet was. Ik ben geboren in Macclesfield en wist niet hoe gauw ik daar weg moest komen, zo graag wilde ik in Londen wonen.'

Het beeld dat ze schetste was heel herkenbaar, een grofkorrelig monochroom midden-jaren-vijftigplaatje: Audrey, een fris stralende jonge vrouw, en Ted die haar gezicht tussen zijn handen neemt en haar toefluistert: 'Ik zou zo'n geweldig parfum voor jou kunnen maken.'

'Het is heel anders dan je denkt,' zei Audrey vinnig. Ze had gelijk, ik liet mijn fantasie zijn gang gaan.

'We maakten plannen. Zakelijke plannen. Voor een winkel, een parfumeriebedrijf en een cosmeticalijn. We gingen samen naar Parijs. Het was voor het eerst dat ik in het buitenland was. We deden van alles samen, Ted en ik. Ik hield van hem. En hij was verliefd op mij.'

Audrey stak haar kin in de lucht en ineens zag ik onder haar oude gezicht dat van de jonge vrouw die ze geweest was. Een vrouw die opgetogen was omdat ze op reis ging, in een pakje met ruiten, met een volle bos donker haar golvend om haar gezicht. Of op een muurtje zittend, met wapperend haar, op de foto die Ted had bewaard en die ik zoveel jaren later gevonden had. Ze vertelde de waarheid. Hij was verliefd op haar, zo simpel was het.

'Ik was een heel net meisje, hoor, als je dat maar weet.'

Een meisje van het soort dat een ring aan haar vinger eist. Ted hield van haar, ze vormden een team en hij zag een leven met haar voor zich zoals hij dat met Faye nooit had gehad. Hij smachtte naar Audrey en omdat hij geen andere mogelijkheid zag om haar te krijgen, was hij met haar getrouwd, alsof hij niet al een vrouw had.

Voor het eerst was me volkomen duidelijk waarom mijn moeder zo'n bleke schim was geweest, hoe het kwam dat ze de indruk wekte half afwezig te zijn, alsof ze haar eigen leven meemaakte als een toeschouwer. Ik had het als kind onbewust geregistreerd en het was een indruk die nooit was uitgewist. Ze moest het geweten hebben. Arme Faye. Zij was het hiaat, de onopgevulde kern in dit trieste verhaal, niet Ted, en Audrey ook niet.

'Waarom ben je dan niet openlijk zijn vrouw geworden toen mijn moeder gestorven was?' Ik probeerde geen bitterheid in mijn stem te laten doorklinken, maar slaagde daar niet geheel in.

Audrey hield haar gezicht nog steeds van mij afgewend. Haar profiel stak scherp af tegen het licht en ik zag de ruwe haartjes boven haar mondhoek. Ze vertelde haar verhaal in haar eigen tempo en in haar eigen volgorde.

'We huurden een flatje. Niet zo ver hiervandaan. Twee kleine kamers, op de eerste verdieping, maar wel met hoge ramen die op een pleintje uitkeken. Ik bleef werken als stenotypiste, ik deed het huishouden, en als hij weer eens weg was zat ik op hem te wachten.' Audrey lachte schamper. 'Wat een dwaas was ik, hè? Maar als je in iets wilt geloven, kun je jezelf van alles wijsmaken. Mijn grootmoeder stierf en liet me wat geld na en dat heb ik rechtstreeks naar hem overgemaakt. Hij wilde bij Phebus weg en voor zichzelf beginnen. Toen raakte ik in verwachting. Ik dacht dat hij er blij om zou zijn, maar hij was alleen maar kwaad. Hij zei dat hij geen kinderen wilde, dat hij ze nooit gewild had en ze ook nooit zou willen, dat hij zich niet op die manier liet vastbinden. Vástbinden, dat woord gebruikte hij. Naar mijn idee gingen getrouwde stellen niet op zo'n manier met elkaar om. Hij gaf me geld om het te "regelen". Of liever gezegd: hij gaf me een deel van mijn eigen geld hiervoor terug. Dus het kwam erop neer dat ik zelf betaalde voor een abortus die ik helemaal niet wilde.' Ze praatte nu alsof ze vergeten was dat ik er was, als praatte ze tegen zichzelf, zoals mensen doen die echt eenzaam zijn. 'Daarna was hij heel aardig voor me. Hij kwam met bloemen aan, en met cadeautjes, met allerlei beloften en hele verhalen over het geweldige succes dat we zouden hebben. Maar dat had geen zin. Het was net alsof met mijn baby ook mijn onnozele onschuld uit mijn lijf was gerukt. Ik begon argwaan te krijgen. Het liep erop uit dat ik een keer 's nachts toen hij sliep in zijn spullen snuffelde en een adres in Hendon vond. En raad eens wat ik zag toen ik daar ging kijken?'

Ik zei niets, maar ik kon het wel zo'n beetje raden.

'Ik zag Faye thuiskomen met boodschappentassen, en jij huppelde ernaast met je schuifjes in je haar en je witte sokjes.'

Ze lachte opnieuw schor en door dat geluid werd een van de katten wakker en keek haar met zijn gele ogen aan. 'Ha! Weet je nog dat parfum? Innominata. Naamloos, gezichtloos. Ik was zijn vrouw, ja, maar dan wel een die hij verstopte.'

Zij had in elk geval nog haar eigen parfum van hem gekregen, Faye en ik niet. Zou mijn arme moeder haar rivale, die ons op Dorset Avenue begluurde, hebben opgemerkt? Ik kwam van mijn stoel af en hurkte voor Audrey, zodat onze ogen zich op gelijke hoogte bevonden. Ik probeerde haar handen te pakken, en na een moment van aarzeling liet ze me begaan. 'Wat deed je toen?'

'Ik confronteerde hem ermee. Hij smeekte me hem te vergeven, zei dat hij niet buiten me kon. Mooie praatjes ophangen kon hij als de beste, moet je weten. Ted was heel moeilijk te weerstaan.' Alsof ik dat niet wist. 'Hij dacht dat we op dezelfde voet door konden gaan als ik eenmaal aan het idee gewend was. Maar ik wilde er niets van weten. Ik voelde trouwens niet hetzelfde voor hem als hij voor mij.'

'Hoe ging het dan verder?'

'Ik heb hem eruit gezet. De sloten vervangen enzovoort. Het gaf een hoop heibel, maar ik hield voet bij stuk. Wat kon ik anders? Ik kon moeilijk naar de politie gaan, wel?'

'Dat had je toch best kunnen doen?'

Audrey keek me boos aan. Daar was zij de vrouw niet naar, bedoelde ze waarschijnlijk te zeggen.

'En toen, na een maand of tien, overleed jouw moeder.'

Een hersenbloeding mocht dan als doodsoorzaak zijn aangewezen, maar ik wist zeker dat Faye gewoon het bijltje erbij neer had gegooid. Ze was als een schim uit haar eigen leven en dat van Ted en mij weggegleden. Ik keek Audrey recht in de ogen. 'Maar als mijn vader nu van je hield?'

'O, hij kwam weer bij me aan, en we hebben het een tijdje geprobeerd. We zijn zelfs een weekje samen naar Devon geweest. Maar wat mij betrof, zat het niet goed, en dat wisten we allebei. Ik hield van hem, maar ik kon niet meer als zijn vrouw door het leven gaan, zelfs al was hij de laatste man op aarde geweest. Ik zou me besmet gevoeld hebben.' Audrey trok haar handen uit de mijne terug en verborg ze in haar mouwen.

Dat was ook voor mij de ergste tijd geweest. Toen Ted eindelijk weer thuiskwam, was hij aan de kant gezet om redenen die mijn kinderlijk begrip ver te boven gingen. Hij stak de waakvlam in het koude huis weer aan en we aten fish and chips.

'Er was een probleem waar we niet omheen konden en dat was jij.'

'Maar...'

Audrey onderbrak me. 'Jij was er altijd, jij stond tussen ons in. Hij had jou, maar ik had niet het kind dat we samen hadden moeten krijgen. Jij was als een splinter onder zijn huid, zo dacht ik er altijd over. Zijn charme was aan jou verspild. Jij was de enige die er ongevoelig voor was. Soms wilde hij jou niet, omdat je hem in de weg zat. Maar toch hield hij van je, want jij kon tegen hem op.'

Mijn vader hield van me. Ik probeerde de woorden uit. Ze leken nu weinig verschil meer te maken. En de rest van het verhaal kon ik zelf wel invullen. Audrey was de vrouw die hij zich echt wenste en die hij zich ook verschaft had, maar zijn huwelijk met haar had zich tegen hem gekeerd. Faye ging dood, Audrey zette hem aan de kant en hij bleef zitten met een kind dat ogen op steeltjes had en hem de voet dwars zette. De hele ris tantes bood enige compensatie, evenals Scentsation, maar hij had in de bak gezeten en de verstandhouding tussen hem en mij was voor de rest van zijn leven verziekt.

Zijn charme had wel degelijk effect op mij gehad, maar nadat hij me in de steek had gelaten, was ik wel zo listig om er niets van te laten merken. De machteloze had macht gekregen. Ted grossierde in dromen, maar hij had moeten leven met het verlies van liefde en de onherroepelijkheid van de dood. Hij was niet doortrapt, en hij was eigenlijk ook geen slecht mens. Hij was gewoon zoals hij was. Ik dacht dat ik hem kende, maar als ik nu probeerde een vleugje van de geur van zijn reukwater op te snuiven, of een glimp van hem in de glinstering van Scentsation op te vangen, dan lukte dat van geen kanten. Wat er wel was, waren de stank van de katten en Audreys loslatende behang.

'Ik geloof dat ik het snap,' zei ik, en doelde daarmee op de gevolgen van de hele historie, die op ons allemaal een stempel had gedrukt.

'Misschien. Misschien ook niet.'

Ik kwam overeind, want mijn benen en rug begonnen pijn te doen. 'Zal ik thee zetten?' vroeg ik.

'Een kopje thee zou wel lekker zijn,' zei Audrey.

Ik spoelde de theepot grondig, zocht en vond theezakjes die nog hygiënisch in hun verpakking zaten en spoorde twee kopjes op. Terwijl ik wachtte tot het water kookte, haalde ik de aardappelschillen, gebruikte theezakjes en stukjes eierschaal uit de gootsteen en deed alles in een afvalzak, die ik dichtbond. Ik haalde een doek door de gootsteen en nam de kranen af, waaraan vuil zat vastgekoekt. Je kon ervoor kiezen om zo te leven als Audrey deed, dacht ik, maar het kon ook zijn dat je niet anders kon. Waarschijnlijk was Audrey op een andere manier in dit huis begonnen, maar had ze het geleidelijk aan laten verslonzen, tot de rotzooi haar de baas was geworden. Ik zou het niet precies kunnen zeggen.

Ik schonk thee in en gaf Audrey een kopje. Ze trok haar mond in rimpels en blies erin, waarna ze een slokje nam en even zuchtte van genoegen.

'En hoe is het met dat geld van jou verdergegaan?'

'Ik heb er nooit iets van teruggezien. Maar ja, ik was ook zo'n dwaas.' Ze zette haar kopje neer en pakte de huwelijksakte die ik had neergelegd. Ze vouwde het document netjes op en stopte het in haar zak. 'Ik heb het hem nooit teruggevraagd.' Daar was ze te trots voor, dat was wel duidelijk.

'Zagen jullie elkaar nog wel eens?'

Audrey glimlachte. Voor het eerst was het een heuse glimlach, en ze zag er jaren jonger door uit. 'Zo af en toe.'

Ik zei: 'Wij willen je het geld graag terugbetalen. Uit de verkoop van het huis. Ik kan niet voor Lola spreken, maar Jack en ik zullen alles met je verrekenen, inclusief rente.'

Ze keek naar een hoek van het plafond waar de betengeling te zien was achter het gebarsten pleisterwerk, en toen naar de achterdeur die scheef in zijn hengsels hing en waarvan ze de kieren aan de zijkanten hier en daar met stukken krant had dichtgestopt tegen de tocht. 'Beter laat dan nooit, zal ik maar zeggen.'

In mijn hoofd buitelden allerlei optimistische plannetjes door elkaar heen. Ik kon Audrey helpen met het opknappen van haar huis, ik zou haar zelfs kunnen aanraden het te verkopen, zodat ze in een makkelijker bij te houden flatje ergens in de buurt zou kunnen gaan wonen. Jacks echte oma was al zo lang dood, en Tony's ouders woonden in Canada; misschien was de uitspraak die Audrey zo plompverloren had gedaan wel een voorbode van een echte en waardevolle relatie geweest.

'Je kunt erg goed met Jack opschieten...' begon ik.

Mijn fantasie sloeg op hol. Ik zou Audrey uitnodigen om een plaats in de familie Thompson in te nemen. Ik zag al allerlei familiekiekjes voor me: zondagen, verjaardagen, Kerstmis. Een volledig in de maatschappij geïntegreerde Audrey die met grootmoederlijke allure poseerde in het gezelschap van Lola en Jack, te zijner tijd aangevuld met huwelijkspartners en kinderen.

'Dat is iets tussen Jack en mij,' snauwde ze.

De kiekjes vervaagden. Ik beet op mijn tong, maar wist dat ze gelijk had. Ze was Jacks bondgenoot, niet de mijne. Je kunt de vriendschap van andere mensen niet sturen, ook die van je kinderen niet. Als er al een band zou ontstaan tussen Audrey en mij, dan zou die van later datum zijn, vanzelf moeten groeien. 'Je hebt gelijk, het spijt me,' zei ik.

Dit leek Audrey zachter te stemmen. 'Je bedoelt het goed, Sadie,' gaf ze toe.

Het zou een eerste aarzelende stap in de richting van vriendschap kunnen zijn.

Mijn kopje was leeg en het hare ook. 'Zal ik nog eens inschenken?'

'Nee, bedankt. Ik was aan het opruimen en daar moest ik maar eens mee verdergaan.'

Een overduidelijke hint. Ik legde mijn arm heel even om Audreys schouders, maar trok hem op tijd terug zodat ze geen kans kreeg hem weg te duwen. 'En ik ga maar eens naar huis. Misschien komt Jack straks nog even langs, of anders morgen. Je moet het maar zeggen als je ergens hulp bij nodig hebt.' De woorden klonken zo banaal, net nu we zulke belangrijke informatie hadden uitgewisseld. Mijn ogen gingen onwillekeurig naar de huwelijksakte die ze had weggestopt.

Ze legde er haar hand op. 'Ik snap niet hoe het komt dat de troep zich maar blijft opstapelen,' zei ze.

'Bedankt dat je me de waarheid hebt verteld,' zei ik, maar daar kwam geen reactie op.

Ze liep achter me aan de gang door en liet me uit. De voordeur werd met een ferme klap achter me gesloten.

Ik liep de straat weer uit, langs het huis van Tim en Gavin, in de richting van het grimmige betonnen bolwerk Ullswater.

Lola en Sam waren eindelijk uit bed gekomen, om linea recta naar de pub te gaan. Jack was nog in de keuken. Hij zat op me te wachten. Hij leek in de afgelopen drie uur nog verder gegroeid. Ik merkte de witte knobbels op zijn polsen op en zijn adamsappel die als een vogeleitje in zijn hals naar voren stak. Het zou niet lang meer duren voor zijn stem brak en hij net zo boven me uittorende als de jongens van Caz.

'Heb je met haar gepraat?' Hij keek me gespannen aan, hij probeerde te peilen of ik het wel goed had aangepakt en of ik in dat geval ondersteboven was van wat ik had gehoord.

'Ja, Jack. Vertel nu eens hoe het was om al die tijd bij haar te zijn?'

Hij kauwde op zijn mondhoek, maar ditmaal was er geen sprake van dat hij zijn schouders ophaalde. Ik kreeg ineens een blij gevoel toen ik besefte dat we eindelijk een keer een echt gesprek met elkaar zouden hebben, een waarbij we naar elkaar luisterden en ingingen op wat de ander zei. 'We hebben een hele tijd gepraat en ze heeft me een hoop verteld.'

Beter laat dan nooit, maar ik begreep nu dat Audrey Jack niet als een kind behandelde. Eenzame mensen, Colin bijvoorbeeld ook, weten niet zo goed onderscheid te maken tussen de ene situatie of de andere. Ik stelde me Jack voor zoals hij in de achterkamer in Turnmill Street tussen alle rotzooi en het loslatende behang had zitten luisteren naar Audrey, die maar doorpraatte. Die de kleinzoon van haar echtgenoot allerlei geheimen vertelde die ze jarenlang bewaard had.

'Sommige dingen die ze me vertelde, wilde ik eigenlijk helemaal niet horen. Bijvoorbeeld over opa en haar samen, of dat ze trouwden terwijl opa al getrouwd was en jou had.' Hij keek naar me om mijn reactie te peilen.

'Ja.'

'Maar soms was het echt interessant wat ze vertelde. Over hoe het in Engeland was in de oorlog en zo. Kinderen werden uit Londen weggestuurd, met naamkaartjes op hun jas, en die gingen dan bij mensen op het platteland wonen zodat ze veilig waren voor de bommen. Wist jij dat? Bij Audrey en haar moeder kwamen twee zusjes in huis die nog nooit van hun leven een koe hadden gezien.'

'Evacués, noemden ze die kinderen.'

'Was jij er een?'

'Jáck! ik ben pas in 1950 geboren.' Toen pas zag ik dat hij een grapje maakte. 'Hè, hè, wat grappig.'

'Heeft ze je ook verteld dat ze opa geld had gegeven?'

'Ja, dat ook.'

'Daarom wil ik haar mijn deel van het geld geven. Ze heeft nauwelijks geld om eten en andere dingen te kopen, weet je.'

'Dat vind ik heel goed en heel edelmoedig van je, Jack. Maar misschien kun je jouw geld beter bewaren voor als je wilt gaan reizen of het nodig hebt voor je studie. Ik zal Audrey wel terugbetalen uit mijn deel van het geld.'

'Maar dat is toch niet eerlijk?'

Ik glimlachte. 'Jawel, hoor.' Zijn gezicht behield even een zorgelijke uitdrukking, maar toen brak er een glimlach door. Hij lachte zoals hij als klein kind ook gelachen had, maar liet me tegelijk een glimp zien van de volwassen Jack. Heel even zag ik hem: Jack als de man die hij zou worden.

Het was een moment van intense blijheid en tegelijk van rouw. Zoals altijd zou ik hem in mijn armen willen nemen, weer een baby van hem willen maken, maar ik verroerde me niet.

'O, trouwens,' zei hij, 'de postbode heeft een pakje gebracht.'

Op de eetbar lag een envelop met luchtbubbels aan de binnenkant. Ik pakte hem op en zag Franse postzegels, een handschrift dat me vaag bekend voorkwam, zevens geschreven met een streepje erdoor. Ik legde de envelop opzij voor straks.

Ik maakte een late lunch voor mij en Jack klaar en we gingen samen aan tafel. Daarna maaide hij het gras voor me, waarschijnlijk de laatste keer voor de winter, terwijl ik bladeren bijeenharkte en hier en daar wat verregende zomerplanten wegknipte. Het was fijn om in het waterige zonnetje buiten te zijn. In de tuin rook het naar vochtige aarde en heilzaam bederf. Later zei Jack dat hij naar zijn nieuwe vriend Max wilde. Ik vond het goed dat hij er alleen heen ging met de ondergrondse, al was het een ingewikkelde route, maar we spraken af dat hij meteen zou bellen als hij er was. Even daarna belde Paul om te vragen of ik zin had om naar de film of uit eten te gaan. Ik legde de hoorn neer en dacht erover thee te zetten, toen ik opeens de bruine envelop weer zag liggen.

Ik sneed het plakband waarmee hij dicht zat met het broodmes open. De envelop was al eerder gebruikt en iemand had om geld uit te sparen een nieuw wit etiket over de oude adressering heen geplakt. In het pakje zat, in een beschermhoesje van golfkarton, een standaard parfumflaconnetje van glas met een ronde goudkleurige schroefdop.

Ik tastte nogmaals met mijn vingers in de envelop en haalde er een brief uit, waarin nog een ander stuk papier gevouwen zat.

Zoals ik al vermoedde, was de brief van Philippe. 'Door jouw bezoek', schreef hij, 'kwam ik op het idee om nog eens te neuzen in de dozen met spullen van mijn moeder. En toen vond ik dit.'

Voorzichtig vouwde ik het tweede vel papier open. Dit handschrift kende ik ook. Het was van Ted en ik zag onder andere een ingewikkelde parfumreceptuur. Toen ik zag wat erboven stond begon mijn hart te bonken. Ik keek de lijst met essences door en zag enkele namen die me terugvoerden naar mijn jeugd: lavendel, bergamot, vanilline. Maar toen werden mijn ogen getrokken naar de onderkant van de pagina, waar mijn vader nog iets had geschreven: 'Mijn lieve vriendin Marie-Ange. Volgens mij is dit een heerlijke geur, misschien wel een van mijn beste. Als je er iets aan hebt, aanvaard hem dan als gedeeltelijke betaling van mijn schuld aan jou.' De brief had als datum oktober 1965, net na afloop van mijn zomervakantie in Grasse. Ik las opnieuw het kopje: 'Weeskind. Voor Sadie.' Nou, dacht ik, met zo'n naam zal het product niet over de toonbank vliegen.

'Ik ben zo vrij geweest,' schreef Philippe in zijn brief, 'om de geur voor je te mengen.'

Heel voorzichtig schroefde ik de goudkleurige dop eraf en bracht mijn neus naar het flesje. De geur vulde alle holten in mijn hoofd. Hij was fris en bloemig, onschuldig met een forse zoete noot, als zonneschijn op een zomermiddag in een tuin met bonte bloemen. Een geur voor een jong meisje van bijna veertig jaar geleden.

'Het is een lekkere geur, maar naar mijn idee is er niet echt een markt voor. Blijkbaar dacht mijn moeder er ook zo over, want ze heeft er niets mee gedaan. Maar ik weet zeker dat ik je er toch een groot plezier mee doe.' Hij had de brief ondertekend met: 'Je oude vriend PL.' Philippe had gelijk. Ik was er erg blij mee.

Ik keek spiedend de keuken rond, alsof ik er mijn vader zou kunnen aantreffen, maar er was geen spoor van hem. Op een plank stond de foto van Lola en Jack en mij op vakantie in Devon. Ernaast stond de foto waarop ik Ted er als een filmster vond uitzien, en in de lijst ervan was een kleinere foto gestoken van hem met Lola en Jack. Ze poseerden voor een kerstboom en hun ogen waren rood op de foto, maar ze stonden er alle drie lachend op. Hier weer naast stond de foto van mij en Faye in de tuin aan Dorset Avenue. Ik zou mijn moeder ontzettend graag in de ogen willen kijken om te proberen haar gedachten te lezen, maar haar blik was en bleef afgewend, ze keek de lijst uit, terwijl ikzelf met een stuurs gezicht recht in de lens keek. Faye was het mysterie dat overbleef, en ze zou een mysterie blijven.

Mijn vingers sloten zich om de gladde contouren van het parfumflesje. 'Dank je wel,' zei ik hardop tegen Ted. Ik kon zijn stem niet horen, noch zijn bedrieglijke citrusreukwater ruiken. Echt iets voor hem: mijn parfum gebruiken om te proberen een schuld te voldoen. Ja, echt iets voor hem. Ik moest ineens heel hard lachen, alsof ik net een wereldmop had gehoord.

'Mam?' riep Jack vanaf de trap. 'Ben jij dat?'

Ik dacht dat hij al weg was. 'Ja, ik moest denken aan opa.'

'O, *right.*'

Bravo, Ted, zei ik bij mezelf, ook al zou hij me nooit meer kunnen horen. Je hebt gedaan wat je wilde, voorzover het in je macht lag. Bravo.

20

Er is een heel jaar voorbijgegaan en het is weer oktober.

Mel heeft gekozen voor herfstbloemen en die doen het ook heel goed. Het hele vertrek staat er vol mee: grote vazen met bronskleurige dubbele chrysanten, koperkleurige bladeren en met goudverf bespoten takken klimop. Het effect is magnifiek en dramatisch, maar niet erg bruiloftachtig. Mel zelf draagt een eenvoudig gesneden bleekgouden jurk, en haar haar is losjes opgestoken en met bloemen opgesierd. Het gewicht dat ze na de steekpartij verloren heeft is er niet meer bij gekomen en de jurk sluit strak om haar in omvang afgenomen rondingen. Ze heeft wel haar haar geverfd om het grijs te bedekken en de rode lippenstift heeft een triomfantelijke herintrede gedaan. Ze ziet er zo mooi uit als een bruid op haar huwelijksdag er maar uit kan zien.

Als haar eerste (want verreweg het oudste) bruidsmeisje zit ik aan de hoofdtafel. Mijn partner is een van de gebroeders Archer, die momenteel tussen twee huwelijken in zit en druk in gesprek is met Clare, die aan zijn andere zijde zit. Paul zit aan een andere tafel en ik kan hem vanaf mijn plek niet eens zien. Er zijn ruim honderd gasten en de ronde tafels staan door de hele zaal verspreid. Ik ben blij met dit moment van rust, waardoor ik eens goed om me heen kan kijken. Het is een lange, heerlijke dag geweest, en straks gaat er nog gedanst worden ook.

Het begon allemaal bijna twaalf uur geleden. Mel en ik dronken champagne aan het ontbijt en moesten zo vreselijk giechelen bij de absurde gedachte dat we ons op onze ouwe dag nog in bruiloftskleren gingen hijsen en aan allerlei rituelen gingen overgeven, dat de vrouw die ons kwam opmaken ons uiteindelijk streng tot de orde moest roepen.

Ik moest huilen tijdens de plechtigheid. Voor de ogen van familieleden en vrienden pakte Jasper Mels hand en gaf een kus op de trouwring voordat hij haar op de mond kuste. Mijn tranen trokken bleke sporen in de lagen foundation, waaraan mijn gezicht niet gewend was, maar slaagden er niet in de sentiment-proof mascara op te lossen, die mijn wimpers ook op dit moment nog op spinnenpoten doen lijken en mijn zicht op de wereld danig belemmeren. Bij het tekenen van het huwelijksregister boog ik me naar voren om Lois' hand vast te pakken, waardoor de grote veren pluimen op haar hoed mijn neus kietelden en ik een niesbui kreeg, waardoor de tranen nog sneller stroomden. Clare geneerde zich nogal voor me, maar de andere twee bruidsmeisjes, twee piepjonge nichtjes uit het tweede huwelijk van een van Mels broers, barstten in schaamteloos geschater uit. Ik hurkte bij ze neer en gaf hun de zakdoek die ik eigenlijk in gereedheid diende te houden voor het geval hun ronde, stralende gezichtjes een discrete poetsbeurt behoefden. Ze vonden het prachtig dat de rollen werden omgedraaid en hun stijve rokjes van goudkleurige tafzijde ritselden terwijl ze mijn wangen en neus afveegden.

'Stilstaan,' zei de jongste van de twee bazig, genietend van dit moment van macht.

'Doe ik toch!'

'Die Sadie maakt nergens een probleem van, hè?' zei Lois, en op het moment dat ik haar in stilte wilde tegenspreken, besefte ik dat het op deze dag zeker waar was.

Vandaag is er niets om over in te zitten. Alle bruiloftsrituelen vertegenwoordigen zoveel geluk en voorspoed dat geen dreiging uit welke hoek dan ook ertegen bestand is.

Deze dag kan niet stuk, is onschendbaar.

Deze dag is anders dan andere en ook al bestaat de mogelijkheid dat het wrede licht van de geschiedenis zelfs deze in een vertekend perspectief zal plaatsen, ik weet zeker dat het hier en nu op geen enkele manier verbeterd zou kunnen worden. Ik zal deze dag nooit vergeten, ik zal hem veilig in mijn geheugen opbergen en koesteren als een voorbeeld voor alle dagen.

Jasper en Mel namen elkaar bij de hand. De twee kleine meisjes liepen achter hen aan en Clare en ik volgden. Lois en Jaspers getuige en twee broers maakten de stoet compleet. Orgelmuziek zwol aan en klaterde over ons heen toen we weer naar buiten liepen tussen rijen stralende gezichten en wolken geur: het natuurlijke aroma van de herfstbloemen en de gecompliceerde symfonie van vrouwenparfums. Al die gebottelde dromen.

Ik voelde en voel me licht, een gevoel dat me vertrouwd begint te worden, alsof een grote last die ik lange tijd heb meegezeuld is gaan schuiven en uiteindelijk van me af is gevallen. Het maakt me blij, het geeft me de lust om glimlachend de hemel in te kijken.

Het hulpje van de fotograaf stelde ons op de brede trappen voor de kerk op, voor diens lens en voor het nageslacht. Het was een heerlijke herfstdag, het blauw van de lucht werd verzacht door een dunne sluier van mist en de knisperige bladeren van de grote platanen hingen, een en al oker, klaar om door een stormwind te worden afgerukt. Passerende auto's toeterden onder ons om het bruidspaar geluk te wensen en we konden de passagiers die boven in dubbeldekkers zaten recht in hun nieuwsgierige gezicht kijken.

De gestalte van Paul maakte zich los uit de massa toekijkende bruiloftsgasten. Het was de eerste keer dat we elkaar die dag zagen, want ik had de nacht bij Mel doorgebracht. 'Ik had je bijna niet herkend,' fluisterde hij.

'Mooi of niet?'

Behalve onder lagen make-up, is mijn gewone ik ook nog eens verstopt onder een ongewoon strak geplooid geval van bronskleurige glimmende stof, bezet met pailletten en bijeengehouden door tientallen ronde knoopjes die me doen denken aan anijssnoepjes. De rok waaiert naar beneden toe uit in bredere plooien, als de staart van een zeemeermin, en de assistent van de fotograaf is druk bezig die op de stenen trede achter me te schikken.

'Mooi. Maar ik durf je zo niet aan te raken.'

'Ik daag je uit.'

'Ach, ik hou wel van een uitdaging.'

'Zou het eerste bruidsmeisje wat dichter achter de kleintjes kunnen komen staan,' riep de fotograaf bevelend.

'Tot straks,' zei ik lachend tegen Paul.

Tijd voor de toespraken. Mels oudste broer haalt een aantal roerende herinneringen op aan de bruid toen ze nog klein was en Lois dept zoals het hoort haar ooghoeken met haar zakdoek. Dan geeft hij het woord aan Jaspers getuige, die voor de komische noot zorgt met een verhaal dat nóch te lang nóch te grof is en vervolgens een toast uitbrengt op bruid en bruidegom. Dat vind ik zo leuk van bruiloften, het ritme waarin alles verloopt en het feit dat ze toch allemaal hetzelfde zijn, hoe men ook zijn best doet er iets aparts en origineels van te maken. Bruid en bruidegom laten zich met een blij gezicht reduceren tot de poppetjes zoals ze op de bruidstaart staan. Als we allemaal staande het glas heffen op een lang leven en veel geluk voor het bruidspaar, zie ik Mel aan de andere kant van de tafel glimlachend naar me kijken, alsof ze mijn gedachten kan lezen. Ze wilde een bruiloft met alle toeters en bellen en die heeft ze gekregen.

Jasper spreekt als laatste. Hij lijkt niet erg zeker van zichzelf, alsof hij nog steeds niet kan geloven in zijn eigen geluk, maar zijn taak is het gemakkelijkst en hij kwijt zich er goed van. Hij bedankt Lois en de gebroeders Archer, en brengt een toast uit op Mels mooie bruidsmeisjes. Terwijl de gasten hem nazeggen hou ik het hoofd gebogen zodat mijn ogen blijven rusten op de eenmaal gevouwen menukaart van dik crèmekleurig papier, voorzien van een dun lint van gouddraad, die naast mijn champagneglas staat. Ik hoefde tijdens het diner niet te lezen wat erop stond, want ik kende de tekst uit mijn hoofd. Ik had hem met de hand gezet en de kaarten op onze oude pers gedrukt. Leo en Andy namen het vouwwerk voor hun rekening, en Penny strikte de linten. De trouwkaarten hadden we ook met de hand gezet en gedrukt, en als onderdeel van het huwelijkscadeau hadden we grote fotoalbums gemaakt met een band van goudgetint kalfsleer, voor de bruiloftsfoto's. Maar nu ik hier zo sta, zie ik mijn handwerk staan en kijk goedkeurend naar de net niet regelmatig gezette, maar daardoor juist zo elegante belettering, wat niemand in de hele zaal overigens op zal vallen, behalve Penny en mij dan. Plotseling zie ik iets wat me naar adem doet happen op een manier dat ik mijn tong bijna inslik.

De ijstaart die we zojuist hebben gegeten was er een met frambozen en zwarte bessen en een saus van witte chocolade. Een prima keuze die ook erg lekker is uitgevallen.

Alleen zie ik nu dat ik frambozen als 'frambosen' heb gespeld.

Ik had het proefzetsel drie keer nagekeken en de fout toch over het hoofd gezien. Mel en ik hebben er jaren een sport van gemaakt om fouten in menu's op te sporen, om in onze verzameling op te nemen, en nu heb ik uitgerekend op de menukaart voor haar trouwerij een klassieke blunder neergezet.

Vol afgrijzen kijk ik naar haar op, maar Jasper heeft haar al bij de hand genomen. Volgens plan en exact volgens het tijdschema zullen ze de brede statige trap af dalen naar de balzaal met zuilenrij voor de eerste dans. Een aanzwellend applaus begeleidt hen terwijl ze tussen de tafels door schrijden. Ik kan mezelf wel voor mijn kop slaan, maar moet er eigenlijk ook hard om lachen, en degene met wie ik juist dit soort kleine geneugten van het leven al zo lang heb gedeeld, maar nu niet kan delen, is Mel. Ik mis haar nu al.

Dan voel ik een hand op mijn schouder.

Ik draai me om en kijk Paul in de ogen.

'Hè, gelukkig,' fluistert hij me toe, 'ik was bang dat je onder stroom stond.' Ik gooi mijn hoofd achterover en barst in schaterend gelach uit, zodat de broers van Mel zich naar me omdraaien. Ook Mel zal lachen als de foto's, het menu en de handtekeningen van de aanwezige gasten allemaal in de albums zijn geplakt en we samen herinneringen ophalen.

In de wervelende menigte dansenden zie ik Lola. Ze heeft het nog niet zo lang geleden uitgemaakt met Sam en haar gezicht ziet er deze avond nogal smalletjes en een beetje melancholiek uit. Ze trekt een hoop aandacht naar zich toe. Ze heeft zich gehuld in Teds parfum, Weeskind.

Toen ik het haar gaf, zette ze grote ogen op. 'Is het echt jouw eigen parfum? Opa heeft het echt alleen voor jou gemaakt, zodat niemands anders op de wereld ernaar kan ruiken?'

'Het enige flesje dat ervan bestaat, heb je nu in je hand.'

Ze voelde aan de goudkleurige dop. 'Maar… maar moet je hem dan niet zelf houden?'

'Ik draag nooit parfum, Lola. En dat ga ik niet doen ook. Hij is voor jou.'

'Maar ik ben geen weeskind. En ik vind het zo zielig voor je als ik eraan denk dat jij dat wel bent. Je was toch zielig?'

'Laten we de naam gewoon veranderen. Ik weet het al. We noemen het parfum Lola.'

'Néééé… Kan dat echt?' Ik zag haar ogen verrukt oplichten.

'Welja, natuurlijk kan dat.'

'Ik doe er nooit iets van op. Ik ben veel te bang dat het opraakt.'

'Philippe wil vast wel meer maken als het op is.'

'Echt waar? Dus ik kan altijd mijn eigen parfum op?'

'Ja, want daar deed opa het voor. Hij stopte dromen in een flesje.'

'Wat geweldig.' Lola zuchtte van genoegen. Ik wou dat Ted het had kunnen zien.

Ik dans met Graham, die zich overgeeft aan zijn befaamde elleboen-naar-buiten-knieën-naar-binnen-twist. Overal om ons heen zijn dansers, in drommen opeengeperst, en de muziek lijkt wel een beetje op die van Jerry's band, maar klinkt iets gepolijster. En de bandleden hebben allemaal dezelfde keurige jasjes aan. Jerry is er uiteraard niet, maar Cassie is ergens in de marge van mijn gezichtsveld druk in beweging. Ze heeft een blauw jurkje aan met een geweldige strik van achteren en ze is bijzonder trots op haar met een strook kant afgezette witte sokjes. De twee kleine bruidsmeisjes dansen met haar in een kringetje rond, allebei de uitputting nabij.

En ik zie Jack. Hij zit aan een tafel aan de zijkant met zijn onafscheidelijke vriend Max, en iets stiekems in hun houding zegt me dat ze aardig achter de champagne heen zitten. Straks zullen zich ongetwijfeld enige hobbels voordoen, maar wanneer gebeurt dat nu niet na een bruiloft?

Het is halfelf. Mel en Jasper staan op het punt te vertrekken en plotseling dringt iedereen op in de richting van de brede trap.

Mel heeft zich verkleed in een rode jurk en draagt haar leren jasje erover. Haar haar heeft ze losgemaakt en het hangt weer in weelderige krullen om haar hoofd. Haar ogen stralen. Ik zie dat Penny en Evelyn pal naast me staan. Penny houdt Cassie stevig bij de hand en Evelyn staat met de baby in haar armen. Mel en Jasper hebben even van boven aan de trap lachend naar beneden staan roepen, maar nu steekt Mel haar bruidsboeket de hoogte in, als de fakkel van het Vrijheidsbeeld. Jasper draait haar behoedzaam met haar rug naar ons toe.

Evelyn stoot me aan en overhandigt mij de baby. Hij is pas vijf weken oud, dit product van Jerry's onwillige gemeenschap met een jampotje. Ik strijk over zijn kleine ribbenkast en hij vertrekt zijn kleine frommelige donkere gezichtje. Zijn hoofdje bungelt tegen me aan en ik weet dat hij honger heeft, want ik voel zijn zoekende mondje in mijn hals, als een vederlichte kus. Als ik mijn hand onder zijn hoofdje leg, beweegt de huid over zijn nog zachte schedel.

Mels boeket beschrijft een grote lus en zeilt dan naar beneden. Een heel woud van armen strekt zich ernaar uit, maar Evelyn maakt een sprong als een basketballer. Ze vangt het boeket kundig op en begint dan op en neer te springen zodat haar prerafaëlitische haardos om haar hoofd deint. 'Ik heb hem, ik heb hem!'

Penny grijnst. Ze weet net zomin als ieder ander wat dit te betekenen heeft; niemand kan ooit uit Evelyn wijs.

De menigte wijkt een ietsepietsie uiteen, zodat Mel en Jasper er net doorheen kunnen. Buiten, onder aan nog een trap, staat een auto te wachten. Hij is met linten en vegen lippenstift versierd en aan de achterbumper zijn een heleboel blikjes vastgemaakt.

'O, nee, hè,' lacht Mel. Ze blaast ons een kus toe met haar brede rode mond en samen lopen ze de trap af. Het weer is omgeslagen en in de motregen zijn de straatlantaarns omgeven door een halo. We drommen om de auto heen, bonken op het dak en schreeuwen het bruidspaar gelukwensen toe. De auto begint langzaam te rijden en wij die achterblijven kijken hem na. De rode achterlichten nemen hun plaats in een hele rij in en vervagen. Terwijl de regen ons in het gezicht slaat, draaien we ons om. Mels glimlach staat me nog scherp voor ogen, als de lach van de kat van *Alice in Wonderland*, die overblijft terwijl al het andere vervaagt.

Weer binnen knipperen we allemaal even met de ogen in het felle licht. De band speelt nog, Mel heeft ons voor ze wegging een aantal schuifelnummers beloofd.

Ik zie Paul bij de deur staan. Ik baan me een weg naar hem toe en strek mijn handen naar hem uit. Hij pakt ze op de vertrouwde manier vast.

'Hallo, meneer Rainbird.'

'Hallo, mevrouw Rainbird. Zullen we een dansje maken?'

Ik bén mevrouw Rainbird.

Paul en ik zijn van de zomer getrouwd, precies een jaar na de eerste dag van het beleg in Turnmill Street.

Wij wilden niet zo'n opgeklopt bruiloftsfeest als dit. Pauls vader trad op als zijn getuige en Audrey, met Mels zegen, als de mijne. Jack en Lola waren erbij, maar verder helemaal niemand.

Maar ik was gelukkig, zoals ik nu ook gelukkig ben, en ik zou willen dat iedereen om mij heen net zo gelukkig was. Het is een verlangen dat ik maanden geleden ook bij Mel heb waargenomen en ik ervaar nu zelf hoe krachtig het is.

Vandaag lijkt de vervulling van deze wens wel heel dichtbij.

We beginnen te dansen, in langzame kringen ronddraaiend. Schuifelend.